# MÜNCHENER THEOLOGISCHE STUDIEN

IM AUFTRAG DER
KATHOLISCH-THEOLOGISCHEN FAKULTÄT
HERAUSGEGEBEN VON
STEPHAN HAERING, MANFRED HEIM, ARMIN KREINER

II. SYSTEMATISCHE ABTEILUNG

65. BAND

EOS VERLAG ERZABTEI ST. OTTILIEN

MÜNCHENER UNIVERSITÄTSSCHRIFTEN

KATHOLISCH-THEOLOGISCHE FAKULTÄT

Jan-Christoph Vogler

# Nulla veritas crescit?

Skizze zur Erstellung
einer katholischen Dogmenentwicklungstheorie

2004

EOS VERLAG ERZABTEI ST. OTTILIEN

Bibliographische Information Der Deutschen Bibliothek

Die Deutsche Bibliothek verzeichnet diese Publikation in der Deutschen Nationalbibliographie; detaillierte bibliographische Daten sind im Internet über http://dnb.ddb.de abrufbar.

ISBN 3-8306-7182-2



Gesamtherstellung: EOS Druck, D-86941 St. Ottilien

# Vorwort

Lieber Leser,

Theologie ist aus der Not geboren. Diese Not gründet sich auf zwei Säulen. Zum einen ist jeder Mensch immer wieder neu auf der Suche nach Gott. Zum anderen ist Gottes Offenbarung äußerst knapp im Verhältnis zur Fülle seines Wesens. Als Christen erkennen wir zwar das Wesen Gottes durch die Person Jesu Christi, aber selbst ein gläubiges Erfassen Jesu beendet nicht die Sehnsucht des Menschen nach Gott, sondern steigert sie vielmehr.
Den Durst nach dem lebendigen Wasser, das Christus ist, wird auch dieses Buch nicht löschen. Viele Probleme werden aufgezeigt. Eine Lösungsmöglichkeit wird präsentiert. Dabei war die Lösung Ergebnis des Prozesses und ging ihm nicht voraus. Die ursprüngliche Idee, die am Beginn dieses Buches vorhanden war, musste ich vollständig aufgeben. Man kann sich nicht die Aufgabe stellen, die gesamte Lehre der katholischen Kirche in einem großen Entwurf von Natur und Gnade verteidigen zu wollen. Man muss sich fragen, was wichtig ist und welche Prinzipien man vertreten will. Um diese Bereiche habe ich versucht, mich in diesem Buch zu kümmern. Von diesem Punkt aus ist man dann in der Lage – so hoffe ich –, das kirchliche Leben und einzelne Lehren der Kirche richtig einzuschätzen. Wenn das vorliegende Buch Ihnen, lieber Leser, dies ermöglicht, so würde es mich freuen.

Danken möchte ich zuerst und vor allem meinen Eltern für ihre langjährige Unterstützung und Liebe. Ohne sie wäre dieses Buch nicht möglich gewesen. Dank sagen möchte ich auch meinem Doktorvater, Seiner Exzellenz, Herrn Prof. Dr. Gerhard Ludwig Müller für seine langjährigen Bemühungen, mein theologisches Denken zu fördern und anzuregen. Ebenso möchte ich Herrn Prof. Dr. Pierfelice Tagliacarne für das Korrekturlesen danken. Seine Hinweise auf die Formalia einer Dissertation waren unschätzbar.

Traunreut, am Hochfest der Geburt des Herrn 2003

Jan-Christoph Vogler

# Inhalt

# Einleitung

Dogmengeschichtsschreibung ist ein Produkt der Aufklärung. Ihr Ziel sollte die Destruktion und Eliminierung des kirchlichen Dogmas sein. Denn das Dogma der Kirche stellte für die Verfechter der Aufklärung und des Rationalismus eine nicht hinzunehmende heteronome Fremdbestimmung des Menschen dar, die ihn daran hindert, seine Vernunft in vollem Umfang zu gebrauchen. Die Kirche und ihre autoritativ verbürgten Lehren bedrohten die Vernunftautonomie. Nur die Vernunft – so die aufgeklärten Geister jener Zeit – könne zu universalen Wahrheiten gelangen. Geschichtliche Ereignisse jedoch in ihrer Partikularität wären nicht notwendig und könnten auch nichts Notwendiges zum Leben des Menschen beitragen. Die Gottheit Jesu Christi, auf die sich die heteronome Fremdbestimmung der Kirche gründete, galt es, zu widerlegen und auszuschalten. Dazu musste sie als Produkt anderer, kontingent-immanenter Gründe hergeleitet werden (z. B. Feuerbach: Wunschprojektion). Nur so ließ sich die Freiheit des Menschen gegenüber der christlichen Religion begründen. Und so gab es die unterschiedlichsten Versuche, die Bedeutung Jesu herunterzuspielen – z. B. bei David Friedrich Strauß – oder das Dogma der Trinität als Produkt eines griechisch-johanneischen Synkretismus darzustellen – wie Adolf von Harnack[1] dies tat. Diese beiden Namen belegen bereits, dass sich diese Gedankenspiele überwiegend in reformatorisch geprägten Gebieten Deutschlands abspielten, da diese sich stärker mit der Aufklärung auseinander setzten als die katholischen Reichsgebiete.

Geschichtlich gesehen entstanden die Probleme mit der Tradition und die Frage nach der Autorität in der Kirche mit dem Ausbruch der Reformation. Martin Luther lehnte die Tradition als theologische Erkenntnisquelle ab und postulierte sein Sola–scriptura–Prinzip. Zugleich verwarf er damit die Autorität des Tradierten und die Autorität der Kirche bezüglich des Tradierten und stellte das Privaturteil des Einzelnen über alles Überlieferte.[2] Er tat dies, weil er zur Überzeugung gelangt war, dass alles kirchliche Leben, das sich entwickelt hatte, Abfall vom Urchristentum darstellt und damit den Weg zu Christus versperrt. Er warf der Kirche Neuerungssucht vor. Diese Neuerungen hätten den alten Glauben überfremdet und keinen Anhaltspunkt in der Schrift.

---

[1] Das soll nicht bedeuten, dass Strauß und Harnack bewusst und intentional die Entgöttlichung Christi betrieben hätten. Diese Entgöttlichung stellte jedoch das Ergebnis ihrer jeweiligen vom Rationalismus geprägten Überlegungen dar.

[2] Das Sola–scriptura–Prinzip steht zur Behauptung, das Privaturteil stehe über allem, nicht im Widerspruch, da die Bibel interpretiert werden muss. Interpret ist allerdings der einzelne Mensch, der seine Vorstellungen an die Schrift heranträgt und sie damit auslegt. Er legt die Schrift für sich aus und hat kein autoritatives Korrektiv (Tradition und Lehramt) zur Hand.

Sucht man daher in Melanchthons Confessio Augustana den Begriff „Tradition", so findet man ihn in Abschnitt XV, wo es heißt:

> „Darüber wird gelehrt, daß alle Satzungen und Traditionen, von Menschen dazu gemacht, daß man dadurch Gott versühne und Gnad verdiene, dem Evangelio und der Lehre vom Glauben an Christum entgegen sind."[3]

Luther hat hier zwar einen verengten Begriff von Tradition im Sinne von Bräuchen und Riten der Kirche. Dennoch hat sein Sola–scriptura–Prinzip, sowie die Reformation an sich, die Dogmen der Kirche in einen Rechtfertigungszwang gestellt.

Das Konzil von Trient beantwortet dieses Problem mit folgender Feststellung:

> „[…] perspiciensque, hanc veritatem et disciplinam contineri in libris scriptis et sine scripto traditionibus, quae ab ipsius Christi ore ab Apostolis acceptae, aut ab ipsis Apostolis Spiritu Sancto dictante quasi per manus traditae ad nos usque pervenerunt, […]".[4]

Diese Erklärung des Konzils ist eigentlich keine Antwort auf das Problem im Sinne einer theologischen Widerlegung Luthers, sondern einfach die Bekräftigung des Wertes der Tradition und damit auch der Dogmen, die ein besonderer Teil dieser Tradition sind. Zugleich konnten die Konzilsväter damit der These entgehen, die Kirche hätte Neues und Unbiblisches eingeführt, da man mit dieser Definition in der Lage war, Sachverhalte und Lehren, die sich nicht in der Schrift finden ließen, mittels einer zweiten materiellen Glaubensquelle, der mündlichen Tradition, zu begründen. Die Definition war daher eine Art „Befreiungsschlag" der Kirche gegenüber den Anfragen der Reformatoren. Mehr als ein Postulat, dass die Kirche so, wie sie ist, von Gott bzw. von Jesus Christus gewollt sei, war sie jedoch nicht.

Der Bruch in der Einheit der abendländischen Kirche beschleunigte die ansetzende Aufklärungsbewegung, insofern nichts mehr selbstverständlich war, da es de facto Menschen gab, die anders glaubten, dachten und lebten. Außerdem etablierten sich im evangelischen Bereich eigene Autoritäten und „Päpste", hierunter vor allem die Reformatoren mit ihren Schriften. So wurde der katholischen Tradition die evangelische Tradition entgegengesetzt, so dass Autorität gegen Autorität stand. Gerade dies relativierte diese Autoritäten für die Vertreter der Aufklärung. Aber nicht nur die Autorität des katholischen Lehramtes und der Tradition kam durch die Kirchenspal-

---

[3] Confessio Augustana XV, in: Die Bekenntnisschriften der evangelisch-lutherischen Kirche, Göttingen [4]1959.

[4] Heinrich Denzinger (hrsg. von Peter Hünermann), Kompendium der Glaubensbekenntnisse und kirchlichen Lehrentscheidungen, Freiburg u. a. [37]1991, Nr. 1501; „… und erkennend, daß diese Wahrheit und Lehre enthalten wird in den geschriebenen Büchern und in den ungeschriebenen Traditionen, welche vom Mund Christi selbst durch die Apostel empfangen wurden, oder seit den Aposteln durch den diktierenden Heiligen Geist – gleichsam wie eine übergebende Hand – auf uns gekommen sind, …".

tung in Verruf, sondern auch die Autorität der Schrift selbst wurde vor allem im Laufe des 19. Jahrhunderts in Zweifel gezogen. Man denke zum Beispiel an David Friedrich Strauß, für den die Schrift ein Mythen- und Märchenbuch darstellte, welches sich einem Schneeballsystem gemäß aufgebaut hatte. Es lassen sich als Beispiele aber auch Kants Epigonen, Nietzsche und Feuerbach, für die sich mit der Nicht-Existenz Gottes das Christentum und damit auch die Schrift erledigt hatte, anführen.

Die katholische Theologie setzte diesen neuen Thesen wenig entgegen außer einer vertieften Begründung ihrer verschiedenen Autoritäten. Nicht zuletzt leitete sich die Autorität der Kirche und ihres Lehramtes von der Autorität der Schrift und diese wiederum von der Autorität Christi her, welcher wahrer Gott ist. Damit war alles, was die Kirche bezüglich Glauben und Sitten sagte und lehrte, wahr und mit göttlicher Autorität verbürgt. Eine Diskussion über die Dogmen der Kirche und ihre Entstehung in der Geschichte war überflüssig. Außerdem ist eine Wahrheit zu jedem Zeitpunkt der Geschichte wahr. Wahrheit wird nicht, Wahrheit ist. Daraus folgt: Dogma wird nicht, Dogma ist. Und weil Dogma ist, kann es nur von Jesus Christus, dem Offenbarer, sein.

Man beschäftigte sich daher vor und nach dem Trienter Konzil nur mit der Frage nach der Definibilität eines Dogmas durch die Kirche. Diese Diskussion bewegte sich, der scholastischen Methode entsprechend, in den Bahnen einer syllogistischen Wissenschaftsauffassung. War z. B. ein Satz A „de fide“ klassifiziert, ein Satz B aber eine „natürliche“ Wahrheit, war dann die Konklusion aus beiden durch ein Konzil definierbar? Und war diese Konklusion nicht ein Zusatz zu dem feststehenden depositum fidei? Verschärft wurden diese Probleme noch durch die Übernatürlichkeit der Offenbarung, die man auf die von Gott „geoffenbarten“ Sätze übertrug, was dazu führte, dass die Sätze eigentlich nicht mittels der Vernunft gefunden werden hätten können, weil die Vernunft durch den Sündenfall die Fähigkeit zur Erkenntnis und Bewahrung übernatürlicher Wahrheiten eingebüßt hat.

Des Weiteren beschäftigte man sich nach dem Trienter Konzil mit der Frage der Rechtfertigung neuer Konzilsbeschlüsse, die

> „eine beachtliche Erweitung des Nicänisch-Konstantinopolitanischen Symbolums dar[stellen] und [...] den in den dazwischenliegenden Jahrhunderten vollzogenen Fortschritt in Erkenntnis und Formulierung des katholischen Glaubensgutes wider[spiegeln].“[5]

Geschichtliches Denken gab es bis ins 19. Jahrhundert kaum. Die große Welle geschichtlichen Denkens, welches die Renaissance angestoßen hatte, kam erst im 19. Jahrhundert anfanghaft ins katholische Bewusstsein. Aktueller Auslöser war vor allem die Hegel´sche Geschichtsdialektik, die die Welt, Gott und die Ethik in genialer Weise verband. Gleichzeitig führten

[5] Georg Söll, Dogma und Dogmenentwicklung [= Handbuch der Dogmengeschichte Bd. 1,5], Freiburg u. a. 1971, S. 160.

soziale Veränderungen aufgrund der ansetzenden Industrialisierung in Kombination mit einem repressiven Gesellschaftssystem nach dem Wiener Kongress 1815 zu einem romantischen Rückblick auf „die gute alte Zeit". Wann man diese Zeit ansetzte, lag ganz im Ermessen des jeweiligen Betrachters. Einige setzten sie im Mittelalter an, welches als Zeit des Minnegesangs und der edlen Ritter idealisiert wurde. Andere, hierunter vor allem die seit dem 16. Jahrhundert existierenden Humanisten, setzten sie in der Antike an und fühlten sich mit Homer, Platon, Aristoteles, Cicero und Seneca verbunden. Die christliche Entsprechung dieser beiden Richtungen war zum einen die neuscholastische Thomasforschung, die vor allem den sogenannten „ultramontanen" Theologen Wegweiser für ihre Theologie darstellte, zum anderen die Erforschung der Kirchenväter und Apologeten, welche den sogenannten „deutschen" Theologen der „Tübinger Schule" zugeordnet wurde.[6] Während jedoch Thomas und seine Metaphysik dafür benutzt wurden, die Lehre der Kirche ewig und entwicklungsfrei zu halten, versuchten Johann Adam Möhler und Johann Ev. Kuhn mehr die Dynamik des Heiligen Geistes in die Theologie einzubringen, indem sie Entwicklung zugestanden, die sie allerdings unter der strengsten Kontrolle des Heiligen Geistes ablaufen sahen. Etwa zur gleichen Zeit verfasste John Henry Newman seinen „Essay on the Development of Christian Doctrine", um seine Konversion zum katholischen Glauben vor sich selbst zu rechtfertigen. Dieser Essay stellt bis heute die Grundlage zur Beschreibung von Lehrentwicklungen innerhalb der katholischen Theologie dar. Er fasst das Christentum als eine von Gott gestiftete Idee auf, die sich im Laufe der Zeit in ihre Aspekte und Konsequenzen entfaltet. Für Newman steht fest: „In a higher world it is otherwise, but here below to live is to change, and to be perfect is to have changed often."[7]

Diese Sicht konterkarierte die damals gängige Auffassung, dass das Christentum einen perfekten Start hatte, den es galt, möglichst zu konservieren, indem man ihn unverändert von einer Generation auf die nächste transplantiert. Newmans Konzept war mit der damals gängigen neuscholastischen Theologie nur schwer vereinbar und brachte ihn öfters in den Verdacht der Heterodoxie. Der Idee, die sich in der Geschichte entfaltet, stand der monolithische Block des geoffenbarten depositum fidei gegenüber, der nur die Zustände „bekannte Wahrheit" und „noch nicht bekannte Wahrheit" zuließ. Dass sich Wahrheit und Dogma in der Geschichte erst entwickeln könnten, hielt man für unvorstellbar – musste sich doch jegliches Dogma

[6] Ob diese Zuordnungen berechtigt sind, sei dahingestellt.

[7] John Henry Newman, Essay on the Development of Christian Doctrine, London, New York 1960, C1 S1 Nr. 7, S. 29f., „In einer höheren Welt mag es anders sein, aber hier unten bedeutet Leben Veränderung, und Vollkommenheit bedeutet, sich oft verändert zu haben".

auf Jesus Christus zurückführen lassen. „Nulla veritas crescit."[8] hält Giovanni Perrone, ein römischer Jesuitentheologe, Newman entgegen. Newman entgeht den Vorwürfen gegen seinen Essay, indem er ihn in die Sprache der römischen Theologie seiner Zeit übersetzt.

Im allgemeinen aber blieb die katholische Welt von dem Problem der Dogmengeschichte bis Ende des 19. Jahrhunderts unberührt. Dies war auch durch die gängige nachtridentinische Theologie bedingt, die die „Tradition" als Wunderwaffe zur Rechtfertigung ihrer Dogmen einsetzte. Man vertrat sozusagen eine „Zwei–Quellen–Theorie" der Offenbarung. Die ganze Offenbarung war enthalten in Schrift und Tradition, aber nicht in Schrift alleine oder Tradition alleine. Als Konsequenz führte man all jene Dogmen, die sich nicht eindeutig aus der Schrift begründen ließen, auf mündliche apostolische Tradition in der Kirche zurück. Ja, man konnte sogar behaupten, Jesus selbst hätte diese Dogmen seine Jünger gelehrt und die Kirche hätte diese mündlich tradiert, bis ein Konzil sie schließlich aufschrieb. Diese Sicht erwies sich im Zuge der beginnenden geschichtlichen Forschung des 19. Jahrhunderts als nicht mehr haltbar. Denn wenn die apostolische Tradition so eindeutig ein Dogma überlieferte, wieso gab es dann Streit über diese Frage und ein Konzil, um den Streit zu lösen? Andererseits, wenn Offenbarung Mitteilung heilsrelevanter Lehren ist und die Dogmen der Kirche laut ihrem eigenen Zeugnis allesamt offenbart sind, müssen diese Lehren nicht von Jesus gelehrt worden sein? Wenn sie das nicht sind, sind diese Lehren dann vielleicht implizit in expliziten Lehren Jesu enthalten – als deren Bedingung oder Konsequenz? All diese Fragen beschäftigten die katholische Theologie. Zusätzlich zu diesen Problemen kam die philosophische Rezeption hinzu, die mit ihren epistemologischen Thesen das Problem der Erkenntnis der Offenbarung noch vergrößerte. Aber auch die Naturwissenschaften mit ihren Erkenntnissen zwangen die Theologie zu Rückzugsgefechten, die eine Neubestimmung erforderten, was offenbart sei und was nicht, wie sich Wunder mit den neu entdeckten Naturkausalitäten vereinbaren ließen und vieles andere mehr. An einem konkreten Beispiel demonstriert: Das ptolemäische Weltbild war der Denkhorizont biblischer Autoren (vgl. Elias Himmelfahrt, Christi Himmelfahrt usw.). Die Frage war also, ob man diesen Denkhorizont aufgeben durfte. Denn dies bedeutete letztlich, den Literalsinn der Schrift in Frage zu stellen. Da erschien das Beharren auf dem traditionell Bewährten leichter, als sich diesen Problemen zu stellen.

Veranschaulichen lässt sich dies an einem Film, der 1956 gedreht wurde: „The Ten Commandments" von Cecil B. deMille mit Charlton Heston in der Hauptrolle. Dieser spielt darin den Mose, der von Gott am Sinai die Zehn Gebote erhält. Dazu steigt Gott in einer Gewitterwolke herab und umhüllt den Berg. Mose hat zwei steinerne Tafeln vorbereitet und Gott

[8] Giovanni Perrone SJ, in: Thomas Lynch, The Newman-Perrone Paper on Development, in: Gregorianum 13, Rom 1935, S. 420.

beschreibt diese, indem er einen Blitz aus der Wolke auf die Tafeln hernieder fahren lässt, um dort Worte einzugravieren. Dies belegt zweierlei. Zum einen wollte man den Film möglichst schriftnah verfilmen, ohne sich den schon damals offenkundigen theologischen Herausforderungen eines solchen Ereignisses zu stellen – vielleicht auch aus Effekthascherei, da solche Effekte das Publikum sehr beeindrucken. Zum anderen bewirkt die Visualisierung eine Glaubwürdigkeit, die ohne sie kaum denkbar wäre, so dass man erahnen kann, wieso solche supernaturalistischen Vorstellungen von Offenbarung – auch ohne Visualisierung – für Menschen glaubhaft waren und sind.

Diese Vorstellung von Offenbarung auf das Neue Testament und die Offenbarung durch Jesus Christus hin angewandt, wäre einfach und verständlich. Jesus tut die heilsrelevanten Wahrheiten seinen Jüngern kund. Mit dem Kunstgriff der „Tradition" werden diese Wahrheiten weitergegeben, bis sie in der Schrift und auf Konzilien ihre endgültige Niederschrift finden. Auch wenn diese Vorstellung logische Plausibilität besitzt, so stehen ihr dennoch die geschichtswissenschaftlichen Erkenntnisse entgegen. Doch diesen Erkenntnissen schenkte das Lehramt zu Beginn des 20. Jahrhunderts zunächst einmal wenig Glauben. Sie wurden als Bedrohung aufgefasst, nicht nur dem Glauben und dem Dogma gegenüber, sondern auch dem eigenen Anspruch gegenüber, die Wahrheit genau zu kennen und sie sich nicht von einer anderen Wissenschaft vorgeben zu lassen. So lässt sich zu Beginn des 20. Jahrhunderts eine Tendenz innerhalb des Lehramtes aufweisen, die auf die Eliminierung aller geschichtlichen Erkenntnisse abzielt.[9] Denn die bisherigen und ungeschichtlichen Sichtweisen hatten in ihrer Einfachheit große Vorzüge. Konzilien zum Beispiel wären dann nicht mehr Streit- und Debatierklubs, bei denen es hoch hergeht, sich Politik, Macht und Glaube begegnen und der ein oder andere Häretiker auf dem Scheiterhaufen landet (z. B. Johannes Hus), sondern Zusammenkünfte, bei denen in großer Einmütigkeit und mit dem Apostelkonzil als Vorbild der Glaube der Apostel kundgetan wird. Auf das Bild des zuvor zitierten Films könnte man diese Vorstellung so übertragen: Der Berg Sinai ist das ökumenisches Konzil, Mose heißt „Papst" oder „Bischofskollegium" und die Konzilsbeschlüsse und Dogmen wären die Zehn Gebote. Der Heilige Geist offenbart durch die Bischöfe als Instrument die Wahrheit Gottes und seinen Willen. Diese Sicht ist nicht falsch, aber eine Simplifizierung der Wirklichkeit.

---

[9] Vgl. Antwort der Bibelkommission vom 23. Juni 1905 zum Thema des Literalsinns der Schrift (DH 3373); vgl. Antwort der Bibelkommission vom 27. Juni 1906 zum Thema der Verfasserschaft des Pentateuchs (DH 3394-3397); vgl. Antwort der Bibelkommission vom 29. Mai 1907 zum Thema der Historizität des Johannesevangeliums und seines Verfassers (DH 3398-3400); vgl. das Dekret „Lamentabili" vom 3. Juli 1907 zum Thema der Irrtümer der Modernisten (DH 3401-3466); vgl. Antwort der Bibelkommission vom 29. Juni 1908 (DH 3505-3509) und vom 30. Juni 1909 (DH 3512-3519) zu den Themen „Jesaija" und „Genesis".

Einen Richtungswechsel vollzog das Zweite Vatikanische Konzil, das beschloss, sich den Herausforderungen der gegenwärtigen Zeit, ihren Wirklichkeitsauffassungen und ihren philosophischen und ethischen Anschauungen zu stellen. Die Geschichte sollte nicht mehr nur die Munitionskiste sein, mit deren Hilfe Kirchenkritiker gegen die Autorität der Kirche und ihrer Lehre schossen – so wie die Reformatoren dies getan hatten –, sondern sollte ein Ort sein, indem sich christliche Freiheit gut und schlecht kategorialisiert hat. Das Schlechte, die Fehlentwicklungen hat dieses Konzil versucht, aufzuarbeiten, und hat dementsprechend die liturgische Praxis der Kirche verändert, sowie ihr Selbstverständnis verbessert und die Sicht auf die Offenbarung modifiziert.

Durch das Vatikanum II. kam die Theologie in eine starke Modernisierungsbewegung, die das päpstliche Lehramt lange Zeit pauschal als „Modernismus“ abgetan hatte. Gerade deshalb hat es kein Theologe nach Karl Rahner auf sich genommen, eine Dogmenentwicklungstheorie vorzulegen. Das Thema ist aufgrund der neugewonnenen geschichtlichen Sicht auf die Offenbarung, die Kirche und die Theologie nach dem Zweiten Vatikanischen Konzil mit so vielen Problemen behaftet, dass eine umfassende Auseinandersetzung eine Lebensaufgabe zu sein scheint. Es müssen nicht nur alle fundamentaltheologischen Probleme diskutiert werden, sondern auch wissenschaftstheoretische, philosophische, soziologische und dogmatische Probleme. Zudem scheint das Problem in einer aporetischen Sackgasse zu stecken, die eine Behandlung des Themas überflüssig erscheinen lässt. Denn die Dogmatik, oder besser gesagt: der Glaube der Kirche, geben bestimmte Inhalte für jede katholische Dogmenentwicklungstheorie vor, die diese letztlich unglaubwürdig machen. So ist die Offenbarung mit der Himmelfahrt Christi abgeschlossen. Normativ für die Kirche ist der Glaube der Apostel. Diesen Glauben zu besitzen, garantiert jedem/jeder, der/die ihn besitzt, das ewige Leben, die Gemeinschaft mit Gott. Außerdem ist das Objekt des Glaubens derselbe: „Christus ist derselbe gestern, heute und in Ewigkeit“ (Hebr 13,8). Das Leben der Kirche bezieht sich daher naturgemäß auf das Christusereignis in der Vergangenheit. Nun lässt sich aber andererseits ein Zuwachs an Glaubensformeln feststellen. Es tauchen Formeln auf, die es vorher nicht gab und deren Inhalte den Aposteln so explizit nicht bekannt waren. Will die Kirche diese Glaubensinhalte als Dogmen – und damit in der Offenbarung enthalten – vorlegen, so muss sie erklären, wieso die Apostel sie nicht kannten, bzw. wieso diese Glaubensinhalte nicht in den Schriften des Neuen Testaments stehen, das – der Überlieferung nach – von den Aposteln oder ihren Schülern geschrieben wurde.

Die Lösungen für dieses Problem sind vielfältig. Zum einen kann man behaupten, die Apostel hätten das betreffende Dogma nur mündlich gelehrt, das betreffende Konzil es explizit vorgelegt. Doch dies ist als geschichtliche Fiktion offensichtlich. Oder man behauptet, die neue Lehre sei implizit in der expliziten Lehre der Apostel enthalten. Diese These sagt – genau analysiert – jedoch nur, dass zu einem Zeitpunkt A etwas nicht vorhanden war, was an Zeitpunkt B vorhanden ist, und dass beide Zeitpunkte miteinander durch ein postuliertes Kontinuum zutun haben, insofern an B nur das gesagt wird, was an A schon gedacht worden sein muss. Verschärft wird dieses Problem mit der Übernahme aristotelischer Kategorien. Denn das Problem der Dogmenentwicklung muss ab dem Mittelalter jenen statischen Kategorien von Substanz und Akzidens genügen. Die Substanz jedoch darf sich nicht verändern, weil sonst das Christentum nicht mehr Christentum wäre. Dementsprechend vollzieht sich Dogmenentwicklung akzidentell. Daher muss es jedes Dogma bereits zur Zeit Jesu gegeben haben, um letztlich die Akzidentalität einer „Entwicklung" nicht zu gefährden. Selbst John Henry Newman musste zwischen der Skylla einer geschichtlichen Entwicklung und der Carybdis der Akzidentalität dieser Entwicklung einen Weg finden. Daher lassen sich alle katholischen Autoren, die sich diesem Problem gestellt haben und deren wichtigste Vertreter im ersten Teil dieser Arbeit exemplarisch aufgeführt werden sollen, auf die Explikation von Impliziten reduzieren, egal ob sie dies noetisch, organisch oder dialektisch entwickeln, da sie diese „Vorgaben" der Theologie als Christen einerseits nicht aufgeben können, sich andererseits aber aufgrund dieser Präposita nicht „unvorbelastet" dem Thema stellen können.

Einen anderen Weg konnte Adolf von Harnack aufgrund seines protestantischen Erbes einschlagen.[10] Für ihn gab es nur eine substantielle Dogmen- und Lehrentwicklung. Das Christentum ging nach ihm im Laufe der ersten Jahrhunderte verloren, bis Martin Luther es wiederfand. Dazwischen wurde es langsam von der hellenistischen Kultur aufgesogen, so dass nur der Name übrig blieb, der Inhalt jedoch mit Jesus nichts zu tun hatte.

Im Wesentlichen lassen sich dementsprechend drei Theoriemodelle unterscheiden. Zum einen ein statisches Modell, welches Entwicklung ablehnt und alles in der Lehre der Apostel begründet (geschichtslose Identität). Zum zweiten ein dynamisches Modell, welches Entwicklungen aus der Explikation von Implizitem erklären will (Kontinuität in der Geschichte). Zum dritten ein revolutionäres Modell, welches keinen Wert auf Kontinuität in der Entwicklung legt, sondern Gestaltungsfreiheit für Glauben und Kirche annimmt. Dieses letzte Modell jedoch macht hierfür bestimmte theologische und philosophische Voraussetzungen. Die erste und wichtigste Voraussetzung ist die Leugnung jeglichen Geistwirkens. Denn, wenn es Brüche in der Dogmengeschichte gibt, wenn es substantielle Dogmenentwicklung gibt, dann kann es kein Wirken des Heiligen Geistes geben. Gibt es dies aber

[10] Bereits Luther forderte in seiner Schrift „An den christlichen Adel deutscher Nation von des christlichen Standes Besserung" , die Theologie von der Umklammerung des Aristoteles zu befreien und von den Universitäten zu verbannen (vgl. D. Martin Luthers Werke Bd. 6, Weimar 1888, S. 458).

nicht, so ist die Bibel mit ihren Aussagen wie „Wenn aber der Beistand kommt, den ich euch vom Vater aus senden werde, der Geist der Wahrheit, der vom Vater ausgeht, dann wird er Zeugnis für mich ablegen." (Joh 15,26) leeres Gerede. Die Trinität wäre ein Irrtum, Jesus von Nazareth wäre kein Christus, die Kirche eine rein soziologische Größe, ein Wellness-Klub für die Seele. Anders ausgedrückt: Jede Dogmenentwicklungstheorie benötigt Kontinuität als eines ihrer Hauptprinzipien. Philosophisch schließen diese revolutionären Modelle an die Gottesabwesenheit des Deismus und die rationalistische Leugnung übernatürlicher Offenbarung an. Des Weiteren orientieren sich diese Modelle weitgehend an der Erkenntnisordnung und schließen philosophisch an idealistische Erkenntnistheorien an. Dies schlägt sich auch nieder im wissenschaftstheoretischen Ansatz, der von ihnen vertreten wird. Daraus wird ersichtlich, dass eine philosophische Betrachtung bei der Behandlung dieses Themas unumgänglich ist.

Dies ist nur ein Ausschnitt der Probleme, mit denen Dogmenentwicklungstheorien in der Neuzeit zu kämpfen haben. Aber auch in der Theologie gibt es neue Entwicklungen, die das Erstellen einer Arbeit zu diesem Thema nicht erleichtern. Durch ein vertieftes Offenbarungsverständnis auf dem Zweiten Vatikanischen Konzil ergaben sich Veränderungen und neue Möglichkeiten, eine Dogmenentwicklungstheorie zu konstruieren. Denn Gott offenbart nicht auf seine Autorität hin zu glaubende Inhalte, die adäquat in Sätze gegossen werden können, so dass der Satz quasi von Gott selbst gesprochen worden ist, sondern er offenbart sich, sein Wesen und damit seinen Willen, weil er den Menschen, d. h. alle Menschen (1 Tim 2,4), aus reiner Gnade als Bundespartner erwählt und in seine Gemeinschaft gerufen hat. Offenbarung hat daher eine inhaltliche Komponente, die sich in Sätzen ausdrückt, sowie eine affektive, subjektive und existentielle Komponente. Da Gott sich nicht jedem Menschen erneut offenbart, sondern seine öffentliche Offenbarung mit Jesus Christus ihren Höhepunkt und ihr Ende gefunden hat, ist die Menschheit von da an auf die inhaltliche Vermittlung dieser Offenbarung angewiesen, um selbst in die Beziehung zum sich offenbarenden Gott einzutreten (Glaube). Diese inhaltliche Vermittlung geschieht vor allem durch das Bekenntnis der Kirche, vermittelt in menschlichen Sätzen und gelebtem Glauben. Die Sätze bleiben allerdings apriori stets hinter dem zurück, was sie bezeichnen wollen, so dass der gelebte Glaube das gesprochene Bekenntnis mit Leben füllt und es existentialisiert. Dennoch bleibt das Wort die beste und höchste, wenn auch nicht die einzige Form menschlicher Kommunikation. – Nicht umsonst wird die zweite göttliche Person das „Wort Gottes" genannt, welches Mensch geworden ist, und damit die beste und höchste Form der Kommunikation zwischen Gott und Mensch ermöglicht hat. – Diese Umsetzung der Offenbarung ins Wort verlangt eine differenzierte Sicht auf die Offenbarungssätze. Es ist der Inhalt von der Form zu unterscheiden. Anders gesagt: Nicht der Satz als solcher ist geoffenbart, sondern der Satz entspricht mehr oder weniger den Taten, dem Wesen oder dem Willen des sich selbst mitteilenden Gottes. Der Satz ist nur ein Medium. Dies wiederum eröffnet aber Spielräume, die es vor dem Zweiten Vatikanum offiziell nicht gab.

Der Satz interpretiert geschichtliche Fakten und er transportiert Inhalte, aber nie so, dass man es nicht möglicherweise besser formulieren könnte. Außerdem, wenn Offenbarung sich in der Geschichte ereignet, so spielt bei dem, der sie erkennend empfängt, immer ein kulturell-geistesgeschichtlicher Horizont mit, in den er die Offenbarung Gottes einordnet. So macht folgende Aussage in einem bestimmten Weltbild ihren Sinn: „Als er das gesagt hatte, wurde er vor ihren Augen emporgehoben, und eine Wolke nahm ihn auf und entzog ihn ihren Blicken“ (Apg 1,9). Das gleiche Bild jedoch gibt im heutigen geistesgeschichtlichen Horizont, für den Wolken kondensierter Wasserdampf ohne Tragfähigkeit sind und bei dem über dem Himmel ein unendliches Weltall ohne Überlebensmöglichkeit für Menschen besteht, keinen Sinn. Der geistesgeschichtliche Horizont kann dieser Erkenntnis entsprechend noch einmal vom „Offenbarten“ getrennt werden. Das Problem hierbei besteht darin, zu erkennen, was „geschichtliches Amalgam“, wie Rahner dies nennt, und was Offenbarung ist.

All diese Differenzierungen, die die Theologie- und Philosophiegeschichte offengelegt haben, konnten nach dem Zweiten Vatikanum zum ersten mal bedenkenlos angesprochen werden, weil laut Lehre des Konzils dies nicht die Autorität der kirchlichen Lehren untergräbt, sondern hilft, diese Lehren als wahr zu „beweisen“[11]. Eine weitere Veränderung brachte die Forschung Josef Rupert Geiselmanns und Hubert Jedins bezüglich des Traditionsbegriffs. Sie zeigten auf, dass man das Trienter Konzil mit seinem berühmten „et – et“ nicht nur im Sinne eines „partim – partim“ betrachten kann, und setzten sich dafür ein, den Traditionsbegriff in Anlehnung an die Tübinger Schule des 19. Jahrhunderts im Sinne von „lebendiger Tradition“ zu fassen. Tradition ist als keine zweite mündliche Offenbarungsquelle anzusehen, die man zur Apologetik der kirchlichen Praxis beliebig einsetzen kann, sondern als das durch das Leben der Kirche geschaffene Objekt, welches aufgrund der Führung durch den Heiligen Geist normativ in einer Kirche sein muss, die sich katholisch und apostolisch nennt. Normativ bedeutet jedoch nicht, dass sich die Kirche zur Gefangenen ihrer eigenen Vergangenheit macht, sondern dass sie das Gewesene in Ehren hält, alles prüft, das Gute behält und das Böse verwirft (1 Thess 5,21f.). Das „geschichtliche Amalgam“ über Bord zu werfen, das Wahre und Gute vom Schlechten und Menschengemachten zu trennen und somit die Kirche zu erneuern, stellt eine der schwierigsten Aufgaben dar, denen sich die Kirche und vor allem

[11] Die Beweiskraft des Glaubens hängt immer von der Erleuchtung der einzelnen Vernunft durch den Heiligen Geist ab (lumen supernaturale).

das Lehramt der Kirche stellen muss. Das Leben der Kirche zu untersuchen, stellt einen sehr umfangreichen und komplexen Vorgang dar. Man steht bei einem solchen Versuch auch ständig in der Gefahr, entweder das Leben der Kirche „von oben" zu beschreiben und Geschichte zu harmonisieren oder aber sich induktiv einer Dogmenentwicklungstheorie nähern zu wollen und kein göttliches Wirken in der Kirche mehr zu sehen. Sich „von oben" anzunähern bedeutet, das Leben der Kirche so zu sehen, wie es sein sollte. Anders gesagt: Man betrachtet das Leben der Kirche von der Seinsordnung her und damit aus der Perspektive Gottes heraus. Diese Betrachtungsweise trägt daher einen Hang zur Apologetik in sich. Induktiv sich dem Problem zu nähern, bedeutet der Auffassung anzuhangen, als könne man das Leben der Kirche in der Geschichte analysieren – Fakten sammeln – , um dann induktiv zu einer schlüssigen Theorie zu kommen, die zur Geschichte passt und genauso plausibel ist wie eine Hypothese in den Naturwissenschaften, in denen von einer Naturbeobachtung zu einer Formel geschritten wird. Beide Ansätze alleine führen jedoch in der Theologie nicht zum gewünschten Ziel. Nur eine Synthese beider kann eine Theorie plausibel machen, wobei dem deduktiven Zugang ein gewisser Vorrang einzuräumen ist. Diese Synthese kann nur darin bestehen, die Vorgaben des Glaubens zu einem Ausgleich mit den geschichtlichen Fakten zu führen, zugleich aber wissend, dass diese deduktive Methode einen bestimmten Leserkreis dieser Arbeit gegenüber abgeneigt machen wird, da sie die Vorgaben des Glaubens nicht teilen. Dieses Schicksal teilt sie mit allen bisherigen dogmenentwicklungstheoretischen Ansätzen. Apologetik dient daher auch nur der rationalen Vergewisserung der „eigenen" Gläubigen und nicht der Überzeugung von Nicht-Katholiken oder Nicht-Christen. Daher versteht sich das nachfolgende Werk als Diskussionsbeitrag innerhalb der katholischen Theologie.

Da es nie eine Theorie über den Verlauf von Geschichte geben wird, die von allen geteilt werden wird, noch eine Theorie, die zu allen geschichtlichen Fakten passen wird, erweist sich das Thema dieser Arbeit als äußerst undankbar. Weil alle grundlegenden Fragen von Theologie und Philosophie behandelt werden müssen, ergeben sich eine Menge Thesen, die, einzeln betrachtet, allein schon eine eigene Untersuchung wert wären, und denen somit widersprochen werden kann. Dies stellt den Hauptgrund dar, warum Theologen sich nicht ausgiebig mit dem hier zu behandelnden Thema befassen. Es handelt sich um ein Thema, das sich bestens dazu eignet, von anderen Theologen (Fundamentaltheologen, Dogmatiker und vor allem Kirchengeschichtlern) und dem kirchlichen Lehramt auseinander genommen zu werden. „Oberflächlich, nichts-sagend, aus der Luft gegriffen" sind mögliche Prädikate bei der Wahl eines deduktiven Ansatzes mit dem Anspruch, den geschichtlichen Fakten und philosophischen Entwicklungen genügen zu wollen. Daher trägt diese Arbeit auch nur den Titel „Skizze". Zudem begegnet diese Skizze dem Problem, dass die Geschichte einen Ort menschlicher Freiheiten darstellt, die sich von vorneherein einer Regel zu entziehen scheinen. Wozu sollte sich ein Theologe also mit einem Problem beschäftigen, welches aufgrund menschlicher Freiheit als unlösbar erscheint? Verbunden mit dem Faktum menschlicher Freiheit ist das Problem der Bewahrung von Inhalten, von Tradition trotz dieser Freiheit. Im Anschluss daran stellt sich die Frage nach der Autorität. Können Autoritäten Wahrheit und Kontinuität garantieren? Und kann es sich die Theologie heute noch leisten, sich auf das Autoritätsargument zur Begründung ihrer dogmatischen Positionen zurückzuziehen?

Aus dem Gesagten wird die Gliederung des nachfolgenden Textes bereits ersichtlich. Im ersten Teil geht es – nach einer kurzen Grundlegung der Begriffe – um die Darstellung der wichtigsten katholischen Theorien zum Problem der Dogmenentwicklung. Der Darstellung eines Autors folgt dabei ein Würdigungskapitel, das dazu dient, zum einen die Denkansätze des Autors zu ehren, gleichzeitig aber auch weiterführende Fragen zu stellen, um so das Bewusstsein für die Problematik des Dogmenentwicklungsthemas zu schärfen. Ziel dieses ersten Teils stellt dementsprechend nicht die Vollständigkeit aller bisher vorgetragenen katholischen Ansätze zum Problem der Dogmenentwicklung dar, sondern nur eine vertiefte Sensibilisierung für das Thema. Der erste Teil der Arbeit stellt nicht den Anspruch, sich z. B. mit der Newman-Forschung messen zu können oder die Spezialforschung zu einem der anderen Autoren ersetzen zu wollen oder zu können. Die Kapitel zu den einzelnen Autoren verfolgen das Ziel, sich den jeweiligen Texten der Autoren zu stellen, sie zu interpretieren, um daraus Erkenntnisse für den zweiten Teil der Arbeit zu gewinnen, gemäß dem biblischen Motto: „Prüft alles und behaltet das Gute“ (1 Thess 5,12)! Wer eine umfassende Darstellung aller bisherigen katholischen Positionen zum Problem der Dogmenentwicklung sucht, sei auf die Dissertation von Herbert Hammans[12] und Georg Sölls Buch zu diesem Thema[13] hingewiesen. Des Weiteren sei auf die Dissertation von Rolf J. Pöhler[14] verwiesen, der die erwähnte Einteilung von Dogmenentwicklungstheorien in drei Grundrichtungen entnommen ist. Adolf von Harnacks Vorlesung „Über das Wesen des Christentums“, die eine Zusammenfassung seiner Positionen, die seiner dreibändigen Dogmengeschichte zugrunde liegen, bietet, wird zum Schluss des ersten Teils als Kontrapunkt und exemplarisch für alle revolutionären Dogmenentwicklungstheorien angeführt. Die meisten dieser revolutionären Theorien firmieren heute jedoch unter dem Namen „pluralistische Theologie“, die

[12] Herbert Hammans, Die neueren katholischen Erklärungen der Dogmenentwicklung, Essen 1965.

[13] Georg Söll, Dogma und Dogmenentwicklung [= Handbuch der Dogmengeschichte Bd.1,5], Freiburg u. a. 1971.

[14] Rolf J. Pöhler, Continuity and Change in Christian Doctrine. A Study of the Problem of Doctrinal Development [Diss. Berrien Springs 1995], Frankfurt a. M. u. a. 1999.

eine Abschreibung des Dogmas – aufgrund von relativistischen, agnostizistischen oder historizistischen Gründen – ihren Überlegungen zugrunde legen, ebenso wie Harnack es als griechischen Geist auf dem Boden des Christentums als unchristlich ablehnte. Im zweiten Teil soll dann der Versuch eines möglichen Ansatzes zu einer katholischen Dogmenentwicklungstheorie gegeben werden. Die Denkansätze Newmans und Rahners dienen hierfür als Vorlage. Zuerst werden philosophische und hierauf fundamentaltheologische Probleme besprochen. Ziel dieses zweiten Teils besteht darin, zum einen den Vorgaben, die die Offenbarung Gottes in seinem Wort, Jesus Christus, stellt, gerecht zu werden und zum anderen einer faktischen Entwicklung Rechnung zu tragen. Leitidee dabei soll die oben zitierte Einsicht Newmans sein, dass das Leben der Kirche Veränderungen mit sich bringt. Und da die Lehre der Kirche immer Teil und Spiegel kirchlichen Lebens ist, so nimmt sie auch Teil am Zwang sich verändern zu müssen, damit die Kirche die Braut ihres Bräutigams bleibt.

# I. Teil

## 1. Begriffsklärung „Dogma“ und „Dogmenentwicklung“

Am Anfang soll eine kurze Klärung für die Begriffe stehen, die im ersten Teil dieser Arbeit vorkommen. Der Begriff „Dogma“ ist erst in der Neuzeit zu einem theologischen Fachterminus aufgestiegen. Er löste die im Mittelalter üblicheren Ausdrücke „articulus fidei“ und „doctrina fidei“ ab. Obwohl in der Heiligen Schrift bezeugt[15], wurde der Begriff in das Mittelalter nicht übernommen. Dies lässt sich vermutlich darauf zurückführen, dass die lateinischen Kirchenväter „δόγμα“ zur „Bezeichnung häretischer Sonderlehren“[16] verwendeten, auch wenn die griechischen Kirchenväter unter dem Begriff die Glaubenswahrheiten verstanden. Erst das Konzil von Trient verwendet den Begriff wieder im selben Sinn wie die griechischen Väter. Von da an entwickelt er sich zu einem Fachterminus weiter, bis das Lehramt auf dem Ersten Vatikanischen Konzil den Inhalt genauer bestimmt, ohne aber eine Begriffsdefinition zu geben.

Was besagt also der Begriff „Dogma“? „Bestimmend für das allgemeine Verständnis und die wissenschaftliche Theologie wurde das Verständnis des I. Vatikanums, das Dogma als formell geoffenbarte und von der Kirche vorgelegte und daher zu glaubende Wahrheit definierte.“[17] Ludwig Ott schreibt in seiner 1952 entstandenen Dogmatik dazu:

> „Unter Dogma im strengem Sinn versteht man eine von Gott unmittelbar (formell) geoffenbarte Wahrheit, die vom kirchlichen Lehramt als solche zu glauben vorgelegt wird.“[18]

Dieses Dogmenverständnis ist nach wie vor ein gängiges Verständnis nicht nur unter Nicht-Christen und christlichen Laien, sondern auch unter Theologen. So wird der Begriff als Sinnbild heteronomer Fremdbestimmung gesehen, den der aufgeklärte und denkende Mensch zu überwinden habe, auch wenn der 1993 promulgierte Katechismus der katholischen Kirche etwas vorsichtiger formuliert:

> „Das Lehramt der Kirche setzt die von Christus erhaltene Autorität voll ein, wenn es Dogmen definiert, das heißt wenn es in einer das

---

[15] Vgl. Lk 2,1; Apg 17,7; Eph 2,15; Kol 2,14.

[16] Georg Söll, Dogma und Dogmenentwicklung, Freiburg u. a. 1971, S. 9.

[17] Hubert Filser, Dogma, Dogmen, Dogmatik. Eine Untersuchung zur Begründung und zur Entstehungsgeschichte einer theologischen Disziplin von der Reformation bis zur Aufklärung, Münster u. a. 2001.

[18] Ludwig Ott, Grundriß der katholischen Dogmatik, Freiburg i. Br. ³1957, S. 5.

christliche Volk zu einer unwiderruflichen Glaubenszustimmung verpflichtenden Form Wahrheiten vorlegt, die in der göttlichen Offenbarung enthalten sind oder mit solchen Wahrheiten in einem notwendigen Zusammenhang stehen."[19]

Aber auch aus dieser Definition stechen die Reizworte „Autorität", „verpflichtend" und „Wahrheit" hervor. Dass Autorität mit der Reformation Luthers in die Krise kam, auf die die Aufklärung aufbauen konnte, wurde in der Einleitung bereits erwähnt. Die Worte „verpflichtend" und „Wahrheit" gehören naturgemäß zusammen. Wahrheit verpflichtet immer den, der sie erkannt hat, sie auch zu vertreten. Aber gerade der Wahrheitsbegriff ist im Zuge der neuzeitlichen Epistemologien, hierunter vor allem der Erkenntnistheorie Immanuel Kants, problematisch geworden. Die Wende zum Subjekt hat die objektiven Wahrheiten der Antike und des Mittelalters obsolet gemacht. Allein die Theologie hat sich diesem Trend lange Zeit entzogen, da ihre Wahrheiten aufgrund ihres göttlichen Ursprungs objektiv sind und sein müssen. Gott erkennt die Wirklichkeit an sich, so wie sie ist – schon allein deswegen, weil er sie geschaffen hat und ihr ständig Anteil am Sein verleiht. Offenbart Gott also etwas, einen Sachverhalt oder eine Wahrheit, so ist diese aufgrund seiner Gutheit apriori wahr. Und wenn Dogma eine unmittelbar von Gott geoffenbarte Wahrheit ist, wie Ott dies sagt, dann sind die Dogmen der Kirche objektiv wahr.

Das Problem mit diesem Dogmenbegriff, so unbestritten diese Definition auch sein mag, beginnt allerdings bei dem Begriff der „Offenbarung" und mit dem Zweiten Vatikanischen Konzil, das Jesus nicht nur als den Lehrer der Völker charakterisiert hat, sondern auch und vor allem ihn als Person und seine Lebensgeschichte als die Offenbarung, das Wort Gottes, gesehen hat. Daher spricht auch der KKK von „Wahrheiten, die in der Offenbarung enthalten" sind, weil nicht davon auszugehen ist, dass Jesus so etwas gesagt hat wie: „Meine menschliche Natur und meine göttliche Natur sind hypostatisch geeint." So lässt sich also eine Verschiebung des Dogmenbegriffs von „unmittelbar offenbart" zu „mittelbar offenbart" innerhalb der Äußerungen des Lehramts feststellen. Durch den Willen des Zweiten Vatikanischen Konzils, sich den Herausforderungen der Zeit zu stellen, stellt die Offenbarungsvorstellung nicht den einzigen Punkt dar, der den Dogmenbegriff belastet hat. Das Bewusstsein der Geschichtlichkeit menschlicher Erkenntnis und menschlichen Lebens, das bis zu diesem Konzil als Problem negiert worden war, traf und trifft die nachkonziliare Theologie um so härter, insofern die Glaubensinhalte der Kirche, die Dogmen, nun vor einer resultierenden Pendelbewegung progressiver Kräfte in die andere Richtung, die sie in geschichtlichem Relativismus auflösen wollen, geschützt werden müssen. Das berechtigte Anliegen einer geschichtlichen Sicht und die Wahrheit der

[19] Katechismus der katholischen Kirche (KKK), München u. a. 1993, Nr. 88.

Offenbarung in Relation zu den Dogmen der Kirche zu setzen, stellt nach wie vor eine bedeutende Herausforderung dar. Vor allem auch die Frage nach der Heilsrelevanz der Dogmen stellt sich nach dem Konzil neu. All diese Themen werden im 2. Teil dieser Arbeit diskutiert werden. Da für die Darstellung der Autoren des ersten Teils auf den traditionellen Dogmenbegriff, wie Ott ihn präsentiert, rekurriert werden kann, kann hier zunächst einmal auf eine aktuelle Definition des Dogmenbegriffs verzichtet werden. Es genügt, sich unter dem Begriff „Dogmen" jene verbindlichen Lehren der Kirche bezüglich des Glaubens vorzustellen, die vom Lehramt der Kirche als solche vorgelegt wurden. Wichtig ist dabei, noch einmal innerhalb der „Dogmen" zu unterscheiden. Denn es gibt Lehren der Kirche, die bereits in der Schrift explizit vorkommen. Als Beispiel sei die Auferstehung Jesu genannt. Diese stellt ein „Dogma" der Kirche dar. Mit diesen in der Schrift explizit enthaltenen Dogmen beschäftigt sich Dogmenentwicklungstheorie jedoch sekundär. Primär geht es um die Dogmen, die sich nicht explizit in der Schrift wiederfinden. Denn Glaubensinhalte, die die Schrift explizit bezeugt, entwickeln sich ja nicht, sondern sind jedem Christen fest vorgegeben, auch wenn sich die Vorstellung dieser Glaubensinhalte vielleicht im Laufe der Zeit verändert.[20] So soll der Begriff „Dogma" zunächst nur für diese Gruppe der Glaubenslehren stehen, die sich nicht explizit aus der Schrift heraus ergeben.

Ein zweiter wichtiger Begriff ist der der „Dogmengeschichtsschreibung". Dogmengeschichtsschreibung beschäftigt sich mit der Darstellung des Verlaufs der Lehrentwicklung innerhalb der Kirche. Als Vater der Dogmengeschichtsschreibung gilt Adolf von Harnack, der in seiner dreibändigen Dogmengeschichte nicht nur die wichtigsten Dogmen, sondern auch die wichtigsten Theologien der Geschichte darstellt. Obwohl Dogmengeschichtsschreibung vorwiegend geschichtlich-darstellend arbeitet, so hat gerade Harnack deutlich gemacht, dass auch sehr viel an Interpretation in die Darstellung der geschichtlichen Fakten mit einfließen kann. Mit diesen Interpretationen sich zu beschäftigen, ist unter anderem ein Problemfeld von „Dogmenentwicklungstheorie". Sie arbeitet deshalb nicht geschichtlich-darstellend, sondern ausgehend vom Glauben geht es um eine formale Reflexion über den Verlauf von Geschichte. Es geht um die Klärung und Reflexion jener Interpretationen, die in jede Dogmengeschichtsschreibung einfließen.

Dogmenentwicklungstheorie versucht, sich den Problemen der Versöhnung zwischen „Wahrheit" und Geschichte zu stellen. Es geht darum, eine

---

[20] Die Erscheinungen des Auferstandenen vor seinen Jüngern, wie sie die Evangelien berichten, stellen das beste Beispiel dafür dar. Die Erzählungen waren immer schon ein Impuls, sich zu fragen, wie man sich das vorstellen kann. Während also das Dogma, dass Jesus seinen Jüngern erschienen ist, (objektiv) bleibt, variiert die (subjektive) Vorstellung dieses Ereignisses nach Ort, Zeit und Mensch.

Theorie aufzustellen, die plausibel macht, wieso die Dogmen, die sich aus der Offenbarung heraus ergeben, nicht schon immer zu jedem Zeitpunkt nach ihrer Offenbarung offenbar waren. Oder anders formuliert: Wenn die (öffentliche) Offenbarung Gottes mit dem Tod des letzten Apostels ihr Ende gefunden hat, wie kann es dann sein, dass erst Jahrhunderte später diese Offenbarung durch das Lehramt der Kirche offenbar bzw. „offenbarer" gemacht wird. Wenn Wahrheit ist, und nicht wird, und die Offenbarung abgeschlossen ist, d. h., dass das Lehramt keine neue Offenbarung mittels des Heiligen Geistes empfängt, so bleibt zu klären, wie das Lehramt diese Wahrheit, die bisher nicht bekannt war, nun erkennt. Wenn ein Dogma, eine Wahrheit, bis zu einem gewissen Zeitpunkt nicht erkannt war, wie kann sie dann heilsrelevant sein? Denn all jene Christinnen und Christen, die sie zuvor nicht kannten, müssten ja – wäre sie heilsrelevant – verloren sein. In diesem Fall wäre die Offenbarung Gottes aber unvollständig. Es entstünde der Eindruck, dass das Lehramt eine mangelnde Offenbarung nachbessert. Dies widerspricht jedoch dem Glauben der Kirche an einen Gott, dessen Tun – genau wie er selbst – vollkommen ist.

Dies war nur ein Auszug der Probleme und Fragen, mit denen sich Dogmenentwicklungstheorie beschäftigt. Seit jeher steht der Begriff für das Problem von Geschichte und Lehre. Die Lehre der Kirche, die Anteil hat am Gesamtleben der Kirche und ein Spiegelbild dieses Lebens ist, ist, wie das Leben der Menschen selbst, Wandlungen unterworfen, die auf dem Hintergrund der Abgeschlossenheit der Offenbarung erklärt und gerechtfertigt werden müssen. Die Kirche – und hierbei vor allem die Theologie – muss vor sich selbst, aber auch vor ihrem Herrn Jesus Christus, dem Auferstanden, ihre Praxis und Lehre, die sich faktisch qualitativ und quantitativ verändert, rechtfertigen. Die Autorität der Bischöfe allein, mit der die Lehre sanktioniert ist, mag als Rechtfertigung dem Volk Gottes gegenüber genügen, der Theologie bleibt dennoch die Aufgabe, diese Lehre nicht nur extern durch die Sakramentalität der Weihe und die sich daraus ergebende Autorität der Bischöfe zu erklären, sondern auch weitere Gründe für das Lehrsystem der Kirche zu suchen, die es vor Gott rechtfertigen. Zu sagen: „es ist vor Gott gerechtfertigt, weil es von Gott stammt" genau dies stellt den Sachverhalt dar, der angesichts der geschichtlichen Fakten zu klären ist.

Am Ende dieser theologischen Reflexion kann man zwei Arten von Dogmenentwicklungstheorien unterscheiden: Substantielle und akzidentelle. Die Begriffe Substanz und Akzidens entstammen der aristotelischen Metaphysik und werden analog im Bereich der Dogmenentwicklungstheorie gebraucht. Als Substanz bezeichnet man etwas, was sein Sein in sich und nicht in einem anderen hat, während das Akzidenz sein Sein in einem Träger aktualisiert.[21] Eine „substantielle Dogmenentwicklung" ist analog dazu,

---

[21] Vgl. Walter Brugger, Philosophisches Wörterbuch, Freiburg u. a. [21]1992.

eine Entwicklung, bei der die Substanz nicht bewahrt wird, sondern sich verändert (bzw. sich in etwas anderes entwickelt). Als „akzidentelle Dogmenentwicklung“ hingegen bezeichnet man eine Entwicklung, bei der die Substanz unverändert bleibt und die Änderungen, die Entwicklungen, sich nur auf äußere, unwesentliche Dinge beziehen. Auf das Christentum, genauer gesagt die katholische Kirche, hin angewandt, bedeutet dies, dass eine substantielle Dogmenentwicklung behauptet, dass das Wesen des Christentums, das Wesen der Kirche, ihre Substanz, sich im Laufe der Geschichte verändert habe und dass nur noch eine akzidentelle Relation bestünde zwischen Jesus von Nazareth und der Kirche von heute. Eine akzidentelle Dogmenentwicklungstheorie leugnet dies und setzt die Identität der heutigen Kirche mit der Kirche zur Zeit der Apostel in ihrem Wesen voraus, leugnet aber gleichzeitig nicht eine Änderung in der äußeren Gestalt der Kirche und ihres Glaubensausdrucks. Die Folge aus einer akzidentellen Dogmenentwicklungstheorie besteht in der Behauptung, dass die heutige Kirche in ihrem Glauben, ihren Heilsmitteln und ihrer Struktur nach von Jesus gegründet und von ihm so gewollt ist, auch wenn dieser nicht alles selbst so festgelegt hat, sondern diese heutige Ausformung einer geschichtlichen Entwicklung anvertraut hat. Darin wird die Bedeutung von Dogmenentwicklungstheorie noch einmal deutlich. Außerdem wird sichtbar, dass keine Kirche auf sie verzichten kann, ohne ihre eigene Existenz ständig zur Disposition zu stellen. Gleichzeitig wird ersichtlich, dass es verschiedene Auffassungen bezüglich der Dogmenentwicklungstheorie zwischen den Kirchen (kirchlichen Gemeinschaften) geben muss. Drei Beispiele: Die katholische Kirche kann nur eine rein akzidentelle Dogmenentwicklungstheorie vertreten, da sie den Anspruch erhebt, de facto die einzige Kirche auf Erden zu sein, die so Kirche ist und verwirklicht, wie Jesus sie gewollt hat.[22] Die autokephalen orthodoxen Kirchen werden ebenso für sich eine rein akzidentelle Dogmenentwicklungstheorie entwerfen, gleichzeitig aber der katholischen Kirche eine substantielle Entwicklung bescheinigen. Die reformatorischen kirchlichen Gemeinschaften müssen der katholischen Kirche, sowie den orthodoxen Kirchen, eine substantielle Entwicklung vor ihrer eigenen Gründung vorwerfen, für sich selbst aber nach ihrer Gründung eine rein akzidentelle Entwicklung konstruieren. An diesen Beispielen wird klar, dass jede Kirche und kirchliche Gemeinschaft ein Interesse daran hat, für sich eine akzidentelle Entwicklung zu postulieren, den anderen aber eine substantielle Entwicklung zu konstatieren, um gegen den Willen Christi die Spaltung der Christenheit aufrecht zu erhalten. Damit wird zugleich die ökumenische Relevanz des Themas deutlich.

Synonym mit den Begriffen der „substantiellen bzw. akzidentellen Dogmenentwicklung“ sind die Begriffe der „homogenen bzw. heterogenen

[22] Vgl. LG 8.

Dogmenentwicklung“. Eine homogene Entwicklung liegt dann vor, wenn eine Kontinuität ohne jeglichen Bruch, sprich eine akzidentelle Dogmenentwicklung, vorliegt. Eine heterogene Entwicklung läge dann vor, wenn sich das Christentum mit fremden Einflüssen vermischt hätte und dadurch etwa anderes geworden sei. Für eine heterogene Entwicklung gibt es daher meistens Brüche in der Geschichte, an denen sich die Substanz (zum Guten oder Schlechten) verändert hat (substantielle Dogmenentwicklung).

Der letzte wichtige Terminus, der vor der Darstellung verschiedener Autoren zu klären ist, ist der des „depositum fidei“. Unter diesem Begriff muss man sich eine geistige Truhe vorstellen, die die Summe aller Offenbarungen enthält. Alle geschichtlichen Taten Gottes bilden sozusagen ein Gesamt, auf das sich der Glaube der Kirche bezieht. Die Kirche, die dazu berufen ist, Gottes Offenbarung in der Geschichte als Heil und Leben der Menschen zu bezeugen, verkündet und tradiert dieses ihr anvertraute Gut. Das depositum ist ihr objektiv als Norm vorgegeben. Das Problem dieses Begriffes besteht darin, dass man nicht in allen Fällen angeben kann, was das depositum genau enthält. Schlägt man nämlich ein Brücke zwischen dem Begriff und dem Verständnis von Offenbarung als Selbstoffenbarung Gottes, so kann man behaupten, dass das depositum fidei nichts anderes sei als Gott selbst, sein Wesen und sein Wille, die ihren Ausdruck in seiner geschichtlichen Offenbarung gefunden haben. Denn der Glaube der Kirche ist der Glaube an Gott, der sich in Jesus Christus endgültig und unüberbietbar offenbart hat. Das depositum fidei als Summe aller Offenbarungen beinhaltet daher letztlich Gott und seine Taten. Wenn aber diese Interpretation stimmt und Gott selbst letztlich der Inhalt des depositums ist, so wird auch die Schwierigkeit verständlich, den Inhalt dieses depositums anzugeben. Denn Gott ist zum einen nicht vollständig durch den menschlichen Verstand begreifbar. Zum anderen stellt das Medium der Offenbarung, die Geschichte, jeden Interpreten vor das Problem, dass man geschichtliche Fakten (und auch die Schrift) so oder auch anders interpretieren kann, so dass auch von dieser Seite keine Eindeutigkeit über den Inhalt des depositums erzielt werden kann.

Dogmenentwicklungstheorie beschäftigt sich mit Methoden und Problemen der Auffindung von Dogmen im depositum fidei. Könnte man ein Dogma nicht im depositum fidei nachweisen, so wäre es per definitionem kein Dogma, sondern eine Lehre der Kirche, die für den einzelnen Gläubigen nicht zwingend zu glauben wäre. Dies würde zwar an der Wahrheit der Lehre nichts ändern, aber ihre Heilsrelevanz negieren.

Der „depositum fidei“ Begriff wird heute seltener gebraucht, da er zum einen neuscholastisch vorbelastet ist,[23] zum anderen aufgrund des heutigen Offenbarungsverständnisses unpraktisch erscheint.

---

[23] Der Begriff ist vorbelastet, weil durch die Offenbarungsvorstellung der Neuscholastik der depositum-Begriff zur Bezeichnung der Summe aller von Gott geoffenbarten Sätze benutzt wurde. Der Begriff wird daher mit einer anderen Offenbarungsvorstellung verbunden.

## 1.2. Exkurs : Die Funktion der Dogmen im Leben der Kirche

Bevor Vinzenz von Lérins Ideen zum Problem der Dogmenentwicklung vorgestellt werden, soll noch kurz der Frage nachgegangen werden, welche Funktionen die Dogmen der Kirche für das Leben der Kirche erfüllen. Wozu braucht die katholische Kirche Dogmen?

Ohne dem zweiten Teil zu sehr vorgreifen zu wollen, lassen sich dennoch mehrere Rollen, die die Dogmen im Leben der Kirche spielen, feststellen. Die erste Funktion, die sich evident aus der Geschichte herauskristallisiert, ist die Abgrenzung. Dogmen wollen, der obigen Definition folgend, Wahrheit vom Irrtum abgrenzen. Dieser Abgrenzung auf der ideellen Ebene entspricht eine Abgrenzung auf der menschlichen Ebene. Denn weder das Dogma noch die Häresie existieren ohne menschliche Träger. Das Dogma hat dementsprechend auf kirchlicher Ebene den Sinn, sich von den Häretikern abzugrenzen. Positiv gewendet bedeutet dies, dass die Kirchengliedschaft – unter anderem – von dem Bekenntnis zu den Dogmen der Kirche mit abhängt.

Dies offenbart auch schon die zweite Funktion des Dogmas: Da sich jeder Katholik prinzipiell zu den bestehenden Dogmen bekennen muss, fördert das Dogma – und vor allem das Bekenntnis zu ihm – die Identität der einzelnen Christinnen und Christen mit der Kirche, auch wenn die einzelnen Dogmen aufgrund ihrer fachterminologischen, „digitalen“ Sprache kaum von theologisch ungebildeten Christen verstanden werden. Daher beschränkt sich das von allen Katholiken geforderte Bekenntnis in der Praxis auf das Nicäno-Konstantinopolitanum.

Der Abgrenzungsfunktion folgt eine Eingrenzungsfunktion gegenüber der Theologie. Da die Theologie den Glauben der Kirche als ihr Materialobjekt untersucht, und weil die Dogmen den Glauben der Kirche ab- bzw. eingrenzen, verändert sich auch der der Theologie vorgegebene Bezugsbereich. Theologie kann nicht über die Grenzen des Dogmas hinaus betrieben werden. Andererseits stellen die Dogmen einen großen Impuls für weiteres theologisches Denken und Forschen dar. Selten war mit einem Dogma auch ein Abschluss der Diskussion zu demselben Thema verbunden. Dies war zum Beispiel 451 nicht der Fall, genauso wenig wie es nach 1965 der Fall ist. Weder war die Christologie nach Chalcedon abgeschlossen, noch ist es heute die ekklesiologische Diskussion nach dem Zweiten Vatikanischen Konzil. Wäre es anders, so müsste man konstatieren, dass die Dogmen das Leben in der Kirche geradezu abtöten. Gerade dies widerspräche jedoch ihrem Sinn und Zweck. Nicht das Leben der Kirche abzutöten, sondern es zu fördern, ist ihr Ziel. Eine weitere und vielleicht die wichtigste Funktion stellt die Interpretation der Schrift dar. Die Schrift, hierunter auch das Neue Testament, bedarf der Interpretation, da sie nicht eindeutig ist. Wäre sie eindeutig, bräuchte es keine Dogmen. Die Dogmen stellen daher eine Hermeneutik zur Schrift dar, die die Unklarheit der Schrift innerhalb ihrer selbst und bezüglich neu entstandener Fragen kompensieren soll. Nähere Ausführungen dazu folgen im 2. Teil dieser Arbeit.

# 2. Exemplarische Darstellung fünf wichtiger Theorien der Dogmenentwicklung

## 2.1. Vinzenz von Lérins (5. Jh.)

Nachdem im vorherigen Kapitel skizzenhaft dargelegt wurde, was „Dogma" und „Dogmenentwicklung" ist, um nicht orientierungslos die kommende Darstellung zu beginnen, soll ein exemplarischer Überblick verschiedener Theorien zur Dogmenentwicklung gegeben werden. Hierbei soll vor allem immer der Frage nachgegangen werden, was den verschiedenen Autoren warum wichtig war.

Den Anfang dieser Autorenreihe bildet Vinzenz von Lérins[24]. Er schreibt, nach seiner eigenen Angabe, sein „Commonitorium" um das Jahr 434 n. Chr..[25] Vinzenz ist, wie alle Äußerungen der Kirchenväter, geprägt von den beiden Zitaten: „Christus ist derselbe, gestern, heute und in Ewigkeit" (Hebr. 13,8) und „Der Beistand aber, der Heilige Geist, den der Vater in meinem Namen senden wird, der wird euch alles lehren und euch an alles erinnern, was ich euch gesagt habe" (Joh 14,26). Auf der einen Seite steht also das Traditionsprinzip, das den heilsrelevanten Glauben der Apostel bewahren will, eines Glaubens, der sich inhaltlich nicht verändert. Und auf der anderen Seite ist die faktische Zunahme der Glaubenssätze zu beobachten, wie sie durch Nizäa, Konstantinopel und Ephesus geschehen ist. Dazu kommt noch, dass diese Zunahme der Glaubenssätze der Kirche durch die Häresie aufgezwungen worden ist.

Vinzenz beginnt seine Überlegungen mit der Frage, wie man katholische Wahrheit von häretischer Irrlehre unterscheiden kann und kommt zu dem Ergebnis, dass das, „quod ubique, quod semper, quod ab omnibus creditum

---

[24] Über das Leben des Vinzenz ist wenig bekannt. Er war Priester in der Einsiedelei Lérins, die um 410 n. Chr. gegründet worden war. Die besten Informationen über ihn liefert das Werk des Gennadius „de viris illustribus". Vinzenz verfasste im Geiste des Apologeten Tertullian seine beiden Schriften „pro catholicae fidei antiquitate et universitate adversus profanas omnium haereticorum novitates." Er benutzte hierfür das Pseudonym „Peregrinus", der Fremde, der Pilger. Das zweite Buch jedoch ging sehr schnell verloren. Erhalten hat sich das erste Buch und eine Zusammenfassung, die aufgrund verschiedener Textstellen, in denen Vinzenz selbst das Ziel seiner Werke nennt, sich zu erinnern, „Commonitorium" genannt werden. Gestorben ist Vinzenz vermutlich um 450 n. Chr..

[25] Vinzenz von Lerin, Commonitorium [übersetzt von Gerhard Rauschen, = Bibliothek der Kirchenväter Bd. 20], Kempten, München 1914, S. 221.

est, [...] uere proprieque catholicum [est]."[26] Dieses Kriterium der Katholizität ist letztlich eine Explikation des Begriffs „katholisch" (allumfassend) in seiner synchronen und diachronen Dimension selbst. Vinzenz beweist dies, wenn er sagt, dass der einzelne, zweifelnde Christ sich immer an den Großteil der Kirche und deren Glauben zu halten habe und falls dies zu keiner befriedigenden Antwort führe, sich an den Glauben der früheren Christen zu halten habe:

> „Quid igitur tunc faciet christianus catholicus, si se aliqua ecclesiae particula ab uniuersalis fidei communione praeciderit ? Quid utique, nisi ut pestifero corruptoque membro sanitatem uniuersi corporis anteponat ? Quid, si nouella aliqua contagio non iam portiunculam tantum, sed totam pariter ecclesiam commaculare conetur ? Tunc item prouidebit, ut antiquitati inhaereat, quae prorsus iam non potest ab ulla nouitatis fraude seduci."[27]

Vinzenz plädiert dafür, generell den Glauben der „Alten" zu bewahren, der sich im Martyrium bewährt hat, und alle Neuerungen abzuweisen, so dass das Wort „neu" mit dem Wort „Häresie" gleichbedeutend wird. Neuerung ist also Korruption des Alten (Wahren). Es gibt sie, weil Gott den Glauben seiner Kirche (und damit jedes Einzelnen) auf die Probe stellen will.[28] Zuerst wird ein Neuerer durch die Versuchung vom wahren Glauben abgebracht und darauf verführt er andere mit seinem Irrtum.[29] Trotz dieser Meinung gibt es dennoch einen Fortschritt (profectus) im Christentum, aber einen ohne Veränderung (transversatio/permutatio) der Glaubensinhalte. Der objektive Glaube bleibt derselbe, die Glaubensinhalte verändern sich nicht, sondern werden nur subjektiv von der Kirche vertieft, verfeinert

---

[26] Vincentius Lerinensis, Commonitorium, in: Corpus Christianorum series latina LXIV, Turnholti 1985, Kap.2 Nr. 5, S. 149, „was überall, was immer und was von allen geglaubt worden ist, wahrlich und eigentlich katholisch [ist]".

[27] Ebd., Kap. 3 Nr. 1f., S. 149, „Was wird also der katholische Christ tun, wenn sich irgendein kleiner Teil der Kirche von der allgemeinen Glaubensgemeinschaft absondert? Was anderes als dem ansteckenden, kranken Gliede die Gesundheit des ganzen Leibes vorziehen? Wie nun, wenn eine neue Seuche schon nicht allein einen kleinen Teil, sondern die ganze Kirche zugleich zu verpesten sucht? Dann wird er in gleicher Weise besorgt sein, sich ans Altertum zu halten, das in keiner Weise mehr von irgendeiner trügerischen Neuerung verführt werden kann." [Übersetzung der Bibliothek der Kirchenväter entnommen, S. 165f.].

[28] Vgl. ebd., Kap. 10, S. 158f., „temptat uos Dominus Deus uester, ut palam fiat, utrum diligatis eum an non in toto corde et in tota anima uestra" (vgl. Dtn 13,4).

[29] Vgl. ebd., Kap. 17 Nr. 13ff., S. 172, „Eo res decidit, ut tantae personae, tanti doctoris, tanti prophetae non humana aliqua sed, ut exitus docuit, nimium pericolosa temptatio plurimos a fidei integritate deduceret. Quamobrem hic idem Origenes tantus ac talis, dum gratia Dei insolentius abutitur, dum ingenio suo nimium indulget sibique satis credit, cum parui pendit antiquam christianae religionis simplicitatem, dum se plus cunctis sapere praesumit, dum ecclesiasticas traditiones et ueterum magisteria contemnens quaedam scripturarum capitula nouo more interpretatur, meruit ut de se quoque ecclesiae Dei diceretur: Si surrexit in medio tui propheta. Et paulo post: Non audies, inquit, uerba prophetae illius. Et item : Quia, inquit, temptat uos Dominus Deus uester, utrum diligatis eum an non".

(amplificare).[30] Vinzenz vergleicht diesen Fortschritt mit dem organischen Wachstum eines Menschen, dessen Substanz dieselbe bleibt, trotz akzidenteller Veränderungen. Häresie ist eine Krankheit in diesem organischen Wachstum, die langfristig die Substanz angreift und zugrunde richtet:

> „Abdicata etenim qualibet parte catholici dogmatis alia quoque atque item alia, ac deinceps aliae et aliae iam quasi ex more et licito abdicabuntur. Porro autem sigillatim partibus repudiandis quid aliud ad extremum sequetur, nisi ut totum pariter repudietur?“[31]

Die Krankheit ist schwer zu erkennen, weil die Häresie immer im Gewand der Sprache der Heiligen Schrift erscheint. Der schriftgemäße Klang einer Lehre ist nicht alleiniger Garant für ihre Wahrheit. Daher muss man die Schrift immer mit Hilfe der katholischen Tradition interpretieren. Als Tradition gelten die Konzilien und die „alten heiligen Väter“, aber nur insoweit, wie sie zu ein und dem selben Thema übereinstimmen:

> „Quibus tamen hac lege credendum est, ut, quidquid uel omnes uel plures uno eodemque sensu manifeste frequenter perseueranter, uelut quodam consentiente sibi magistrorum concilio, accipiendo tenendo tradendo firmauerint, id pro indubitato certo ratoque habeatur. Quidquid uero, quamuis ille sanctus et doctus, quamuis episcopus, quamuis confessor et martyr, praeter omnes aut etiam contra omnes senserit, id inter proprias et occultas et priuatas opiniunculas a communis et publicae ac generalis sententiae auctoritate secretum sit, ne cum summo aeternae salutis periculo, iuxta sacrilegam haereticorum

[30] Vgl. ebd., Kap. 23, Nr. 1f., „Sed forsitan dicit aliquis: Nullusne ergo in ecclesia Christi profectus habebitur religionis? Habeatur plane et maximus. Nam quis ille est tam inuidus hominibus, tam exosus Deo, qui istud prohibere conetur ? Sed ita tamen, ut uere profectus sit ille fidei, non permutatio. Siquidem ad profectum pertinet, ut in semetipsa unaquaeque res amplificetur, ad permutationem uero, ut aliquid ex alio in aliud transuertatur“.

[31] Ebd., Kap. 23 Nr. 14, S. 179, „Denn wird einmal auch nur ein kleiner Teil der katholischen Glaubenslehre aufgegeben, so wird auch ein anderer und dann wieder ein anderer und zuletzt einer nach dem anderen wie gewohnheits- und rechtmäßig aufgegeben werden. Wenn aber die einzelnen Teile verworfen werden, was anderes wird dann die letzte Folge sein, als daß das Ganze zugleich verworfen wird?“ [Übersetzung der Bibliothek der Kirchenväter entnommen, S. 206f.].

et scismaticorum consuetudinem, uniuersalis dogmatis antiqua ueritate dimissa unius hominis nouitium sectemur errorem."[32]

Vinzenz schließt seine Ausführungen mit dem Beispiel des dritten ökumenischen Konzils zu Ephesus, bei dem Cyrill seine theologische Auffassung mit den Zeugnissen großer Theologen der Vergangenheit belegt hat.

[32] Ebd., Kap. 28 Nr. 7f., S. 187, „Doch auch ihnen ist nur in der Weise zu glauben, daß alles, was sie in ihrer Gesamtheit oder doch der Mehrzahl nach in ein und demselben Sinne klar, oft und beharrlich wie eine einmütige Versammlung von Lehrern angenommen, festgehalten, überliefert und bekräftigt haben, für unzweifelhaft sicher und gültig gehalten werde, daß dagegen solches, was jemand, mag er auch heilig und gelehrt, mag er auch Bischof, Bekenner oder Märtyrer sein, gesondert von allen anderen oder auch im Gegensatze zu ihnen aufgestellt hat, zu den eigenen, geheimen und privaten Meinungen gerechnet und von dem Ansehen eines gemeinsamen, öffentlichen und allgemein anerkannten Ausspruches ausgeschlossen werde, damit wir nicht mit höchster Gefahr des ewigen Heiles nach der gottlosen Art der Häretiker und Schismatiker unter Preisgabe der alten Wahrheit der allgemeinen Lehre dem neuen Irrtum eines Menschen und hingeben." [Übersetzung der Bibliothek der Kirchenväter entnommen, S. 217f.].

## 2.2. Würdigung des Vinzenz von Lérins

Die jedem Autor folgende Würdigung dient der Rekapitulation und Bewertung der Thesen des Autors bezüglich einer Dogmenentwicklungstheorie. Gleichzeitig sollen weiterführende Fragen aufgezeigt werden, nicht um die Defizienz eines Autors zu offenbaren – denn dieser kann naturgemäß nicht die Fragen der heutigen Theologie antizipieren –, sondern um zu sehen, welchen Diskussionsstand die derzeitige Theologie zum Problem der Dogmenentwicklung aufweist.

Zuerst einmal sind die Gedanken des Vinzenz zu würdigen. Er war einer der wenigen in der Antike, der sich die Frage stellte, was angesichts einer Vielzahl theologischer Meinungen die richtige und wahre Lehre sei. Die wichtigste Erkenntnis, die er dabei formulierte, besteht darin, dass der Glaube derselbe bleiben müsse wie der Glaube der Apostel. Er hat außerdem erkannt, dass es keine substantielle Veränderung der Glaubensinhalte geben kann. Wäre dem nämlich so, dann wäre das Christentum nicht mehr Christentum (beziehungsweise nur noch dem Namen nach), sondern hätte sich im Laufe der Geschichte verloren. Die Summe menschlicher Freiheiten, die auf das Christentum eingewirkt haben, hätten zu einer Korruption und Wesensveränderung geführt, und das Wesen des Christentums hätte mit Jesus von Nazareth nur noch akzidentell zu tun.[33] Die Entwicklung muss auf eine akzidentelle Entwicklung beschränkt bleiben. Denn zwischen Substanz und Akzidens gibt es kein Drittes. Offen bleibt jedoch, was der Glaube genau ist. Dass die Glaubensinhalte unzweifelhaft mit dem Glaubensbegriff verbunden sind, hat Vinzenz vorausgesetzt. Aber er hat sich nicht die Frage nach dem Wesen des Glaubens gestellt. Für ihn ist der Glaube – so scheint es – das Korrelat zum depositum fidei, von dem man auch nicht genau weiß, was dort hinein gehört und was nicht. Selbstverständlich gibt es Inhalte, die definitiv zum depositum gehören. Diese findet man aber ebenso explizit in der Schrift wieder (z. B. dass Christus auferstanden ist, zur Rechten des Vater sitzt und Herrscher über das All ist, dass Gott die Menschen aus Gnade rettet usw.). Vinzenz ist außerdem der erste, der sich eine Kriteriologie überlegt, mit deren Hilfe er „Neuerungen" erkennen will. Für ihn scheint dies im Angesicht des 4. Jahrhunderts, das für ihn erst kurz vergangen war, und indem es eine Vielzahl an christologischen und trinitätstheologischen Verwirrungen und Auseinandersetzungen gab, eine gebotene Vorsichtsmaßnahme zu sein, die mit dem Herrenwort einhergeht: „Gebt acht, daß man euch nicht irreführt! Denn viele werden unter meinem Namen

[33] Zu diesem Schluss kamen 1085 Jahre später die Reformatoren. Die Kirche sei korrupt und habe mit der Kirche Jesu Christi nur noch dem Namen nach zu tun.

auftreten und sagen: Ich bin es!, und: Die Zeit ist da. - Lauft ihnen nicht nach“ (Lk 21,8). Das Kriterium, dass er als Antwort auf sein Problem findet, „quod ubique, semper, ab omnibus creditur“ sei wahrhaft katholisch, hat gleich mehrere Haken, die er zum Teil selbst darlegt. Das Problem, das Vinzenz mit seinem eigenen Kriterium hat, besteht weitgehend aus dem Verlauf des vierten Jahrhunderts. Auf die trinitätstheologische Fragestellung konkretisiert, liefert das „ubique“- Kriterium keine befriedigende Lösung. Denn im vierten Jahrhundert – vor allem in den dreißiger, vierziger, fünfziger und sechziger Jahren des Jahrhunderts – gab es ubique nicht nur katholische Bischöfe und Christen, sondern ebenso ubique Arianer, samt Bischöfen. Das „semper“ Kriterium hilft in der Trinitätsfrage nicht weiter, da zum einen die Schrift nirgends explizit sagt, dass Jesus von Nazareth wahrer Gott ist, da zum anderen von vielen Theologen (Justin, Origines u. a.) vor dem Konzil von Nizäa eindeutig eine heilsgeschichtlich subordinatianische Gotteslehre vorgelegt worden war. Das „ab omnibus“ Kriterium erweist sich als nicht weniger problematisch, da es kaum zu erheben ist. Wie will man wissen, was von allen Christen geglaubt wird? (In die heutige Zeit übersetzt, kann man sogar sagen, dass der Klerus das gar nicht wissen will, was von allen Christen wirklich geglaubt wird, da er sonst wahrscheinlich kaum noch schlafen könnte.)

Vinzenz sagt selbst, dass er dieses Kriterium anhand einer Reflexion auf den Begriff „katholisch“ gewonnen hat. Er verrät dies, wenn er feststellt, dass sich die Häretiker niemals „katholisch“ genannt haben, sondern sich immer andere Namen gegeben haben. Wenn allerdings die Häretiker nie „katholisch“ sein wollten, andererseits sein Kriterium eine Charakterbeschreibung des „Katholischen“ ist, dann muss es apriori geeignet sein, das Wahre und Katholische, vom Falschen und Häretischen zu unterscheiden. Dies ist logisch gedacht; jedoch muss man fragen, ob man aus dem Faktum, dass sich die Arianer „Arianer“ und nicht „Katholiken“ nannten , so viel abzuleiten vermag. Man müsste schon sehr viel Glaubenskraft besitzen, um einen Schutz des Begriffs „katholisch“ durch den Heiligen Geist anzunehmen. Wahr bleibt aber auch, dass die meisten häretischen Gruppierungen sich durch eigene Namensgebungen von der Großkirche unterscheiden wollten.

Die Ableitung dieses Kriteriums aus dem Begriff „katholisch“ macht noch einen weiteren Punkt deutlich, den auch Newman hervorhebt. Die Herkunft des Kriteriums sollte es davor bewahren, wie eine dreifache Schere benutzt zu werden. Der wahre Glaube ist nicht die Schnittmenge der drei Teile dieses Kriteriums. Oder um es mit Newman zu sagen: Negativ ist dieses Kriterium nicht zu gebrauchen. Wenn nur das der wahre Glaube sein kann, was immer, überall und von allen geglaubt worden ist, so bleibt kaum etwas über, was diesem Kriterium genügt. Im Grunde genommen bliebe nur das übrig, was die Schrift explizit als Glaubensaussagen vorlegt. Damit würde aber nicht nur jede Neuerung verhindert, sondern auch jede Erneuerung. Die Kirche würde erstarren, würde sie nur die alten Formeln – wenn auch in neuem Gewand – ständig wiederholen. Dies fordert Vinzenz aber nicht. Er sieht die Möglichkeit einer „Amplifikation“, die er im Sinne einer Vertiefung des Glaubens versteht. Daher kann er eigentlich – wäre er konsequent – sein eigenes Kriterium nicht in negativem Sinn verstehen, sondern muss es, wie Newman sagt, positiv verstehen: Das, was überall, immer und von allen geglaubt worden ist, ist mit Sicherheit der Glaube der Apostel. Dass hier natürlich wiederum nur die Schrift, streng genommen, als sicherer Glaube der Apostel übrig bleibt, braucht eigentlich nicht extra erwähnt zu werden. Jedoch ist bei einer solchen Interpretation eine Öffnung in dieses Kriterium hineingekommen, die Entwicklung nicht mehr ausschließt. So gewendet, stellt dieses Kriterium auch keine „Munition“ mehr gegen die Lehre und Praxis der katholischen Kirche dar, zu der es von den Reformatoren, negativ und in Kombination mit dem eigenen Sola–scriptura–Prinzip benutzt, verwendet worden war. Vinzenz scheint aber in dieser Hinsicht nicht konsequent zu sein und eher zur Statik zu neigen. Er räumt zwar eine Vertiefung des Glaubens ein, ganz wohl ist ihm angesichts der Neuerungen aber nicht, wenn er schreibt:

> „Unter diesen Umständen kann ich, wenn ich das Gesagte immer wieder betrachte und erwäge, mich nicht genug wundern über den so großen Wahnsinn einiger Menschen, über die so große Gottlosigkeit ihres verblendeten Sinnes und endlich über ihre so große Neigung zum Irrtume, daß sie nicht zufrieden sind mit der überlieferten und einmal vor alters angenommenen Glaubensregel, sondern immer wieder nach Neuem suchen, immer wieder darauf sinnen, der Religion etwas beizufügen, daran zu ändern oder davon wegzunehmen, als wäre es nicht eine himmlische, ein für allemal geoffenbarte Lehre, sondern eine irdische Einrichtung, die nur durch beständige Verbesserung oder vielmehr Kritik zur Vollendung gebracht werden könnte, während doch die göttlichen Aussprüche laut verkünden: Verrücke nicht die Grenzsteine, die deine Väter gesetzt haben [Spr 22,28], und: Über einen Richtenden richte nicht [Sir 8,14], und: Wer Gemäuer niederreißt, den wird die Schlange stechen [Koh 10,8].“[34]

[34] Vinzenz von Lerin, Commonitorium [= Bibliothek der Kirchenväter Bd. 20], Kempten, München 1914, S. 201f., „Quae cum ita sint, iterum atque iterum eadem mecum reuoluens et reputans, mirari satis nequeo tantam quorundam hominum uesaniam, tantam excaecatae mentis impietatem, tantam postremo errandi libidinem, ut contenti non sint tradita et recepta semel antiquitus credendi regula, sed noua ac noua de die in diem quaerant, semperque aliquid gestiant religioni addere mutare detrahere; quasi non caeleste dogma sit quod semel reuelatum esse sufficiat, sed terrena institutio, quae aliter perfici nisi adsidua emendatione, immo potius reprehensione, non posset, cum diuina clament oracula: Ne transferas terminos quos posuerunt patres tui. Et: Super iudicantem ne iudices. Et: Scindentem sepem mordebit eum serpens.“ [Commonitorium Kap. 21 Nr. 1f., zitiert aus dem Corpus Christianorum LXIV].

Dieses Zitat zeigt, dass Vinzenz, obwohl er auch hier bemerkenswerte Einsichten äußert, den Hang besitzt, das Gewesene zu idealisieren. Die Überzeugung der vollkommenen Offenbarung in Jesus Christus und die Ewigkeit der Wahrheit helfen ihm dabei, die Vergangenheit und das Gewesene zu idealisieren. Er ähnelt darin dem Verfasser der Apostelgeschichte, Lukas, der auch den Hang zur Idealisierung hat, so dass die Urgemeinde ein Modell wird, das nicht weiterentwickelt zu werden braucht. Der Wunsch, am Glauben der Apostel festzuhalten, so wie er war, d. h. gleiche Kraft aber auch gleiche theologische Reflexionsstufe, erweist sich als nicht möglich. Das Rad der Geschichte lässt sich nicht aufhalten oder zurückdrehen. Daher kann „Neuerung" nicht gleichbedeutend mit „Häresie" sein. Am Ende dieser Überlegung wird immer die Frage übrig bleiben, warum der theologische Streit in der nachapostolischen Kirche oftmals so schmerzhaft geführt werden muss, wenn Jesus doch alles Wichtige und Heilsnotwendige offenbart hat. Die unüberbietbare Offenbarung in Jesus Christus und der nachösterliche theologische Streit stehen zueinander im Widerspruch. Sich nach der Einheit im Heiligen Geist zu sehnen, angesichts massiver theologischer Auseinandersetzungen, ist verständlich, darf aber nicht dazu führen, sich Statik als idealen Zustand vorzustellen und die Konservierung des Alten zur höchsten Tugend zu erklären. Denn auch das Alte (nicht die Offenbarung) stellt ein Produkt menschlicher Freiheit dar, die sich verfehlen kann. Deswegen vertraut Vinzenz ja selbst nur dem Konsens der Apologeten und Kirchenväter und nicht einem einzelnen Theologen, Bekenner oder Märtyrer alleine.

Einen weiteren wichtigen Punkt hat Vinzenz erkannt: Die Schrift ist nicht in der Lage, theologische Probleme späterer Zeiten eindeutig zu lösen. Wenn er feststellt, dass die Häretiker beflissentlich die Schrift zum Beleg ihrer Häresien benutzt bzw. missbraucht haben, so hat er bereits eines der Zentralprobleme der Theologie angesprochen: die mangelnde Klarheit der Schrift bezüglich der an sie herangetragenen Fragen. Der Grund für dieses Problem liegt darin, dass die Schrift nicht ein Kompendium zur Beantwortung von Fragen ist, sondern ein Zeugnis des Glaubens, welches nur die Inhalte klar darlegt, die sie darlegen will. Alle späteren Fragen, entstanden aus dem Wunsch, mehr über Gott und seine Offenbarung wissen zu wollen, will die Schrift nicht beantworten. Da sie jedoch das Zeugnis der Apostel darstellt, zwingt man sie, Antworten auf Fragen zu geben, die nicht in ihrem Ursprungshorizont liegen. Dabei handelt es sich, wissenschaftlich gesehen, um einen methodischen Fehler. Genauso seltsam wäre es, Platon auf seine Einstellung zum Umweltschutz zu befragen. Vinzenz plädiert daher dafür, die Kirchenväter und Apologeten zusätzlich zur Beantwortung einer Frage heranzuziehen. Allerdings verlangt er einen Konsens bei den Kirchenvätern, da ein Einzelner immer noch Gefahr läuft, sich zu irren. Methodisch gesehen, läuft diese Forderung jedoch eventuell, wenn nicht ein Kirchenvater explizit zu der Frage, die man ihm stellt, Stellung genommen hat, in die gleichen Probleme wie bei der Schriftauslegung. Man trägt unter Umständen eine Frage an ihn heran, die er sich selbst nie gestellt hat. Man stelle sich vor, man würde Petrus fragen: „Glaubst Du, dass Jesus von Nazareth wahrer Gott und wahrer Mensch, geeint in der Hypostase des Logos, war?“ Abgesehen von dem Problem der Übersetzung des Begriffs „Hypostase“ ins Aramäische, wäre das Gesicht Petri auf eine solche Frage sicherlich interessant. Somit kommt man zurück zum Glaubensbegriff: Hat Petrus an Jesus geglaubt? Ja. Hätte er auch auf die obige Frage mit „Ja“ geantwortet – vorausgesetzt man hätte ihm genau den Inhalt der Frage und damit dreihundert Jahre Theologiegeschichte erklärt? Man weiß es nicht. Es bleibt Spekulation. Daher gilt es zu überlegen, was mit dem Begriff „Glaube der Apostel“, den die Kirche bewahren will, theologisch gemeint ist.

Einen weiteren Punkt gibt es – historisch gesehen – zu bedenken. Vinzenz von Lérins galt als ein Kritiker der Gnadenlehre Augustins und als Semipelagianer[35], was seinem Werk tausend Jahre Nicht-Beachtung eintrug. Für ihn könnte Augustinus einer der Neuerer gewesen sein, den es zu bekämpfen galt. Sein Kriterium könnte dementsprechend im Hinblick auf Augustinus entwickelt worden sein. Augustinus, rezeptionsgeschichtlich der bedeutendste Theologe der abendländischen Kirche, hat aus Vinzenz Sicht nicht nur den alten Glauben vertieft, sondern auch Neues gelehrt. Ausgehend von dieser Beobachtung, stellt sich noch einmal die Frage, ob neue Fragestellungen nicht auch neue Antworten produzieren, die über den „alten Glauben“ hinausgehen. Zwar kann man immer sagen, diese neuen Antworten würden vom „amplificare“ abgedeckt, jedoch stellt sich die Frage, ob das nicht gleichbedeutend ist mit einer Zuordnung des Genehmen zu „amplificare“, der unangenehmen Antwort jedoch zu „permutare“. Häresie war nicht immer Häresie, Orthodoxie nicht immer Orthodoxie, sondern beide waren vor einer Entscheidung des Lehramtes zwei mögliche Antworten auf dieselbe Frage. (Das heißt nicht, dass nicht eine Antwort (die später orthodoxe) besser gewesen wäre als die andere). Wenn aber das Kriterium des Vinzenz so praktikabel wäre, wie er es formuliert hat, hätte es nur eine Antwort geben dürfen. Aber letztlich ist auch die Anwendung des vinzentinischen Kriteriums eine Ermessensfrage, was der eine oder andere Theologe als ubique, semper et ab omnibus creditur ansieht. Es hilft nicht wirklich weiter, Kriterien für eine Dogmenentwicklung zu finden.

Außerdem muss man allgemein dem Commonitorium die Frage stellen, ob es den Häretikern als Menschen und Theologen gerecht wird. Denn kein Theologe setzt sich an seinen Tisch, um eine neue Häresie zu formulieren. Die Not, auf eine Frage Antwort zu geben – ja geben zu müssen, in Kombination mit mangelnder Auskunftsfreudigkeit der Schrift bezüglich solcher

---

[35] Ob dieser Vorwurf gerechtfertigt war, bleibt Spekulation.

neuer Fragen, führen naturgemäß zu den verschiedensten Antworten. Laut Vinzenz muss das aber auch so sein, wenn er die Häresie als Teil des göttlichen Plans charakterisiert, um den Glauben der Kirche zu testen. So gewinnt er der Häresie einen positiven Aspekt ab, auch wenn er den Häresiarchen teuflische Verblendung bzw. Selbstverliebtheit in ihre eigene Genialität (Origines, Tertullian) zuschreibt. Letztlich muss er dies aber systemimmanent tun, wenn er seinem Kriterium irgendeine Wirksamkeit zuschreiben will. Wenn das Wahre wirklich durch dieses Kriterium erkannt werden kann, dann könnte es apriori bei der Suche nach Antworten von den verschiedensten Theologen nur eine mögliche Antwort geben, nämlich die des gemeinsamen alten Glaubens. Da dies aber de facto nicht der Fall ist, müssen entweder die Häresiarchen teuflisch verblendet sein oder aber das Kriterium des Vinzenz bleibt letztlich hinter den eigenen Ansprüchen zurück, die Erkenntnis des Wahren zu ermöglichen.

Auf einen weiteren Punkt soll noch hingewiesen werden. Vinzenz war nicht der erste Theologe, der sich die Frage stellte, wie man die Wahrheit vom Irrtum unterscheiden könne. Irenäus von Lyon entwarf in seiner Schrift „adversus haereses“[36] den Gedanken, dass man die wahre Tradition, die wahre Lehre der Apostel, aus dem Mund derjenigen Bischöfe erfahren könne, die in ununterbrochener Kette zu den Gründern ihrer Kirchen, den Aposteln, stünden. Unter diesen wiederum rage die römische Kirche hervor, die von den Aposteln Petrus und Paulus begründet worden sei. Für Irenäus ist diese Sukzessionslinie wichtig, da die Gnostiker ihre Lehre nicht auf die Apostel zurückführen könnten. Der eigentliche Argument für die Bewahrung der Wahrheit liegt aber in der Wichtigkeit des Bischofsdienstes und der Fürsorge der Bischöfe für die rechte Weitergabe der Wahrheit. Für Vinzenz ist dieses Kriterium nicht mehr schlagend für die wahre Lehre. Die zahlreichen arianischen Bischöfe und der Patriarch Nestorius sprachen gegen die Sukzession als hinreichendes Kriterium der Wahrheit und für eine eher mangelnde Fürsorge um den wahren Glauben bei einigen Bischöfen. Im Vergleich dieser beiden Autoren zeigt sich, dass sich selbst die Kriterien zur Erkenntnis der wahren Lehre weiterentwickeln. So gesehen, ist Vinzenz der Neuerer, der aufgrund der Erfahrungen, die die Kirche im vierten Jahrhundert gemacht hat, sich gezwungen sah, ein neues Kriterium zu entwi-

---

[36] Irenäus von Lyon, Adversus Haereses III, Kap. 3,1, in: Norbert Brox (Hg.), Irenäus von Lyon. Adversus Haereses III [= Fontes Christiani Bd. 8,3], Freiburg u. a. 1995, S. 29, „Traditionem itaque apostolorum in toto mundo manifestatam in omni ecclesia adest perspicere omnibus qui vera velint videre, et habemus adnumerare eos qui ab apostolis instituti sunt episcopi in ecclesiis et successores eorum usque ad nos, qui nihil tale docuerunt neque cognoverunt quale ab his deliratur. Etenim, si recondita mysteria scissent apostoli, quae seorsum et latenter ab reliquis perfectos docebant, his vel maxime traderent ea quibus etiam ipsas ecclesias committebant. Valde enim perfectos et irreprehensibiles in omnibus eos volebant esse quos et successores relinquebant, suum ipsorum locum magisterii tradentes: quibus emendate agentibus fieret magna utilitas, lapsis autem summa calamitas“.

ckeln, das das ermöglicht, was das Kriterium des Irenäus nicht (mehr) konnte. (Dabei sei dahingestellt, ob Vinzenz von Lérins Irenäus von Lyon kannte oder nicht.) Wichtig ist nur zu sehen, dass neue geschichtliche Erfahrungen auch neue geschichtliche Modelle für eine Dogmenentwicklungstheorie hervorbringen.

Nach der Betrachtung dieses antiken Autors soll nun die Erfahrung von 1800 Jahren Kirchen, Theologie- und Dogmengeschichte betrachtet werden. John Henry Newman, der Vater für katholische Dogmenentwicklungsproblematik hat sich, wie Vinzenz, wieder die gleiche Ausgangsfrage gestellt. Nur stand er vor dem Problem, 1850 Jahre erklären zu müssen und nicht nur 434 Jahre. Daraus ergibt sich, stimmt die obige These, automatisch eine völlig andere Theorie zur Lehrentwicklung in der Kirche und zum Problem der Wahrheitserkenntnis.[37]

[37] An dieser Stelle sei noch darauf hingewiesen, dass im Rahmen dieser Arbeit nicht die gesamte Newman-Forschung berücksichtigt werden konnte.

## 2.3. John Henry Newman (1801-1890)

John Henry Newmans[38] Theorie zur Dogmenentwicklung findet sich vor allem in zwei Schriften wieder. Zum einen im „Essay on the Development of Christian Doctrine"[39] und im sogenannten „Newman-Perrone-Paper"[40]. Der Essay ist ein Werk, welches Newman 1845 zur rationalen Legitimation seiner Konversion von der anglikanischen zur katholischen Kirche schrieb. Es trägt demnach starke apologetische Züge. Dieser Arbeit liegt die im Jahr 1878 überarbeitete Ausgabe des Essays zugrunde. Die zweite Schrift verfasste er um das Jahr 1847 zur Rechtfertigung seines Essays gegenüber einer ganz anders gearteten römischen Theologie, welcher der Begriff „Dogmenentwicklung" an sich schon wie eine Häresie erschien. Denn „nulla veritas crescit"[41]. Zugrunde liegt dieser Auffassung der scheinbar unüberwindliche Graben zwischen einer ewigen Vernunftwahrheit und einem nicht notwendigen Geschichtsereignis, aus dem nichts Allgemeingültiges

---

[38] John Henry Newman wurde am 21.2.1801 in London geboren. Nach Studium der anglikanischen Theologie in Oxford und vor allem der Kirchenväter wandte er sich dem „high church" Zweig seiner Kirche zu. 1825 wurde er Priester seiner Kirche. Von 1828-1843 arbeitete Newman als Pfarrer und gefeierter Prediger in Oxford. Gleichzeitig betätigte er sich in reichem Maße schriftstellerisch. In zunehmendem Maße wurde Newman durch das Studium der Kirchenväter der von der anglikanischen Kirche vertretene „mittlere Weg" (via media) zwischen katholischer und reformatorischer Kirchenauffassung suspekt. Er zweifelte an der Wahrheit der „via media" und damit an der Rechtmäßigkeit der anglikanischen Kirche. 1843 verzichtete er daher auf seine Pfarrstelle und wendete sich der Erstellung des „Essay on the Development of Christian Doctrine" zu, den er 1845 – gleichzeitig mit seiner Konversion zur katholischen Kirche – abschloss. Er begab sich daraufhin zum Studium nach Rom und empfing dort 1847 die Priesterweihe. Gleichzeitig schloss er sich der Oratorianer Gemeinschaft an. 1848 kehrte er nach England zurück, wo er Oratorien seiner Gemeinschaft gründete und sich schriftstellerisch wiederum betätigte. Die wichtigsten Werke dieser Zeit sind „Apologia pro Vita sua" (1864) und „An Essay in Aid of Grammar of Assent"(1870). Nach dem Ersten Vatikanum betätigte Newman sich als Verteidiger dieses Konzils und überarbeitete seinen „Essay on the Development of Christian Doctrine" dementsprechend. 1879 erhielt er von Leo XIII. die Kardinalswürde. Newman starb am 11.8.1890 in Birmingham.
Weiterführende Literatur zum Leben und Werk Newmans:

- Günter Biemer, Überlieferung und Offenbarung. Die Lehre von der Tradition nach John Henry Newman [= Die Überlieferung in der neueren Theologie Bd. 4], Freiburg u. a. 1961.
- Günter Biemer, John Henry Newman (1801-1890). Leben und Werk, Mainz 1989.
- Owen Chadwick, Newman, Oxford u. a. 1983.
- Gerhard Ludwig Müller, Newman begegnen, Augsburg 2000.

[39] Zugrunde gelegte Ausgabe: John Henry Newman, Essay on the Development of Christian Doctrine, London, New York 1960.

[40] Thomas Lynch, The Newman-Perrone Paper on Development, in: Gregorianum 13, Rom 1935, S. 402-447, Originaltitel Newmans: „de Catholici Dogmatis Evolutione".

[41] Giovanni Perrone SJ, in: Thomas Lynch, The Newman-Perrone Paper on Development, S. 420.

abgeleitet werden kann. In der aristotelischen Philosophie sind Akt und Potenz dem Seinenden zugeordnet. Auch etwas, was nur möglich ist, hat Anteil am Sein. Wenn nun Wahrheit gemäß Thomas von Aquin durch eine Angleichung des Verstandes an die Wirklichkeit gewonnen wird,[42] dann gibt es zwei Arten von Wahrheiten: die, welche bereits erkannt wurden und solche, die es noch nicht sind. Somit entwickelt sich eine Wahrheit nicht, sondern wird bestenfalls nur entdeckt.

John Henry Newman beginnt seinen Essay mit einer kritischen Analyse des Vinzentinischen Kriteriums, auf das sich anglikanische Theologen gegen die römische Kirche beriefen. So behaupteten jene Theologen, dass der Primat des Bischofs von Rom in der alten Kirche nicht von allen, jederzeit und überall geglaubt worden sei und dass deshalb die Primatslehre eine Lehrkorruption darstelle. Newman hält dem entgegen:

> „It does not seem possible, then, to avoid the conclusion that, whatever be the proper key for harmonizing the records and documents of the early and later Church, and true as the dictum of Vincentius must be considered in the abstract, and possible as its application might be in his own age, when he might almost ask the primitive centuries for their testimony, it is hardly available now, or effective of any satisfactory result. The solution it offers is as difficult as the original problem."[43]

Mit anderen Worten: Das Prinzip des Vinzenz belegt, wenn es in negativem Sinn verstanden wird, gar nichts, vor allem keine Lehrkorruption. Newman führt für diese These mehrere Beispiele an, das wichtigste ist der Hinweis auf das Trinitätsdogma, welches sich erst mit der Zeit entwickelt hat als Ausdruck des katholischen Glaubens. Grundsätzlich lässt sich nach ihm behaupten, dass man immer einen Kirchenvater finden wird, der sich zu dem ein oder anderen Thema in unterschiedlicher Weise geäußert hat als die Kirche seiner Zeit oder nach ihm. Würde man deswegen eine Äußerung der Kirche zu diesem Thema als Lehrkorruption ablehnen, dann bliebe schlichtweg nur die Schrift übrig. Diese jedoch widerspricht sich, wenn sie nicht in ihrem Gesamtsinn ausgelegt wird. Newman lehnt Vinzenz Prinzip aber nicht ab. Er will es positiv verstanden wissen: Das, was immer, überall und von allen geglaubt worden ist, ist sicher ein Zeichen für eine wahre Lehre, das andere aber deswegen nicht automatisch eine Lehrkorruption.

---

[42] Vgl. Thomas von Aquin, Summa theologica, pars I. quaestio XVI., articulus I.

[43] Essay, Introduction, S. 20, „Es scheint dann nicht möglich, den Schluss zu vermeiden, dass, was immer der richtige Schlüssel zur Harmonisierung der Aufzeichnungen und Dokumente der frühen und späteren Kirche sei, und so wahr Vinzenz Wort auf abstrakter Ebene bedacht werden muss, und so anwendbar es in seiner eigenen Zeit gewesen sein mag, wenn er einfach die früheren Jahrhunderte nach ihrem Zeugnis befragt, so schwer ist es jetzt verfügbar oder effektiv für irgendein zufriedenstellendes Ergebnis. Die Lösung, die es anbietet, ist so schwierig, wie das ursprüngliche Problem".

„The increase and expansion of the Christian Creed and Ritual and the variations which have attended the process in the case of individual writers and Churches, are the necessary attendants on any philosophy or polity which takes possession on the intellect and heart and has had any wide or extended dominion; [...] from the nature of the human mind, time is necessary for the full comprehension and perfection of great ideas; and [...] the highest and most wonderful truths, though communicated to the world once for all by inspired teachers, could not be comprehended all at once by the recipients, but, as being received and transmitted by minds not inspired and through media which were human, have required only the longer time and deeper thought for their full elucidation.“[44]

Dieses Zitat zeigt das Stichwort, unter das Newman seine Überlegungen stellt: „Idea“. Die Entwicklung des Glaubens, d. h. vor allem der Glaubenslehre, betrachtet er als die Entwicklung einer Idee durch die Jahrhunderte hindurch. Dabei ist es nicht einfach zu bestimmen, was er mit Idee genau meint. So unterscheidet Newman subjektive und objektive Ideen. Subjektiv ist eine Idee dann, wenn ein Mensch ihre Quelle ist, objektiv wenn Gott ihr Urheber ist. Daher bezeichnet er das Christentum und das Judentum vor Jesus als objektive Ideen, den Islam, die Gnosis und andere religiöse oder philosophische Systeme als subjektive Ideen.[45] Zugleich ist die Idee etwas Abstraktes und Transzendentes, denn man kann sie nur in ihren Aspekten fassen. Sie ist nur in ihren Aspekten konkret und immanent. Die Aspekte aber differieren wiederum von Subjekt zu Subjekt, so dass niemand alle Aspekte auf einmal intellektuell umfassen kann, da auch die Idee an sich nicht vollständig begriffen werden kann.[46] Trotzdem hat man mit der Anerkenntnis eines Aspektes auch potentiell alle anderen mitangenommen.[47]

---

[44] Ebd., Introduction, S. 21-22, „Die Zunahme und Expansion der christlichen Glaubensinhalte und Rituale und die Variationen, die im Fall individueller Schriftsteller und Kirchen anwesend waren, sind die notwendigen Begleiter jeder Philosophie oder jeglicher Form von Inhalten, die vom Verstand und Herzen Besitz ergreifen und irgendeine weite oder breite Kontrolle ausüben; [...] vom Wesen des menschlichen Verstandes ist Zeit für die volle Aneignung und Vervollkommnung großer Ideen notwendig; und die höchsten und wundervollsten Wahrheiten, obwohl sie ein für alle mal durch inspirierte Lehrer für die Welt vermittelt wurden, konnten nicht alle auf einmal durch die Empfänger angeeignet(/verstanden) werden, aber als Wahrheiten, die empfangen und übermittelt werden durch nicht inspirierte Geister und menschliche Medien, haben sie nur eine etwas längere Zeit und tieferes Nachdenken gebraucht, um voll ausgeleuchtet zu werden“.

[45] Vgl. Essay C1 S1 Nr. 1, S. 25.

[46] Einzige Ausnahme bilden für Newman die Apostel, die aufgrund einer speziellen Gnadengabe alle Aspekte der Idee verfügbar gehabt haben, weil sie unmittelbar Träger der Offenbarung waren. Vgl. Hugo M. de Achaval, An unpublished paper by Cardinal Newman, in: Gregorianum 39, 1958, S. 594 2. Abs.

[47] Vgl. Newman-Perrone Paper, C2 Nr. 3, S. 408 : „Quo fit, ut unam partem [verbi Dei] recepisse sit recepisse omnes“.

Auch ist es möglich, einen Aspekt der Idee als Subjekt zu besitzen, ihn aber durch Entwicklung, neue Erkenntnisse oder andere Blickwinkel mit einem anderen zu vertauschen, der genauso zur Idee gehört. Eine Idee ist etwas, was in den Verstand des Menschen und sein Herz in Besitz nehmen kann.[48] Sie zielt also auf das Leben eines Menschen hin. Zugleich ist es schwierig, sich der Idee mit dem Verstand anzunähern, da erst ihre Aspekte systematisiert werden müssen und dies Zeit braucht. So hat zum Beispiel auf den ersten Blick die Lehre vom Purgatorium nichts mit der Kindertaufe zu tun. Auf den zweiten Blick stellt sich aber die Praxis der Kindertaufe als ein Anstoß zur Weiterentwicklung des Bußsakraments heraus, welches eine Brücke zur Fegfeuerlehre herstellt.[49]

Versucht man das Wort „Idee" also ansatzweise zu definieren, so müsste man sagen: Die Idee ist eine von einer Geistnatur gesetzte Wirklichkeit, die in ihren verschiedenen Aspekten im Menschen präsent ist, und dort von den Menschen ergriffen, systematisiert, konkretisiert, gelebt und weitertradiert, d. h. entwickelt und entfaltet, wird.

Will man diesen Definitionsversuch etwas einfacher in Beziehung zum Christentum beschreiben, so kann man sagen, dass es um die Offenbarung und ihre Rezeption im Glauben (sowohl als Glaubensinhalt als auch als Glaubensakt) geht.

Bedenkenswert im Zusammenhang dieser Definition ist noch folgendes Zitat Newmans, indem er den Begriff der Idee, auf das Christentum angewendet, mit dem des „depositum fidei" gleichsetzt, wenn er schreibt:

> „Neque vero alia ratione potest unus aliquis (absque speciali dono) ullo pacto totum Dei verbum in mente sua complecti; superat enim captum intellectus humani, vel capacissimi, universa illa materies, quae in fidei deposito continetur. Nam, cum multiplex sit ea, et varia, et latissime pateat, qui ad illam contemplandam accedit, dum mentis aciem figit in hac parte, hebescere solet in altera. Quo fit, ut pro ingeniorum diversitate, diversae sint viae verbi divini apprehendendi;

[48] Vgl. Essay, C1 S1 Nr. 4, S. 27, „When an idea [...] posses the mind, it may be said to have life, that is, to live in the mind which is its recipient".

[49] Die öffentliche Bußpraxis der frühen Kirche mit öffentlicher Exkommunikation, langjähriger Bußzeit und darauf erfolgender Rekonziliation führte zu einer Verschiebung der Taufe bis zum Sterbebett und zu jahrelangen (bzw. jahrzehntelangen) Katechumenaten. Nachdem das Christentum 381 n. Chr. Staatsreligion im römischen Reich geworden war, war die Bußpraxis darüber hinaus wegen ihrer Strenge für eine Volkskirche nicht mehr praktikabel. Gleichzeitig widersprach die Praxis der Spättaufe und der Rekonziliation nach absolvierter Bußzeit der überwältigenden Größe der Gnade, die sich in Jesus Christus ereignet hat und von der das Neue Testament Zeugnis ablegt. So erfolgte im 10. Jahrhundert, von Irland kommend, die Einführung der „Ohrenbeichte", bei der der Pönitent die Rekonziliation(/ Absolution) vor einem Bußwerk (vor der Genugtuung) empfängt. Daraus wiederum entstand die Frage, was die Konsequenzen sind, wenn jemand die Absolution aufgrund von Reue empfängt, darauf aber nicht genügend Genugtuung leistet in Relation zu der begangenen Sünde. Aus dieser Überlegung und aus der Tatsache, dass Gott gerecht ist, entstand die Purgatoriumslehre.

immutato vel contrario ordine procedatur ex una re ad alteram; initia sumantur non eadem omnibus, sed cuique sua, unde circumfertur mens in orbem universae doctrinae, quam, dum vivit, non plene conficiet."[50]

Das Wort „Idee" fällt zwar im Text nicht explizit, doch schreibt Newman dem depositum fidei genau die gleichen Eigenschaften zu, wie der Idee in seinem Essay. Dies sind: Unerfasslichkeit (und damit Unendlichkeit), zugleich Komplexität, Betrachtung in Einzelaspekten. Aus der Unerfasslichkeit der Idee lässt sich bereits folgende Tatsache ableiten: Es gibt unendlich viele Aspekte einer Idee, so dass es nie einen Punkt in der Geschichte geben wird, an dem man alle Aspekte ausgeschöpft haben wird. Zugleich wird damit auch das Systematisieren der Aspekte niemals ein Ende finden. Was ist aber nun das depositum fidei oder die Idee? Newman schreibt dazu:

„Verbum Dei revelatum est illud donum veritatis evangelicae, seu *depositum fidei* quod sincerum et plenum a Christo traditum Apostolis Ecclesiae, transmittitur in saecula, totum et integrum, donec consummatio veniet."[51]

Allerdings scheint die Unterscheidung zwischen der Idee und ihrer immanenten Rezeption im Geist des Menschen nicht konsequent durchgehalten worden zu sein, wenn er schreibt: „Moreover, an idea not only modifies, but is modified, or at least influenced, by the state of things in which it is carried out, and is dependent in various ways on the circumstances which surround it."[52]

Gemeint ist hierbei aber nicht, dass das depositum fidei, also die Offenbarung, verändert würde, sondern nur die Rezeption im Glauben erfährt eine

[50] Newman-Perrone Paper, C2 Nr. 4, S. 408 f., „Und nicht kann irgendeiner im übrigen durch den Verstand auf irgendeine Weise (außer durch eine spezielle Gabe) das ganze Wort Gottes in seinem Geist umfassen; es übersteigen nämlich das Fassungsvermögen des menschlichen Verstandes, oder des geräumigsten [Verstandes], jene allumfassenden Stoffe, welche im depositum fidei bewahrt werden. Denn, weil dies (depositum) vielfältig ist und mannigfaltig und sich sehr weit erstreckt für den, der zu jener Betrachtung schreitet, ist er gewohnt, während er die Stoßrichtung des Geistes in einem Teil befestigt, in einem anderen zu erlahmen. Dadurch geschieht es, daß es für die Unterschiedlichkeit der Charaktere verschiedene Wege gibt, das göttliche Wort zu empfangen; durch unveränderlichen oder entgegengesetzten Zustand schreitet es fort aus einer Sache zur anderen; dieselben Ausgangspunkte werden nicht von allen genommen, sondern von jedem seiner, von wo aus der Geist den Kreis der ganzen Lehre umschreitet, wie er auch nicht ganz, während er lebt, ihn umschreiten wird".

[51] Newman-Perrone Paper, C1 Nr. 1, S. 404, „Das geoffenbarte Wort Gottes ist jenes Geschenk der evangelischen Wahrheit oder jenes depositum fidei, welches unverfälscht und vollkommen von Christus den Aposteln und von den Aposteln der Kirche übergeben wurde, und das so in die Äonen übermittelt wird, ganz und unversehrt, bis die Vollendung kommt".

[52] Essay, C1 S1 Nr. 6, S. 29, „Mehr noch, eine Idee modifiziert nicht nur [den Menschen], sondern wird auch modifiziert oder wenigstens beeinflußt durch den Stand der Dinge, in dem sie ausgetragen wird, und ist in verschiedener Weise von den Umständen, von denen sie umgeben ist, abhängig".

Modifizierung. „Denn das Wort Gottes existiert objektiv im Intellekt des Heiligen Geistes, dem die ganze Offenbarung als Urheber in allen ihren Aspekten bekannt ist.“[53] Newman ist die strenge scholastische Trennung von depositum fidei und Glaube fremd. Das Wort „Idee“ steht daher sowohl für die Offenbarung als auch für den Glauben. Deswegen hält er auch die Trennung von Idee und Aspekten der Idee nicht durch. Newman zweifelt nicht daran, dass die Offenbarung – und damit das depositum fidei – mit Jesus Christus abgeschlossen ist. Aber die Offenbarung geschah für den Menschen und für den Glauben. Der Mensch soll sie daher auch mit allen Kräften erforschen und erkunden, um so zu neuen Einsichten zu gelangen. Gott liefert sich mit seiner Offenbarung sozusagen dem menschlichen Denken aus, das aus Liebe zu ihm immer neu versucht, andere Aspekte Gottes zu erkennen. Deswegen verändert sich Gott bzw. seine Offenbarung nicht, aber die menschliche Erkenntnis von ihm bzw. ihr wächst realiter. Gerade dieser Punkt war es, der Newman Probleme mit den Vertretern der scholastischen Theologie eintrug. Newmans Gegner verstanden unter dem Glauben das exakte Korrelat zum depositum fidei. Gott gibt die Offenbarung und der Mensch glaubt an sie. Und indem er an die fixierte Offenbarung glaubt, bewahrt er exakt den Glauben der Apostel, die an dieselben Offenbarungsinhalte geglaubt haben. Walter Kasper kommt im Vergleich von Newman und Perrone – als Vertreter der scholastischen Theologie – zu der Schlussfolgerung:

> „Der Unterschied zwischen Perrone und Newman liegt so weniger in der verschiedenen Terminologie, im mehr oder weniger betonten historischen Denken, auch weniger in philosophischen oder psychologischen Voraussetzungen, als in der theologischen Auffassung dessen, was Offenbarung und Glaube ist. Von daher ergibt sich erst das verschiedene theologische Verständnis der Begriffe Dogma, depositum, Entwicklung.“[54]

Würde man die Position Newmans bezüglich des Glaubens überspitzt formulieren wollen, dann müsste sie so lauten: Der Glaube der Apostel entsteht für jeden Ort und jede Generation neu. Dies korreliert mit den Aussagen Newmans, dass die Aspekte der Idee sich ändern, ihr Träger – die objektive Idee – aber nicht. Der Glaube wächst und verändert sich, die Offenbarung nicht. Da aber die Offenbarung nur in ihren Aspekten präsent ist – die Idee sich im Menschen konkret in einzelnen Aspekten verwirklicht und damit im Glauben der einzelnen Christen, und da die einzelnen Christen von ihrer Umwelt und Umgebung beeinflusst sind, ändert sich mit dem

---

[53] Frei nach Newman-Perrone C1 Nr. 4, S. 405f., „Quare objectivum appelatur verbum Dei, primum cum consideratur ut existens in intellectu Spiritus Sancti, cui patet utique omnibus numeris integra illa et tota revelatio, cujus ipse Summus Auctor est Largitor“.

[54] Walter Kasper, Die Lehre von der Tradition in der Römischen Schule [= Die Überlieferung in der neueren Theologie Bd. V], Freiburg u. a. 1962, S. 130.

Glauben auch die Erkenntnis des depositums fidei. Newman bezeichnet dies als Entwicklung der Idee, obwohl sich nur ihre Rezeption entwickelt.

Der Grund für die Entwicklung der Idee mit dem Namen „Christentum" beschreibt Newman so:

> „Again, if Christianity be an universal religion, suited not simply to one locality or period, but to all times and places, it cannot but vary its relations and dealings towards the world around it, that is, it will develope."[55]

Die universale Sendung der Kirche fordert die Inkulturation (Inkarnation) des Evangeliums zur entsprechenden Zeit am entsprechenden Ort. Entwicklung ist unvermeidlich. Daher ist auch die Gefahr einer Fehlentwicklung potentiell unvermeidlich.

> „But, whatever be the risk of corruption from intercourse with a world around, such a risk must be encountered if a great idea is duly to be understood, and much more, if it is to be fully exhibited. It is elicited and extended by trial and battles into perfection and supremacy. […] In time it enters upon strange territory; points of controversy alter their bearing; parties rise and fall around it; dangers and hopes appear in new relations; and old principles reappear under new forms. It changes with them in order to remain the same. In a higher world it is otherwise, but here below to live is to change, and to be perfect is to have changed often."[56]

Newman erwähnt hier bereits, dass so eine Veränderung nicht steuerungslos, „ins Blaue hinein", geschieht, sondern eine Idee wird anhand von Prinzipien entwickelt. Die Lehren (die Aspekte) der Idee mögen variieren, aber die Prinzipien der Entwicklung einer Idee bleiben sich immer gleich. Will man also feststellen, ob es tatsächlich eine Fehlentwicklung (Korruption) gegeben hat, so müsste man nur beweisen, dass die Prinzipien sich im Laufe der Zeit verändert haben.

Bevor Newman sich aber den Prinzipien widmet, versucht er seine These zu beweisen, dass die Offenbarung durch Gott auf Entwicklung hin angelegt

---

[55] Essay C2 S1 Nr. 3, S. 43, „Noch einmal, wenn das Christentum eine universelle Religion sein soll, nicht nur für einen Ort und eine Zeitperiode angepaßt, sondern für alle Zeiten und Orte, kann es nicht anders, als seine Beziehungen zur Umwelt zu variieren, d. h., es wird sich entwickeln".

[56] Essay C1 S1 Nr. 7, S. 29f., „Aber was immer auch das Korruptionsrisiko beim Umgang mit der Umwelt sein mag, so einem Risiko muß man sich aussetzen [wörtlich: muß begegnet werden], falls eine große Idee gebührend verstanden werden soll, und – darüber hinaus – falls sie voll dargestellt werden soll. Sie wird hervorgelockt und ausgebaut durch Prüfung und sie kämpft sich zur Vollkommenheit und Vormachtstellung. [...] Im Lauf der Zeit betritt sie fremdes Territorium; kontroverse Standpunkte ändern ihre Richtung; Parteien entstehen und vergehen um sie herum; Gefahren und Hoffnungen tauchen in neuen Beziehungen auf; und alte Prinzipien erscheinen erneut in neuer Form. Sie ändert sich mit ihnen, um die Gleiche zu bleiben. In einer höheren Welt mag es anders sein, aber hier unten bedeutet Leben Veränderung, und Vollkommenheit bedeutet, sich oft verändert zu haben".

ist. Das erste und empirische Argument dafür ist, dass die Schrift insuffizient ist, um das Leben einer beliebigen christlichen Gemeinschaft zu erklären. Selbst die Kirchen der Reformation, die sich auf das Sola–scriptura–Prinzip berufen, können ihre gesamte Praxis und Lehre nicht aus der Heiligen Schrift allein beweisen. Newman nennt als Beispiel hierfür die Kindertaufe. Daher ist jede christliche Gemeinschaft genötigt, ihre Lehre und Praxis anderweitig zu rechtfertigen und anzuerkennen, dass diese Praxis sich im Laufe der Zeit entwickelt hat. Dazu kommt noch, dass die Schrift nicht nur insuffizient ist, um alle Fragen wie ein Superkompendium zu klären, sondern eventuell auch unklar ist bei den Dingen, die sie zu erklären bzw. zu bezeugen versucht. Als Beispiel sei nur die arianische Kontroverse genannt, wo beide Parteien sich auf die Bibel berufen haben. Ein weiteres Argument für seine These sieht Newman in der Schrift selbst bestätigt, insofern in der Schrift selbst Entwicklung bezeugt wird. Er denkt hierbei an das Verheißungs-Erfüllungsschema. Sowie Abraham ein Land verheißen wurde, so wird diese Verheißung in der Errichtung der Gottesherrschaft durch Jesus Christus erfüllt.

> „The whole Bible, not its prophetical portions only, is written on the principle of development. As the Revelation proceeds, it is ever new, yet ever old. St. John, who completes it, declares that he writes no ´new commandment unto his brethren,` but an old commandment which they had from the beginning.“[57]

So wie das Alte Testament durch das Neue Testament weiterentwickelt wird, so ist auch das Neue Testament auf Entwicklung hin angelegt. Newman glaubt, dass jedes Wort und jede Handlung Jesu dazu geeignet ist, eine eigene Entwicklung aus sich hervorzubringen. Der letzte Grund für die Gerichtetheit der Schrift auf Entwicklung besteht darin, dass sie ihre eigene Inspiriertheit nicht wahrnimmt, und daher einer externen Autorisierung bedarf. So ist die Offenbarung nicht nur auf eine Entwicklung hin angelegt, sondern bringt auch eine externe Autorität hervor, welche über die Entwicklung urteilt.

Newman hat hier als Autorität den Papst und das ökumenische Konzil im Blick und behandelt diesen Punkt wegen des anglikanischen Widerspruchs zu diesen Autoritäten besonders ausführlich. Das Hauptargument für seine These lautet, dass Offenbarung einen Verkündiger benötigt, der sie erklärt und den Hörer begleitet und anleitet, m. a. W. eine Autorität, die die Wahrheit bezeugt (vgl. Apg 8,31).[58] Außerdem benötigt eine Entwicklung einen

[57] Essay C2 S1 Nr. 10, S. 48, „Die ganze Bibel, nicht nur ihre prophetischen Teile, sind auf der Basis des Entwicklungsprinzips geschrieben. Während die Offenbarung voranschreitet, ist sie immer neu und doch immer alt. Der Evangelist Johannes, der sie abschließt [mit der Apokalypse], erklärt, dass er kein neues Gebot seinen Brüdern auferlegt, sondern ein altes Gebot, das sie von Anfang an hatten“.

[58] Vgl. Essay C2 S2 Nr. 12, S. 64f.

Einheitspunkt, der das Auseinanderdriften des Denkens und der Praxis verhindert. Diese Autorität muss also über die Entwicklungen richten und ihre Wahrheit bezeugen bzw. ihre Falschheit aufdecken. Diese Autorität ist im Falle des Christentums die Kirche selbst, der hierfür Unfehlbarkeit verheißen ist.[59] Die Notwendigkeit einer unfehlbaren Autorität ergibt sich schon aus der Wichtigkeit der Sache. Wenn Jesus Christus alleiniger Heilsweg für jeden Menschen ist, dann bedarf es einer Autorität, die sicherstellt, dass die Heilsmöglichkeit im Laufe der Geschichte nicht verloren geht:

> „If Christianity be a social religion, as it certainly is, and if it be based on certain ideas[60] acknowledged as divine, or a creed, (which shall here be assumed), and if these ideas have various aspects, and make distinct impressions on different minds, and issue in consequence in a multiplicity of developments, true, or false, or mixed, as has been shown, what power will suffice to meet and to do justice to these conflicting conditions, but a supreme authority ruling and reconciling individual judgments by a divine right and a recognized wisdom? [...] If Christianity is both social and dogmatic, and intended for all ages, it must humanly speaking have an infallible expounder. Else you will secure unity of form at the loss of unity of doctrine, or unity of doctrine at the loss of unity of form; you will have to choose between a comprehension of opinions and a resolution into parties, between latitudinarian and sectarian error. You may be tolerant or intolerant of contrarieties of thought, but contrarieties you will have.“[61]

Bei der „supreme authority“ kann es sich nur um den Papst und das ökumenische Konzil handeln. Beide repräsentieren die Unfehlbarkeit der Kirche,

---

[59] Vgl. Essay C2 S2 Nr. 4, S. 57.

[60] Gemeint sind hier die Dogmen als Teile der Idee, insofern subjektive Aspekte der Idee durch ein Konzil als Teile der Idee erklärt werden. Man sieht hier aber auch, daß Newman sein Vokabular nicht stringent durchzuhalten scheint.

[61] Essay, C2 S2 Nr. 13, S. 65f., „Wenn das Christentum eine soziale Religion ist, und das ist es sicherlich, und wenn es auf Ideen basiert, die als göttlich anerkannt werden, oder einem Glaubensbekenntnis (was hier angenommen werden soll), und wenn diese Ideen verschiedene Aspekte haben, und bestimmte Eindrücke auf verschiedene Geister bewirken, und daher als Konsequenz eine Vielzahl an Entwicklungen hervorbringen – wahr oder falsch oder beides, wie bereits gezeigt wurde - , welche Kraft wäre ausreichend, um streitbringenden Bedingungen zu begegnen und gerecht werden zu können, wenn nicht eine überlegene Autorität, die über die Privaturteile herrscht und sie miteinander aussöhnt aufgrund eines göttlichen Rechts und anerkannter Weisheit. [...] Wenn das Christentum beides, sozial und dogmatisch, ist, und für alle Zeiten [als Heilsweg] vorgesehen ist, muß es – menschlich gesprochen – einen unfehlbaren Erklärer haben. Sonst wird man die formale Einheit auf Kosten der Lehreinheit sichern oder die Lehreinheit auf Kosten der Formaleinheit; man wird sich entscheiden müssen zwischen einem Verständnis für Meinungen und einer Auflösung in Parteien, zwischen religiöser Gleichgültigkeit und sektiererischem Irrtum. Man kann tolerant oder intolerant gegenüber den gedanklichen Gegensätzen sein, aber Gegensätze wird es geben“.

wie Günter Biemer gezeigt hat.[62] Dabei sind Papst und Konzil nicht nur Verkörperung der Autorität der Kirche, sondern auch Ausführungsorgane des Heiligen Geistes, denn nur in ihm ist die Kirche unfehlbar.[63] Autorität sind Papst und Bischöfe als Nachfolger der Apostel bzw. des Apostels Petrus. Repräsentanten des Heiligen Geistes sind sie, weil ihnen die Gabe von Gott geschenkt[64] wurde, subjektive Glaubensinhalte der Kirche in objektive Dogmen umzuwandeln.[65] Eine genaue Verhältnisbestimmung zwischen Apostolizität, Tradition, Sukzession und Weihesakrament liefert Newman allerdings nicht.

Erwähnt seien noch drei Einwände gegen die Unfehlbarkeit von päpstlichen Entscheidungen ex cathedra und ökumenischen Konzilien, über die Newman referiert. Der erste Vorwurf betrifft die Gewissheit der Unfehlbarkeitserkenntnis. Religiöse Gewissheit ist moralische Gewissheit. Daher mache der Glaube der katholischen Kirche an ihre Unfehlbarkeit sie noch lange nicht unfehlbar.

Der zweite Einwand hält Unfehlbarkeit für unmöglich, „[because] it is urged that a Divine Voice spoke in the first age, and difficulty and darkness rest upon all subsequent ones."[66] Der Grund hierfür ist der Glaube. Mit anderen Worten: Um den Glauben auf seine Stärke zu testen, und um ihn immer stärker zu machen, ist der Geist Gottes bestenfalls nach dem 1. Jahrhundert nur noch kryptisch vorhanden und deshalb sei Unfehlbarkeit der Bischöfe und Päpste unmöglich.

Der dritte Einwand gegen die Unfehlbarkeit der Kirche in ihren Repräsentanten argumentiert über die innere Kausalität der Schöpfung. Es wird behauptet, dass eine von Gott eingesetzte, externe und unfehlbare Autorität ein ständiges Eingreifen Gottes in der Geschichte erforderlich machen würde, um diese Autorität in der Wahrheit zu halten. Dies widerspreche aber den Naturgesetzen. Daher könne in der Offenbarung keine externe Autorität angelegt sein, die fehlbar oder unfehlbar über die Offenbarung entscheidet.

Fasst man alle drei Argumente zusammen, so muss man feststellen, dass sie alle um ein Thema kreisen: der Heilige Geist und sein Wirken. Der erste

---

[62] Vgl. Günter Biemer, Überlieferung und Offenbarung. Die Lehre von der Tradition nach John Henry Newman [= Die Überlieferung in der neueren Theologie Bd. IV], Freiburg u. a. 1961, S. 28-30 und 176-183.

[63] Vgl. Newman-Perrone Paper, S. 443, „(Quamvis Ecclesiae datum sit, quandocunque rem aliquam forma dogmatica definit, esse infallibili, tamen ad definiendum progreditur suo tempore, serius, ocyus), tum scilicet cum vult Spiritus ille, in quo est infallibilis".

[64] Vgl. Ebd., S. 415, „tamen speciale habet et unicum Ecclesia, ex dono Omnipotentis Dei, – primum, ut cum loquitur sive in persona Summi Pontificis seu per Concilium Oecumenicum, prorsus sit infallibilis, dogmata autem sua esse plane irreformabilia, utpote illud ipsum objectivum verbum, quod ab Apostolis illi commendatum est".

[65] Vgl. Ebd. S. 415.

[66] Essay C2 S2 Nr. 8, S. 60, „weil betont wird, daß eine göttliche Stimme im ersten Jahrhundert gesprochen hat, und Schwierigkeit[en] und Dunkelheit über allen folgenden liegt".

Einwand kommt nicht vom subjektive Glauben zur objektiven Wahrheit des Glaubens, weil er den Urheber des Glaubens, den Heiligen Geist, nicht mitbedenkt. Er bemängelt deshalb die Glaubenserkenntnis, dass subjektive Glaubensüberzeugung und objektive Wahrheit gleich sind, da die subjektive Glaubensüberzeugung von der objektiven Wahrheit hervorgerufen wird. Die zweite Sicht pflegt eine pessimistische Betrachtung der Geschichte, die nach dem ersten Jahrhundert kein bzw. nicht dasselbe starke Geistwirken erkennen kann, von dem die Schrift zeugt. Gleichzeitig erklärt sie dieses Defizit mit dem Plan Gottes, dem Glauben „Raum" zu geben, damit dieser umso größer sein kann. Gott möchte sozusagen auf seine Kirche Stolz sein können, die ohne große Hilfe durch ihn auskommt. Die dritte These leugnet aus einem deistischen Gottesbild heraus nicht nur die Möglichkeit einer eingesetzten externen Autorität über die Schrift und die Lehrentwicklung, sondern letztlich auch die Möglichkeit einer Offenbarung Gottes in der Geschichte, die ja keine geringere Durchbrechung der Naturkausalitäten darstellt als eine ständig von Gott in der Wahrheit gehaltene Autorität. Newmans Antworten auf diese Vorwürfe beziehen sich eindeutig auf anglikanische Christen, so dass sie zwar interessant, aber doch für die heutige Problemstellung, die noch schärfer ist, nicht mehr ausreichend sind.

Newman unternimmt nach Ablehnung dieser Einwände den Versuch, zu zeigen, dass das Lehrsystem, welches sich entwickelt hat, aufgrund göttlicher Urheberschaft und göttlicher Fügung, vor Korruption geschützt war und ist. Sein Hauptargument hierfür ist die innere Konsistenz des Lehrsystems. Er zeigt hierfür, wie die eine Lehre zur anderen führt, und diese zu einer weiteren. Außerdem wenn die erste Lehre bewiesenermaßen wahr ist, dann ist auch die Lehre, die aus ihr folgt, wahrscheinlich; wird diese folgende Lehre aber wiederum durch eine andere Lehre unterstützt, so multipliziert sich ihre Wahrscheinlichkeit. Newman legt hier also die Hauptideen seiner Zustimmungslehre[67] vor. Außerdem behauptet er, dass, wenn das eine zum anderen führt, eine Theorie, die einen Schnitt in Geschichte ansetzt, um zwei Generationen zu trennen (z. B. apostolische Kirche = vollkommen – nachapostolische Kirche = Christentum des Abfalls), nicht wahr sein kann.[68] Er postuliert eine Kontinuität der Entwicklung aus der inneren Einheit und Relationalität des depositum fidei heraus.

Trotzdem muss man eine Lehre, die aus einer anderen folgt, apostolisch begründen. Das Kriterium des Vinzenz, negativ verstanden, ist für eine solche Lehre, die später erst explizit vorhanden ist, ungenügend, wenn man das semper, ubique, ab omnibus explizit versteht. Dann nämlich muss man strenggenommen sagen, dass alles, was nicht explizit in der Schrift steht, nicht apostolisch sein kann. Und selbst die einzelnen Bücher der Schrift waren umstritten, so dass das Kriterium des Vinzenz sehr problematisch

---

[67] An Essay in Aid of a Grammar of Assent.
[68] Vgl. Essay C2 S3 Nr. 5, S. 71f.

wird. Man muss statt dessen zeigen, dass an die spätere Lehre implizit immer schon geglaubt wurde, Anzeichen in der Geschichte dafür suchen, – wobei die Anzeichen zugunsten der späteren Lehre zu lesen sind und nicht dagegen – und den Grund angeben, wieso die Lehre nicht schon von Anfang an so präsent war, wie sie es hätte sein sollen, wenn sie apostolisch ist.

Newmans These lautet, dass eine Lehre erst dann reflektiert und expliziert wird, wenn sie in Frage gestellt wird.[69] Er versucht, dies anhand verschiedener Beispiele der Dogmengeschichte zu zeigen, vor allem aber an der arianischen Kontroverse und der päpstlichen Primatsdiskussion seiner Zeit. So kann er behaupten, dass

> „that faith [der katholische Glaube] is undeniably the historical continuation of the religious system, which bore the name of Catholic in the eighteenth century, in the seventeenth, in the sixteenth, and so back in every preceding century, till we arrive at the first."[70]

Dieser historischen Fortsetzung der Urkirche in der Kirche von heute steht aber die These entgegen, dass mit der Entwicklung der Idee auch die Möglichkeit einer Fehlentwicklung gegeben ist.

> „[Therefore] it becomes necessary in consequence to assign certain characteristics of faithful developments, which none but faithful developments have, and the presence of which serves as a test to discriminate between them and corruptions."[71]

Newman stellt sieben Kennzeichen einer wahren Entwicklung auf: Bewahrung des Typs, Kontinuität der Prinzipien, Assimilationskraft, logische Folge, Antizipation der Zukunft, Bewahrung der Vergangenheit und zeitliche Kraft. Günter Biemer[72] unterteilt diese sieben Kriterien in drei Gruppen:

1. Typus, Prinzip und logischer Aufbau
2. Antizipation und Konservation
3. Lebenskraft (=Assimilationskraft und zeitliche Kraft).

---

[69] Newman illustriert dies anhand der Bischöfe in: Newman-Perrone Paper, C3 Nr. 7, S. 416f., „Propositione aliqua ab haeresiarcha in medium inopinato projecta, percellunt episcoporum mentes, primo non satis vident quid optime respondeant; sensu intimo subjectivi verbi in illis habitante, illam refugiunt et respuunt, quibus autem argumentis confutetur forte non inveniunt. Ad dogmata fidei recurrunt; Scripturas adeunt; Patres consulunt; raptim pro re nata tela qualiacumque capiunt".

[70] Essay C5 Nr. 1, S. 123, „dieser Glaube unleugbar die historische Fortsetzung des religiösen Systems ist, welches den Namen „katholisch" trägt, im 18.Jh., im 17.Jh., im 16.Jh., und so zurück in jedes folgende Jahrhundert, bis wir im ersten ankommen".

[71] Essay C5 Nr. 2, S. 124, Deshalb „ist es notwendig als Konsequenz bestimmte Charakteristiken gläubiger Entwicklungen anzugeben, die keine Entwicklungen außer den gläubigen [Entwicklungen] haben, und deren Präsenz als Test dienen, um zwischen ihnen und den Fehlentwicklungen zu unterscheiden".

[72] Vgl. Günter Biemer, Überlieferung und Offenbarung. Die Lehre von der Tradition nach John Henry Newman [= Die Überlieferung in der neuren Theologie Bd. IV], Freiburg u. a. 1961, S. 105f.

Diese Einteilung weist auf Newmans Vorstellung für eine Dogmenentwicklung hin. Er denkt die Entwicklung kirchlicher Lehren analog zur Entwicklung eines Organismus, sowie bereits Vinzenz von Lérins die Entwicklung mit einem Samen verglichen hat. Newman sagt selbst zu dem Kriterium der Typbewahrung:

> „The adult animal has the same make, as it had on its birth; young birds do not grow into fishes, nor does the child degenerate into the brute, wild or domestic, of which he is by inheritance lord. Vincentius of Lerins adopts this illustration in distinct reference to Christian doctrine.“[73]

Newman versucht bei diesem Punkt lange und ausführlich zu zeigen, dass das Wesen des Christentums über die Jahrhunderte hinweg das gleiche geblieben ist. Die Substanz (die Idee) ist konstant, die Akzidentien (Umwelt, äußere Erscheinung) ändern sich. Er vergleicht die Situation der katholischen Kirche in seinem Jahrhundert mit der Situation der Kirche im 4. Jahrhundert: Die katholische Kirche ist sie selbst, den protestantischen Kirchen entsprechen die Arianer, der anglikanischen Kirche die Semiarianer. Ja sogar bei der Ausbreitung der Häresien im 5. und 6. Jahrhundert hat die römisch-katholische Kirche den Typ als einzige bewahrt, weswegen der Papst auch heute, genau wie damals, Garant der Wahrheit für Newman ist.

Das zweite Kennzeichen, das den Vergleich mit einem organischen Wachstum nahe legt, ist die Kontinuität der Prinzipien. Im Bereich des Organischen wäre das Prinzip der Entwicklung die DNS. Auf die christlichen Lehren bezogen, sind Prinzipien die Gesetze, nach denen Lehren sich entwickeln.

> „Principles are abstract and general, doctrine relate to facts; doctrines develope, and principles at first sight do not; doctrines grow and are enlarged, principles are permanent; doctrines are intellectual and principles are more immediately ethical and practical. Systems live in principles and represent doctrines. […] Doctrines stand to principles as the definitions to the axioms.“[74]

Dieser Punkt ist der interessanteste der Newmanschen Theorie. Die Idee, das depositum fidei, das geoffenbarte Wort Gottes, wird vom menschlichen Geist (/von der Kirche) in ihren (seinen) Aspekten untersucht, durchdrungen und analysiert, bis die Kirche eines Tages, einen erkannten Aspekt mit der

---

[73] Essay C5 S1 Nr. 1, S. 125, „Das erwachsene Tier ist genauso gemacht, wie zu seiner Geburt; junge Vögel wachsen nicht zu Fischen heran, noch degenerieren Kinder zu Vieh, wild oder zahm, über das sie durch Erbrecht Herren sind. Vinzenz von Lérins adaptiert diese Vorstellung in bestimmter Anspielung auf die christliche Lehre“.

[74] Essay C5 S2 Nr. 1, S. 130, „Prinzipien sind abstrakt und allgemein, Lehren beziehen sich auf Tatsachen; Lehren entwickeln sich, Prinzipien auf den ersten Blick jedoch nicht; Lehren wachsen und werden größer, Prinzipien bleiben; Lehren sind intellektuell, Prinzipien sind unmittelbar ethisch und praktisch. Systeme leben von Prinzipien. [...] Lehren stehen zu Prinzipien wie Definitionen zu Axiomen“.

Idee für identisch erkennt und erklärt. Diese ganze Entwicklung ist aber nicht nur vom Heiligen Geist getragen und somit apriori kongruent, sondern diese Entwicklung weist eine innere Struktur auf, anhand deren man erkennen kann, dass die Entwicklung wirklich vom Geist Gottes getragen war. Der Geist führt immer zu Christus hin und damit sind die Prinzipien der Entwicklung im Christusereignis grundgelegt. Dies ist aber bereits eine Interpretation. Newman nennt das zentrale Prinzip des Christentums: ὁ λόγος σὰρξ ἐγένετο (Joh 1,14). Die Inkarnation des Logos als Jesus von Nazareth stellt nicht nur eine Lehre dar, sondern repräsentiert das universale Gesetz, anhand dessen man richtige Entwicklungen von falschen unterscheiden kann. Für ihn unterscheiden sich alle nicht-katholischen kirchlichen Gemeinschaften dadurch, dass sie das Inkarnationsprinzip zugunsten des Privaturteils als oberstes Prinzip geopfert haben. Eine Gemeinschaft ist auf gemeinsamen Prinzipien aufgebaut. Unterscheiden sich die Prinzipien, kommt es zur Trennung.[75] Das Inkarnationsprinzip ist für Newman dabei das wichtigste Prinzip, man könnte sogar sagen, der articulus stantis et cadentis ecclesiae. Im Nicäno-Konstantinopolitanum heißt es: „qui propter nos homines et propter nostram salutem descendit de caelis."[76] Aus der Menschwerdung Gottes kann man erkennen, dass Gott den Menschen retten wollte, den Menschen mit Leib und Seele, nicht nur die Seele allein. Sonst hätte es genügt, einen Propheten zu erwecken, der den neuen Bund kundtut und die Bundesregeln niederschreibt. Ziel Gottes war es aber, Gemeinschaft mit sich zu stiften. Dazu bedurfte es der Inkarnation. Das lehnen die protestantischen Kirchen zwar nicht ab, ziehen daraus nach Newman aber nicht die notwendigen Konsequenzen. Ist Gott Mensch geworden, dann ist die Materie, wie die Seele, fähig, vom Heiligen Geist erfüllt zu werden und ihm zu dienen; ist Gott Mensch geworden, dann vollzieht sich die Erlösung nicht nur in geistiger Betätigung des Glaubenssubjekts, gibt es nicht nur das Wort in der Schrift, sondern auch das verdinglichte Wort, die Sakramente; ist Gott Mensch geworden, dann hat er sich nicht aus der Geschichte herausgehalten, sondern sich als ihr Herr erwiesen, und damit die Kirche zum Ort und Mittel seines Wirkens gemacht; ist Gott Mensch geworden, dann gibt es nicht eine unbestimmbare und unsichtbare Kirche der Heiligen, sondern eine sichtbare Gemeinschaft, als Gemeinschaft gerufen und versammelt um den Altar zur Eucharistie; ist Gott Mensch geworden, dann bedarf es der sichtbaren Repräsentation Christi in der Kirche etc.. Der Mensch bedarf aufgrund seiner Leiblichkeit der medialen Vermittlung der Offenbarung. Die Sakramentalität der Offenbarung durch die Annahme einer menschlichen Natur ist aber nicht nur ein pädagogisches Hilfsmittel zur Durchführung der Offenbarung, sondern offenbart selbst, dass der

---

[75] Vgl. Essay C5 S2 Nr. 3, S. 132, „Pagans may have, heretics cannot have the same principles as Catholics".

[76] DH 150.

Mensch mit Leib und Seele sein Ziel in Gott finden soll. Die hypostatische Union überdauert die Heilsökonomie.[77]

Newman nennt aber auch noch andere Prinzipien katholischer Theologie, die zum Teil eng mit dem Inkarnationsprinzip verbunden sind:

Das erste ist das Dogmenprinzip. Es besagt, dass die menschliche Sprache fähig ist, göttliche Wahrheiten zu erfassen – wenn auch inadäquat – und zu beschreiben. Das zweite ist das Glaubensprinzip. Es vertritt den Primat des Glaubens vor der Vernunft, ohne die Nützlichkeit der Vernunft zu leugnen. Dieses Prinzip korrespondiert mit der dogmatischen Konstitution des Ersten Vatikanums über die göttliche Offenbarung (Dei Filius) in ihrer Ablehnung von Rationalismus und Fideismus.[78] Das dritte Prinzip ist das Theologieprinzip. Der Glaube ist ein Gefüge aus rationalen und affektiven Komponenten. Die rationalen Teile können von der Vernunft untersucht werden. Dies ist die Grundlage der Theologie und des Theologieprinzips. Das vierte, sechste und neunte Prinzip sind direkte Ableitungen aus dem Inkarnationsprinzip. Es sind das Sakramentenprinzip, das Gnadenprinzip und das Heiligungsprinzip für die Materie. Diese Prinzipien besagen, dass durch die Annahme einer menschlichen Natur durch den Sohn die Materie geheiligt wurde, zum sichtbaren Zeichen der Gnade wurde, derer wir aufgrund unserer leiblichen Konstitution bedürfen, weil wir unser Wesen in der sichtbaren Welt vollziehen und nicht irgendwie geistig an ihr vorbei. Weil die Materie fähig zur Heiligung ist, kann es überhaupt so etwas wie die Materie eines Sakramentes und damit heilige Öle usw. geben. Das Gnadenprinzip besagt, dass Jesus Christus die Kirche aus Gnade gerettet hat. Denn er ist es, von dem alle Heiligung ihren Ausgang nimmt. Das siebte Prinzip, das Prinzip der Askese, basiert darauf. Der Mensch ist durch die Rettungstat Christi und die Begnadung durch den Heiligen Geist eine neue Schöpfung in Christus. Er ist damit fähig, nach dem Gesetz der Gnade zu leben und den alten Menschen abzulegen. Das fünfte Prinzip ist mit dem ersten verwandt und beinhaltet den notwendigen Gebrauch der Sprache in einem übertragenen (analogen) Sinn, wenn man von Gott redet. Der achte Prinzip besteht in der Überzeugung der Bösartigkeit der Sünde, die überwunden wurde durch Christus.

Betrachtet man diese Prinzipien, so haben sie alle eins gemeinsam. Sie beziehen sich alle auf Aussagen des Neuen Testaments, so dass man Newman fragen kann, ob diese Prinzipien nicht Prinzipien der Apostolizität sind. Oder ob diese Prinzipien nicht nur besagen: die Schrift ist norma normans, die Tradition norma normata. Eine Lehre, die sich spät entwickelt (z. B. die

---

[77] Vgl. die Verurteilung des Markell von Ankyra durch den Passus „cuius regni non erit finis“ (DH 150) und den dazu gehörigen Kanon (DH 151).

[78] Vgl. 1. Vatikanisches Konzil, Dogmatische Konstitution „Dei Filius“: DH 3000-3045: Das Konzil wiederholt in dieser Konstitution die Anselm'sche Formel des „fides quaerens intellectum“ als Grundlage der Theologie.

unbefleckte Empfängnis Mariens), muss sich an (den Prinzipien) der Schrift messen lassen. Nur wenn sie nicht im Widerspruch zu einem dieser Prinzipien steht, kann sie apostolisch sein und keine Lehrkorruption. Sie ist aber nur insofern apostolisch, insofern sie nicht mit den Prinzipien der apostolischen Zeit im Widerspruch steht und somit als legitime Entwicklung vertreten werden kann. Anders gesprochen: Jede apostolische Lehre führt zum Mittelpunkt der Geschichte: der Zeit, in der Gott auf Erden wandelte, Zeichen und Wunder setzte, oder anders gesagt: einen Ursprung (principium) und ein Zentrum gesetzt hat, an dem sich das Leben aller Menschen existentiell entscheidet und die Lehre der Kirche aller Zeiten ihr Richtmaß bekommt.

Das vierte Kennzeichen einer wahren Entwicklung, logische Folge, hakt bei diesem Punkt ein. Eine Lehre muss nicht nur mit den apostolischen Prinzipien vereinbar, sondern auch in logischer Folge zu den anderen, den früheren Lehren stehen. Denn nur dann kann sie legitimerweise aus einer anderen folgen. Deshalb ist die innere Logik eines Lehrsystems Kennzeichen und notwendige Bedingung für seine Wahrheit.

Das fünfte und sechste Kennzeichen einer wahren Entwicklung, Antizipation der Zukunft und konservative Wirkung auf die Vergangenheit, erinnern sofort wieder an die Vorstellung einer Entwicklung im organischen Bereich. Wenn die Kirche von heute mit der Kirche der Antike vom Typ her identisch ist, und wenn das depositum fidei konstant ist, dann muss es Anzeichen für die heutige Lehre in früheren Zeiten gegeben haben. Es müssen laut Newman Hinweise auf die künftige Größe aufgetaucht sein. Ebenso müssen die früheren Entwicklungen in den späteren bewahrt werden. Dies gebietet das Traditions- und Autoritätsprinzip, auf das die katholische Theologie gegründet ist. Auch ist die bewahrende Haltung gegenüber der Vergangenheit eine Folge, wenn eine Lehre aus der anderen im Laufe der Zeit entsteht. Sobald die spätere Lehre im Widerspruch zur früheren stünde, wäre sie korrupt.

> „As developments which are preceded by definite indications have a fair presumption in their favour, so those which do but contradict and reverse the course of doctrine which has been developed before them, and out of which they spring, are certainly corrupt; for a corruption is a development in that very stage in which it ceases to illustrate, and begins to prejudice, the acquisitions gained in its previous history.“[79]

[79] Essay C5 S6 Nr. 1, S. 144, „Sowie Entwicklungen, die bestimmte Frühindikatoren hatten, ein gewisses Vorschussvertrauen verdienen, so sind solche, die nichts anderes tun als dem Kurs der Lehre, die sich vor ihnen entwickelt hat und aus der sie entstammen, entgegenzustehen und ihn umzukehren, mit Sicherheit korrupt (falsch); denn eine Korruption ist eine Entwicklung in dem Stadium, in dem sie aufhört, zu illustrieren, und anfängt, Vorurteile gegenüber den Errungenschaften der früheren Zeit aufzubauen“.

Die letzte Gruppe der Kennzeichen einer wahren Entwicklung mit der Überschrift „Lebenskraft" beinhaltet das dritte und siebte Kennzeichen, Assimilationskraft und chronische Kraft. Wie schon die anderen Kennzeichen sind auch diese wiederum Hinweise für eine letztlich organische Vorstellung Newmans bezüglich der Dogmenentwicklung. Die Assimilationskraft ist das Verdauungs- und Immunsystem des Christentums, während die zeitliche Kraft die andere Seite der Münze darstellt. Aus Assimilation gewinnt das Christentum Stärke. Es inkulturiert sich, indem es Fremdes sich einverleibt und assimiliert. Als Beispiele nennt Newman viele Gebräuche wie die Verwendung von Weihrauch, Weihwasser, Eheringen, die Einführung von Prozessionen, Flursegnungen, und bestimmten Feiertagen usw. Besonders ist aber die Ablösung der Götterverehrung durch die Heiligenverehrung zu nennen. Bei diesem Inkorporationsprozess kann es vorkommen, dass das Einverleibte unverträglich für den Körper ist.[80] In einem solchen Fall wird das Gift wieder als solches ausgeschieden oder vom Körper langsam abgebaut. Ohne Assimilation von Fremdem würde das Christentum untergehen, da eine Inkarnation des Christentums (= Inkulturation) nicht mehr stattfinden würde, womit es aber auch seinen originären Charakter (1. Kennzeichen) verlieren würde. Der Fall, dass ein Gift zu stark sein könnte und den Körper abtötet, stellt sich letztlich nicht, da die Kirche nicht irgendeine Körperschaft darstellt, sondern in ihren Grundvollzügen vom Hl. Geist getragen ist. Aus ihm bezieht sie ihre Kraft, die Zeiten zu überdauern. Kraft ist das Spezifikum jeder Entwicklung. Wahre und falsche Entwicklungen unterscheiden sich darin, dass die falsche Entwicklung nur eine Zeit lang lebt. Jede Häresie hat mit anderen Worten nach einer gewissen Zeit ihr Pulver verschossen. Newman behauptet sogar, dass je mehr Kraft in eine Häresie gesteckt wird, desto schneller ist ihre Kraft verbraucht und desto schneller geht sie zugrunde. „A corruption, if vigorous, is of brief duration, runs itself out quickly, and ends in death; on the other hand, if it lasts, it fails in vigour and passes into a decay."[81]

Newman erwähnt den Heiligen Geist allerdings bei der Aufstellung seiner beiden Kennzeichen nicht. Er versucht diese Gesetze allein aus der bisherigen Geschichte zu erweisen. Allerdings muss er an den Heiligen Geist gedacht haben. Denn letztlich bezeichnet schon das erste Konzil von Konstantinopel ihn als „Lebensspender"[82]. Newman aber sieht Kraft und Wahrheit nicht getrennt, so dass der Hl. Geist nicht nur die Kraft hinter der

---

[80] Es könnte zum Beispiel sein, dass ein fremdes Element als Anknüpfungspunkt für die Mission gewählt wird, das entweder auf den ersten Blick nicht mit dem Glauben kongruent ist – aus missionstaktischen Gründen aber dennoch verwendet wird – oder aber erst nach tieferer Reflexion als inkongruent erkannt wird.

[81] Essay C12 Nr. 1, S. 314, „Eine Korruption, falls kräftig, ist von kurzer Dauer, und läuft sich schnell tot; andererseits, wenn sie andauert, hat sie wenig Kraft und geht in ein Siechtum über".

[82] DH 150.

Wahrheit wäre, sondern Kraft und Wahrheit fallen für ihn in eins. Der Wahrheit inhäriert eine Kraft. Und diese Kraft setzt sich durch, weil die Lüge und der Irrtum keine innere Kraft besitzen und deshalb apriori unterlegen sind. Es gibt aber noch einen weiteren Grund, warum der Irrtum unterliegen muss. Nur die Wahrheit nimmt den ganzen Menschen, d. h. Geist und Herz, in Besitz; ein Irrtum hingegen ist nur auf einer kognitiven Ebene angesiedelt. Die Folge aus der rein kognitiven Verankerung ist Indifferenz und Relativismus.

> „That truth and falsehood in religion are but matter of opinion;
> that one doctrine is as good as another;
> that the Governor of the world does not intend that we should gain the truth;
> that there is no truth;
> that we are not more acceptable to God by believing this than by believing that;
> that no one is answerable for his opinions;
> that they are a matter of necessity or accident;
> that it is enough if we sincerely hold what we profess;
> that our merit lies in seeking, not in possessing;
> that it is a duty to follow what seems to us true, without a fear lest it should not be true;
> that it may be a gain to succeed, and can be no harm to fail;
> that we may take up and lay down opinions at pleasure;
> that belief belongs to the mere intellect, not to the heart also;
> that we may safely trust to ourselves in matters of Faith, and need no other guide,
> - this is the principle of philosophies, and heresies, which is very weakness.“[83]

Alle sieben Kennzeichen zeigen also, wie Newman sich die Dogmenentwicklung vorstellt. Es ist eine organische Entwicklung und ihre Kennzeichen sind die Kennzeichen organischen Wachstums, auch wenn er den

[83] Essay C8 §1 Nr. 1, S.258f., [bewusstes Satzlayout zum besseren Nachvollzug der Parallelismen im Satzaufbau] „Dass Wahrheit und Irrtum in der Religion nur eine Frage unterschiedlicher Meinungen ist; dass eine Lehre so gut ist wie eine andere; dass der Herrscher der Welt nicht will, dass wir Wahrheit erlangen; dass es keine Wahrheit gibt; dass wir in den Augen Gottes nicht akzeptabler erscheinen, wenn wir dies glauben als wenn wir jenes glauben; dass niemand für seine Meinung zur Verantwortung gezogen werden kann; dass sie (Meinungen) eine Sache von Notwendigkeit oder Zufall sind; dass es genug ist, wenn wir das ernstlich halten, was wir bekennen; dass unser Verdienst im Suchen liegt und nicht im Besitzen; dass es eine Pflicht ist, dem zu folgen, was uns wahr erscheint, ohne Furcht, dass es nicht wahr sein könnte; dass es ein Vorteil sein könnte, erfolgreich zu sein, aber kein Schaden beim Scheitern entsteht; dass wir Meinungen aufnehmen und ablegen können, wie es uns beliebt; dass Glaube rein zum Verstand gehört, nicht aber genauso zum Herzen; dass wir selbst auf uns vertrauen können in Glaubensfragen und keinen anderen Führer benötigen, - dies ist das Prinzip der Philosophien und Häresien, das sehr große Schwäche ist“.

Bereich dieser organischen Entwicklung im Geist ansiedelt, indem er den Ausgangspunkt als „Idee“ bezeichnet und die Entwicklung als im Geist einzelner Menschen sich vollziehend, die die Aspekte dieser Idee entfalten, charakterisiert. Durch die Bewahrung des Typs zeigt sich, dass es sich letztlich nur um eine akzidentelle Entwicklung handeln kann. Das Wesen, die Substanz oder auch das depositum fidei, sind von der Entwicklung an sich nicht berührt. Die Entwicklung ändert nur die Darstellungsweise der Substanz nach außen. Sowie im Modalismus Gott sich nicht in sich unterscheidet in Vater, Sohn und Geist, sondern nur seine Erscheinungsweise gegenüber den Offenbarungsempfängern variiert, so ist es auch mit der Dogmenentwicklung. Deshalb wendet Newman dem Kennzeichen der Bewahrung des Typs auch so viel Raum in seinem Essay ein. Denn diesen Punkt muss er aus der Geschichte heraus beweisen oder zumindest plausibel darstellen, wenn seine Sicht der Dogmenentwicklung eine brauchbare Theorie darstellen soll. Die Aufnahme und Verarbeitung fremder Einflüsse dient dem Wachstum des Körpers, kann aber das Wesen nicht tangieren. Falls doch, so wird aus der Entwicklung eine Häresie, die aber wegen ihres Abfalls von der Wahrheit sich selbst zu Tode läuft, weil ihr eine innere Kraft fehlt. In Newmans Theorie zeigt sich ein Vertrauen, das auf der Führung der Welt durch den dreifaltigen Gott basiert. Denn Vertrauen ist das Produkt der Erkenntnis einer Person. Der entscheidende Punkt, an dem aus rein natürlich-empirischen Beobachtungen Theologie wird, liegt in der These von der inhärierenden Kraft der Wahrheit. Denn theologisch gesehen, haben nur die Glaubenswahrheiten inhärierende Kraft. Diese Kraft kommt ihnen wegen der Geistbegabtheit eines getauften Christen zu, d. h. aufgrund der Erhebung des menschlichen Verstandes, Willens und Herzens durch den Heiligen Geist über die erbsündliche Verfasstheit des menschlichen Denkens, für das der Irrtum und die Wahrheit gleich plausibel sind, sowie auch Gut und Böse wegen des Sündenfalls als gleichwertig empfunden werden. Für Newman ist diese These von inhärierenden Kraft aber keine Schutzbehauptung, um apriori jegliche Korruption auszuschließen, sondern er versucht erst historisch aufzuzeigen, dass es keine Korruption gab, um dann nach dem Grund zu fragen und seine Prinzipien zu entwickeln, unter denen die innere Kraft der Wahrheit eines ist. Theologisch knüpft diese Aussage an die eschatologische Überzeugung an, dass die Wahrheit bis zum jüngsten Tag überdauern wird, während der Irrtum als Produkt des Menschen bestenfalls bis zu diesem Tag bestehen wird, um dann wie alles Irdische zu vergehen (vgl. Offb. 20,11).

## 2.4. Würdigung Newmans und offene Fragen

Newmans Zugang zum Problem der Geschichte unterscheidet ihn maßgeblich von Vinzenz von Lérins, aber auch von den katholischen Theologen seiner Zeit. Gerade dies darf als der Grund angesehen werden, warum er als einer der wenigen Theologen seiner Zeit heute nicht der Vergessenheit überantwortet ist. War für Vinzenz die Geschichte mehr ein Ort der Anfechtung und des Ärgernisses, so stellt sie für Newman gleichsam eine Art Gottesdienst dar. Sie verläuft nach fixen Regeln (Prinzipien) und ist dennoch variabel. Gleichzeitig ist zu jedem Zeitpunkt des Gottesdienstes der Lobpreis Gottes zu hören, dessen Wahrheit mit seiner eigenen Kraft erschallt. Positiver kann die Ausgangslage für eine Dogmenentwicklungstheorie kaum sein. Dabei sei nicht vergessen, dass Newman sich diese Ausgangsposition erst in einem existentiellen Ringen mit sich selbst erarbeiten musste. Denn seine anglikanische Kirchenzugehörigkeit versperrte ihm eigentlich diesen Geschichtszugang. Die anglikanische Theologie seiner Zeit war darauf ausgelegt, den Bruch mit dem apostolischen Stuhl zu rechtfertigen. Dafür warf man der römischen Kirche Neuerungssucht vor. Als Begründung diente Vinzenz von Lérins Kriterium, das die Unhaltbarkeit des petrinischen Anspruchs geschichtlich „bewies". Gerade deswegen muss Newman dieses Kriterium in seiner negativen Anwendung zerbrechen und es positiv wenden. Darüber hinaus erscheint ihm Entwicklung nicht nur möglich, sondern auch wünschenswert. Entwicklung und Geschichte werden Möglichkeiten, vollkommener zu werden. Untermauert wird diese Sicht durch einen Vergleich der christlichen Religion mit einer Idee, deren Aspekte sich geschichtlich entfalten. Dies wahrt die Akzidentalität der Entwicklung. Die Idee, die mit der Offenbarung gesetzt ist, bleibt fix, während ihre Aspekte quasi in einer fortwährenden Betrachtung entfaltet und durchdrungen werden, ohne jedoch zu einem Ende zu gelangen. An der Fortdauer dieses Meditationsprozesses spielt die Geschichtlichkeit des Denkens eine wesentliche Rolle. Die Aspekte der Idee werden gewissermaßen dem menschlichen Denken und damit der Geschichtlichkeit dieses Denkens unterworfen.

Den anderen wesentlichen Aspekt für eine kontinuierliche Betrachtung der Offenbarung bildet die Unendlichkeit der Idee, die Unendlichkeit Gottes selbst, die geradezu zu einer fortwährenden Meditation auffordert. Diese Aufforderung sieht Newman daher auch in der Schrift niedergelegt, die für ihn nach Entwicklung „schreit" – nicht weil die Idee nicht vollkommen wäre, sondern weil man sich an ihr nicht satt sehen kann. Gerade an diesem Punkt zeigt sich der große Abstand zwischen dem Denken Newmans und dem zeitgenössischer Theologen. Geschichtlichkeit menschlichen Denkens und die Ewigkeit der Wahrheit scheinen sich förmlich zu widersprechen. Und gerade an diesem Punkt scheint Newmans Theorie nicht für die Dogmen der Kirche ausgelegt worden zu sein, sondern vielmehr für eine Lehrentwicklung an sich. Denn der Gedanke, dass sich auch Dogmen weiterentwickeln lassen, indem man zum Beispiel irgendwann die geschichtlichen Anteile des Denkens von ihnen subtrahiert, um ein noch besseres Verständnis von ihnen zu erzielen, war zu seiner Zeit nicht weit verbreitet.

Newmans Verdienst beschränkt sich aber nicht nur darauf, Vinzenz Kriterium dynamisiert bzw. zerschlagen zu haben, sondern er hat auch erkannt, dass es neue Kriterien braucht, um wahre und falsche Entwicklungen unterscheiden zu können. Zwar ist die Idee fix und ständig im Verstand des Heiligen Geistes präsent. Dennoch ergibt sich aus der Unterworfenheit der Idee unter das menschliche Denken[84] notwendig eine Vielzahl von Ansichten, von denen viele auch konträr bis kontradiktorisch zueinander sein können. Es bedarf daher bestimmter Kriterien, um konträre Entwicklungen an der Idee zu messen. Gleichzeitig können diese Kriterien bzw. Prinzipien eigentlich nur formalen Charakter haben. Denn das Inhaltliche soll ja geprüft werden. Wäre ein Aspekt inhaltlich an der Idee, der Offenbarung, überprüfbar, dann würde es sich letztlich um eine Deduktion aus der Offenbarung handeln, was eine Überprüfung erübrigen würde, da Deduktionen ihr Ergebnis immer schlüssig beweisen. Letztlich handelt es sich daher bei Newmans Prinzipien um formale Prinzipien. Einzige Ausnahme bildet das sogenannte Inkarnationsprinzip. Da auf die Prinzipien im zweiten Teil noch ausführlich eingegangen wird, kann man an diesem Punkt zur Frage übergehen, wie Newman zu seinen Kriterien gekommen ist. Mehrere Möglichkeiten sind denkbar. Seine häufigen Beispiele aus dem Bereich des organischen Lebens legen die Vermutung nahe, Newman habe seine Prinzipien analog zu den Prinzipien einer biologischer Entwicklung gewonnen. Das Assimilationskriterium, aber auch die Lebendigkeit der Idee, die er immer wieder betont, sowie die Bewahrung des Typs scheinen mit biologischen Tatsachen kongruent zu sein. Eine andere Möglichkeit stellt die Gewinnung seiner Prinzipien für eine wahre Entwicklung aus der Schrift dar. Das Inkarnationsprinzip und seinen Unterprinzipien (Theologie, Dogma, Priorität des Glaubens und der Gnade, Heiligbarkeit der Materie usw.) lassen sich alle biblisch begründen, ebenso wie die anderen Kriterien.[85] Man kann aber auch an eine Gewinnung aus beiden Quellen denken. Jedoch ergeben sich

---

[84] Der Frage, ob Gott es überhaupt zulassen kann, seine Offenbarung der erbsündlich beschädigten Natur des Menschen unterworfen sein zu lassen, wird sich erst Karl Rahner ausführlich widmen.

[85] Diese These wird im zweiten Teil ausführlich begründet.

aus beiden Quellen Probleme, ganz gleich, wie man sich die Gewinnung der Prinzipien durch Newman vorstellt. Bei einer biologischen Gewinnung stellt sich die Frage, wieso die Lehrentwicklung der Kirche gemäß biologischen Vorgängen abläuft. Erstens stellt sich noch einmal die Frage, ob dies geschichtlich tatsächlich so ist, zum anderen ist ein Hinweis auf biologische Vorgänge als theologische Begründung ungenügend. Eine biblische Erhebung der Kriterien hat zwar den Vorteil als theologische Begründung zu genügen, jedoch stellt sich das Problem, wie man diese Prinzipien aus der Schrift erhebt. Wenn die Schrift schon Dogmen zu ihrer Erläuterung benötigt, wie soll man dann aus ihr noch einmal Prinzipien der Dogmen erheben können? Wenn man die Prinzipien aber sozusagen aus der faktischen Entwicklung der Dogmen erhebt, erzielt man dann eine wahre Erkenntnis oder erkennt man nur das, was basierend auf dem Postulat der Wahrheit der tatsächlichen Entwicklung möglich ist? All diese Fragen zeigen die Notwendigkeit einer epistemologischen und wissenschaftstheoretischen Fundierung des Themas an.

Wissenschaftlich muss man Newman ein deduktives Vorgehen in seinem Essay bescheinigen. Sichtbar machen lässt es sich an seiner These von der inneren Kraft der Wahrheit, die sich durchsetzt. So wahr diese Aussage theologisch ist, um so schwerer ist sie geschichtlich zu belegen. Auf die Ebene der Geschichte übersetzt, stellt diese theologische Wahrheit nicht nur eine unbewiesene, sondern auch ein unbeweisbare These dar. Zwar muss sich die Geschichte dem Willen Gottes beugen, doch ist diese Einsicht nur jemandem zugänglich, der sich die Aussage „ich glaube an den Heiligen Geist" zueigen macht – von den Problemen, die sich aus der Verfehlung menschlicher Freiheit ergeben, noch einmal ganz abgesehen. Newman versucht, diesem Eindruck zwar entgegen zu steuern, indem er erst die Parallelität der katholischen Kirche des vierten Jahrhunderts mit der des 19. Jahrhunderts zu begründen sucht, um dann aus der Bewahrung des Typus heraus, seine Prinzipien als faktisch-historisch bewiesen anzusehen. Doch im Grunde genommen, ist die Denkrichtung genau umgekehrt, weswegen wahrscheinlich der eine oder andere Kirchengeschichtler Newmans Parallelisierung der beiden kirchlichen Situationen im 4. und 19. Jahrhundert nur mit Kopfschütteln quittieren dürfte. Man kann aus der Kontinuität der Prinzipien nicht auf die gleiche kirchliche Situation schließen, noch umgekehrt. So zeigt sich der Graben zwischen Wahrheit und Geschichte erneut in seiner ganzen Pracht. Die Wahrheit ist nur dem Glauben zugänglich und die

Geschichte liefert keine eindeutigen bzw. notwendigen Wahrheiten, denen jeder zustimmen müsste.[86]

Newman bringt aber neben seinen Prinzipien der Entwicklung noch einen anderen bedenkenswerten Aspekt zur Unterscheidung von Entwicklungen und Ideen. Obwohl eine Idee etwas Kognitives darstellt und im kognitiven Bereich angesiedelt ist, so muss sie doch Auswirkungen auf alle Bereiche menschlichen Lebens haben. Hintergrund dieser Überlegung ist, dass Gott vom ganzen Menschen Besitz ergreifen will. „Darum sollst du den Herrn, deinen Gott, lieben mit ganzem Herzen und ganzer Seele, mit all deinen Gedanken und all deiner Kraft" (Mk 12,30). Für Newman bleiben daher falsche Ideen im kognitiven Bereich stecken. Newman äußert damit sein Vertrauen darauf, dass man langfristig nur die Wahrheit leben kann, nicht die Lüge. Dies hängt wiederum mit der These von der inhärierenden Kraft der Wahrheit zusammen. Der Irrtum geht daher auch aufgrund mangelnder existentieller Verortung unter. So gut dieses Argument in eschatologischem Licht auch sein mag, Newman wendet es konkret auf die Kirchen und kirchlichen Gemeinschaften seiner Zeit an, indem er die protestantischen Kirchen mit den Arianern im 4. Jahrhundert vergleicht. Diese Parallelisierung jedoch hat ihre Probleme. Denn die Arianer vertraten trinitarische und soteriologische Häresien, während die protestantischen Kirchen sich auf gnadentheologische und ekklesiologische Häresien beschränken. So wichtig diese Bereiche auch sind, sie wiegen nicht so schwer wie trinitarische, christologische oder soteriologische Häresien. Der Wahrheitsgehalt ist daher wesentlich höher als bei den Arianern. Und genau an diesem Punkt wird deutlich, wo die Idee Newmans konkret hakt: Der Irrtum im theologischen und kirchlichen Bereich tritt meist nicht als reiner und vollkommener Irrtum auf, sondern kommt meist in Kombination mit Wahrheit und wahren Elementen vor. Den kirchlichen Gemeinschaften, die aus der Reformation hervorgegangen sind, die Sterbeglocken zu läuten, ist daher ein wenig verfrüht. Aber das will Newman auch gar nicht. Dogmenentwicklungstheorie darf auch nicht mit einem Wetterbericht verwechselt werden, wie Rahner schon sagt.[87]

Ein weiterer bedenkenswerter Punkt schließt an diese Überlegung nahtlos an. Newmans These, dass man mit einem Aspekt der Wahrheit alle Aspekte der Idee mitangenommen hat, ist soteriologisch gesehen genial, birgt aber auch Tücken in sich. Genial kann man sie deshalb bezeichnen, weil man sich die Frage sparen kann, was ein Christ an Minimum für sein

---

[86] Gerade deswegen ist die Geschichte als Ort der Offenbarung ideal. Sie zwingt nicht zum Glauben, sondern ermöglicht dem Menschen die Freiheit zu glauben oder auch nicht zu glauben.

[87] Siehe unten.

Heil explizit glauben muss. Außerdem hat man die Heilsrelevanzfrage von der Entwicklungsfrage abgekoppelt. Man muss sich nicht mehr fragen, wie die Dogmen Wahrheiten sein können, die mit der Offenbarung gegeben und daher heilsrelevant sind, gleichzeitig aber bis zu einem Konzil nicht explizit geglaubt wurden. Denn ein Christ muss nur das von der Idee glauben, was er oder sie von ihr als Aspekt erkannt und erfasst hat. Das heißt, dass jeder nur nach seinen kognitiven und theologischen Fähigkeiten die Aspekte der Idee präsent haben muss, da er mit dem Erkannten potentiell den Rest miterkannt hat. Das depositum fidei, die Idee, stellt dementsprechend ein Netz von Glaubensinhalten dar, das man theoretisch von jedem beliebigen Punkt abzuschreiten beginnen kann, um am Ende wieder am Ausgangspunkt anzukommen. Diese Sicht trifft eindeutig Aspekte der Wirklichkeit. Das System der Glaubenswahrheiten, das das katholische Lehramt vertritt, hat in sich so einen hohen Kohärenzgrad und eine so hohe Reflexionsstufe, dass sich alles wie bei einem Puzzle zusammenfügt. Aber auch dies ist zum Teil eine Idealisierung. Zum einen gibt es trotzdem unterschiedliche katholische Lehrmeinungen, zum anderen muss man ein gewisses Gefälle innerhalb der Wahrheiten selbst annehmen, wie oben schon gesagt wurde. Häresien bezüglich Gott wiegen schwerer als Häresien bezüglich der Ekklesiologie. Daher stellt sich die Frage, ob es nicht doch ein Mindestwissen von der Offenbarung geben muss. Oder um im Bild zu bleiben: Ist es nicht besser, die Reise im Netz der Glaubenswahrheiten bei der Christologie zu beginnen als bei der Ekklesiologie? Des Weiteren muss man fragen, ob die These, mit einem Aspekt alle angenommen zu haben, nicht nur ein Postulat darstellt, um sich dem Problem „Dogma und Heilsrelevanz" nicht stellen zu müssen? Außerdem gibt es nach Newman eine Menge Menschen, deren Glaube im Selbstwiderspruch steht: die Protestanten (christologisch–trinitarisch orthodox, anthropologisch–gnadentheologisch–ekklesiologisch heterodox). Vielleicht ziehen die Protestanten aus den orthodoxen Bereichen die Kraft, die heterodoxen zu kompensieren. All dies bleiben offene Fragen, die sich aufgrund des deduktiven Vorgehens Newmans ergeben. Theologisch handelt es sich um sehr gute Ideen. Jedoch könnte die Vermittlung auf Geschichte hin und auf die konkrete Wirklichkeit hin etwas größer ausfallen.

## 2.5. Johann Evangelist von Kuhn (1806-1887)

Zunächst einmal sei eine kurze Bemerkung erlaubt, wieso gerade Johannes Kuhn[88] behandelt wird und nicht auch Johann Sebastian Drey oder Johann Adam Möhler. Zwei Gründe sind ausschlaggebend, warum seine Traditionstheorie vorgestellt werden soll. Zum einen versucht er eine Traditionslehre zu entwickeln, für die das Volk Gottes keine Rolle spielt. Zum anderen vergleicht er die Entwicklung der Tradition nicht mit organischem Wachstum, wie dies Vinzenz von Lérins und Newman tun. Er versucht, Entwicklung als dialektische Tätigkeit des Geistes zu sehen. Dadurch hat er nicht nur versucht, das hegelianische Denken für die Theologie fruchtbar zu

---

[88] Johann Evangelist Kuhn wurde 1806 in Wäschenbeuren geboren. Nach seiner Schulzeit trat er 1825 in das Wilhelmstift, ein Theologenkonvikt, in Tübingen ein. Dort studierte er Philosophie und Theologie. Beides schloss er 1830 ab, Philosophie mit dem Grad eines Doktors. 1831 empfing er die Priesterweihe und wurde zum Weiterstudium und für eine wissenschaftliche Karriere freigestellt. Bereits 1832 erhielt er eine Professur für Exegese des Neuen Testaments in Gießen. 1836 wechselte er in seine Heimat Tübingen und trat eine Professur für Exegese des Alten Testaments an. Er hielt jedoch niemals eine alttestamentliche Vorlesung, sondern widmete sich zuerst neutestamentlichen Vorlesungen. Kurze Zeit später (ab 1837) jedoch beschränkte Kuhn seine wissenschaftlichen Tätigkeiten fast ausschließlich auf „Apologetik" und „Dogmatik". Seine wissenschaftlichen und kirchenpolitischen Aktivitäten bis zu seiner Emeritierung 1882 machen Kuhn zu einem der widersprüchlichsten Theologen des 19. Jahrhunderts. Die erste Phase seines Wirkens widmete Kuhn der Freiheit der Kirche gegen das sogenannte „Staatskirchentum" und der Wahrheit der katholischen Lehre. Er sah sich vor allem mit David Friedrich Strauß Werk „Das Leben Jesu" konfrontiert. Um dieses Werk jedoch apologetisch zu widerlegen, vertrat er exegetische Thesen, die ihm selbst den Vorwurf der Heterodoxie einbrachten. Um sich von diesen Verdachtsmomenten zu befreien, stellte er sich auf die Seite des Lehramts in den Auseinandersetzungen des Lehramts mit Georg Hermes und Anton Günther. Gleichzeitig betätigte Kuhn sich politisch und kirchenpolitisch. Er versuchte auf verschiedene Bischofsernennungen Einfluss zu nehmen und gehörte dem württembergischen Parlament an. Nach der Revolution 1848 jedoch war für Kuhn die Freiheit der Kirche gegenüber dem Staat weitgehend erreicht. Er verabschiedete sich aus der ultramontanen Bewegung, die sich zunehmend radikalisierte. 1859 wurde er geadelt. Als sich Kuhn 1863 für die Freiheit der Wissenschaft und gegen die Forderung der Ultramontanen nach einer katholischen Universität aussprach, wurde er Ziel für zahlreiche Anfeindungen. Diese führten 1866 zur Eröffnung eines Prozesses gegen ihn bei der heiligen Inquisition. Das Verfahren führte jedoch zu keinem Ergebnis, so dass die Untersuchung 1869 im Zuge der Vorbereitungen des Ersten Vatikanischen Konzils eingestellt wurde. Auch die Indexkongregation verurteilte keines seiner Bücher. Zur dogmatischen Konstitution über die Kirche „Pastor aeternus" des Konzils äußerte sich Kuhn nicht. Es war aber kein Geheimnis, dass er diese Konstitution als nicht aus der Tradition heraus begründbar ansah. Kuhn starb 1887 in Tübingen.

Weiterführende Literatur zum Leben Kuhns: Hubert Wolf, Ketzer oder Kirchenlehrer? Der Tübinger Theologe Johannes von Kuhn (1806-1887) in den kirchenpolitischen Auseinandersetzungen seiner Zeit (Diss. Tübingen 1989), Mainz 1992

Weiterführende Literatur zur Theologie Kuhns: siehe Fußnote 91.

machen, sondern sich auch den Ruf als „der spekulativste Kopf der katholischen Tübinger Schule“[89] zugezogen.

Diesen anschließenden Betrachtungen liegt vor allem die zweite Auflage der „Einleitung in die Dogmatik“[90] zugrunde. Die Entwicklung bis zu dieser Ausgabe der Dogmatik, vor allem die Wandlungen im Traditionsverständnis, die Kuhn im Laufe seines Lebens durchschritten hat, sollen in dieser Betrachtung nicht berücksichtigt werden.[91] Gleichzeitig soll auch die kirchenpolitische Relation von Kuhns theologischem Denken und seinem Leben außer Acht bleiben.[92]

Anstoß für Kuhns Auseinandersetzung mit der Lehre von der Tradition war das Werk „Leben Jesu“ seines Zeitgenossen David Friedrich Strauß.[93] Darin postuliert Strauß, dass die Inhalte der Heiligen Schrift als Mythen und Metaphern erkannt und auf eine höhere philosophische Ebene transponiert werden müssten, um sozusagen mittels der Vernunft „die Moral von der Geschicht'“ zu erheben. Denn die Jünger Jesu und die frühe Kirche hätten aus einem unspektakulären Leben Jesu mit Hilfe von Mythen und Sagen, die sie aus dem Alten Testament entnahmen, ein spektakuläres Leben erfunden. Sie hätten die Prophezeiungen des alten Bundes hergenommen und dann ihre Erfüllung im Leben Jesu erdichtet. Im Laufe der Zeit sei dann die Anzahl der Mythen und Märchen nach Art eines Schneeballsystems gewachsen. Die Lehre der Kirche sei dementsprechend unhistorisch und un-

---

[89] Leo Scheffczyk, Die Tübinger Schule. Philosophie im Denken der Tübinger Schule: Johann Sebastian Drey (1777-1853), Johann Adam Möhler (1796-1838) und Johann Evangelist von Kuhn (1806-1887), in: Emerich Coreth u. a. (Hg.), Philosophie im katholischen Denken, Graz u. a. 1987, S. 101.

[90] Johannes Kuhn, Einleitung in die Dogmatik, Tübingen $^{2}$1859. Die zweite Auflage seiner Einleitung in die Dogmatik stellt das Ergebnis von zwanzig Jahren Denkens über Schrift und Tradition dar. In seiner Vorlesung 1840 zu dem Thema ging Kuhn noch davon aus, dass die Offenbarung sowohl in der Schrift als auch in der Tradition enthalten sei. Beide seien aber für sich genommen unvollständig. In der ersten Auflage seiner „Einleitung in die Dogmatik“ 1846 vertrat Kuhn die Meinung, die Tradition enthalte die ganze Offenbarung und sei die Summe apostolischer Lehre, während die Schrift einerseits der Ergänzung durch die Tradition bedürfe, andererseits aber auch gleichzeitig die Wahrheit der Überlieferung beweise.

[91] Sie sind gut aufgeschlüsselt bei Josef Rupert Geiselmann nachzulesen. Vgl. Josef Rupert Geiselmann, Die lebendige Überlieferung als Norm des christlichen Glaubens. Die apostolische Tradition in der Form der kirchlichen Verkündigung – das Formalprinzip des Katholizismus dargestellt im Geist der Traditionslehre von Joh. Ev. Kuhn [= Die Überlieferungen in der neueren Theologie Bd. III], Freiburg 1959,

und: Josef Rupert Geiselmann, Die Katholische Tübinger Schule. Ihre theologische Eigenart, Freiburg 1964.

[92] Das bedeutet, dass im folgenden nicht davon ausgegangen wird, dass Kuhn seine Positionen nur aufgrund von Umständen seines Lebens heraus geändert hat. Es wird auch nicht untersucht, wie welche Situation seine Theologie so oder anders beeinflusst hat, sondern seine Theologie wird ohne diesen Bezug betrachtet – sowie dies Geiselmann schon getan hat – als eine Theologie, die sich entwickelt und verändert hat.

[93] David Friedrich Strauß, Das Leben Jesu, kritisch bearbeitet, 2 Bde., Tübingen 1835f.

wahr, weil frei erfunden. Das katholische Traditionsprinzip degradiert Strauß zu einem Mythen und Märchen schaffenden Prinzip. Das „Volk Gottes“ ist hierbei im Laufe der Zeit der Erfinder immer neuer Mythen um das Leben Jesu. Mit anderen Worten: Das Traditionsprinzip ist nicht nur ein Korruptionsprinzip wie bei Luther, sondern ein Phantasieprinzip, in dem sich die Phantasie des unaufgeklärten und ungebildeten „Gottesvolkes“ austobt. Denn wie sollte man einen Mythos korrumpieren können? Wenn das Neue Testament zu 95 Prozent frei erfunden und freie Schöpfung des menschlichen Geistes ist, wie soll dann die auf das Neue Testament aufbauende Tradition wahr sein? Theologisch ist zu klären, „ob die lebendige Überlieferung im Dienste der Treue und Bewahrung des Geschichtlichen stehe oder ob wir gerade in ihr das mythenschaffende und geschichtsfälschende Prinzip zu sehen hätten.“[94] Kuhns Antwort auf Strauß erfolgt in zwei Stoßrichtungen. Zum einen zeigt er, dass „die lebendige Überlieferung gestaltende Kraft hat, aber sie hat nicht vom feststehenden Dogma aus den Mythos der Geschichte von Jesus gebildet, sondern von der Tatsache der Geschichte aus ihr Dogma von Jesus, dem Messias und Gottessohn geformt.“[95] Nicht die historischen Fakten wurden nach alttestamentlichen Schemata der Propheten erdichtet, sondern die Prophetie von der historischen Geschichte Jesu gedeutet. „Das Kerygma der Apostel bildet die Geschichte Jesu nicht zum Mythos, sondern zum Dogma um.“[96] Und dieses Kerygma der Apostel, das auf historischen Tatsachen beruht, fand seinen Niederschlag in der Bibel. Allerdings ist das Neue Testament, so gibt Kuhn zu, kein historisches Buch im Sinne der Geschichtswissenschaft, da es selbst keine Biographie sein will, sondern ein Buch zur Bestätigung und Vertiefung des Glaubens. Dies schreibt bereits Lukas in 1,4: „So kannst du dich von der *Zuverlässigkeit* der Lehre überzeugen, in der du unterwiesen wurdest.“ Vor allem gilt dies für die Evangelien. Als Beispiel dient Kuhn die Kindheitsgeschichte Jesu im Lukasevangelium. Diese sei nicht dazu geschrieben, Historisches zu berichten, sondern dazu, das Faktum, dass Jesus der Sohn Gottes von Ewigkeit her und der erwartete Messias sei, kerygmatisch zu erschließen. Daher das Naturwunder des Sterns, der Lobpreis und die Prophezeiung des Simeon und der Hanna usw.. „Die apostolische Verkündigung stellt die Ereignisse im Leben Jesu als Heilsgeschichte hinein ins konkrete Leben ihrer Zuhörer, ihren Glaubensvorstellungen und Heilserwartungen sich anpassend. Damit ist aber das apostolische Kerygma – die Urform lebendiger Paradosis – nicht tote und bloß mechanische Wei-

[94] Josef Rupert Geiselmann, Die lebendige Überlieferung, S. 10.
[95] Ebd., S. 31.
[96] Ebd., S. 39.

tergabe von bloß Geschehenem, sondern schöpferische Auswertung des in und mit Jesus Geschehenem im Blickfeld der Heilsgeschichte.[97]

Die andere Stoßrichtung Kuhns zur Verteidigung der katholischen Lehre gegenüber Strauß besteht in der Ausschaltung des Gottesvolkes als Träger der kirchlichen Tradition. Hatte Johann Adam Möhler noch behauptet, dass „alle Gläubigen *ein* Bewusstsein, *einen* Glauben haben, weil *eine* göttliche Kraft ihn bildet“[98], so sieht Kuhn das Wirken des Heiligen Geistes in den Gläubigen nicht ganz so optimistisch. Für ihn stellt der sensus fidelium eine zu unberechenbare Größe dar, als dass er in eine Entwicklung des Dogmas einbezogen werden könnte.

> „Das Leben der Gemeinschaft der Gläubigen mit seinem halbwachen Bewußtsein, gleichend dem träumerischen Leben einer Pflanze, war und blieb ihm zu unkontrollierbar und trug damit zu einem großen Unsicherheitsfaktor in das Prinzip der lebendigen Überlieferung hinein. Das mythengestaltende Schaffen des Volksgeistes – dieses spätromantische Idiom – wird von Kuhn abgelehnt.“[99]

Nun zur näheren Theorie im einzelnen: Die Tradition und Überlieferung der Wahrheit beginnt mit Abschluss der Offenbarung durch Jesus und die Apostel. Die Apostel haben den Rang von Propheten des alten Bundes. Sie sind nicht nur Offenbarungsempfänger, sondern besitzen aufgrund besonderer Gnade „das vollständige und reine, von allen subjectiven Beimischungen und Trübungen freie Bewußtsein der christlichen Wahrheit“[100]. Diese Erhebung des Verstandes über sein natürliches Vermögen hinaus, widerstreitet der Natur des Verstandes nicht, sondern überhöht sie nur und führt sie zu einer Höhe der Erkenntnis, die sie von sich aus nicht erreichen könnte. An dieser Stelle erkennt man, dass Kuhns Hauptaugenmerk auf der Objektivität der geoffenbarten Wahrheit liegt. Der Heilige Geist ist das Objektivierungsprinzip subjektiver menschlicher Erkenntnis. Denn wenn Gott sich offenbart, dann muss er sicherstellen, dass die Inhalte dieser Offenbarung so ankommen, wie sie ankommen sollen. Andernfalls könnte er sich eine Of-

---

[97] Vgl. ebd., S. 42. An dieser schöpferischen Auswertung wird Adolf von Harnack ein paar Jahrzehnte später seine Theorie der Tradition als Korruption anschließen.

[98] Johann Adam Möhler, Die Einheit der Kirche oder das Prinzip des Katholizismus. Dargestellt im Geiste der Kirchenväter der ersten drei Jahrhunderte [herausgegeben, eingeleitet und kommentiert von Josef Rupert Geiselmann], Köln, Olten 1957, S. 41.

[99] Josef Rupert Geiselmann, Die lebendige Überlieferung, S. 12. Geiselmann sieht den Widerspruch seiner beiden Aussagen nicht. Auf der einen Seite kann er nicht behaupten, dass Kuhn das mythengestaltende Schaffen des Volksgeistes ablehnt, und auf der anderen schreiben, dass Kuhn das Volk Gottes als Träger der Tradition ausschaltet. Er schaltet das Volk Gottes als Träger der Tradition ja aus, weil er Strauß Anliegen zumindest teilweise für berechtigt hält, wenn dieser das Volk Gottes als Mythenschaffer, bzw. in Kuhns Sicht als primärer Korruptionsfaktor sieht. Für Kuhn liegt diese leichte Korrumpierbarkeit des Gottesvolkes in deren mangelnder Einsicht in die Glaubensinhalte begründet.

[100] Johannes Kuhn, Einleitung in die katholische Dogmatik [= Katholische Dogmatik Bd. 1], Tübingen $^{2}$1859, S. 9.

fenbarung seiner selbst ersparen. Der Heilige Geist garantiert das Offenbar-Sein und Offenbar-Bleiben der Offenbarung. Dieses Geistwirken unterscheidet sich aber bezüglich der Apostel und bezüglich der restlichen Christen. Bei den Aposteln beinhaltet das Geistwirken zwei Komponenten. Zum einen die „lebendige Vergegenwärtigung der ihnen [Aposteln] von Christus mitgetheilten Wahrheit“[101], zum anderen „die vollständige Aufschließung derselben“[102]. Bei der übrigen Kirche hingegen umfasst das Geistwirken nur die erste Funktion, weil die Offenbarung mit den Aposteln abgeschlossen ist:

> „Die Inspiration der Apostel ist wohl zu unterscheiden von dem Beistande, dessen sich die Kirche in der Verkündigung der ihr anvertrauten Wahrheit erfreut, von dem magisterium spiritus s. in der Kirche. [...] Die kirchliche Verkündigung [...] setzt die Offenbarung als in sich vollendet voraus, und der Beistand des Heiligen Geistes, kraft dessen sie eine unfehlbare ist, kann daher in keiner Weise als eine Fortsetzung der den Aposteln zu Theil gewordenen Inspiration betrachtet werden. Da die göttliche Offenbarung in Christo abgeschlossen und vollendet und durch seine Apostel die christliche Wahrheit vollständig und rein ausgesprochen und verkündet ist, so handelt es sich sofort lediglich um die Erhaltung, weitere Ausbreitung und Anwendung dieser Wahrheit auf die in stetem Flusse begriffenen Gestaltungen der Erkenntniß und des Lebens der Menschheit.“[103]

Die Überlieferung der christlichen Wahrheit beginnt mit dem Auftrag Jesu an die Apostel, zu allen Völkern zu gehen und sie in all dem zu unterweisen, was er ihnen geboten hat, und sie in seinem Namen zu taufen (vgl. Mt 28,19f.). Kuhn polemisiert an dieser Stelle gegen das Sola–scriptura–Prinzip, wenn er sagt, dass Jesus seinen Jüngern nicht geboten habe, alles aufzuschreiben, sondern das Evangelium zu predigen. Aus dieser Tatsache ergibt sich für ihn, dass das Neue Testament viele Gelegenheitsschriften enthält bzw. zielgerichtete Schreiben, wenn es irgendwo zu Problemen kam. Diese Gelegenheitsschriften, vor allem die Briefliteratur, haben demnach einen „accessorischen“ und „subsidiären“ Charakter.[104] Auch die Evangelien dienen der Nachbearbeitung und Vertiefung eines mündlich bereits ergangenen Rufs. „Das geschriebene Evangelium ist ein Anhalts- und Stützpunkt für den Gläubigen, eine Nachhülfe für sein Gedächtniß, ein Beweis- und Vertheidigungsmittel gegenüber den Gegnern, nicht Quelle des Glaubens für ihn.“[105] Ein Basis, aufgrund derer man ein Sola–scriptura–

---

[101] Ebd., S. 12.
[102] Ebd., S. 12.
[103] Ebd., S. 12f.
[104] Vgl. ebd., S. 30.
[105] Ebd., S. 30.

Prinzip angesichts solcher historischer Fakten aufrecht erhalten könnte, wäre, dass man behauptet,

> „daß die neutestamentlichen Schriften ihren Verfassern unbewußt und gegen die bestimmte Absicht, die ihnen bei deren Abfassung vorschwebte, durch eine wunderbare Fügung der göttlichen Vorsehung das geworden seien, was sie jener zufolge nicht sein sollten und nach geschichtlicher Betrachtung nicht sind und nicht sein können, ein vollständiger, sich selbst genügender Codex der christlichen Religion."[106]

Diese These wird durch die Worte Jesu in den Evangelien und die Apostelgeschichte widerlegt. „Von der geschichtlichen Betrachtung aus ist es daher unmöglich, die neutestamentlichen Schriften allein als zureichende Quelle der christlichen Wahrheit zu erklären."[107] Genauso wie die Schrift allein nicht suffiziente Glaubensquelle ist, genauso wenig legt sie sich selbst aus. Die Schrift muss im Geist ausgelegt werden, sonst bleibt sie toter Buchstabe, so schon Möhler[108]. Der Geist der Unfehlbarkeit ist aber der Kirche als ganzer verheißen. Also kann nur die Kirche als ganze die Heilige Schrift wahr und objektiv gültig auslegen. So lehrt es ebenso das Tridentinische Konzil[109]. Nachdem Kuhn das Sola–scriptura–Prinzip, die Suffizienz der Schrift als *alleinige* Glaubensquelle und ihre Perspikuität abgelehnt hat,[110] gesteht er dann doch der Schrift eine relative inhaltliche Vollständigkeit zu, wenn er schreibt:

> „Nimmt man aber vollends die so reichhaltigen alttestamentlichen Schriften hinzu, so wird man die Bibel, unter Voraussetzung des Geistes, der in alle ihre Tiefen eindringt, ihre Dunkelheiten aufhellt und ihre bloßen Andeutungen versteht, als inhaltlich vollkommen zureichend, ja als die unerschöpfliche, unendliche ergiebige Quelle der objectiven göttlichen Wahrheit erklären müssen."[111]

Dies bedeutet aber, dass die Schrift zumindest im Keim alles enthält. Es gibt nur das Problem, dieses Keimhafte zu erkennen. Dazu muss die Überlieferung und das Wirken des Heiligen Geistes helfen. Kuhn gerät mit dieser Aussage allerdings dennoch in die Gefahr eines Widerspruchs. Denn er kann nicht auf der einen Seite das Sola–scriptura–Prinzip ablehnen, weil das Trienter Konzil dies getan hat, und zugleich der Schrift eine relative, inhaltliche Vollständigkeit konzedieren. Denn dadurch muss er erklären, wieso

---

[106] Ebd., S. 34.

[107] Ebd., S. 36.

[108] Vgl. Johann Adam Möhler, Die Einheit der Kirche oder das Prinzip des Katholizismus. Dargestellt im Geiste der Kirchenväter der drei ersten Jahrhunderte [hrsg. und eingeleitet von Josef Rupert Geiselmann], Köln, Olten 1957, § 16.

[109] Vgl. Konzil von Trient, 4. Sitzung vom 8.4.1546, Dekret über die Vulgata-Ausgabe der Bibel und die Auslegungsweise der Heiligen Schrift: DH 1507.

[110] Vgl. Kuhn, Einleitung, S. 39.

[111] Ebd., S. 41.

die Schrift, wenn diese inhaltlich vollständig ist, nicht als einzige Glaubensquelle genügt, auch wenn sie de facto nicht einzige Glaubensquelle ist, und was die Tradition noch Entscheidendes außer vielleicht einer größeren Klarheit, die nicht zwingend gegeben ist, beitragen kann. Wenn die eine größere Klarheit das einzige wäre, was die Tradition zur Schrift hinzutrüge, um sozusagen die nur angedeuteten, keimhaften Wahrheiten besser erkennen zu können, dann wäre die Konsequenz, dass der verheißene Beistand des Heiligen Geistes für die Kirche in synchroner Hinsicht allein nicht ausreicht, um einen Einblick in den objektiven Schriftsinn zu erlangen. Auf einem Konzil wäre folglich, in dem die ganze Kirche Christi repräsentiert ist, nur das definierbar, was sich lückenlos in der Tradition belegen lässt.

Kuhn entgeht diesem Problem, indem er eine Unterscheidung zwischen Quelle des Glaubens und Quelle der Wahrheit vornimmt. Die Schrift ist Quelle der Wahrheit und Quelle des Glaubens, aber nicht alleinige Quelle des Glaubens. Alleinige Quelle des Glaubens ist die Schrift de facto nicht, da die Schrift nicht den Glauben der Kirche begründet, sondern der Glaube der Kirche ihr zeitlich vorausgeht. Die Schrift ist wahr und inhaltlich hinreichend. Sie enthält das Kerygma der Apostel. Die Überlieferung präsentiert und enthält die gleiche Wahrheit, aber in anderer Weise. Die Überlieferung ist präziser, die Inhalte straffend. Als Denkfolie hat Kuhn hier wohl das apostolische Symbolum im Kopf. Mit Hilfe der Überlieferung kann man die Aussagen der Bibel besser verstehen. Die Überlieferung erhöht so die Klarheit der Schrift, fördert ihre Perspikuität.

Kuhn schreibt: Ich behaupte nicht,

> „daß die Ueberlieferung Wahrheiten enthalte, die in gar keiner Weise in der Schrift niedergelegt sind, sondern nur dies, dass jene manches ganz ausdrücklich ausspreche, was sich so in der Bibel nicht findet, und daß sie die wesentlichen Wahrheiten des Glaubens bestimmt und deutlich zusammenfasse, wogegen der Bibel diese Eigenschaft abgehe. Wird nun die Ueberlieferung andrerseits nicht als inhaltliche Ergänzung der Bibel und somit als Quelle der Wahrheit [im Sinne eines partim-partim-Schemas], sondern, unter Voraussetzung der inhaltlichen Sufficienz und Perfection der Schrift, d. i. der Schrift als *alleiniger* Quelle der Wahrheit, als Quelle des Glaubens und als Materialprincip der Schriftauslegung betrachtet, so ist dies ihr höherer Begriff, der den ersteren als Moment in sich schließt, keineswegs aber ein ganz anderer oder gar mit jenem in Widerspruch tretender, wie man aus Mangel an Einsicht in das innere Sachverhältniß behauptet hat. Denn Quelle des Glaubens und Materialprincip der Schriftauslegung ist die Ueberlieferung eben wegen der Eigenschaf-

ten, um deren willen sie als Ergänzung der Schrift und Quelle der Wahrheit betrachtet wird."[112]

Kuhn rekurriert für die Vertretbarkeit seiner These auf Irenäus, Tertullian und Vinzenz, die ebenfalls die Lehre von der Suffizienz der Schrift und von ihrer Nicht-Perspikuität vertreten hätten.

„Nicht die Schrift also ist es, aus der wir die christliche Wahrheit zum Zweck des Glaubens unmittelbar selbst schöpfen, oder die sich uns durch den ihr, wie man auf jener Seite [Protestantismus] annimmt, beiwohnenden hl. Geist selbst auslegt, sondern die Kirche theilt uns ihren Glauben, den apostolischen Glauben, mündlich mit, und legt uns die Schrift diesem Glauben gemäß (dogmatisch, nicht wissenschaftlich) aus, beides unter dem Beistande und der Leitung des hl. Geistes."[113]

Die Überlieferung ist die erste Quelle des Glaubens des einzelnen Gläubigen, aber nur insofern sie vom Heiligen Geist getragen ist, der die Glaubensursache im eigentlichen Sinn ist. Gerade weil der Heilige Geist Glaubensursache ist, hat die Schrift zwei Ebenen. Die Ebene eines normalen Schriftstücks mit bestimmten Inhalten und die Ebene der Erkenntnis der Wahrheit.[114] Die erste Ebene ist jedem Leser zugänglich, die zweite nur einem begnadeten Leser. Und selbst der begnadete Leser bedarf zur objektiv– richtigen Interpretation der Schrift der correctio der Kirche und ihrer Überlieferung. Diese Korrektur ist trotz der Begnadung notwendig, da Gott, sprich der Heilige Geist, den Menschen nicht so begnadet, dass dieser dadurch bei der Schriftauslegung und beim Glaubensbesitz irrtumsfrei würde, obwohl Gott dies bei den Aposteln bewirkt hat, und weil kein Mensch sagen kann, dass er mit Sicherheit den Heiligen Geist besitzt. Außerdem gibt es ein Amt in der Kirche, das der Überlieferung des Glaubens und seiner Wahrheit dient und das deswegen einen Dienst des Heiligen Geistes an der Kirche selbst darstellt. Nur der Heilige Geist leistet den Überstieg von subjektiver Schriftauslegung und subjektivem Glauben zu objektiver Schriftauslegung und objektivem Glauben. Wirkorgan des Geistes ist die Kirche. Als Kirche darf man aber nicht nur die aktuelle Kirche sehen, sondern muss auch die vorangegangenen Generationen betrachten. Auch sie waren Wirkorgan des Geistes. Deswegen führt eine Untersuchung der Tradition und damit das Traditionsprinzip zu einer größeren Klarheit über den Glauben und die Aussagen der Schrift.

„Niemals hat die Kirche die Tradition ihrer Auctorität untergeordnet und sich eine Machtvollkommenheit über den Glauben angemaßt; immer hat sie sich lediglich als Depositär des apostolischen Glaubens betrachtet, daher bei Glaubensentscheidungen stets mit Sorgfalt

[112] Ebd., S. 41f.
[113] Ebd., S. 60f.
[114] Vgl. ebd., S. 59 o.

den Glauben der früheren Jahrhunderte bis hinauf zu den Zeiten der Apostel zu constatiren gesucht und diesen von Anfang an überlieferten Glauben zur Grundlage und Richtschnur ihrer Entscheidungen genommen. Sie hat sich nie eine Auctorität über den Glauben, sondern nur über die Einzelnen und denjenigen gegenüber zugeschrieben, welche ihre eigene subjective Meinung zur Geltung zu bringen und auf ihre subjective Schriftauslegung gestützt dem überlieferten Glauben einen andern zu unterschieben bestrebt waren."[115]

Diese Autorität über den Einzelnen bezieht die Kirche von Christus und den Aposteln, indem es ihre Aufgabe ist, die Geister zu unterscheiden. Durch diese Unterscheidung schafft die Kirche wiederum Überlieferung. Bestes Beispiel hierfür ist der Kanon der Schrift. Zum einen verleiht sie den einzelnen Schriften Autorität, indem sie sie am überlieferten Glauben misst, zum anderen schafft sie mit dem Kanon eine neue Überlieferung, an der später andere Dinge gemessen werden. Es bedarf also der Überlieferung, um der Schrift Autorität zu verleihen.[116] Deswegen kann die Schrift bei Streitfällen nicht einziges Entscheidungsorgan sein, obwohl sie alleinige Quelle der Wahrheit ist, da sie zum einen ihre Autorität nicht aus sich selbst hat, zum anderen ohne Überlieferung nicht objektiv verstanden werden kann. Zudem ist die Schrift nicht das Wort Gottes in reiner Form, sondern das Wort Gottes umhüllt mit menschlichen Begriffen und Vorstellungswelten. Allein deswegen bedarf es eines zweiten Prinzips zur Scheidung vom Wort Gottes und seinem Medium und zum besseren Verständnis der Schrift.

> „Einige maßen sich jetzt an zu behaupten [Satzstellung verändert]: nicht die Kirche, sondern wir haben den Geist Christi; nur wenn wir die Schrift auslegen, sind wir sicher, daß nichts Menschliches dabei unterlauft [sic]. Gewöhnlich wird das freilich so vorgestellt: wir wollen nichts als das pure Wort Gottes; darum anerkennen wir die Schrift allein als Norm und Regel des Glaubens. Ob aber eine christliche Religionsgesellschaft das pure von allen Menschensatzungen freie Wort Gottes sein nennen könne, das muß doch davon abhängen, wie sie die Bibel auslegt und ob sie auf ihrem Standpunkt das wahre, das objective Auslegungsprincip derselben besitzt."[117]

Dieses Auslegungsprinzip ist der Geist Christi und diesen besitzt nur die Kirche als Ganze. Der Heilige Geist inhäriert nicht der Schrift, so dass er aus ihr direkt zu einem Leser spricht, sobald dieser aus ihr liest, sonst wäre die Bibel ein Zauberbuch, das jeden verzaubert, der es aufschlägt. „Der subjective Heilsweg, mit der Bibel [...] allein in der Hand, ist [außerdem]

---

[115] Ebd., S. 87.

[116] Vgl. Newman, Essay C2 S1 Nr. 16, S. 53, „while Scripture nowhere recognizes itself or asserts the inspiration of those passages which are most essential, it distinctly anticipates the development of Christianity, both as a polity and as a doctrine".

[117] Kuhn, Einleitung, S. 84.

nicht der Weg, den Christus uns vorgezeichnet und vorgeschrieben [hat], und führt auch nicht zum Ziele.“[118]

Wenn es nun der Kirche und des Heiligen Geistes bedarf, um die Schrift objektiv richtig zu verstehen und um menschliche Begriffe und Vorstellungswelten vom Wort Gottes, von der Offenbarung, zu unterscheiden, besteht dann Überlieferung nicht darin, dieses Wort Gottes einmal zu abstrahieren und es dann stetig zu wiederholen? Im Grunde würde Kuhn diese Frage bejahen, aber zugleich betonen, dass das Wort Gottes als die ewige Offenbarung niemals in den gleichen Vorstellungswelten und Begriffen im Laufe der Zeit und Wechsel der Kulturen wiederholt wird. Außerdem wird man Kuhn den Gedanken unterstellen dürfen, dass das Wort Gottes niemals vollständig begriffen werden kann, so dass immer nur Aspekte an ihm einmal heller, einmal dunkler erkennbar sind, auch wenn er dies nicht so ausdrücklich wie Newman sagt. Er schreibt:

> „Die göttlich geoffenbarte Wahrheit ist ihrem Begriff und Wesen nach die absolute Wahrheit; daher unveränderlich dieselbe und keiner Vervollkommnung weder durch Erweiterung noch durch Läuterung fähig. Aber die an sich unveränderliche göttliche Wahrheit kann der Menschheit in einem gewissen Stufengange mitgetheilt, progressiv enthüllt werden, so daß der Fortschritt ein bloß formeller und relativer ist.“[119]
>
> „Die fortschreitende Offenbarung, diese nur allmählige völlige Enthüllung der Wahrheit ist [...] keine Vorenthaltung oder nur stückweise Mittheilung derselben, und überhaupt keine solche, die mit der substantiellen absoluten Vollkommenheit der göttlichen Mittheilungen im Widerspruch wäre; es ist auf jeder Stufe derselben die ganze Wahrheit, aber nicht in derselben gleich deutlichen, bestimmten und ausdrücklichen Weise ausgesprochen.“[120]

Diese pädagogische Vorgehensweise Gottes liegt in der schrittweisen Heranführung der Menschen an die Offenbarung begründet, um diese kontinuierlich mit Leben zu erfüllen. Die Menschen sollen nicht nur abstrakt über Gott, sein Wesen und seinen Willen und vielleicht noch die metaphysische Konstitution des Seienden informiert werden, sondern zum Glauben geführt werden. Glauben entsteht aber nur dort, wo die Offenbarung Gottes sich auf das Leben der Menschen bezieht. Weil Gott den Menschen retten will, schenkt er ihm nicht nur irgendwelche Wahrheiten, sondern will das Leben der Menschen auf sich ausrichten, indem er sich den Menschen als der auf sie hin Ausgerichtete, als der „Ich– bin– da“, offenbart. Deshalb offenbart er sich je nach Situation der Menschen auf unterschiedliche Art und Weise.

---

118 Ebd., S. 102.

119 Ebd., S. 117f.

120 Ebd., S. 120.

So wie die Offenbarung nach Zeit und Ort variiert, so variiert auch die kirchliche Verkündigung mit ihren Ausdrucksformen. Und obwohl der Verkündigung der Apostel, vor allem aber dem Niederschlag ihrer Verkündigung im Neuen Testament ein Vorrang und eine normative Geltung für alle Zeiten (norma normans) zukommt, muss die Verkündigung stets neu wirksam gemacht werden. So ist einerseits die Offenbarung, das Wort Gottes, vollkommen, andererseits muss es von den Verkündigern der Kirche stets neu vervollkommnet werden, indem es ständig neu verkündet wird, um so den Empfänger optimal zu erreichen. Kuhn fragt nun, wieso der Glaube der Apostel normativ sein soll und verbindet diese Frage mit den Einwänden des Rationalismus. Der spekulative Rationalismus Hegels sieht in dem Glauben der Apostel nur ein Stadium, nur eine erste, wenn auch wahre, weil vom Geist hervorgebrachte Stufe, die in der dialektischen Fortbewegung des Geistes aufgehoben werden muss. Denn das Prinzip des Fortschritts bei Hegel ist die Negation. Der gemeine Rationalismus hingegen kann die apostolische Zeit und das Neue Testament nicht als normativ gelten lassen, da es für ihn keine übernatürlichen Offenbarungsinhalte enthält, sondern lediglich natürliche Vernunftwahrheiten anbietet. Diese sind natürlich noch mythologisch überfrachtet und müssen erst mittels der Vernunft freigelegt werden, womit man wieder zu den Thesen des David Friedrich Strauß gelangt. Kuhn konzediert dem Rationalismus, dass das Neue Testament allein wirklich nicht ausreicht. Er wiederholt noch einmal seine Auffassung vom Erfassen der Schrift im Geist und ihrer Auslegung gemäß der Tradition. In der Verwiesenheit der Schrift auf die Tradition (im Sinne ihrer objektiven Auslegung im Geist) und der Tradition auf die Schrift (in Sinne der Neuverortung des Evangeliums in der jeweiligen Raumzeit) sieht er die Entwicklungsfähigkeit des Christentums begründet. Kuhn gibt dem Rationalismus also recht, wenn dieser einen Entwicklungsbedarf für das Christentum feststellt. Dieser Entwicklungsbedarf bezieht sich aber nicht auf die Inhalte, das Wort Gottes, sondern nur auf seine Form, seine Präsentation. Kuhn wendet sich dem entsprechend auch gegen die dem Rationalismus entgegengesetzte Position des Supernaturalismus, der keinerlei Entwicklungsbedarf über das Neue Testament hinaus erblickt, da er Wort Gottes und Wort der Schrift identifiziert (Verbalinspiration).

> „Die katholische Auffassung nimmt die Mittelstellung ein zwischen dem irrationalen Supernaturalismus jener hölzernen Orthodoxie, der die Bibel eine Stereotypie der göttliche Wahrheit ist, und dem die göttliche Offenbarung und den suprarationalen Charakter ihres Inhalts läugnenden Rationalismus, der in ihr nur die erste, noch schwache und matte Erscheinung des in der Vernunft leuchtenden und im

> Fortgang ihrer Entwicklung immer heller strahlenden göttlichen Lichtes erblickt."[121]

Die Entwicklung selbst vollzieht sich objektiv, bzw. Kuhn postuliert, dass sie objektiv sein müsse.

> „Damit aber die göttlich geoffenbarte Wahrheit in ihrer reinen Objectivität sich erhalte und das Eindringen der subjectiven Meinung und des Irrthums abgeschnitten werde, so muß die göttliche Quelle, aus der sie fließt, fortwährend offen erhalten und gegen das Einströmen der wilden Gewässer geschützt und verwahrt werden. [...] Das Princip und der eigentliche Quell für die höhere Wahrheit [...] auf dem Gebiete der Offenbarung ist [...] einerseits das Wort Christi und seiner Apostel (analog der menschlichen Vernunftwahrnehmung, den Vernunftideen), andrerseits der Offenbarungsgeist (analog dem vernünftigen Denken), der Geist, der von Christus ausgeht, der Geist der Wahrheit, der in alle Wahrheit leitet, indem er allezeit an Alles erinnert, was Christus gesagt hat (Joh 14,26; 16,13). Das Organ dieses Geistes und seiner Wirksamkeit in der Menschheit ist der Gesammtkörper der Gläubigen, der Leib Christi, seine Kirche, die in ihren Vorstehern gipfelt. Von diesen geht daher die Bewegung aus und erstreckt sich über alle Glieder; sie sind die Lehrer, auf die die Gläubigen hören müssen; sie hat der hl. Geist zu Vorstehern gesetzt und mit seinen Gaben ausgerüstet, die Kirche Gottes zu regieren (Apg 20,28)."[122]

Der Heilige Geist garantiert eine objektive Entwicklung trotz mannigfaltiger Vorstellungen und Ausdrücken. Er garantiert „profectus", nicht „permutatio"[123]. Der Hintergrund, auf dem Kuhn seine Entwicklungslehre denkt, wird aus diesen beiden Stichwörtern ersichtlich: Vinzenz von Lérins.

> „Er [Vinzenz] versteht somit unter jenem [profectus] die Entwicklung der Wahrheit dem ihr immanenten Principe gemäß, unter dieser [permutatio] aber ihre Vertauschung mit einer andern (Wechsel des Princips) oder ihre wesentliche (substantielle) Veränderung. Die Entwicklung ist zulässig, ja nothwendig, die Verwandlung verwerflich."[124]

Festzuhalten ist, dass in Kuhns Theorie das Lehramt – und niemand sonst – eine Entwicklung vorantreibt. Organ des Heiligen Geistes ist zwar die Gesamtkirche, aber nur die Verkündiger – also die Amtsträger – spielen für das, was Vinzenz als Amplifikation der christlichen Wahrheit bezeichnet, eine Rolle, da sie die Gipfel einer Kirchenpyramide sind und damit die ersten Geistträger, durch die der Geist auch den Rest der Kirche begnadet,

---

[121] Ebd., S. 134.
[122] Ebd., S. 150f.
[123] Ebd., S. 153.
[124] Ebd., S. 153.

falls diese dem Amt und dessen Verkündigung gehorchen. Ferner ist festzuhalten, dass Kuhn, wie Newman, ein der Wahrheit immanentes Prinzip annimmt, welches über der Entwicklung wacht. Kuhn äußert sich nicht so ausführlich wie Newman über diesen Gedanken, aber für ihn ist das Neue Testament zugleich Prinzip der Entwicklung (als Niederschlag des apostolischen Kerygmas) und zugleich erste Stufe der Entwicklung.[125] Wegen dieser Prinzipientreue, die letztlich der Heilige Geist in der Kirche bewirkt (s. o.), ist

> „das Auseinandertreten des Dogma [des Glaubens der Kirche] in Dogmen, die Erweiterung des Glaubensbekenntnisses durch Vermehrung der Glaubenssätze keine Erweiterung oder Veränderung seiner wesentlichen Wahrheit, sondern nichts anderes [...] als die ausdrücklichere Hervorhebung, Präcisirung und Fixirung ihrer wesentlichen Elemente.“[126]

Kuhn geht sogar soweit zu behaupten, dass dieser Prozess ein im inneren Wesen des Glaubens angelegter ist, d. h., dass diese Präzisierung und Fixierung der Wahrheit nicht extern (durch Häresie) bedingt ist.

> „Man kann in Wahrheit sagen: der nicänische Begriff der Homousie ist die Frucht und Blüthe der stetigen Fortentwicklung des Dogma von innen heraus und nicht erst durch den äußern Anstoß des Arianismus auf die Bahn gebracht worden.“[127]

Die vornizänischen Kirchenväter haben diese Fortentwicklung vorangetrieben. Ausgehend von ihrem Glauben haben sie Wege der Ausdrucksweise dieses Glaubens und mögliche Vergleichspunkte gesucht, blieben aber oftmals hinter dem zurück, was später in Nizäa definiert wurde. Im Grunde taten die Kirchenväter das gleiche wie Jesus und die Apostel:

> „Christus und die Apostel lehrten die göttliche Wahrheit, indem sie den Inhalt ihres unmittelbaren Bewußtseins derselben in Vorstellungen und Begriffe faßten und den geschichtlichen Verhältnissen angemessen aussprachen.“[128]

Die Aussagen Christi und der Apostel sind die Auseinandertretung des Dogma in Dogmen und damit die Dogmen in eigentlichem Sinn. Diese Dogmen sind zweifach autorisiert, d. h. beglaubigt. Zum einen sind sie aufgrund der Autorität der offenbarenden Gottes hin zu glauben, zum anderen aufgrund ihrer Vorlage durch das Lehramt der Kirche. Das Lehramt der Kirche wiederum empfängt seine Autorität von Gott, insofern es Ausführungsorgan des göttlichen Willens ist.

> „Das religiöse Dogma ist als Ausfluß dieser beiden Auctoritäten, der christlich apostolischen und der christlich kirchlichen, aus deren

[125] Vgl. ebd., S. 177.
[126] Ebd., S. 165.
[127] Ebd., S. 174.
[128] Ebd., S. 184.

durch das bezeichnete Verhältniß geordneten Thätigkeit es entspringt, zu begreifen. Es sind in diesem Begriffe zwei Momente zur Einheit verbunden, die nicht auf gleicher Linie mit einander stehen, sondern von denen das eine dem andern untergeordnet ist.“[129]

Weil diese Dogmen (in ihrer je zeitgebundenen Gestalt) geoffenbart und damit objektiv sind, müssen sie von jedem Gläubigen zu dessen Seelenheil geglaubt werden.

„Die Frage, was de fide sei, ist hier, wo es sich um den Begriff des Dogma handelt, schlechthin objectiv zu fassen und daher von derselben Frage im subjectiven Sinn, nämlich was zu glauben nöthig sei im Interesse der Seligkeit des gläubigen Subjects, wohl zu unterscheiden. Denn wenn sie auch innerlich zusammenhängen und folglich nicht von einander getrennt werden können, so dürfen sie doch nicht mit einander vermischt oder identificiert, sondern müssen sorgfältig auseinandergehalten werden. Geschieht dieses nicht oder nicht in durchgreifender Weise, so ist die Folge davon entweder eine ungebührliche Schmälerung des Dogma oder eine ungebührliche Erschwerung der subjectiven Bedingung der Seligkeit. Jene Folge sehen wir in der Unterscheidung der protestantischen Theologie zwischen articuli fidei fundamentales und non fundamentales hervortreten. Die ersteren werden als diejenigen Theile der christlichen Lehre bezeichnet, ohne deren Kenntniß man das Fundament des Glaubens und somit des Heils nicht ergreifen und festhalten, und die man nicht negiren kann, ohne dasselbe zu untergraben; die nicht fundamentalen aber seien solche Theile derselben christlichen Lehre, welche ohne Schaden für das Seelenheil nicht nur ignorirt, sondern auch negirt werden können. Daß eine solche Behauptung des Dogma, eine solche Sichtung und Ausscheidung integrirender Theile desselben auf keinem haltbaren Fundamente beruhe, ist leicht ersichtlich. Denn wenn man einmal von dem objectiven Inhalte der Offenbarung und von der Voraussetzung ihrer Nothwendigkeit für den Menschen ausgeht, so ist es offenbar unzulässig, einen solchen Unterschied zwischen den einzelnen Lehren derselben zu statuiren, vermöge dessen die eine und andere derselben als nicht nothwendig, ja als solche ausgeschieden werden, deren Wahrheit man sogar bestreiten und die man verwerfen kann, ohne daß dem gläubigen Subject daraus ein wesentlicher Nachtheil erwachsen könnte. So erschiene ja die Offenbarung dieser Lehren als völlig überflüssig und zwecklos, ein Gesichtspunkt, der sich mit dem Begriff und Wesen der Offenbarung als Heilswahrheit und Heilsthatsache schlechterdings nicht verträgt.“[130]

---

[129] Ebd., S. 189.
[130] Ebd., S. 197f.

Nachdem Kuhn die protestantische Auffassung destruiert hat, muss er eine halbe Seite später dennoch zugestehen, dass es gewichtigere und weniger wichtige Dogmen gibt.[131] Genau aus diesem Grund will er die Dogmen-Heils-Relation nicht miteinander vermischen. Denn es ist kaum plausibel, einerseits Dogmen zu gewichten und andererseits dieser Gewichtung keinerlei Bedeutung für die Heilsnotwendigkeit der Dogmen zuzuschreiben.

Kuhn erkennt den Dschungel, in den er bei einer Vertiefung des Themas geraten würde. Er beschränkt sich daher darauf, die Hauptlehren der Kirche bezüglich ihrer Dogmen zu referieren: Niemand kann ein Dogma explizit ablehnen, ohne seines Seelenheiles verlustig zu gehen. Sodann betont er, dass man die Dogmen am besten nicht mit der Heilsfrage verbindet, weil man sonst erklären muss, welches Dogma heilsnotwendig ist und welches nicht und ein Kriterium angeben muss zur Scheidung beider. Das einzige, was Kuhn zu dem Problem äußert, ist, dass die Dogmen das Verhältnis zur Orthodoxie und damit zur Kirche bestimmen. Das Verhältnis zur Kirche bestimmt aber das Verhältnis zu Gott. „Die Orthodoxie ist die conditio sine qua non, aber nicht die causa quâ der Seligkeit."[132] Wie sich die Orthodoxie des einzelnen jedoch konkret gemäß seinen Anlagen (Intelligenz, Bildung usw.) realisiert, ist eine andere Frage. Es ist die Frage nach dem Wesen des Glaubens. Oder anders ausgedrückt: Wie verhält sich der Glaube eines theologisch ungebildeten Gläubigen zu dem Glauben eines fachlich versierten Theologen? Für Kuhn ist die Theologie Reflexion auf den Glauben, auf eine Erfahrung oder „den unmittelbaren Inhalt unseres Bewußtseins"[133]. Diese Reflexion ist durch das Wesen des Menschen selbst bedingt, der nicht nur aufgrund der Autorität Gottes glauben möchte – obwohl diese Autorität hinreichender Grund für den Glauben wäre –, sondern als vernunftbegabtes Lebewesen auch den Sinn, die Vernünftigkeit, der Offenbarung einsehen möchte. Der dogmatischen Theologie stellen sich dementsprechend zwei Aufgaben. Zum einen muss sie, die Lehre der Kirche mit der Lehre Christi und der Apostel als identisch nachweisen, um so die Autorität der kirchlichen Lehre abzuleiten und in der Autorität Gottes zu verorten. Dies leistet die positive Dogmatik, indem sie historisch und sprachwissenschaftlich die Quellen des Glaubens (Schrift und Tradition) erforscht. Zum anderen muss die dogmatische Theologie die innere Kohärenz der Glaubensinhalte, ihre Vernünftigkeit und ihre inneren Beziehungen aufzeigen. Dies ist die Aufgabe der spekulativen Dogmatik. Wie aber kommt die Theologie vom Glauben zum Wissen? Zunächst einmal ist es Kuhn wichtig, festzustellen, dass die menschliche Vernunft nicht die Quelle der Wahrheit, sondern nur Quelle der Erkenntnis der Wahrheit ist. Die Quelle der Wahrheit ist nur Gott selbst. Die Wahrheit ist dem Menschen, wie die Wirklichkeit, vorgegeben.

---

[131] Vgl. ebd., S. 198 u.

[132] Ebd., S. 200.

[133] Ebd., S. 203.

> „Von welcher fundamentalen und durchgreifenden Wichtigkeit für die Theologie sei dieß, bedarf keiner weitläufigen Ausführung. Die Theologie ruht auf der Voraussetzung einer unmittelbaren göttlichen Offenbarung. Wäre nun das Princip der Wahrheit überhaupt und namentlich derjenigen Wahrheit, die Gott und die göttlichen Dinge zu ihrem Gegenstande und Inhalte hat, im Denken zu suchen; so wäre eine Offenbarung Gottes im theologischen Sinne unmöglich, so könnte Gott nur in dem Sinne dem Menschen sich offenbaren, als er sich selbst denkt, indem der menschliche Geist ihn denkt, und in diesem Geiste und seinem Denken sich selbst erst offenbar, selbstbewußter Geist wird.“[134]

Auch wenn Kuhn in diesem Punkt Hegel und seine idealistischen Vorgänger (Kant, Fichte, Schelling) ablehnt, so übernimmt er doch den dialektischen Dreischritt, um vom unmittelbaren Glaubensbewusstsein zur spekulativen Erkenntnis (dem spekulativen Begriff) der Wahrheit zu gelangen. Aber dieser Dreischritt ist nicht geprägt durch das Prinzip der Negation wie bei Hegel. Denn die These wird durch die Antithese nicht negiert, um dann in der Synthese aufgehoben zu werden, sondern nur die Form des Bewusstseins der Offenbarung schreitet voran. Dies geschieht durch Determination. Die erste Stufe ist die des unmittelbaren Bewusstseins der Wahrheit. Die zweite Stufe ist die des vorstellenden Bewusstseins. Die letzte Stufe ist die des spekulativen Begriffs, die sich durch Abstraktion aller endlichen Komponenten des Bewusstseins auszeichnet. Es handelt sich hier aber nicht um eine andere Wahrheit wie bei Hegel, dessen spekulativer Begriff den unmittelbaren negiert hat, sondern nur um eine andere Form des dem Menschen gegebenen Bewusstseins. Die Wahrheit entsteht nicht durch den dialektischen Prozess, sondern wird nur abstrakter gefasst. Würde die Wahrheit in einem dialektischen Denkprozess erst erfasst, so könnten, die Thematik auf die Kirche hin angewandt, nur die Denker und Philosophen erlöst werden, weil nur sie die Wahrheit erkennen könnten. Dies widerspricht aber der Intention Christi, alle Menschen erlösen zu wollen.

Die Offenbarung und die Wahrheit sind dem einzelnen Menschen vorgegeben und verändern sich durch die geistige Aneignung der Wahrheit nicht. Der Glaube schreitet deswegen nicht fort, sondern nur die Form reflektierter Aneignung desselben. Das Lehramt der Kirche verkündigt die anvertraute Wahrheit, die Offenbarung. Die jeweilige Aneignung danach ist von Gläubigen zu Gläubigen unterschiedlich. Aber auch der Verkündiger muss sich den Glauben, den er verkündigt, aneignen, so dass die Formen der Aneignung vielfältig sind, und der Hörer des Wortes die Glaubensform des Predigers nicht für sich übernehmen muss. Der Verkündiger muss nur darum

[134] Ebd., S. 239.

bemüht sein, den Stoff so darzubieten, dass ihn der Empfänger auch rezipieren kann.

## 2.6. Würdigung Kuhns und offene Fragen

Nach der Behandlung von Newmans Thesen zur Dogmenentwicklung erscheint Kuhn wie ein Rückschritt. Denn er geht inhaltlich kaum über Vinzenz von Lérins hinaus. Entwicklung besteht aus der Präzisierung des depositums fidei im Sinne einer besseren spekulativen Erfassung. Änderungen in der Lehre der Kirche finden nur auf verbaler Ebene statt, nicht aber auf inhaltlicher Ebene. Das Christentum ist das Christentum der Apostel. Die Lehre der Kirche ist die Lehre der Apostel, der Glaube der Apostel ist der Glaube der Kirche. Für Kuhn sind Vinzenz von Lérins Thesen so aktuell wie ehedem. Was für Vinzenz die Vertiefung (Amplifikation) ist, stellt für Kuhn der Dreischritt dar. Doch an diesem Punkt wird Kuhns Vorstellung etwas verwirrend. Zum einen konstituiert der Verstand nicht die Wahrheit. Denn die Offenbarung ist objektiv vorgegeben. Zum anderen ist sein Entwicklungsdreischritt eine rein kognitive, d. h. subjektive, Betätigung. Gleichzeitig fordert Kuhn aber den objektiven Ablauf dieser Entwicklung. Wie genau diese Objektivität bei einem kognitiven Vorgang sichergestellt werden kann, bleibt offen, solange der Heilige Geist nicht persönlich der Denkende im Menschen ist. Dies ist aber nicht der Fall, da Kuhn allen Christen subjektive Eintrübungen ihres Glaubensbewusstseins bescheinigt – die Apostel ausgenommen.

Kuhn findet daher im Rahmen dieser Arbeit auch nicht Erwähnung aufgrund seiner Dogmenentwicklungstheorie, sondern aufgrund seiner Gedanken bezüglich Schrift, Tradition, Volk Gottes und Lehramt. Kuhn schafft es, für seine Zeit neue Wege zu gehen. Die Anerkennung einer relativen Vollständigkeit der Schrift schien zur damaligen Zeit wie eine Verunglimpfung der katholischen Tradition seit dem Trienter Konzil, die immer versuchte, das Wort Suffizienz so weit wie möglich von der Schrift fern zu halten, nicht zuletzt weil es protestantisch besetzt war.

Kuhns Sicht von Tradition als Quelle des Glaubens, als hermeneutisches Prinzip der Schriftauslegung und als Wirkungsstätte des Heiligen Geistes im Leben der Kirche durch die Zeit, sind für seine Zeit neue bemerkenswerte Ansätze. Die Schrift ist Quelle der Wahrheit und Quelle des Glaubens der Kirche, aber ohne die Tradition als Auslegerin nicht verständlich und als theologisches Beweisstück nutzlos, weil sie ohne Tradition nicht klar ist, und weil sie von der Tradition und den Trägern der Tradition, den Verkündigern in der Kirche (den Amtsträgern) im Verbindung mit dem Heiligen Geist, ihre Autorität und Auslegung empfängt. Man könnte zwar sagen, dass diese Sicht Sachverhalte in die Bibel hineinliest, die in ihr nicht enthalten sind, aber dieses Verfahren, die Tradition als Auslegerin der Schrift zu nehmen, ist dann legitim, wenn der Heilige Geist zugleich Träger der Tradition und zugleich direkter Urheber der Schrift (Inspiration) ist, insofern vor allem das Neue Testament Niederschlag der Verkündigung der Apostel ist und diese Offenbarungsorgane des Geistes waren.

Ein weiterer wichtiger Punkt, den Kuhn skeptisch gesehen hat, war das Volk Gottes als Träger der Tradition. Die heutige theologische Literatur mag ihm ankreiden, dass er mit seinen Aussagen gegen die Aussagen des Zweiten Vatikanischen Konzils steht, das von einer Gesamtsendung der Kirche redet und hierin den Laien für die Verchristlichung und Missionierung der Welt einen besonderen Stellenwert zuschreibt. Kuhns Sicht mag zu pessimistisch sein, dafür könnte man vielleicht die des Vatikanums II als zu idealistisch einschätzen. In einer arbeitsteilig ausdifferenzierten Gesellschaft spielen die Laien, die Mehrheit des Volkes Gottes, für die Weitergabe des Glaubens eine wichtige Rolle, insofern sie vor allem ihren Kindern eine Begegnung mit der Kirche und Jesus Christus ermöglichen und ihren Glauben weitergeben. Was darüber hinaus geht, ist als ein Glücksfall für die Kirche zu betrachten, stellt aber eher eine Ausnahme dar. Somit ist Kuhns pessimistische Sicht, was den Träger der Offenbarung durch die Zeit betrifft, gerechtfertigt. Der Klerus und die Orden tragen einen großen Teil der Weitergabe des Glaubens durch ihre Verkündigung. Und in einer arbeitsteiligen Gesellschaft ist dies auch ihre Aufgabe. Allerdings muss man Kuhn vorwerfen, dass er für die Weitergabe des Glaubens die Theologie völlig außer Acht lässt. Die Theologie spielt bei der Weitergabe des Glaubens und auch auf Konzilien eine entscheidende Rolle. Der Glaube wird nicht nur in der Familie und in der Pfarrei weitergegeben, sondern auch die theologischen Fakultäten und Seminare spielen eine Rolle, zumal Kuhn die Weitergabe der Tradition allein eine Aufgabe des Klerus sein lässt. Zwar sagt Kuhn, dass die Kirche immer die Tradition erforscht, um auf Konzilen zu einem in der Tradition stehenden, auf die Schrift gründenden Urteil zu kommen, übersieht aber, dass für diese Erforschung der Tradition die Lehrer der Theologie befragt werden.

Ein weiteres Problem bei Kuhn besteht in der Sicht, dass die Konzilien die Tradition erforschen müssen, um zu einem Urteil zu kommen. Dieser Argumentation liegt die Auffassung zu Grunde, dass das Wort Christi, welches der Kirche den Beistand des Heiligen Geistes verheißt, so zu interpretieren ist, dass es nicht nur synchron, sondern auch diachron verstanden werden muss. Mit anderen Worten: Ein Konzil als Repräsentation der Gesamtkirche zu einem bestimmten Zeitpunkt ist in seinem Glauben trotz des Heiligen Geistes nicht soweit unfehlbar, dass es nicht gezwungen wäre, historische Untersuchungen über den Glauben anzustellen, um die Übereinstimmung des eigenen Glaubens mit dem der Apostel zu konstatieren. Der Heilige Geist wäre demnach nur der Gesamtkirche aller Zeiten verheißen, nicht aber der Gesamtkirche zu einem Zeitpunkt. Zudem stellt sich noch das Problem, wie man an den Glauben der Apostel objektiv mit historischen Methoden heran kommen will. Ein Problem stellt diese Sicht deswegen dar, weil sie zum heutigen Zeitpunkt mit den beiden Mariendogmen und den beiden letzten Konzilien historisch überholt ist, da in diesen Fällen so argumentiert wurde:

1. Der Sachverhalt wird heute von der Kirche geglaubt.
2. Die Kirche ist in Grundfragen des Glaubens und der Sitte aufgrund des Beistandes des Heiligen Geistes unfehlbar.

Konklusion: Der Sachverhalt ist definierbar, auch wenn ein Schrift- oder Traditionsbeweis nicht erbracht werden kann.

Mit anderen Worten: Die Sicht Kuhns, das Wort von der Verheißung des Beistandes für die Kirche, welche sie irrtumsfrei und unkorrumpierbar macht, auf die diachrone Gesamtkirche zu deuten, ist spätestens seit 1854 durch die Ereignisse überholt, da das Dogma von 1854 zu seiner Begründung auf eine synchrone Deutung der Verheißung angewiesen ist. Die radikale Konsequenz daraus, die Kuhn zeit seines Lebens bekämpft hat, ist, dass Schrift- und Traditionsbeweis zu reinen theologischen Fleißaufgaben werden. Er forderte immer einen Schriftbeweis aus der Tradition heraus, um die Apostolizität historisch nachzuweisen, wurde aber von dem neuen Dogmenbegründungsverfahren vom Lehramt seiner Zeit theologisch überholt.

Eine weitere Frage an Kuhn wäre seine Sicht auf die Apostel. Wenn die Apostel Offenbarungsempfänger und Zeugen waren, weil sie speziell inspiriert und begnadet waren, so dass sie ein objektives Bewusstsein von der christlichen Offenbarung besaßen – wie auch immer man sich das konkret vorstellen mag –, so muss man fragen, warum nur den Aposteln dies zuteil geworden ist. Warum wurde nur ihnen diese Gnade verliehen, da eine solche Gabe doch angesichts der Häresien der späteren Jahrhunderte wirklich nützlich gewesen wäre. Und untermauert eine solche These über die Apostel nicht Harnacks Ansicht, dass die Kirche es in nachapostolischer Zeit mit einer Art „Geistschwund“ zu tun hatte, welcher zu vielfältigen Korruptionen und Synkretismen geführt hat? Diesen Kritikpunkt kann man Kuhn eigentlich nicht anrechnen, da er auf einem anderen Offenbarungsverständnis und Dogmenverständnis beruht, das heute so nicht mehr vertreten wird. Und man kann nicht eine historische Person dafür kritisieren, Lösungen späterer Zeiten nicht gehabt zu haben. Somit dient der „Kritikpunkt“ , wie schon öfter erwähnt, nur der Demonstration heutiger Probleme mit älteren katholischen Positionen.

Ein weiterer Kritikpunkt wäre Kuhns These von der Vervollkommnung der Glaubenreflexion aufgrund inneren Antriebs durch den menschlichen, begnadeten Geist. Zwar passt diese These ironischerweise[135] perfekt zu den vatikanischen Konzilien und den beiden Mariendogmen, welche ohne äußere Not neue Lehren definiert haben, aber konkretisiert man diese These auf ein von Kuhn selbst gewähltes historisches Beispiel hin, so scheint sie doch

[135] Kuhn war kein großer Verehrer des Vatikanums I.

fragwürdig: Hätte sich das Dogma von Nicäa auch ohne Arius entwickelt? Oder, falls man dieses bejaht, hätte es sich so schnell entwickelt? Kuhns Motiv, die Entwicklung als eine Aktivität des Hl. Geistes darzustellen, ist bedenkenswert, aber ist der eigentliche Motor zur Formulierung von Dogmen nicht die Häresie, von den beiden Mariendogmen und den beiden letzen Konzilien einmal abgesehen? In der Regel reagiert das Lehramt der Kirche, es agiert nicht, von der Aktualisierung des Glaubens abgesehen. Es ist auch von seinem Selbstverständnis nicht vorgesehen, Motor für Neues zu sein. Es soll den Glaubensschatz bewahren, in dem es ihn in neuer Form bekennend den Häretikern kundtut. Insofern stellen z. B. die Mariendogmen große Ausnahmen dar, weil hier ohne Not zwei Dogmen verkündet wurden, die zum Definitionszeitpunkt niemand bestritten hat. (Dafür sind sie auch in der Hierarchie der Wahrheiten zu peripher). Bedenkenswert ist die These Kuhns deswegen, weil sie Gott als Herrn der Geschichte zur Geltung bringt. Nicht, bildlich gesprochen, der Geist des Antichristen diktiert und bestimmt die Entwicklung der kirchlichen Glaubensreflexion, sondern Gott selbst führt frei die Glaubensreflexion voran mittels des eigenen Impetus nach Erkenntnis, den er der menschlichen Natur anerschaffen hat. Diese Sicht muss sich jedoch, wie schon bei Newman erwähnt, die Frage des Unglaubens gefallen lassen, wie es zu den zahlreichen, geschichtlich nachweisbaren Turbulenzen kam, wenn Gott Herr der Entwicklung des kirchlichen Glaubensbewusstseins ist. Anders formuliert: Ist es einem kritischen Zeitgenossen klarzumachen, dass die kirchenpolitischen und theologischen Auseinandersetzungen im weitesten Sinn begnadete geschichtliche Vorgänge gewesen sind? Und wenn ja: Wer hat hier mit wem gerungen?

## 2.7. Karl Rahner (1904-1984)

Den vielleicht bedeutsamsten Beitrag zum Problem der Dogmenentwicklung hat im 20. Jahrhundert Karl Rahner[136] vorgelegt. Sein Beitrag ist in mehreren Aufsätzen zum Thema Dogmenentwicklung niedergelegt, die durch das Assumpta-Dogma und das Zweite Vatikanische Konzil inspiriert wurden. In den fünfziger und sechziger Jahren stellte sich die Frage nach der Entwicklung akut, da zum einen das Assumpta-Dogma scheinbar keinen Schriftbezug hatte und die protestantische Kritik daran aus diesem Grund gewaltig war, und da zum anderen einige Theologen behaupteten, das Zweite Vatikanische Konzil hätte Sachverhalte als verbindlich dargelegt, die Anfang des Jahrhunderts als modernistisch verworfen worden waren. Dies beweise, dass das Traditionsprinzip der katholischen Kirche zugunsten eines Autoritätsprinzips ausgedient habe und nur noch als Feigenblatt diene, um diesen Tatbestand zu verschleiern.

Karl Rahner wendet sich über Jahrzehnte hinweg gegen diese Thesen. Sein Werk bezüglich den Problemen der Dogmenentwicklung ist über mehrere Aufsätze verstreut.[137] Methodisch ergeben sich daraus die Probleme,

---

[136] Karl Rahner wurde am 5.3.1904 in Freiburg (im Breisgau) geboren. Nach seiner Schulzeit trat er 1922 in die Gesellschaft Jesu ein. Zehn Jahre später wurde er zum Priester geweiht. 1934 bis 1936 promovierte Rahner in Freiburg im Fach Philosophie, reichte seine Dissertation jedoch als theologische Promotionsschrift in Insbruck ein. Im Jahr darauf habilitierte er sich und begann als Dozent für dogmatische Theologie. Nach Auflösung der katholischen Fakultät Insbruck arbeitete Rahner von 1938 bis 1944 im Wiener Seelsorgeamt. Nach dem Krieg übernahm er eine Lehrstelle seines Ordens in Pullach, kehrte jedoch bereits 1948 nach Insbruck als Professor für Dogmatik und Dogmengeschichte zurück. 1964 übernahm Rahner den Lehrstuhl Romano Guardinis für Religionsphilosophie in München. Drei Jahre später folgte er einem Ruf auf den Lehrstuhl für Dogmatik und Dogmengeschichte nach Münster, den er bis zu seiner Emeritierung 1971 inne hatte. Er kehrte daraufhin abermals nach Insbruck zurück, wo er am 30.3.1984 verstarb.
Weiterführende Literatur:

- Herbert Vorgrimler, Karl Rahner verstehen. Eine Einführung in sein Leben und Denken, Freiburg u. a. 1988
- Bernd Jochen Hilberath, Karl Rahner. Gottgeheimnis Mensch, Mainz 1995
- Michael Schulz, Karl Rahner begegnen, Augsburg 1999
- Karl Lehmann u. a. (Hg.), Karl Rahner. Sämtliche Werke, Freiburg, Düsseldorf 1995ff.

[137] Karl Rahner, Schriften zur Theologie I, Einsiedeln u. a. 1960:

- Zur Frage der Dogmenentwicklung, S. 49-90
- Theos im Neuen Testament, S. 91-168
- Die Unbefleckte Empfängnis, S. 223
- Über das Verständnis von Natur und Gnade, S. 323-346
- Zur scholastischen Begrifflichkeit der ungeschaffenen Gnade, S. 347-376

ders., Schriften zur Theologie IV, Einsiedeln u. a. 1960:

- Überlegungen zur Dogmenentwicklung, S. 11-50
- Virginitas in partu, S. 173-208

dass es zum einen in einem Menschenleben Entwicklungen im Denken gibt und deshalb das Frühere sich eventuell gegen das Spätere sperrt, dass zum anderen das Thema Dogmenentwicklung viele fundamentale Fragen der Theologie streift, die in den Aufsätzen separat abgehandelt werden. Die Folge besteht in einer gewissen Inkohärenz von einem Aufsatz zum anderen. Wenn Rahner zum Beispiel in seinem Aufsatz „Was ist Häresie“[138] dieses Problem behandelt, dann hat er nicht gleichzeitig im Blick, ob die dortigen Aussagen völlig mit seiner Gnadenlehre übereinstimmen. Schon Newman hat festgestellt (s. o.), dass kein Theologe das ganze depositum fidei auf einmal präsent haben kann, da dies vom Wesen des depositums her unmöglich ist. Manchmal tritt der eine Aspekt stärker hervor, manchmal der andere. Das gilt auch für Rahner. Trotzdem soll hier eine systematische Gesamtsicht geboten werden. Hilfe für eine Zusammenfassung der Ideen Rahners zu diesem Problem bietet der von ihm und seinem Schüler Karl Lehmann verfasste Aufsatz, auf den hier verwiesen werden soll.[139]

Sucht man einen Ansatzpunkt, wo man beginnen soll, Rahners Meinung zur Dogmenentwicklung darzustellen, so bietet sich Rahners eigener Ausgangspunkt an. Es ist der Satz des Lehramts: „Die Offenbarung ist mit dem Tod des letzten Apostels abgeschlossen.“[140] Dieser Satz ist als Axiom jeder Dogmenentwicklungstheorie, die sich katholisch nennen will, vorgegeben. Denn in diesem Axiom verbergen sich zentrale christologische Glaubensaussagen. Es geht dabei um die Deutung der historischen Gestalt Jesu und welche Bedeutung dieser für alle Menschen einnimmt. Die Aussage des

---

- Natur und Gnade, S. 209-236

ders., Schriften zur Theologie V, Einsiedeln u. a. 1962:
- Theologie im Neuen Testament, S. 33-53
- Was ist Häresie, S. 527-576

ders., Schriften zur Theologie VI, Einsiedeln u. a. 1965:
- Kleines Fragment „Über die kollektive Findung der Wahrheit“, S. 104-110
- Heilige Schrift und Theologie, S. 111-120
- Heilige Schrift und Tradition, S. 121-138

ders., Schriften zur Theologie XIII, Einsiedeln u. a. 1978:
- Dogmen- und Theologiegeschichte von gestern für morgen, S. 11-47
- Lehramt und Theologie, S. 69-92
- Tod Jesu und die Abgeschlossenheit der Offenbarung, S. 159-171

ders., Grundkurs des Glaubens. Einführung in den Begriff des Christentums, Freiburg u. a. 8.Sonderauflage 1997.

[138] Ders., Schriften V, S. 527-576.

[139] Karl Rahner, Karl Lehmann, Das Problem der Dogmenentwicklung, in: Johannes Feiner, Magnus Löhrer (Hg.), Mysterium Salutis Bd. I. Die Grundlagen heilsgeschichtlicher Dogmatik, Einsiedeln u. a. 1965, S. 727-787.

[140] Vgl. Trienter Konzil, 4. Sitzung vom 8.4.1546, Dekret über die Annahme der heiligen Bücher und der Überlieferung (DH 1501), das die Abgeschlossenheit der Offenbarung mit Jesus Christus, dem Lehrer des Evangeliums, implizit voraussetzt; vgl. das Dekret „Lamentabili“ vom vom 3.7.1907 über die Irrtümer der Modernisten (DH 3421), das explizit den Satz verwirft: „Revelatio, obiectum fidei catholicae constituens, non fuit cum Apostolis completa“.

Abschlusses der Offenbarung steht daher in enger Verbindung mit der Lehre von der hypostatischen Union. Jesus von Nazareth ist der Sohn Gottes, und dies nicht in einem metaphorischen Sinn, sondern so, wie es das Konzil von Nizäa und Chalcedon lehrt. Diese Lehre des Konzils wiederum fasst den Glauben der Jünger Jesu an dessen Einmaligkeit und Unüberbietbarkeit zusammen. Diese Einmaligkeit gründet sich vor allem auf die Auferstehung, in der Jesus von Nazareth als Sohn Gottes erwiesen wird, aber auch auf die eschatologischen Heilszeichen, die der historische Jesus gewirkt hat, indem er die zwölf Stämme Israels in der Berufung der Zwölf wiederherstellte, indem er Kranke heilte, indem er sich als den neuen Tempel bezeichnete u. v. a. m.. Dieser auf Erfahrungen der Jünger basierende Glaube an die Gottessohnschaft Jesu Christi, die sich nicht nur graduell, sondern ontologisch von der Gottessohnschaft anderer in Alten Testament vorkommender „Gottessöhne" (wie z. B. Israels oder der Engel) unterscheidet, bedingt zwingend die Abgeschlossenheit der Offenbarung mit der Auferstehung(/Himmelfahrt/Geistsendung)[141]. Dass nach dem Konzil von Trient und Pius X. die Offenbarung mit dem Tod des letzten Apostels endet, hängt mit ihrer Sicht der Offenbarung als eines in sich kohärenten und konsistenten Systems von Wahrheiten zusammen.[142] Jesus war nicht nur der Inhalt der Offenbarung Gottes und damit die Offenbarung selbst, sondern vor allem der Offenbarer, dessen Lehren anzunehmen, heilsnotwendig war. Die Apostel haben diese Lehren empfangen und der Kirche schriftlich und mündlich überliefert. Darüber hinaus waren die Apostel auch noch zusätzlich begnadet, in der Form, dass sie nach der Auferstehung Jesu nicht nur die ersten Offenbarungsmittler waren, sondern darüber hinaus auch noch Offenbarungsempfänger.[143] Dies unterscheidet sie fundamental von ihren Nachfolgern, den Bischöfen. Aus der gleichen Tatsache resultiert die Normativität der Apostel und der Urkirche gegenüber der nachapostolischen Kirche. Rahner setzt bei seinem Denken an diesem Punkt an und zeigt, dass es keine theologisch vertretbare Alternative zur Abgeschlossenheit der Offenbarung

---

[141] Es handelt sich theologisch um dasselbe, je unter einem anderen Gesichtspunkt.

[142] Das Konzil von Trient sagt in seiner 4. Sitzung am 8.4.1546, dass es zusammengetreten sei, um die Reinheit des Evangeliums, wie es Jesus und seine Apostel als Quelle aller Wahrheit gepredigt haben, zu bewahren, und um festzustellen, dass „hanc veritatem et disciplinam contineri in libris scriptis et sine scripto traditionibus, quae ab ipsius Christi ore ab Apostolis acceptae, aut ab ipsis Apostolis Spiritu Sancto dictante quasi per manus traditae ad nos usque pervenerunt." Das Evangelium besteht nach dieser Vorstellung vor allem aus Wahrheiten, die der Mund Christi seinen Aposteln kundgetan hat. Vgl. DH 1501.

[143] Als ein Beispiel dafür kann Apg 10,9-23a gelten.

mit dem Tod des letzten Apostels gibt.[144] Denn die Alternative wäre: Die Kirche empfängt neue Offenbarungen (mittels des Heiligen Geistes) oder, falls man eine modernistische Position vertritt, anders formuliert: Sie formuliert im Laufe der Zeit neue Inhalte, die sie den Gläubigen vorlegt, weil diese neuen Inhalte die religiösen Gefühle besser zum Ausdruck bringen oder den Bedürfnissen der Zeit besser gerecht werden. Wie auch immer man eine substantielle Dogmenentwicklung und damit Glaubensentwicklung sieht, sie würde nicht nur eine Veränderung des Wesens des Christentums postulieren, sondern müsste auch die Stellung Jesu auf die Ebene irgendeines Propheten nivellieren. Diese Konsequenz ist jedoch für jeden Christen – und somit auch für Rahner – unannehmbar. Er schreibt:

> „Es gibt keine Dogmenentwicklung, die nur die Spiegelung einer allgemeinen Geistesgeschichte der Menschen wäre, einer Geistesgeschichte, deren Inhalt nur die Objektivation ewig wechselnder Gefühle, Haltungen, Stimmungen ständig wechselnder Epochen wären. Ein solcher historischer Relativismus ist metaphysisch und erst recht theologisch falsch."[145]

In diesem Zitat zeigt sich gleichzeitig Rahners ablehnende Haltung gegenüber dem Modernismus, der zwar versucht hat, die Geschichtlichkeit des Dogmas, der Lehre der Kirche und ihres Glaubens aufzuzeigen, aber dabei weit über das richtige Maß hinaus geschossen ist. Es gibt eine echte Geschichte des Dogmas, die nicht syllogistische Deduktion feststehender geoffenbarter Prämissen ist, wie die Scholastik und Neuscholastik dies meinte. Aber diese Geschichtlichkeit darf nicht dazu verwendet werden, das Dogma an sich abzuschaffen, so als ob die Geschichte des Dogmas seine Widerlegung an sich sei, wie David Friedrich Strauß dies meinte. Gerade wegen dieser Geschichtlichkeit des Dogmas bei gleichzeitiger unveränderlicher Substanz christlichen Glaubens (aufgrund der Abgeschlossenheit der Offenbarung), ergibt sich die Frage nach einer Theorie der Dogmenentwicklung. „Alle Theorien der Dogmenentwicklung und der Dogmengeschichte sind nichts anderes als die Versuche einer genaueren Antwort auf die Frage, wie wirklich die neue Wahrheit die alte sein kann."[146]

---

[144] Vgl. Rahner, Schriften VI, S. 124f., „Jenes Heilsereignis, auf das unser Leben, Sterben und unsere ewige Hoffnung begründet ist, heißt Jesus Christus, der Sohn Gottes, das Wort Gottes, das im Fleische unter uns erschienen ist, erfunden in aller Wahrheit als Mensch so wie wir, geboren und gestorben wie wir. Diese Wirklichkeit, die sich weitergeben will, ist nun selbstverständlich, weil sie die Wirklichkeit des ewigen Logos Gottes selbst ist und darum das unüberbietbare, bleibende, das nicht mehr ablösbare, eschatologische Heilsereignis, notwendig ein solches Ereignis, das sich nicht so tradiert, daß es in dieser Tradition sich selber eigentlich in seiner wahren Wirklichkeit aufheben könnte, wie sonst ein geschichtliches Ereignis weiterwirkt, um gewissermaßen sich selber aufzuheben und abgelöst zu werden durch etwas neues, durch etwas Revolutionäres, durch etwas, was einen neuen Äon einführt".

[145] Ders., Schriften I, S. 53.

[146] Rahner, Lehmann, Mysterium Salutis Bd. I., S. 732.

Vor dem 19. Jahrhundert stellte sich diese Frage nicht, weil die scholastische Methode und die Offenbarungsvorstellung dies verbaten. Das Neue im Alten zu suchen, das ist Aufgabe einer Dogmenentwicklungstheorie und damit der Theologie. Dogmenentwicklungstheorie ist eine Reflexion der Theologie auf die Dogmengeschichte. Diese wiederum ist eng verbunden mit der Theologiegeschichte. Daher gilt: „Dogmenentwicklung geschieht notwendigerweise immer als Entwicklung der Theologie."[147] Gleichzeitig steht die Theologie jedoch vor dem Problem, dass die Dogmenentwicklung noch nicht abgeschlossen ist, und es sich somit verbietet, eine abschließende Theorie aufzustellen. Außerdem kommt die Theologie mit ihrer Reflexion über den Glauben der Kirche niemals an ein Ende, da der alte Glaube stets ein neues Gewand bekommt.

Obwohl es Entwicklungsgesetzte[148] gibt, dürfen diese nicht verwendet werden, um neue Entwicklungen apriori als illegitim zu desavouieren. Dogmenentwicklungstheorie ist nicht eine Art „Wettervorhersage". Sie ist nur ein Werkzeug, dass die Theologie der Gesamtkirche und ihrem Lehramt anbieten kann, nicht aber ein Werkzeug, dass der Theologie die Vormachtstellung über die Kirche und ihre Lehrentwicklung sichern soll. Dies verbietet sich schon deswegen, weil Theologie nur unter dem „göttlichen Apriori des Glaubens"[149] betrieben werden kann. Damit stößt Rahner zu einem zentralen Punkt jeder Dogmenentwicklungstheorie vor, der Gnadenlehre.

Denn aus ihr ergeben sich alle Ansichten über Dogmenentwicklung. Man könnte überspitzt sagen, auch wenn Rahner dies so nicht expressis verbis tut, dass die Wirkungsweise des Heiligen Geistes im Menschen, in der Welt und in der Kirche alle Aspekte einer Dogmenentwicklungstheorie in sich fasst. Der Ausgangspunkt seiner Gnadentheologie ist für Rahner die Überzeugung, dass es ohne die Gnade schlechthin nichts gäbe, was ist. Dies gilt nicht nur für die Schöpfung, die Gnade ist, sondern auch und vor allem für den Menschen und seine Freiheit. Die Gnade ist Möglichkeitsbedingung menschlichen Selbstvollzugs und menschlicher Freiheit, auch nach dem Sündenfall. Die Natur des Menschen ist so sehr von der Gnade getragen, dass der Begriff „Natur" für Rahner ein reiner „Restbegriff"[150] ist, der so an sich nicht existiert. Eine real verwirklichte reine Natur (natura pura) gibt es nicht. Sie ist nur ein logisch notwendiges Konstrukt, damit Gnade ein freier Akt Gottes bleibt und nicht dem Menschen geschuldet wird. Für Rahner ist die Begnadung aber nicht nur eine seinsmäßige, ontologische Gabe, die

---

[147] Rahner, Schriften IV, S. 30.

[148] Rahner führt keine Entwicklungsgesetzte an. Er postuliert sie nur und nennt die Komponenten, aus denen sich eine Entwicklung ergibt: „Heilige Geist, Gnade, Schrift/Wort, Tradition, Lehramt. Im Zusammenspiel dieser Faktoren ergibt sich Glaubensgeschichte und Dogmenentwicklung.

[149] Rahner, Schriften IV, S.38.

[150] Ders., Schriften I, S. 340.

dann einen geschaffenen Habitus an der Seele hervorbringt, sondern sie ist eine den Menschen bis in sein Bewusstsein prägende Kraft. „Die Gnade überformt auch unser *bewusstes* Leben, nicht nur unser Wesen, sondern auch unsere Existenz.“[151] Hier aber, so gibt Rahner zu, scheiden sich die katholischen Geister. Denn eine bewusstseinsmäßige Erhebung des Verstandes durch die Gnade ist empirisch nicht nachweisbar. Rahner jedoch schließt sich dieser Sicht nicht an, weil zum einen eine Inspiration der Schrift schlecht ohne bewusstseinsimmanente Auswirkungen der Gnade denkbar wäre, zum anderen weil der Mensch um die Begnadung seines Bewusstseins wahrzunehmen, noch einmal außerhalb dieses Bewusstseins stehen müsste, dies aber nicht möglich ist, da es einen Selbstvollzug außerhalb der Gnade nicht gibt und nicht geben kann, wie behauptet wurde (mit anderen Worten: mit der Nicht-Wahrnehmbarkeit der Begnadung im empirischen Selbstvollzug ist die Nichtbegnadung noch nicht bewiesen, weil es um die Möglichkeitsbedingungen dieser Erkenntnis geht, und auf diese apriori nicht noch einmal reflektiert werden kann). „Ein entitativ erhobener Akt, der seiner Bewußtseinsseite nach ein natürlicher Akt bleibt, kann nicht (ohne daß man die Worte vergewaltigt) als innere Erleuchtung und Inspiration bezeichnet werden.“[152] Dies aber täten alle Schulen, wenn sie aktuelle Gnade auch als „Erleuchtung“ und „Inspiration“ betitelten.

> „Daß die antithomistische (molinistische) These doch diese Bezeichnung aufrecht erhält und mit ihr fertig zu werden sucht, zeigt, wie sehr die Tradition davon überzeugt ist, daß der übernatürlich von der Gnade getragene Akt auch geistig, also bewußtseinsmäßig und existentiell, und nicht nur in einer entitativen Modalität, anders ist als der natürliche Akt.“[153]

Jeder Mensch ist daher mit einer aktuellen Gnade ausgestattet, die Möglichkeitsbedingung und zugleich Angebot an seine sittliche Freiheit ist. Er muss sich zu ihr verhalten, indem er ihr gemäß oder ihr widersprechend handelt. Handelt er ihr gemäß, so ist dies nicht nur eine gute Tat seiner sittlichen Freiheit, sondern auch, weil von Gott getragen, eine Inkarnation der Gnade in die Welt und damit die Setzung eines Heilsaktes in der Welt. Das macht den Menschen, der Gutes tut, noch nicht zu einem Gerechtfertigten, ermöglicht ihm aber grundsätzlich eine Heilsmöglichkeit, auch als Nicht-Christ. Handelt der Mensch der Gnade entgegen, so hat er das göttliche Angebot missbraucht und sich vor Gott schuldig gemacht, indem er seine Freiheit negativ kategorialisiert hat.[154]

Für eine Dogmenentwicklungstheorie ist diese Auffassung deswegen bedeutsam, weil sich Dogmenentwicklung immer unter dem direkten Einfluss

---

[151] Ders., Schriften IV, S. 224.
[152] Ebd., S. 226.
[153] Ebd., S. 226.
[154] Auf die Probleme dieser Gnadentheologie wird im nächsten Kapitel eingegangen werden.

des Heiligen Geistes vollzieht, während sie in der von Rahner abgelehnten Position des Luis de Molina zuerst eine Sache des menschlichen Suchens und Forschens und damit des menschlichen Urteils ist. Der Geist ist nach molinistischer Auffassung nur der Garant für die Richtigkeit der Entwicklung, insofern er nur dann eingreift, falls etwas fundamental falsch läuft. Der der Kirche verheißene Beistand des Heiligen Geistes[155] ist ein rein negativer Beistand. (Es handelt sich um eine assistentia per se negativa). Dass es diesen Beistand gibt, ergibt sich aus dem Zeugnis der Schrift, welche die Inkorruptibilität der Kirche in ihren Selbstvollzügen (Diakonie, Liturgie, Martyrie) bezeugt.[156] Dieser Beistand ist aber nicht positiver Träger der Entwicklung. Er ist Garant für die Wahrheit der Dogmen, nichts weiter. Verbunden damit ist eine ganz andere Sicht auf die Geschichte. Diese wird, nach Rahner, zu einer „Spielwiese" der menschlichen Freiheit in Reflexion auf die ergangene Offenbarung. Das Wort Gottes kommt unter den Verfügungsbereich menschlichen Denkens, menschlicher Kategorien. Wegen des unvollkommenen – endlichen, menschlichen Erkennens des unendlichen Gottes kommt es öfter zu falschen Erkenntnissen über die Offenbarung, sogenannten Häresien. Führt man diese Denkrichtung weiter und streicht die assistentia per se negativa des Heiligen Geistes, weil diese nichts weiter als ein unüberprüfbares Postulat des Glaubens ist, so kommt man zu einer Position, dass die Dogmenentwicklung und die Lehrentwicklung der Kirche ein Produkt von wechselnden Meinungen und Ausdrucksformen in Kombination mit Machtkonstellationen sei, wobei die Position, die sich im Machtparallelogramm der Geschichte durchgesetzt hat, die wahre sei. Bei dieser Sicht der Geschichte als Ort rein menschlicher Freiheit muss schon fast apriori eine Verfälschung des Ursprungs stattfinden. Wie man diese dann nennt, ob Hellenisierung des Christentums, Germanisierung der Kirche oder schlicht (mit dem Oberbegriff) Synkretismus, ist nur noch eine Frage des Geschmacks. Dieses Misstrauen in die Möglichkeit der Bewahrung menschlicher Erkenntnis (um nicht zu sagen: des Glaubens) verdächtigt jeden, der eine Bewahrung des Glaubens vertritt, ein hoffnungsloser Optimist zu sein, der wegen seiner Naivität nicht ernst zu nehmen und damit unwissenschaftlich sei.

Rahner versucht seinen Optimismus für die Bewahrung des Glaubens und der Offenbarung von der Sicht Gottes her auf die Offenbarung zu begründen. Gleichzeitig versucht er die Angelegtheit einer echten Geschichte des Glaubens und der Offenbarung im Wesen der Offenbarung zu fundieren. Er will einen vernünftigen Ausgleich schaffen zwischen der Position, dass es keine Geschichte des Dogmas gibt, und die Apostel all das so geglaubt hätten, was die Kirche später als geoffenbart feststellte, und der Position, dass die Geschichtlichkeit des Dogmas seine Widerlegung sei.

[155] Vgl. Mt 16,18; Mt 28,20; Joh 14,26 u. a.

[156] Vgl. Mt 16,18; Mt 28,20.

Sein erstes Argument für die Bewahrung des Glaubens liegt in der Notwendigkeit eines gnadenhaft erhöhten menschlichen Hörens. Wenn Gott sich offenbart, muss er gleichzeitig die Begnadung des Empfängers bewirken, damit sein Wort auch richtig verstanden wird und eben nicht unter die Willkür menschlicher Denkformen und Kategorien gelangt. Göttliches Sprechen verlangt ein göttliches Hören. Die Mitteilung des Vaters durch den Sohn an die Welt kann nur im Heiligen Geist verstanden, angenommen und bewahrt werden. Der Heilige Geist begnadet die Kirche und verleiht ihr das „Glaubenslicht", in dem sie den Glauben richtig erfassen kann. Es ist schwer, diese Vorstellung vom Bewusstsein der Kirche zu konkretisieren. Denn begnadet sind nur jeweils die einzelnen Glieder dieser Kirche. Man kann aber nicht sagen, alle Kirchenglieder seien so begnadet, dass jeder problemlos den Glauben erfassen kann. Dies ist das alte Problem der Verhältnisbestimmung zwischen sichtbarer und unsichtbarer Kirche. Und deswegen redet Rahner vom Glaubenslicht der Kirche, von der man die Begnadung problemlos aussagen kann, da ihr der Beistand verheißen ist. Mit dieser Sicht hat Rahner der Kirche ein mächtiges Werkzeug an die Hand gegeben, mit Hilfe dessen sie in der Lage ist, Sachverhalte zu dogmatisieren, die nur virtuell implizit in der Offenbarung enthalten sind. Virtuell implizite Sachverhalte bezeichnen Erkenntnisse, die neu sind, und Ergebnisse eines Erkenntnisfortschritts darstellen, und nicht nur Schlussfolgerungen aus gegebenen Offenbarungssachverhalten oder Umformulierungen alt bekannter Inhalte in eine neue Sprache sind. Scholastisch gesprochen könnte man folgendes Beispiel anführen: Der Obersatz ist de fide, der Untersatz ist eine Wahrheit natürlicher Ordnung. Die Konklusion ist nach Rahner als Dogma definierbar, solange die Kirche sie als wahr erkennt, da im Grunde genommen der Heilige Geist sie als wahr erkennt. Neuzeitlich gesprochen, bedeutet dies, dass Rahner die im 19. Jahrhundert eingeführte, moralische Argumentationsweise zur Definition der „immaculata conceptio" teilt, wonach der Glaube der Gesamtkirche für die Definition eines Dogmas ausreicht, da die Gesamtkirche in ihrem Glauben, wie verheißen, nicht irren kann.

Dennoch muss die Kirche für ein auf diese Weise definiertes Dogma einen Schrift- und Traditionsbeweis führen, da sonst behauptet werden könnte, die Kirche definiere neue Wahrheiten, die die Apostel nicht kannten und zu ihrem Heil geglaubt haben, und sei Offenbarungsempfänger, obwohl die Offenbarung mit der Auferstehung Jesu abgeschlossen ist. Rahner geht sogar so weit, zu behaupten, es müsse sich in der Schrift[157] ein Hinweis auf das neue Dogma finden und wenn die Exegeten dazu nicht in der Lage

[157] Da die Schrift die einzige materiale Glaubensquelle für Rahner ist, insofern sie Realsymbol des Glaubens der Apostel ist, müssen sich Dogmen apriori in der Schrift finden und aus ihr bewiesen werden können – will man die Verbindung von Dogma und dem Glauben der Apostel nicht aufgeben. Ein Traditionsbeweis erweist sich somit im Grunde genommen als überflüssig.

seien, dann müsse dies an der Unzulänglichkeit ihrer historisch-positivistischen Methode liegen, die nicht den Geist der Schrift atme.[158] Die Schrift ist Realsymbol[159] für den Glauben der Apostel. Sie ist Objektivation des Anfangs der Endzeit.[160] Die Schrift und insbesondere das Neue Testament ist aber noch mehr. Sie ist gleichzeitig ein weiterer Beweis dafür, dass der Glaube und die Offenbarung in ihrem Verständnis auf Entwicklung hin angelegt sind, weil Gott selbst seine Offenbarung so angelegt hat. Nicht nur dass sich das Alte Testament zum Neuen hin entwickelt, so dass der Sinn des Alten Testaments sich erst durch das NT erschließt, sondern auch innerhalb des Neuen Testaments selbst gibt es Entwicklungen, die versuchen, das Erlebte, die Offenbarung, immer mehr zu verstehen und sich anzueignen. Diese Entwicklungen kann man als Theologie im Neuen Testament bezeichnen. Der Unterschied dieser Theologie zu der Theologie folgender Jahrhunderte ist, dass diese, auch wenn sie Reflexion auf den Ursprung ist, dennoch normativ bleibt, da sie vom Heiligen Geist inspiriert ist und deswegen im Kanon zu finden ist. Keine Theologie späterer Jahrhunderte könnte es zum Beispiel wagen, Paulus und seiner Theologie zu widersprechen, nur weil er Jesus zu dessen Lebzeiten nicht kennen gelernt hat. Die verschiedenen Theologien im Neuen Testament besitzen ihren Einheitspunkt in derselben Offenbarung, die sie versuchen, immer besser zu verstehen, zu deuten, und zu leben. Theologie ist [daher]

> „nicht nur eine wissenschaftlich methodische Reflexion auf das Glaubensbewußtsein der Kirche, sondern auch ein inneres Moment dieses Glaubensbewußtseins selbst derart [...], daß dieses Glaubensbewußtsein selbst sich mit Hilfe dieser Reflexion (Theologie genannt) entfaltet, reflexer zu sich kommt und somit zu neuen ausdrücklichen Definitionen, zu ‚neuen' Glaubenssätzen führen kann. [...] Wenn das Glaubensbewußtsein der Kirche nicht eine rein abstrakte, ungeschichtliche Größe sein soll, mit einem Wort: wenn es selbst unbeschadet der bleibenden Wahrheit und Abgeschlossenheit der Offenbarung eine geschichtliche Größe sein muß, die nicht nur

[158] Rahner, Schriften VI, S. 114f.: „Wenn wir in schwierigen Fällen geneigt wären, ein späteres Dogma auf die apostolische Überlieferung zurückzuführen unter Berufung auf die mündliche Tradition, so ist konkret ein solches Verfahren nicht erfolgreicher und nicht überzeugender, als wenn wir das letzte Fundament eines solchen Dogmas in der Schrift selbst suchen. Wenn die Exegeten dies in diesen oder jenen Fällen glauben nicht leisten zu können, so wäre zu fragen, ob dieses scheinbare Unvermögen nicht aus einem zu ungenauen Wissen um das betreffende Dogma stammt oder eventuell bedingt ist durch einen biblizistischen Positivismus als stillschweigend vorausgesetzte Methode, in der die Möglichkeiten einer legitimen Entfaltung der biblischen Daten unterschätzt werden".

[159] Der Terminus ist aus dem Aufsatz „Zur Theologie des Symbols", Schriften IV, zu verstehen.

[160] Vgl. Rahner, Schriften VI, S. 111, „Die reine und darum eine absolut normative norma non normata bildenden Objektivation dieses eschatologischen Anfangs des Endes, das die Urkirche ist, heißt in der genannten Dimension: ‚Schrift'".

begleitet ist von einer Theologiegeschichte, sondern eine wirkliche Dogmengeschichte bildet, dann muß diese Geschichte dieses Glaubensbewußtseins alle Momente in sich haben, die zur Geschichtlichkeit geistiger Art gehören, also auch die Reflexion. Für ein katholisches Glaubensverständnis (das durch das Werdenkönnen von irreformablen ‚neuen' Dogmen gekennzeichnet ist) ist somit die Theologie letztlich nicht bloß die unverbindliche menschliche Reflexion bleibend reformabler Art auf eine unveränderliche Größe, die keine Geschichte hat (z. B. eine so verstandene Hl. Schrift), sondern die Weise, in der absolute Glaubensgeschichte wird, die irreversibel, nur nach vorne offen ist."[161]

Voraussetzung dieser Sicht ist, dass Theologie im Licht des Glaubens betrieben wird, d. h. im Heiligen Geist geschieht. Wo dies nicht der Fall ist, bleibt sie zwar inneres Moment des Glaubensbewusstseins, kann aber keine guten Ergebnisse wegen des Fehlens irgendeines Bezugs zur Sache (zur Offenbarung) liefern. Die Ergebnisse stehen sogar in der Gefahr, häretisch zu sein. Theologie ist in der Schrift angelegt, weil Gott seine Offenbarung auf Entwicklung angelegt hat. Schrift ist auf Theologie angewiesen, um den jeweiligen Umständen der Kirche in Zeit und Raum angepasst zu werden, damit die Verkündigung ihr Ziel erreicht.

Rahner geht noch einen Schritt weiter. Für ihn sind in der Schrift Sachverhalte „mitgeteilt", die vielleicht nicht formell „gesagt" sind.[162] Gott muss, wenn er seine Offenbarung auf Entwicklung hin anlegt und wenn es Dogmen gibt, die nicht direkt so in der Schrift stehen, in seine Offenbarung (gemeint ist vor allem die Schrift) Sachverhalte angelegt haben, von denen er aufgrund seiner Allwissenheit im voraus wusste, dass sie eines Tages notwendig und daher von der Kirche erkannt und deklariert würden. Rahner will mit dieser Perspektive zugleich seine These von der Grundlage jedes Dogmas in der Schrift fundieren, um gleichzeitig den Historikern zugestehen zu können, dass es bestimmte Dogmen in der Apostelkirche so nicht gab. Damit reduziert Rahner aber gleichzeitig den Schriftnachweis, den er so vehement zur moralischen Argumentationsweise dazu fordert, auf ein paar Spurenelemente. Er schreibt:

> „Es kann (in diesem Zusammenhang) ruhig zugegeben werden, daß nicht mehr inspiriert ist, als was der menschliche Verfasser als solcher sagen und schreiben wollte. Deswegen kann doch mehr mitgeteilt sein, auch wenn Gott, als literarischer Verfasser der Schrift und soweit er nur dies ist, auch nicht mehr mitteilen können sollte, als was er und der menschliche Verfasser formell gesagt (d. h. geschrieben) haben. Es braucht nämlich nur daran gedacht werden, daß, was

[161] Ders., Schriften VI, S. 112f.

[162] Vgl. ders., Schriften I, S. 72-74.

in der Schrift geschrieben steht, sachlich auch, ja in erster Linie, Gegenstand mündlicher Verkündigung der Apostel war."[163]

Diese hätten auch eventuell mehr verkündigt, als was sie selbst sich angeeignet hätten. Wie man das Problem auch wendet, aus der sichtbar werdenden Aporie gibt es kein Entkommen: Eine rein moralische Argumentation[164] zur Begründung von Dogmen ist unzureichend, weil die Kirche scheinbar neue Wahrheiten erfinden würde. Daher müssen alle Dogmen auf die Schrift als „einzige materiale Quelle schlechthin ursprünglicher, unabgeleiteter Art (quoad nos)"[165] zugeführt werden (Postulat). Nun finden sich aber in der Schrift eventuell keine Hinweise für ein Dogma (Faktizität der Historie). Dies ist aber apriori nicht möglich, da die Kirche nichts zum Heil den Gläubigen vorlegen kann, was die Apostel nicht auch zu ihrem Heil geglaubt haben (Postulat aus dem Wesen des Dogmas). Ergo muss in der Schrift mehr mitgeteilt als ausdrücklich gesagt sein. Dies ist wegen der Erhabenheit göttlichen Sprechens möglich. Wenn aber nur das inspiriert ist, was die Autoren der Schrift sagen wollten, wie kann dann das darüber hinausgehende zur Begründung eines Dogmas herhalten? Letztlich müsste man, um dieses „zwischen den Zeilen" Mitgeteilte zu erkennen, sich auf den Geist der Schrift berufen, der in diese mehr gepackt hätte als die Autoren dies wollten. Damit hat man aber noch keinen Schriftbeweis geliefert. Man ist nämlich genau genommen noch nicht weiter als bis zum Postulat vorgedrungen, dass das Dogma apriori seine Fundierung in der Schrift haben muss, egal ob man es klar erkennen kann oder nicht. Rahner müsste, wäre er konsequent, sich mit der moralische Argumentation zufrieden geben, weil der Geist, in dem die Kirche ein neues Dogma beschließt, und der Geist, in dem er die Schrift mangels konkreter Masse auslegen will, derselbe ist.

Angemerkt sei, dass diese Aporie nur für Dogmen gilt, die sich nicht aus der Schrift begründen lassen.[166] Die meisten Dogmen jedoch lassen sich aus der Schrift begründen. Erwähnenswert ist auch noch, dass die Voraussetzung für diese Aporie die ist, dass die Tradition für Rahner keine inhaltliche Ergänzung zur Schrift bietet (partim-partim-Schema). Denn selbst wenn es so wäre, dass die Tradition inhaltliche Ergänzung zur Schrift ist, dann gäbe es immer noch Dogmen, für die historisch kein Traditionsbeweis und kein Schriftbeweis geführt werden kann, vor allem wegen Quellenmangels. Der

---

[163] Ebd., S. 74.

[164] Gemeint ist die Berufung auf die Unfehlbarkeit der Gesamtkirche bezüglich ihres Glaubens. Man muss damit nur noch nachweisen, dass etwas in der ganzen Kirche als geoffenbart geglaubt wird.

[165] Rahner, Schriften VI, S. 113.

[166] Vor allem die Mariendogmen von 1854 (DH 2803) und 1950 (DH 3903) haben keinen Anhaltspunkt in der Schrift. Die Unfehlbarkeit des Papstes hat nur schwache Andeutungen in Mt. 16,18. Dieses Dogma ist vielleicht auch als Hintergrund für Rahners These von dem Mitgeteilten über das Gesagte hinaus zu sehen.

Fehler liegt also nicht unbedingt in der Annahme, dass die Schrift Realsymbol des apostolischen Glaubens ist – und damit die ganze Offenbarung enthält – und die Tradition ihr nichts inhaltlich-wesentliches mehr hinzufügt, sondern den apostolischen Glauben immer wieder neu in die jeweilige Zeit umsetzt. Tradition gibt Auskunft darüber, wie vorangegangene Generationen den Glauben verstanden und gelebt haben. Da diese Generationen, so wie jede kirchliche Generation, mit dem Geist Gottes ausgestattet waren, ist ihr Zeugnis über ihren Glauben normativ (norma normata) für die Kirche späterer Zeit.

> „Die Kirche der Apostel ist dasjenige, was weitertradiert wird. Natürlich nicht nur in der Lehre, sondern indem, was diese Kirche selbst ist, was sie glaubt, was sie feiert, die Kirche in ihren Sakramenten, in ihrem konkreten Leben, in ihrer Erfahrung, in ihrem Abendmahl und natürlich auch in der reflexen Aussage dessen, was sie gehört hat und was sie selbst lebt, im Wort der Apostel."[167]

Schrift und Tradition enthalten den Glauben der Apostel und die Offenbarung Christi, nur in jeweils unterschiedlicher Form (modaler Unterschied). Während die Schrift diesen fixiert, überliefert und lebt die Tradition ihn. Die Tradition der Kirche ist die Kategorialisierung des Wesens der Kirche selbst, insofern Kirche die eschatologische Präsenz des Heils in Christus ist. Aus dem Vorrang der Urkirche gegenüber der nachapostolischen Kirche ergibt sich der Vorrang der Schrift (norma normans) vor der Tradition (norma normata), auch wenn Schrift und Tradition sich wegen ihrer Wesensverwandtschaft niemals auseinanderdividieren lassen. Die Schrift ist inhaltlich zum Heil hinreichend (suffizient), da sie Realsymbol der Offenbarung ist und diese so präsent machen kann. Sie bedarf allerdings einer externen Autorisierung (Kanonbildung durch die Tradition) und eines externen Auslegungsprinzips, um ihren vollen Sinn zu erfassen (keine Perspikuität der Schrift), weil eine Evidenz des Wortes Gottes im Hörer die menschliche und geschichtliche Vermittlung überspringen würde. Da der geschaffene Geist nicht unmittelbar zu Gott sein kann, ermöglicht der Heilige Geist die Erkenntnis der Selbstmitteilung Gottes in den menschlichen Medien. Das erste Medium des Heiligen Geistes ist hierfür die Kirche. Die Kirche erkennt durch ihn die Selbstmitteilung Gottes in der Schrift, ihre Inspiration. Somit erweist sich die Schrift als ein Buch der Kirche. Die Kirche sieht in ihr ihren Glauben an Gott und dessen Verheißungen aufgezeichnet. Die Schrift steht damit niemals über der Kirche, sondern ist ihr Buch, in dem sie ihre Anfänge und den Grund ihres Glaubens, bezeugt durch die Apostel, beglaubigt durch spätere Generationen, die diese Texte als heilig betrachteten und kanonisiert haben, wiederfindet. Die Inspiration der Schrift und ihre göttliche Urheberschaft ändern an dieser Tatsache

---

[167] Rahner, Schriften VI, S. 126.

nichts, da Inspiration und göttliche Urheberschaft für die Kirche selbst gelten. Befürchtungen, durch die These, dass die Tradition kein inhaltliches Mehr gegenüber der Schrift in sich berge, führe zur Unbegründbarkeit einiger Glaubenswahrheiten als apostolisch, lehnt Rahner mit der Begründung ab, dass in der Tradition der ersten drei Jahrhunderte keine Quellen vorhanden seien, „die material und gleichzeitig theologisch verpflichtend über die Inhalte hinausgehen, die uns auch in der Heiligen Schrift bezeugt sind."[168] Mit anderen Worten: In solchen Fällen gibt die Tradition, historisch betrachtet, auch nicht mehr her als die Schrift, und daher sollte man gleich dazu übergehen, einen Schriftbeweis zu führen. Außerdem genügt es, wenn das heutige Glaubensbewusstsein eine Glaubenswahrheit als wirkliche apostolische Überlieferung glaubt, bezeugt, festhält und in einem unfehlbaren Spruch des Papstes oder eines Konzils erklärt, um diese Glaubenswahrheit in Wirklichkeit als eine apostolische anzusehen, was sie dann in Wahrheit auch ist.[169] Die Kirche ist demnach nicht nur „Herrin" ihrer heiligen Schrift, sondern auch „Herrin" ihrer Tradition. Rahner betrachtet die inhaltlich-additive Sicht der Tradition aber auch als vertretbar, da weder Trient noch ein Konzil danach eine Entscheidung diesbezüglich getroffen haben.

In dem Möglichkeitsgrund[170] für eine Entwicklungsfähigkeit der Glaubenslehren bei gleichzeitiger substantieller Bewahrung des Glaubens wurden bereits drei zentrale Eckpfeiler einer Dogmenentwicklungstheorie angesprochen: Gnadenlehre, Schrift und Tradition. Es sollen nun noch einmal alle Eckpfeiler einer solchen Theorie nach Rahner angesprochen werden,[171] auch wenn sich einiges wiederholt.

1. Geist und Gnade: Die entitative und bewusstseinsmäßige Erhebung des menschlichen Geistes ist eine geschaffene Voraussetzung dafür, dass Gottes Wort so beim Hörer ankommt, wie es soll, da dem göttlichen Wort ein göttliches Hören entspricht. „Eine reduplikativ göttliche Rede hat nur Sinn, wenn sie an ein göttliches Hören gerichtet ist."[172]

2. Das Wirken des Heiligen Geistes: Aus der bewusstseinsmäßigen Begnadung folgt, dass der Geist nicht nur transzendenter Garant für die Richtigkeit der Glaubensentwicklung ist, sondern auch tragendes Element in ihr. Daraus folgt eine homogene Geschichtssicht.

---

[168] Ebd., S. 135.

[169] Vgl. ebd., S. 134.

[170] Rekapitulation: Gott hat seine Offenbarung auf Entwicklung hin angelegt, da es faktisch eine Entwicklung gibt. Die Anlegung der Offenbarung auf Entwicklungsfähigkeit ist notwendig, wenn das Evangelium für alle Menschen aller Zeiten aktuell sein und potentiell ankommen soll. Die gleichzeitige Bewahrung des Glaubenskerns leistet die gnadenhafte Erhöhung des Glaubensbewusstseins der Kirche, so dass der Heilige Geist gleichzeitig Grund der Entwicklung und Grund der Bewahrung ist.

[171] Die einzelnen Punkte folgen dem Aufsatz von Rahner und Lehmann in Mysterium Salutis Bd. I und sind dort Untergliederungspunkte des Aufsatzes (5a-h), S. 768-776.

[172] Rahner, Lehmann, in: Mysterium Salutis I, S. 768.

3. Das Lehramt der Kirche: Das Lehramt hat für Rahner eine bewahrende und schiedsrichterliche Funktion bei der Glaubensentwicklung. Es ist selbst nicht der eigentliche Motor der Entwicklung. Rahner tritt damit jenen Thesen entgegen, die das Lehramt als den eigentlichen und nahezu einzigen Motor der Glaubens- und Dogmenentwicklung sehen, so dass „Tradition" nur ein anderer Begriff für „Lehramt" wäre. Schon gar nicht erfindet das Lehramt Wahrheiten, um diese dann den Gläubigen autoritativ aufzubürden. Das Amt in der Kirche und damit auch das Lehramt ist kein prophetisches Amt[173] in der Weise, dass es Offenbarungsmittler für jetzt ergehende Offenbarungen ist. Die Offenbarung ist mit den Aposteln abgeschlossen. Das Lehramt bewahrt Schrift und Tradition und dadurch den Glauben der Apostel. Es wendet die Schrift auf die Tradition hin an, um zwischen menschlicher und göttlicher Tradition zu unterscheiden und um so den Glauben für die Zukunft zu rüsten.

Es wurde bereits gesagt, dass die Schrift Realsymbol der Offenbarung und des Glaubens der Apostel ist, und dass die Tradition Kategorialisierung des Wesens der Kirche ist. Dies macht die Schrift zu einem Buch der Kirche, und die Tradition zum Auftrag der Kirche (das Heil präsent zu setzen). Das Lehramt hat die Aufgabe, die Tradition zu bewahren und gleichzeitig zu erkennen, welche Traditionen das Heil in der jeweiligen Zeit präsent sein lassen, welche gut waren, aber vielleicht nicht mehr angemessen sind, und welche schon in ihrer Zeit aufgrund menschlichen Versagens entstanden sind. Diese Erkenntnis der (wahren) Tradition beschränkt sich nicht ausschließlich auf das Lehramt. Das Volk Gottes hat hierbei genauso das Recht, sich hierüber Gedanken zu machen, auch wenn nur das Lehramt die Autorität Christi besitzt, eine Tradition als verbindlich zu erklären und vorzulegen.

Das Lehramt kann bei seinen Entscheidungen und Erklärungen aber auch irren.

> Der „Entwicklungsweg ist vielmehr sehr oft auch durch lehramtliche Fehlentscheidungen markiert, Fehlentscheidungen, die zu dem notwendig mit der Geschichtlichkeit der Wahrheit immer gegebenen Reibungsmoment ein weiteres hinzufügen, die geschichtliche Entwicklung stören und auch menschlich schwerer und bitterer machen."[174]

Glaubenslehren können daher, obwohl sie irreversibel sind, mit geschichtlichen Überlieferungen, Vorstellungen, Interpretamenten „amalgamiert" sein, die zur Zeit der Dogmatisierung notwendig erschienen, es aber in Wahrheit nicht sind. Solche Interpretamente aufzudecken ist Aufgabe der Theologie, sie endgültig auszuscheiden, so dass sie den Fortgang der Entwicklung nicht behindern, ist allerdings wiederum die Aufgabe des Lehramtes.

---

[173] Vgl. Rahner, Schriften IV, S. 11.
[174] Ders., Schriften XIII, S. 18.

> „Faktisch sanktioniert das Lehramt in seinen definierenden oder authentischen Lehräußerungen eine Entwicklung des Glaubensbewußtseins der Kirche, die vor solcher Sanktionierung durch die nichtamtliche Theologie stimuliert und getragen gewesen war.“[175]

Dass sich das Lehramt für seine definitiven Entscheidungen des Beistandes des Heiligen Geistes erfreut, so dass diese Aussagen irreversibel und damit unfehlbar sind, versteht sich aufgrund der dargelegten Gnadenauffassung Rahners von selbst.

Wichtig ist, für Rahner herauszustellen, dass aus der Begnadung des Amtes in der Kirche nicht automatisch dieses Amt als alleiniger Träger der Entwicklung, weil alleiniger verbindlicher Erklärer der Tradition, angesehen werden kann. Das gesamte Volk Gottes ist Träger der Tradition – weil Träger des Geistes, und auch die Theologie hat ihren Platz als Träger von Entwicklung, da es ihr aufgebürdet ist, den Glauben der Apostel potentiell immer neu fruchtbar zu machen. Schrift, Tradition und Kirche sind keine Gegensätze und können gegeneinander nicht prinzipiell ausgespielt werden. Falls es doch zu einem Problem kommen sollte, besitzt das Lehramt die Kompetenz und den Auftrag Christi, das Problem zu lösen.

Was bei Rahner etwas zu kurz kommt, ist das Amt in der Kirche (nicht das Lehramt), das faktisch gesehen sehr stark eine Glaubensentwicklung beeinflusst und vorantreibt. Denn eine Leitung der Kirche ohne Beeinflussung der Gläubigen ist kaum denkbar. Die Amtsträger sind es meistens – aber selbstverständlich nicht immer, die Impulse geistlicher Art setzen, und dabei Neues in die Kirche einbringen. Rahner zieht es hier aber vor, abstrakt zu bleiben und die Gesamtkirche im Auge zu behalten, ohne genau auf das Amt und seine Wechselwirkung mit den Gläubigen einzugehen.

4. Die Rolle der Tradition: Tradition bedeutet Überlieferung. Überliefert wird die Heilswirklichkeit des neuen und ewigen Bundes durch die Kirche. Diese Heilswirklichkeit ist ständig präsent im und durch den Heiligen Geist. Da der Heilige Geist in und durch die Gläubigen[176] wirkt, sind sie die Träger der Tradition. Die Gläubigen entscheiden daher, was zur Tradition gehört und was nicht. Die Tradition ist Kategorialisierung des Evangeliums in die jeweilige Zeit. Sie ist daher auch für spätere Zeiten normativ, da sie die Frohbotschaft exegetisiert, so dass spätere Generationen ihre Schlüsse daraus ziehen können, dem Motto von 1 Thess 5,21 folgend. Die Tradition ist daher eine zweite Informationsquelle über die Offenbarung und das Evangelium, aber nicht so, dass sie Offenbarungswahrheiten enthielte, die der Schrift unbekannt sind, sondern so, dass sie über den Versuch, das Evangelium zu leben und aus ihm heraus zu leben, kurz über den Glauben vergangener Generationen, normativ informiert. Maßstab für die Geistgewirktheit einer/der Tradition ist die Schrift als norma normans und Realsymbol des

---

[175] Ebd., S. 76.

[176] Das Wort „Gläubige(r)“ schließt den Klerus mit ein.

Glaubens der Apostel. Denn wegen der Sündhaftigkeit menschlichen Erkennens ist die Kirche in ihrem Handeln anfällig für Irrtümer und falsche, nicht dem Evangelium angemessene, vielleicht sogar entgegengesetzte Traditionen, so dass sie zwingend des Korrektivs der Schrift bedarf.

5. Begriff und Wort: Jedes Dogma ist ein Glaubensinhalt, gefasst in Worte und Begriffe. Worte sind notwendige Mittel der Kommunikation und der Weitergabe des Glaubens. Die Bedeutung des Wortes bei der Glaubensvermittlung wird bereits durch die Identifikation Jesu mit dem ewigen, relational-subsistierenden Wort Gottes in der Schrift bezeugt. Das Wort Gottes ist immer Wort Gottes im menschlichen Wort. Dogmenentwicklung beschäftigt sich daher mit Begriffsentwicklung und Begriffsverwendung und mit der Frage, ob das gewählte Wort den gemeinten Sachverhalt bestmöglich ausdrückt oder nicht. Denn der Glaubensinhalt muss der gleiche bleiben, die Worte aber, die gewählt werden, um ihn auszudrücken, sind variabel. Daher verbietet sich eine syllogistische Auffassung von Dogmenentwicklung, die in ihr nur eine Anwendung zweier bekannter Prämissen zu einer Konklusion sieht, so dass eine Entwicklung nur in Begriffsdistinktionen und Konklusionen statt fände.

6. Analogia fidei: Die bewusstseinsimmanente Begnadung des Menschen bewirkt, dass dieser die Inhalte der Offenbarung in einem (gnadenhaft hervorgebrachten) „Glaubenslicht" erfasst, welches eine gnadenhafte Erhöhung menschlicher Erkenntnis darstellt. Dieses Glaubenslicht bewirkt eine zweifache Bewegung, in der sich der Glaube entwickelt. Zum einen entwickelt sich der Glaube von einem undifferenzierten zu einem differenzierten und artikulierten Zustand (extensive Dynamik), zum anderen bewirkt diese expansive Bewegung eine Gegenbewegung zum Einen und Geheimnisvollen hin (intensive Dynamik), eine Bewegung zur Mitte. Der Glaube entwickelt sich von einem unreflektierteren zu einem reflektierteren Zustand, wobei dieser reflektiertere Zustand zwei Bewegungen in sich vereinigt. Mit einer größeren Ausdifferenziertheit des depositum fidei nimmt zugleich der Blick für das wesentliche, für das Zentrum und dessen Größe – Gott selbst – zu. Mit anderen Worten: Mit der Ausdifferenzierung zum Beispiel der Mariologie wächst zugleich der Blick für die Hierarchie der Wahrheiten und die Zusammenhänge und gegenseitigen Abhängigkeiten der einzelnen geglaubten Wahrheiten.

7. Der Glaubenssinn: Die Begnadung des Menschen und die Erfassung der Offenbarung im Glaubenslicht verschaffen der Kirche als Gemeinschaft der Gläubigen eine Art Instinktorgan für das, was wahr, gut und richtig ist, auch wenn der einzelne Gläubige kaum in der Lage sein wird, die Apostolizität einer Wahrheit theologisch und historisch nachzuweisen. Daher kann die Kirche am besten darüber entscheiden, was apostolisch ist und was nicht. Auf diesem Spürsinn beruht letztlich die Unfehlbarkeit der Kirche in Glaubens- und Sittenfragen.

> Der Glaubenssinn „erlaubt eine Art spontaner ‚Urteils'-Findung bezüglich der Sachverhalte des Glaubens durch konkrete Erfahrung. Da das Glaubenslicht eine geheime Kongenialität mit dem zu glaubenden Sachverhalt selbst schafft, sind für den Glaubenden Erkenntnisse aus einer gewissen Wesensverwandtschaft heraus möglich, die weder nach dem Gesetz der Syllogistik noch nach einer Art ‚Intuition' gewonnen werden. Vielmehr ist auch hier eine rationale Erkenntnis unreflexer Art am Werk, die sehr verwandt ist mit dem Glaubenslicht und dem Wirken des Geistes."[177]

Rahner warnt aber davor, diesen Glaubenssinn überzustrapazieren. Denn man muss auch die irdische und sündige Seite der Kirchenglieder betrachten, die sich in Glaubensschwäche, Einseitigkeiten, synkretistischen Frömmigkeitsformen und grober Unwissenheit über zentrale Glaubensinhalte äußert. Darin wird auch der Grund zu suchen sein, wieso Rahner zwar die moralische Argumentation zur Dogmenbegründung einerseits unterstützt, andererseits ihr die theologische und historische Forschung zur Seite stellen will. Er will damit diese negative Seite der Kirche, die Kirche der Sünder, ausgleichen.[178]

8. Die Erfassung des Geoffenbarten als Dogma: Der letzte Punkt, den eine Dogmenentwicklungstheorie ansprechen muss, ist die Frage, wie man sich den Übergang vorstellen muss von einem Glaubensinhalt zu einem Dogma der Kirche. Es geht um die Frage, wie eine von der Gesamtkirche geglaubte Wahrheit, die sich im Laufe der Zeit erst im reflexen Bewusstsein der Kirche eingestellt hat, schließlich den Sprung schafft, um als Dogma, das heißt mit der Offenbarung gesetzt und in ihr enthalten, anerkannt zu werden. Wie kann ein Glaubensinhalt, der zwar unbewusst immer, aber nicht artikuliert da war, plötzlich von Gott geoffenbart sein? „Mit welchem Recht und wie geschieht der Übergang vom Stadium, in dem ein Satz noch nicht als sicher von Gott geoffenbart festgehalten wird, in das Stadium, in dem der Satz als sicher von Gott geoffenbart akzeptiert wird?"[179] Antwortet man auf die Frage nach dem Wie mit „durch eine definitive Entscheidung des Lehramts", so hat man die Frage verschoben zu: Wie gelangt das Lehramt zur Gewissheit, dass etwas, was nicht immer artikuliert vorhanden war, von Gott geoffenbart ist und daher definiert werden kann?

> „Wenn man diese Frage nur und adäquat beantworten wollte mit dem Hinweis auf die rationale Schlüssigkeit der Überlegungen bezüglich des Zusammenhangs zwischen dem alten depositum fidei und dem neuen Satz (gleichgültig wie man diese rationale Erkenntnis genauerhin auffaßt), dann müßte man konsequent sagen, daß die Si-

---

[177] Rahner, Lehmann, in : Mysterium Salutis Bd. I, S. 773.

[178] Wäre die Kirche nur eine Kirche der Heiligen, ohne Sünde behaftet, so wie im himmlischen Jerusalem, so würde Rahner vermutlich die rein moralische Argumentation genügen.

[179] Rahner, Lehmann, in: Mysterium Salutis Bd. I, S. 774.

cherheit des Ergebnisses dieser rationalen Argumentation von der Sicherheit der Argumentation selbst abhängt, also nie zu einer Sicherheit des eigentlichen Glaubens führen kann, die Kirche also ihre absolute, unwiderrufliche Entscheidung nicht adäquat auf diese Sicherheit bauen könnte."[180]

Rahner sieht diese Frage in enger Anlehnung an das analysis fidei Problem, in dem nach dem Sprung von rationaler Glaubwürdigkeitserkenntnis zur Glaubensgewissheit beim einzelnen Gläubigen gefragt wird. Denn die schwachen, anfänglichen Glaubwürdigkeitserkenntnisse können niemals die spätere Glaubenssicherheit begründen. Rahner votiert dafür, die Frage der Dogmenentwicklung analog zur analysis fidei Frage zu beantworten, da sich beide Probleme nur dadurch unterscheiden, dass das eine Problem sich mit dem Sprung eines Kollektivs von einem niedrigeren Zustand in einen höheren, das andere Problem sich mit dem Sprung eines Einzelnen vom Noch-Nicht-Glauben zum Glauben beschäftigt. Nun ist aber das analysis fidei Problem bei Rahner eigentlich ein Scheinproblem. Denn es entstammt einer anderen Auffassung über das Verhältnis von Natur und Gnade. Der Übergang von Natur zu gnadenhaft erhöhter Natur wurde hier mittels verschiedener aktuellen Gnaden hergestellt. Für Rahner jedoch kommt der Mensch zum Glauben an Gott, weil er als Wesen der Transzendenz schon immer auf den Glauben und auf die Beziehung zu Gott angelegt ist. Er ist aufgrund der Selbstmitteilung Gottes in der Schöpfung auf die freie, personale Gemeinschaft mit Gott hin angelegt. Begegnet dem immer schon begnadeten Menschen nun die christliche Botschaft, so trifft diese einen bereits auf sie hin angelegten Menschen. Dieser kann sie annehmen und damit sein eigenes Wesen bejahen oder schuldhaft ablehnen und die Konsequenzen tragen. Der Mensch kommt also zum Glauben nicht aufgrund von rationalen Glaubwürdigkeitsgründen, die es natürlich gibt und die den Glauben rational rechtfertigen, sondern er kommt zum Glauben, weil er erkennt, dass dieser Glaube der Inbegriff des Lebens für ihn ist, da er auf diesen Glauben hin immer schon geschaffen ist. Die Glaubwürdigkeitsgründe dienen nur der nachträglichen Rechtfertigung für die eigene Wesensbejahung im Glauben. Überträgt man diese Überlegungen auf die Dogmenentwicklungstheorie, so bestätigt sich, was oben gesagt wurde, dass nämlich die Offenbarung auf Entwicklung hin angelegt ist, und damit das neu erklärte Dogma bereits mit der Offenbarung angelegt war. Die Kirche trifft als ganze in ihrem Glauben die Entscheidung, dass etwas später Entstandenes ihr Eigenes ist. Die Kirche ist immer schon darauf angelegt, dieses Neue im depositum fidei zu entdecken, zu glauben und zu definieren. Es ist ein nicht näher zu bestimmender Vorgang, der sich wie beim Einzelnen in einem begnadeten Rahmen vollzieht. Dennoch ist die Kirche nicht nur empirisch, sondern auch faktisch in

[180] Rahner, Schriften IV, S. 42.

ihrem Handeln frei. So wie man den transzendentalen Horizont nicht erkennen kann, in dem man sich selbst vollzieht, so kann auch die Kirche das Wirken des Heiligen Geistes nicht erkennen, der die Glaubensentwicklung vorantreibt. Letztlich handelt es sich auch im Fall des Übergangs der Kirche von einem unsichereren Zustand in einen sichereren um ein Scheinproblem, da dieser sichtbare Übergang in der Definition der Kirche nur das immanente Zeichen eines unsichtbaren, von Gott selbst hervorgerufenen, weil von ihm von Anfang an gewollten Vorgangs ist, so dass dieser Übergang trotz menschlicher Freiheit und gerade wegen ihr ein Handeln Gottes in und an der Kirche ist, indem Gott seine Verheißung vollzieht und sein Heil offenbar sein lässt. Die Notwendigkeit des Vorgangs vollzieht sich durch die menschliche Freiheit hindurch und in ihr, so dass am Ende des Vorgang die moralische Gewissheit der Kirche über die Wahrheit eines „neuen" Glaubensinhalts steht, die den endgültigen Übergang in der Definition rechtfertigt. Die Besonderheit der Sicht Rahners besteht in dem Aufweis, dass menschliche Freiheit und göttliche Notwendigkeit (/Allmacht/ Allwissenheit/ Freiheit) sich nicht ausschließen, sondern dass Gott Möglichkeitsbedingung menschlicher Freiheit ist, dass Gott dem Menschen sein Frei-Sein/Mensch-Sein ermöglicht, dass Gott daher in seiner Freiheit nicht mit dem Menschen auf einer Ebene konkurriert, sondern sich gerade als Möglichkeitsbedingung menschlicher Freiheit als Herr über diese Freiheit erweist, die es ihm ermöglicht, ohne dass der Mensch darauf reflektieren oder es verhindern könnte, sein Heil in der Welt, d. h. seine Pläne, durchzusetzen. Somit ist die Kirche nicht nur Vollzugsorgan des göttlichen Willens im Definieren in der Weise, dass das Amt in der Kirche den göttlichen Beistand hat, diese Definition zu vollziehen, sondern die Kirche ist Vollzugsorgan des Geistes, insofern er sie als Ganze zu einem Bewusstsein führt, das das Lehramt nur noch abzusegnen braucht, ohne dass es einer gesonderten Inspiration des Lehramtes bedürfte, weil das, was definiert werden soll, bereits da ist. Rahner liefert so eine geniale Antwort auf das Problem, wie ein Vorgang, der dem Gesetz menschlicher Freiheiten unterworfen ist, am Ende etwas Notwendiges und Wahres hervorbringen kann. So verbindet sich der alte Glaube an Gott als den Herrn der Geschichte und Kirche mit der Gnadenlehre und dem Problem menschlicher und göttlicher Freiheit.

## 2.8. Würdigung Rahners und offene Fragen

Rahners transzendentale und kategoriale Analyse bietet viele neue und weiterführende Ansätze zur Lösung verschiedener Probleme. Allem voran bietet sie einen Rahmen für die Lehre der Kirche von der Freiheit des Menschen und der Freiheit Gottes, indem sie den Menschen zum Wesen der Gnade macht, der seine ganze Existenz in Gnade vollzieht und immer in einer Gottesrelation steht, ohne die er nicht existieren könnte. Rahner offeriert damit ebenfalls eine Erklärung, wie der allgemeine Heilswille Gottes mit der partikulären Verbreitung der Kirche auf Erden zusammenpassen kann; wie Heil außerhalb der sichtbaren Kirche möglich ist. Zugleich schafft sein gnadentheologischer Ansatz ein Brücke zwischen Erkenntnis- und Seinsordnung. Die Begnadung des menschlichen Verstandes bis in die Bewusstseinsebene hinein bewirkt eine plausible Begründung, warum das, was die Kirche erkennt, nicht nur eine subjektive, kollektive Erkenntnis darstellt, sondern warum diese Erkenntnis gleichzeitig mit der objektiven Seinsordnung identisch ist. Damit ist zum Beispiel Jesus von Nazareth nicht nur für die Christen der Sohn Gottes, weil sie an ihn glauben, sondern er ist objektiv der Sohn Gottes für alle Menschen, auch wenn diese begnadete Erkenntnis nur Christen zugänglich ist. Das lumen supernaturale stellt daher nicht eine subjektive Weltsicht durch die christliche Brille her, sondern lässt einen die Welt an sich erkennen. Da Rahners Dogmenentwicklungstheorie von seiner Gnadenlehre stark beeinflusst ist, liegt eine deduktive Methode seinen weiteren Überlegungen zugrunde. Das bedeutet, dass Rahner sich zuerst die Lehre der Kirche ins Gedächtnis ruft, um innerhalb dieser Prämissen seine folgenden Gedanken zu entwickeln. Bei Rahners ersten Aufsätzen zu dem Thema, in denen er stark von seiner Gnadentheologie her denkt, gewinnt man daher den Eindruck, dass der Geist harmonisch in der Kirche das depositum fidei in seine Virtualitäten hinein entfaltet, den Bedürfnissen der Zeit und des Ortes der Kirche entsprechend. Freilich gibt es bei Rahner auch andere Äußerungen, vor allem in seinen späteren Schriften. Dort schreibt er: „Dogmengeschichte verläuft auch in Zukunft mit Reibungen, geschieht unter Kämpfen, Streit, Verketzerungen.“[181] Vorher hat er geschrieben: „Dieses göttliche Apriori des Glaubens ist der Impuls für die Entfaltung des depositums fidei aus seinen Virtualitäten heraus.“[182] Entweder konstatiert man einen Wandel im Denken, bei der eine optimistische Sicht in Rahners späteren Jahren einer realistischeren Zurückhaltung

[181] Rahner, Schriften XIII, S. 15.
[182] Rahner, Lehmann, in: Mysterium Salutis Bd. I, S. 772.

weicht, oder aber man versucht, alles zu einem Gesamtbild zu integrieren, wie oben geschehen, bei dem aber entscheidende Fragen offen bleiben.[183]

Die Hauptfrage liegt eindeutig in Rahners These von der bewusstseinsimmanenten Begnadung durch den Geist Gottes. Er hält zwar diese These für die einzig biblische (paulinische), beruft sich auf Thomas von Aquin und zeigt, dass die Falschheit dieser Annahme nicht (bzw. nur von Gott selbst) bewiesen werden kann, und demonstriert eindrucksvoll, wie sich bewusstseinsimmanente Begnadung zur Inspiration der Schrift fügt, wird aber mit den Konsequenzen dieser These nicht richtig fertig. Denn wenn das Sein in Christus eine neue überschwängliche Dimension ist, wenn jeder Mensch (auch der Nicht-Christ) begnadet ist und sich nur selbst als geistiges Wesen innerhalb des transzendentalen Horizonts vollziehen kann, wie kann es dann noch Häresie geben, außer aus reiner Böswilligkeit oder purem Gotteshass? Die Position der seinsmäßigen Begnadung durch den Heiligen Geist, die Rahner Luis de Molina zuschreibt, wird mit diesem Problem besser fertig, auch wenn sie sich schwer mit dem biblischen Charismenzeugnis (Zungenrede usw.) und der Inspiration der Schrift tut. Außerdem vermeidet die von Rahner abgelehnte Position eine äußerst heikle theologische Konklusion: Wenn der Geist Bewusstseinszustände inhaltlich beeinflussen kann und sich daraus die Entwicklung der kirchlichen Lehre in ihre Virtualitäten hinein ergibt, und wenn es ferner Häresien gibt, denen das göttliche Wirken zuvorkommen hätte können, ohne dass die Menschen es bemerken würden, wie kann man dann vermeiden, den Geist Gottes als Urheber der Häresie zu bezeichnen? Luis de Molina hat keine Probleme diese Frage mit dem Hinweis auf die Freiheit des Menschen und die erbsündliche Verfasstheit des Verstandes zu beantworten. In seinem Konzept sind die Glaubensinhalte dem menschlichen Denken unterworfen. Doch trotz dieser Probleme bleibt auch Rahners Überlegung gültig, dass göttliches Sprechen göttlichen Hörens bedarf, ebenso wie fruchtbares Theologie-Treiben oder gewinnbringende Glaubensreflexion nicht ohne eine den Verstand erhebende Tätigkeit des Geistes denkbar ist. Somit erweisen sich beide Position inadäquat, die Wirklichkeit vollständig und schlüssig zu erfassen. Rahner scheint selbst erkannt zu haben, dass eine Dogmenentwicklungstheorie, die von Gnadenlehre ihren Ausgangspunkt nimmt, ein bisschen zeitlos über der Geschichte schwebt, die oftmals eher einen Ort des Kampfes und der Auseinandersetzung darstellt als den Ort, an dem der Heilige Geist die Offenbarung in ihre Virtualitäten hinein (harmonisch) entfaltet. Rahners anfängliche Aufsätze versuchen eher, den neu entstandenen Definitionen der unbefleckten Empfängnis Mariens und ihrer leiblichen Aufnahme in den Himmel gerecht zu werden, die ohne jeden äußerlichen

[183] Eine weitere Möglichkeit zur Erklärung der Inkonsistenzen bestünde in der These, dass die verschiedenen „Rahner“ Aufsätze nicht alle von Rahner selbst stammen. Ob solch eine These jedoch plausibler ist, als einen Wandel im Denken anzunehmen, ist fraglich.

häretischen Anstoß definiert wurden. Häresie als Motor von der Dogmenentwicklung im Sinne von „Der Krieg ist der Vater aller Dinge" kommt für Rahner aufgrund dieser beiden Dogmen zunächst nicht mehr in Frage. Außerdem stellt es eine Angemessenheitsfrage dar, ob es dem Geist Gottes angemessen ist, nur auf die Verfehlung menschlicher Freiheiten in Häresien zu reagieren, oder ob er nicht von sich aus derjenige ist, der als Herr der Geschichte auf die Dogmen der Kirche hinarbeitet. Und so kann man die These formulieren, dass Rahner in seinen frühen Schriften zur Dogmenentwicklung vor allem die Entwicklung des 19. und 20. Jahrhunderts im Blick hat, während er sich später einer umfassenderen Sichtung der Dogmengeschichte widmet, da er hier nicht mehr nur das Glaubenslicht den Impulsgeber einer Entwicklung sein lässt. Man müsste sich sonst die Frage stellen, wie ein solch großes Desaster über die Kirche mit Martin Luther hereinbrechen konnte, wenn nur der Geist das depositum aus seinen Virtualitäten heraus entwickelt.

Wenn „der Geist nicht bloß transzendenter Steuerer einer fernen Dogmenentwicklung ist, sondern als ein ihr selbst mittels des diese Entwicklung tragenden Glaubensbewußtseins der Kirche einwohnendes Element gedacht werden muß"[184], wie konnte es jemals zu einem Glaubensbewusstsein kommen, das die Reformation ausgelöst hat? Denn eine neue Weltsicht, die mit dem Spätmittelalter begonnen und in der Neuzeit ihren Siegeszug angetreten hat, und die bis heute die tiefste Kluft zwischen Kirche und Protestantismus bildet, hätte unter diesem Vorzeichen nicht entstehen dürfen, weil ihre Konsequenz (die Kirchenspaltung) nicht im Sinne Jesu Christi ist.

Ein weiteres Problem stellt eine Konsequenz gnadentheologischen Denkens in der Dogmenentwicklung dar: Die gnadenhafte Sicht auf die Kirche und ihre Gläubigen bedingt, dass eine rein moralische Begründung zur Definition bestimmter Dogmen ausreicht. Was die Kirche glaubt, glaubt sie im Heiligen Geist und dies stammt daher aus der Offenbarung, weil der Geist die Offenbarung durch die Geschichte bewahrt. Quod erat demonstrandum. Daher hat „faktisch [...]die Kirche keine Definition vollzogen, die nicht schon vorher von ihr als Glaubensgegenstand angenommen war."[185] Der Schrift- und Traditionsbeweis stellt nur eine zusätzliche Rückversicherung gegen die erbsündliche Verfasstheit der Kirchenglieder dar. Hinzu kommt aber, dass Rahner sich Argumente der Tübinger Schule bezüglich Schrift und Tradition, die im Kuhn-Abschnitt referiert worden sind, zueigen macht. Die Schrift ist Realsymbol für den Glauben der Apostel. Die Tradition trägt inhaltlich nichts zusätzlich bei, sondern überliefert die ergangene Offenbarung als Leben der Kirche von einer Generation auf die nächste. Der Traditionsbeweis in klassischem Sinn hat damit für die Begründung von Dogmen ausgedient. Denn der ursprüngliche Sinn des Bewei-

[184] Ebd., S. 769 [Satzbau ohne Wortveränderung umgestellt zu einem Konditionalsatz].
[185] Ebd., S. 775.

ses bestand ja darin, ein Dogma, das nicht explizit in der Schrift zu finden war, durch die Zeit der Kirchenväter und Apologeten hindurch langsam an die Zeit der Apostel heranzuführen, um dann aus der zeitlichen Nähe auf die Apostolizität des Dogmas zu schließen. Enthält das Zeugnis der ersten drei Jahrhunderte im Prinzip dasselbe wie die Schrift, wie Rahner das behauptet, dann ist der Traditionsbeweis zur Begründung eines Dogmas irrelevant. Zwar ist es immer noch interessant, ob zum Beispiel ein berühmter Theologe bereits im 12. Jahrhundert vom Bischofskollegium als Ausdruck des gemeinsamen Apostolats doziert, aber letztlich hat man die Lehre vom Bischofskollegium damit noch nicht aus der Schrift und damit aus der Offenbarung her als Dogma bewiesen. Das 12. Jahrhundert mag faszinierend sein, aber es ist nicht norma normans zur Begründung von Dogmen, sondern hilft bestenfalls, ein diachrones Puzzlestück zur moralischen Begründung des Dogmas zu liefern. Rahner versucht jedoch, diese Konsequenz zu vermeiden, indem er die Notwendigkeit einer Schriftauslegung mittels der Tradition betont. Ganz abgesehen davon, dass dieses Vorgehen die Einheit der Kirche im Heiligen Geist voraussetzt, um Erkenntnisquelle zu sein, und diese Einheit der Kirche synchron bezüglich einer Glaubenswahrheit vor dem Schriftbeweis bereits festgestellt wurde und somit in beiden Fällen auf das gleiche Argument rekurriert wird, so beweist ein solches Vorgehen wissenschaftlich aufgrund methodischer Fehler, die ihm anhaften, gar nichts. Denn wie soll das historische Verständnis eines Textes durch einen anderen, der Jahrhunderte später in einem ganz anderen soziokulturellem Umfeld entstanden ist, verbessert werden? Der andere Text macht bestenfalls auf die Relativität des eigenen historisch-zeitgeschichtlichen Standpunkts aufmerksam und liefert Einblicke in die Ideen und Erkenntnisse anderer Zeiten und Kulturen. Man erweitert als Interpret somit durch Rezeption des anderen Textes seine Perspektive. Dadurch kommt man dem historischen Verständnis, der Aussageabsicht des Autors, aber prinzipiell nicht näher als ohne den zweiten Text. Anders herum formuliert, könnte man auch sagen: Man kommt dem ursprünglichen Autor genauso nahe wie der andere Interpret auch.

Methodisch lässt sich so ein Vorgehen in der Theologie nur deswegen vertreten, weil von der Begnadung beider Texte ausgegangen wird, auch wenn zwischen den Begnadungsarten ein Gefälle besteht. Nur wenn der Geist Gottes wirklich bestimmte Bewusstseinszustände hervorbringt, kann man Text eins und Text zwei über dieses Bindeglied miteinander in Beziehung setzen, so dass beide sich gegenseitig auslegen – die Priorität der Schrift und die eigene Begnadung natürlich vorausgesetzt. Damit rekurriert man aber erneut auf den Heiligen Geist zur Begründung der Definibilität eines Dogmas, die vor dem Schriftbeweis moralisch, d. h. mittels Heiligen Geistes, abgesichert worden ist. Aus dem hier Gesagten sieht man, in welch missliche Lage das Lehramt der Kirche das Dogmenbegründungsverfahren durch die zwei Mariendogmen geführt hat. Die moralische Begründung dieser Dogmen führt in letzter Konsequenz zur Abschaffung des Traditionsbeweises. Der Schriftbeweis bleibt zwar bestehen, doch gilt hierbei das, was Newman schon bezüglich der protestantischen Kirchen festgestellt hat: Die Praxis der Kirche und kirchlichen Lehren können nicht allein aus der Schrift heraus gerechtfertigt werden. Auch Rahner findet aus diesen Problemen keinen glaubwürdigen Ausweg. Er versucht zwar, diesem Problem zu entkommen, indem er seine Theorie über das Mitgeteilte und formell Gesagte aufstellt. Diese Theorie soll jene Dogmen begründen, die sich nicht eindeutig in der Schrift finden lassen. Er schließt damit wieder an eine Idee Newmans an, der auch schon der Auffassung war, jedes Schriftwort könne aufgrund seiner göttlichen Urheberschaft eine eigene Entwicklung aus sich heraus entlassen. Dieses Argument entstammt aber wiederum einer rein gnadentheologischen Perspektive, entwickelt aus dem Wunsch, den Dogmenbegriff mit den neuen „Dogmen" der Kirche in Übereinstimmung zu bringen. Wenn die Schrift Realsymbol des Glaubens und der Verkündigung der Apostel ist und Dogmen mit der Offenbarung gegeben sein müssen, dann muss man um jedem Preis ein „Dogma" in der Schrift finden, weil sonst das Lehramt der Kirche illegalen Handelns und Lehrens überführt wäre, egal ob das Volk Gottes dies glauben würde oder nicht.[186] Das Argument selbst, dass der Heilige Geist im Vorauswissen der Zukunft Inhalte in die Schrift „geschmuggelt" habe, die erst spätere Zeiten (voll) verstünden, wird daher auch als der Notnagel, den es darstellt, erkennbar. Damit ist nicht gesagt, dass dies nicht möglich ist, was Rahner hier behauptet, sondern nur, dass das Argument aus so vielen theologischen Rücksichtnahmen entstanden ist, dass seine Glaubwürdigkeit gering erscheint. Zwar kann man auf das Wirken des Heiligen Geistes als Möglichkeitsbedingung menschlichen Selbstvollzugs nicht noch einmal reflektieren, wie Rahner zurecht feststellt, doch dadurch bleibt auch dieses Argument von der größeren Fülle des Mitgeteilten ebenfalls in der Schwebe. Positiv muss man jedoch anmerken, dass durch dieses Argument echte Entwicklung gerechtfertigt werden kann. Rahner selbst spricht ja von echten Erkenntnisfortschritten, die in der Geschichte erzielt werden. Er hat mit diesem Argument den Schriftbeweis nicht völlig aufgegeben und nicht vor der Geschichte in dem Sinn kapituliert, dass er nur noch auf das moralische Begründungsverfahren zurückgreifen würde. Außerdem hat er mit der Übernahme der Forschungsergebnisse seines Kollegen Geiselmann, der nachgewiesen hat, dass das Konzil von Trient unter dem „et – et" kein „partim – partim" verstanden hat, den Weg zu einer ökumenischen Verständigung mitgetragen. Was man Rahner vorhalten muss, ist sein mangelndes Interesse, seine theologischen Erkennt-

[186] Die Alternative bestünde in der Feststellung, dass die Dogmen nicht alle Heilsrelevanz besitzen. Dies jedoch läuft auf die Aufgabe der Relation von Dogma und Offenbarung hinaus, zu der Rahner nicht bereit ist.

nisse besser auf die Geschichte hin zu vermitteln. So stellt sich seine Theorie gnadentheologisch sauber und logisch durchdacht dar. Wenn aber die Dinge so sind, dann müssen sie potentiell auch mit der Geschichte, in der sich die Gnade ereignet, vereinbar sein. Zwar wird immer ein Abstand zwischen Gnadenlehre und Wirklichkeit bestehen, weil beide unterschiedlichen „Welten" angehören. Die Gnadenlehre gehört weitgehend der Seinsordnung an und ergibt sich deduktiv aus Christologie, Soteriologie und Gotteslehre, während die Geschichte der aposteriorischen, menschlichen Erkenntnis und Interpretation anheim gestellt ist. Aber diesen Abstand von Apriori und Aposteriori anzunähern, darin muss das Ziel einer guten Dogmenentwicklungstheorie liegen. Nebenbei muss die Seinsordnung ja ebenfalls irgendwann erkannt worden sein, auch wenn sie der Erkenntnis zeitlich vorausgeht. Gott offenbart keine Seinsordnungen, sondern sich selbst – und das in Geschichte. Daher kann man zuversichtlich sein, einen plausiblen Ausgleich zwischen Erkenntnis- und Seinsordnung zu finden und die Erkenntnisse des Glaubens mit der Geschichte zu versöhnen.

## 2.9. Das Wesen des Christentums nach Adolf von Harnack (1851-1930)

In den vorangegangenen Abschnitten wurde behauptet, dass Dogmenentwicklungstheorie primär apologetische und erst sekundär dogmatische Interessen hat. Denn die Dogmatik setzt bereits die Gültigkeit der Dogmen voraus. Es wurde ferner behauptet, dass aufgrund dieses apologetischen Interesses der Heilige Geist nicht zu stark für eine solche Theorie in Anspruch genommen werden sollte, ja sogar, wo immer es möglich ist, zugunsten immanenter Ursachen und Gründe weggelassen werden sollte. Wo man ihn aber ganz vernachlässig, und wo man den Primat des Glaubens vor der Geschichte nicht wahrt, dort gelangt man zu einer Dogmengeschichte, die Entwicklungen der Lehre in der Kirche rein aus immanenten Zusammenhängen von Notwendigkeiten und menschlichen Bedürfnissen heraus zu erklären sucht, oder mit einem Wort: man kommt zu Adolf von Harnack[187].

Harnacks Theorien ordnet man in die Kategorie „liberaler Theologie" ein. Die liberale Theologie war geprägt von der Aufklärung und der von ihr geforderten Vernunftautonomie. Die Vernunft sollte den Menschen befreien und das einzig Gültige, Anerkannte und Konsensfähige sein. Kirchliche Autorität war zweitrangig. Daher versuchte die liberale Theologie, Theologie ohne kirchliche Bindung nur mit den Mitteln der Vernunft zu betreiben. Sie leugnete, dass das Materialobjekt der Theologie der Glaube der Kirche sei, und meinte, Theologie als „herrschaftsfreien Diskurs", d. h. unkirchlich,

---

[187] Karl Gustav Adolf Harnack wurde am 7.5.1851 in Dorpat, heutiges Estland, als Sohn von Theodosius Harnack, Professor für Kirchengeschichte und Homiletik an der dortigen Universität, geboren. 1869 beschloss Adolf Harnack, ebenfalls Theologie zu studieren. Nach ein paar Semestern in Dorpat wechselte er 1872 nach Leipzig, wo er sich 1873 promovierte und 1874 habilitierte. Zentrum seiner Forschungstätigkeit war das Quellenstudium. Ende 1878 nahm Harnack den Ruf auf den Lehrstuhl für Kirchengeschichte in Gießen an. 1886 wechselte er an die Universität Marburg. Gleichzeitig erschien der erste Band seines Lehrbuchs der Dogmengeschichte, das ihn zum bedeutendsten lutherischen Theologen seiner Zeit und zum „Vater der Dogmengeschichte" machte. Eine Berufung in die Reichshauptstadt war von da an nur eine Frage der Zeit. 1889 wechselte Harnack an die Friedrich-Wilhelms-Universität Berlin. Dort dozierte er bis zu seiner Emeritierung 1921. 1914 wurde er für seine Verdienste um die Wissenschaft geadelt. Er starb am 10.6.1930 in Heidelberg.

Weiterführende Literatur:

- Laurentius Cavallin, Dogma und Dogmenentwicklung bei Adolf von Harnack. Eine Frage an die neuere Theologie, Volkach 1976.
- Winfried Döbertin, Adolf von Harnack. Theologe, Pädagoge, Wissenschaftspolitiker [= Europäische Hochschulschriften Reihe XXIII Bd. 258], Frankfurt a. M. u. a. 1985.
- Kurt Nowak, Otto Gerhard Oexle [Hg.], Adolf von Harnack. Theologe, Historiker, Wissenschaftspolitiker [= Veröffentlichungen des Max-Planck-Instituts für Geschichte Bd. 161], Göttingen 2001.

durchführen zu können. Die zweite prägende Ausrichtung bekam die liberale Theologie durch die neuzeitliche Trennung von Glaube und Vernunft, Natur und Gnade, ewigen Vernunftwahrheiten und kontingenten Geschichtswahrheiten, Subjekt und Objekt. Auch dies war eine Folge der Aufklärung, führte aber dazu, dass nicht nur Vernunftwahrheiten und Geschichtswahrheiten auseinander traten, sondern mit ihnen auch Jesus Christus in einen Jesus von Nazareth und einen Christus des Glaubens. Die von den Kirchen (kath./ev.) bezeugte Identität des historischen Jesus und des kosmischen Christus wurde, da sie sich auf Autorität stützte, von der Vernunft als nicht belegbar angesehen und damit abgewiesen. Als Forschungsobjekt blieb der historische Jesus übrig, wenn er nicht als Mythos von einigen Theologen ganz aufgegeben wurde. Die mythologischen Überfrachtungen mussten aber auf jeden Fall beseitigt werden, um den „wahren" Jesus mittels historisch-kritischer Methode freizulegen. In diesem Umfeld steht Adolf von Harnack mit seiner Theologie. Seine Dogmengeschichte ist bis heute eines der bemerkenswertesten Werke der Theologiegeschichte, was ihm auch den Titel „Vater der Dogmengeschichte" verliehen hat. In dieser Arbeit soll und kann aber nicht auf seine dreibändige Dogmengeschichte eingegangen werden. Statt dessen soll eine spätere Zusammenfassung seiner Thesen über die Dogmengeschichte begutachtet werden, die Harnack selbst in sechzehn Vorlesungen zum Thema „Das Wesen des Christentums" im Wintersemester 1899/1900 kreiert hat und später als Buch veröffentlichte.

Das Vorgehen Harnacks bei seinen Vorlesungen ist strukturell einfach. Er stellt zuerst das Evangelium, das Jesus verkündigt hat, dar. Er erhebt es aus den ersten drei Evangelien. Danach nimmt er einen beliebigen geschichtlichen Zeitpunkt der Kirchengeschichte heraus, betrachtet ihn und vergleicht ihn mit der zuvor gewonnen Sicht des Evangeliums. Dabei interessiert er sich nicht dafür, wie es von Punkt A in der Geschichte zu Punkt B kam, und ob diese Entwicklung legitim war, sondern er beschreibt Zustände und wertet sie mit Hilfe von A (dem Evangelium) als Maßstab. Anders gesagt: Er steht nicht unter dem Druck, Zustand B aus Zustand A heraus rechtfertigen zu müssen, wie dies eine katholische Dogmenentwicklungstheorie tun muss. Insofern bedarf er des Heiligen Geistes nicht, womit die These des ersten Absatzes hiermit begründet ist. Bei dieser These gibt es allerdings eine gewichtige Ausnahme, die als Apriori Harnacks Werk umspannt: Harnack will die Reformation Martin Luthers und Johannes Calvins rechtfertigen. Die Reformation diente der Wiederherstellung des Evangeliums. Der Protestantismus ist dementsprechend evangeliumsgemäß und der Katholizismus damit als degenerierte Form der christlichen Religion anzusehen.

Was ist also das Evangelium und wozu dient es? Beiden Fragen gibt Harnack kurze Antworten: Das Evangelium dient dazu, die Menschen zu Gott zu führen. Das Evangelium ist eine überzeitliche Botschaft. Die Geschichte ist nur äußerer Anlass der Mitteilung, quasi das Medium für die Nachricht. Vom Medium muss daher abstrahiert werden.

> „Es sind nur zwei Möglichkeiten: entweder das Evangelium ist ein in allen Stücken identisch mit seiner ersten Form: dann ist es mit der Zeit gekommen und mit ihr gegangen; oder aber es enthält immer gültiges in geschichtlich wechselnden Formen. Das letztere ist das Richtige. Die Kirchengeschichte zeigt bereits in ihren Anfängen, daß das Urchristentum untergehen mußte, damit das Christentum bleibe; so ist auch später noch eine *Metamorphose* auf die andere gefolgt.“[188]

Dieses Evangelium, welches Jesus von Nazareth verkündet hat, ist schlechthin unableitbar. Es stammte aus der Gottesbeziehung Jesu und diese war einzigartig. „Er schaute hindurch durch den Schleier des Irdischen und erkannte überall die Hand des lebendigen Gottes.“[189] Diese Nähe Gottes in seinem Leben führte Jesus zum Bewusstsein seiner Messianität. Er verstand den Messias aber nicht als den Bringer eines goldenen Zeitalters, wie seine Volksgenossen. Aber er fasste, trotz seines Messias-Bewusstseins, seine Vorstellungen über sich selbst nicht in eine explizite Lehre über seine Person. Das Evangelium dreht sich nur um Fragen bezüglich der Seele des Einzelnen und Gott.

> „Jesus hat den Menschen die großen Fragen nahegebracht, Gottes Gnade und Barmherzigkeit verheißen und eine Entscheidung verlangt. [...] Nicht der Sohn, sondern allein der Vater gehört in das Evangelium, wie es Jesus verkündigt hat, hinein.“[190]

Harnack gewinnt diese Erkenntnis über den Inhalt von Jesu Evangelium und von Jesu Predigt aus den ersten drei Evangelien des NT.[191] Jesus hat die Menschen zu Gott führen wollen, nicht zu sich. Er wollte gleichzeitig das Heil Gottes den Menschen vermitteln. Jesus hat nie gesagt, er sei der Sohn Gottes,

> „aber wer dieses [das Evangelium] aufnimmt und den zu erkennen strebt, der es gebracht hat, wird bezeugen, daß hier das Göttliche so rein erschienen ist, wie es auf Erden nur erscheinen kann, und wird empfinden, daß Jesus selbst für die Seinen die Kraft des Evangeliums gewesen ist.“[192]

Das Evangelium bleibt zeitlos gültig, weil der Mensch sich emotional nicht weiterentwickelt, so dass er dieselben Probleme, Hoffnungen und Ängste hat wie jeder andere Mensch, der gelebt hat und leben wird. Das

---

[188] Adolf von Harnack, Das Wesen des Christentums [hrsg. und kommentiert von Trutz Rendtorff], Gütersloh 1999, S. 61 [1. Vorlesung].

[189] Ebd., S. 78 [3. Vorlesung].

[190] Ebd., S. 154 [8. Vorlesung].

[191] Vgl. ebd., S. 65 [2. Vorlesung].

[192] Ebd., S. 156 [8. Vorlesung].

Evangelium Jesu beinhaltet drei große Hauptteile: Zum einen das Reich Gottes und sein Kommen, zum zweiten Gott Vater und den Wert der Menschenseele, und zum dritten das Gebot der Gottes- und Nächstenliebe.

Die erste wichtige Veränderung dieser Inhalte geschah nach dem Tod Jesu durch Paulus von Tarsus, indem dieser Tod und Auferstehung selbst zum Evangelium machte. Dies ermöglichte die Verehrung und Anbetung Christi und war der Anstoß für alle späteren christologischen Spekulationen.[193] Jesus war Herr, weil er sich selbst für das Evangelium geopfert hatte und bei Gott lebte. Die Deutung des Todes Jesu als entgültiges Opfer bot sich dem jüdischen Denken (dem Denken Pauli) zur Verdeutlichung der Bedeutung des Todes Christi an, da ein Opfer immer etwas ist, was Leben ermöglicht. Und so wird Christus zum Lebensspender, zum wirksamen Prinzip des eigenen Lebens.[194] Eine zweite wichtige Veränderung im Vergleich zur Zeit des historischen Jesus war die Ausgießung des Gottesgeistes. Dies bewirkte laut Harnack, dass jeder einzelne Christ, vom Geist Gottes bewegt, in ein ganz persönliches unmittelbares Verhältnis zu Gott gesetzt war.[195] Man empfand die Präsenz des Geistes in einem.

> „Die Wirkungen des Geistes zeigten sich auf allen Gebieten, in dem ganzen Bereiche der fünf Sinne, in der Sphäre des Wollens und Handelns, in tiefen Spekulationen und in dem zartesten Verständnis für das Sittliche."[196]

Harnack sieht also in jedem Urchristen einen Charismatiker, der in Reinheit und Brüderlichkeit, im Abscheu gegenüber dem Unheiligen, im Kampf gegen die Sünde vor dem Angesicht Gottes lebte. Dieses pneumatische Dasein konnte nur den Bruch mit dem Judentum bewirken, da diesem das pneumatische Sein verschlossen und es in einem pharisäischen Gesetzesrigorismus erstarrt war. Paulus hat den Bruch deutlich gemacht, wenn er Christus als das Ende des Gesetzes (Röm 10,4) bezeichnet.

> „Solange es unausgesprochen blieb, die frühere Religion ist abgethan, mußte stets befürchtet werden, daß in der nächsten Generation die alten Bestimmungen in wörtlicher Bedeutung doch wieder hervorträten. Wie viele Dutzende von Ansätzen zeigt die Religionsgeschichte, daß eine überlieferte Form der Lehre und des Kultus, die innerlich überwunden ist, nun beseitigt werden soll, beseitigt aber durch das Mittel der Umdeutung. Es scheint auch zu gelingen; Stimmung und Erkenntnis sind dem Neuen günstig, aber siehe da! Ribald [sic] stellt sich das Alte doch wieder ein. Der Wortlaut des Rituals, der Agende und der offiziellen Lehre ist stärker als alles andere. Ein neuer religiöser Gedanke, der an dem entscheidenden Punkte

[193] Vgl. ebd., S. 162 [9. Vorlesung].
[194] Vgl. ebd., S. 162 [9. Vorlesung].
[195] Vgl. ebd., S. 170 [9. Vorlesung].
[196] Ebd., S. 171 [9. Vorlesung].

– anderes mag bestehen bleiben – nicht radikal mit der Vergangenheit zu brechen und sich einen Leib nicht zu schaffen vermag, kann sich nicht behaupten und geht wieder unter. Es gibt kein konservativeres und zäheres Gebilde als eine verfaßte Religion".[197]

Dies ist zugleich der Vorwurf, den Harnack dem Katholizismus macht: Er sei Rückfall in alte überwundene Religionsformen. Allerdings gesteht er zu, dass eine religiöse Bewegung nicht ohne Formen auskommt. Nach dem Bruch mit der Synagoge (dem Judentum) musste es zu neuen Formen, vor allem des Gottesdienstes, kommen. Diese Formen entstanden aus den konkreten Bedürfnissen der Christen und aus bekannten Formen der Umgebung.[198] So hat „die christliche Bewegung" die Kirche *geschaffen*.[199] „Dem Innerlichen stellte sich ein Äußerliches zur Seite; Recht, Disciplin, Kultus- und Lehrordnungen bildeten sich und begannen sich nach eigener Logik geltend zu machen."[200] Diese eigene Logik bewirkte den zweiten Sündenfall, den Rückfall in Überwundenes, den Katholizismus. Dieser Sündenfall trat früh im 2. Jahrhundert nach Christus ein. Die Form wurde wichtig, sogar so wichtig, dass sie zwischen Gott und dem Einzelnen vermittelte. Kirche wurde von einer Charismatikergemeinschaft zu einer Kultanstalt mit Laien und Priestern. Letztere vermittelten den Laien das Heil in rechter Lehre und Schrift. Was Paulus mit seiner Veränderung des Evangeliums vom Reich zum Evangelium von Jesus Christus angelegt hatte, setzte sich fort. Glaube wurde zum Bekenntnis einer Formel, Hingabe wurde zur Christologie. Die Hoffnung auf das Reich Gottes wurde durch eine pharmakologische Vergottungslehre ersetzt. Prophetie und Glossolalie verwandelten sich in Theologie und Exegese, aus den Geistträgern wurden Kleriker, aus Brüder in Christus bevormundete Laien.[201] Die Gründe für die neuen Formen liegen außerhalb des Christentums. Sie wurden der Kirche aufoktroyiert durch die Nöte des Glaubens und der Kirche im 2. Jahrhundert. Zum einen änderte sich die Art, Christ zu werden. Man konvertierte nicht mehr aus Überzeugung zum Christentum, sondern wurde als Christ geboren. Dies bewirkte einen abnehmenden Enthusiasmus, da aus Überzeugung Sitte, Brauch und Tradition wurde. Zum zweiten bot sich der Hellenismus nach dem Bruch mit dem Judentum als äußere Form für das Evangelium an. Die griechische Religionsphilosophie mit ihrem erarbeiteten Monotheismus und die stoische Logosspekulation erwiesen sich wie geschaffen als Ausdrucksform für den christlichen Glauben in hellenistischem Umfeld. Man wurde dialogfähig und konnte seine Botschaft transportieren. Die Logosspekulation „gab einer geschichtlichen Thatsache metaphysische Bedeutung; sie zog

[197] Ebd., S. 176f. [10. Vorlesung].
[198] Vgl. ebd., S. 182 [10. Vorlesung].
[199] Vgl. ebd., S. 182 [10. Vorlesung].
[200] Ebd., S. 182 [10. Vorlesung].
[201] Vgl. ebd., S. 189f. [11. Vorlesung].

eine in Raum und Zeit erschienene Person in Kosmologie und Religionsphilosophie."[202]

Mit der Religionsphilosophierezeption machte die Hellenisierung aber nicht halt. Die Kirche übernahm ebenso die griechischen Mysterien und Kultur, sowie den griechischen Polytheismus, den sie in Heiligenverehrung umfunktionierte. Die Gnosis jedoch bekämpfte sie und grenzte sich ihr gegenüber ab. Dazu musste sie ihre Formen, Gesetze und Lehren festlegen und jedem mit dem Ausschluss drohen, der sich ihnen nicht beugte. So wurde nicht zuletzt der Unterschied zwischen Klerikern und Laien zementiert und ein Zwei-Klassen-Christentum geschaffen. Der Geist wirkte nicht mehr, wo er wollte, sondern nur noch in den Institutionen der Kirche, deren der Einzelne zu seinem Heil bedurfte. Trotz dieser Überlagerung des Evangeliums bescheinigt Harnack jedoch diesem die Kraft, diese Überlagerungen – Metamorphosen und Hellenisierungen – in einzelnen Fällen zu überwinden und den Menschen zu erreichen.

Am Ende dieser laufenden Verfremdung des Christentums steht im Osten der griechische Katholizismus, der seiner Art nach mehr den griechischen Mysterienkulten der Antike ähnelt als dem, was Jesus Christus initiiert hat – die Kirche des 1. Jahrhunderts.

> „Diese Kirche ist als Gesamterscheinung nach außen lediglich eine Fortsetzung der griechischen Religionsgeschichte unter dem fremdem Einfluß des Christentums, wie ja so viel Fremdes auf sie eingewirkt hat."[203]

Mit anderen Worten: Das Wesen, die Substanz, der orthodoxen Kirchen ist nicht christlich. Das Christliche ist nur Aufhänger für einen hellenistischen Mysterienkult. Die Orthodoxie sieht sich selbst aber in der apostolischen Tradition.

> „Es ist alles als ‚apostolisch' bezeichnet worden, was sich im Laufe der nächsten Jahrhunderte hier angesetzt hat; oder vielmehr: was die Kirche nötig zu haben glaubte, um sich der geschichtlichen Lage anzupassen, das nannte sie apostolisch, weil sie ohne dasselbe nicht existieren zu können meinte, und – was für die Existenz der Kirche notwendig ist, muß eben apostolisch sein."[204]

Gleichzeitig sind diese Kirchen mit Abschluss des 6. Jahrhunderts in Ritualismus und Traditionalismus erstarrt, so dass die Form genauso wichtig ist, wie der Inhalt. Die Form muss daher exakt eingehalten werden. Das gilt nicht nur für den Gottesdienst, sondern auch für die Glaubenslehre. Die Formel ist wichtig, die richtigen Termini, um orthodox zu sein. So paart sich im griechischen Katholizismus Traditionalismus mit griechischem

---

[202] Ebd., S. 197 [11. Vorlesung].
[203] Ebd., S. 208 [12. Vorlesung].
[204] Ebd., S. 209f. [12. Vorlesung].

Intellektualismus, der das Heil an das Verständnis der Glaubensformeln, die Ausdruck einer großen Gott-Welt-Philosophie sind, hängt.

> „Die Ausspinnung des Evangeliums zu einer großen Gott-Welt-Philosophie, in welcher alle denkbaren Materien behandelt werden, die Überzeugung, daß, weil die christliche Religion die absolute ist, sie auch auf alle Fragen der Metaphysik, Kosmologie und Geschichte Auskunft geben müsse, die Betrachtung der Offenbarung als einer unübersehbaren Menge von Lehren und Aufschlüssen, alle gleich heilig und wichtig – das ist griechischer Intellektualismus. Nach ihm ist ja die Erkenntnis das Höchste, und der Geist ist nur Geist als erkennender: alles Ästhetische, Ethische und Religiöse muß umgesetzt werden in ein Wissen, dem dann der Wille und das Leben mit Sicherheit folgen werden."[205]

Ein Gegengewicht zu diesem Traditionalismus und Ritualismus bietet lediglich das Mönchtum, das versucht, im Geist des Evangeliums zu leben.

Die Entwicklung im lateinischen Westen läuft der Entwicklung im Osten analog. Auch hier ist die Geistkirche des Anfangs zugunsten einer traditionalistischen, ritualistischen und dogmatischen Kirche aufgegeben worden. „Der Traditionalismus, die Orthodoxie und der Ritualismus spielen hier ganz dieselbe Rolle wie dort, sofern nicht ‚höhere Erwägungen' eingreifen, und vom Mönchtum gilt das nämliche."[206] Diese höheren Erwägungen sind ein weiteres, besonderes und konstitutives Element der Westkirche. Der Papst ist hier Herr über die Tradition und kann als Gesetzgeber Traditionen und Riten nach Bedürfnissen der Kirche ändern, sowie das Lehrsystem seiner Kirche uminterpretieren und ihm neue Inhalte hinzufügen.[207] Er erweist sich damit als Nachfolger der römischen Cäsaren, der sein Imperium mittels Statthaltern (Bischöfen) und Legionen (Priester) regiert. Wer das Heil erlangen will, hat die Kirche als Vertragspartner und ist verpflichtet, deren Lehren, Vorschriften und Gesetze zu beachten. Die katholische Kirche ist demnach ein Staat, bei dem die Staatszugehörigkeit bereits das Heil sichert, da bei Nicht-Befolgung der Staatsgesetze der Ausschluss erfolgt. Das Evangelium konnte aber auch in der westlichen Kirche nicht völlig eliminiert werden und verschaffte sich seinen Ausdruck im Leben unzähliger „Heiliger", die ihren direkten Gottesbezug lebten. Dies war auch ein Werk Augustins, der der Kirche eine innere Prägung über 1500 Jahre hinweg gab, indem er die Gefühlslage unzähliger Katholiken zum Ausdruck bringen und mit seiner Theologie verbinden konnte. Dem äußeren Kirchentum jedoch fehlt jeder Zusammenhang mit dem Evangelium.[208]

---

205 Ebd., S. 212 [13. Vorlesung].
206 Ebd., S. 226 [14. Vorlesung].
207 Vgl. ebd., S. 231f. [14. Vorlesung].
208 Vgl. ebd., S. 235 [14. Vorlesung].

Dieses äußere Kirchentum, welches, um es freundlich zu sagen, nicht evangeliumsgemäß war, führte laut Harnack zu einer notwendigen Korrektur im Protestantismus, der gegen dieses Kirchensystem zugunsten des Evangeliums protestierte. Die „Reformation des 16. Jahrhunderts [ist daher] die größte und segensreichste Bewegung“[209] in der ganzen Geschichte überhaupt. Die christliche Religion wurde durch sie auf ihr Wesen reduziert.[210] Maximen des Protestantismus sind maximale Freiheit und maximale Individualität.[211] Und wenn dies zu Zersplitterung führt, dann sei es eben so. Denn „daß die Innerlichkeit und der Individualismus, welche die Reformation entbunden hat, der Eigenart des Evangeliums entsprechen, ist gewiß.“[212] Damit ist der Protestantismus die Wiederherstellung einer Geistkirche und damit der Urkirche und daher apostolisch. Der Protestantismus hat den Katholizismus überwunden, muss aber ständig aufpassen, nicht – wie die Urkirche – in den Katholizismus zu verfallen und so die erworbenen Güter und Wahrheiten wieder zu verspielen.

[209] Ebd., S. 239 [15. Vorlesung].
[210] Vgl. ebd., S. 242 [15. Vorlesung].
[211] Vgl. ebd., S. 245 [15. Vorlesung].
[212] Ebd. S. 251 [16. Vorlesung].

## 2.10. Das Wesen des Christentums getroffen?

Diese, den vorherigen Positionen entgegengesetzte Darstellung stellt sich in mehrfacher Hinsicht als lehrreich dar. Zum einen lässt sich für die wissenschaftliche Vorgehensweise einer Dogmenentwicklungstheorie der Schluss ziehen, dass der induktive Weg, eine solche Theorie zu erstellen, nicht notwendig bessere Ergebnisse liefert als eine deduktive Methode. Harnack versucht – scheinbar neutral – die Fakten der Geschichte darzustellen, um danach zu seinem Schluss der Hellenisierung zu kommen. Dass er hierfür seine eigene Position zur Schrift, und damit zum Wesen des Christentums nicht noch einmal in Frage stellt, ist ein methodischer Fehler, aber verständlich.[213] Diese Schlussfolgerung der Hellenisierung ist jedoch nicht eine, die sich lückenlos aus den Fakten schlussfolgern lässt. Dies gilt für jede Schlussfolgerung innerhalb einer idealistischen Erkenntnistheorie, bei der sich Fakt und Interpretation unversöhnt gegenüberstehen. Auf Harnacks Theorie angewendet, bedeutet das, dass die These der Hellenisierung, oder man könnte sie auch Ontologisierungsthese nennen, schon vor der Erstellung seiner Dogmengeschichte existiert haben muss und die Dogmengeschichte daher auf dieses Ergebnis hin geschrieben wurde. Die geschichtlichen Fakten dienen nur als Hintergrundkulisse zur Veranschaulichung der These. Daher sind die vier vor Harnack vorgetragenen Theorien nicht schlechter, weil sie ausgehend vom Glauben der Kirche und dessen Vorgaben versuchen, eine Theorie deduktiv und spekulativ zu entwerfen und diese bestmöglich mit den geschichtlichen Fakten in Einklang zu bringen. Sie sind nicht ideologieverdächtiger und unwissenschaftlicher als Harnacks scheinbar induktive Methode dies ist. Harnacks „Ideologie“ beginnt, wie bereits erwähnt mit der Konzeption seines „Urchristentums“, an dem er dann die Zeit danach bemisst. Denn allein schon die Tatsache, dass er das Johannesevangelium aus seinen Betrachtungen ausschließt, zeigt, dass ihm bereits Entwicklungen innerhalb des Urchristentums theologisch zu schaffen machten, die er nur schwer mit seiner Hellenisierungsthese versöhnen konnte. Vollends wird Harnacks Intentionalität deutlich, wenn er erklärt, dass Innerlichkeit und Individualismus der Eigenart des Evangeliums entsprechen. Hier zeigt sich, dass Harnacks Bild des Urchristentums geprägt ist von den Idealen Luthers und der Neuzeit. Innerlichkeit und Individualismus

---

[213] Alister McGrath schreibt dazu: „Harnack´s own view of the nature of Christianity, as well as his historical methods and understanding of the nature of knowledge, are distinctly located in nineteenth-century Germany. Harnack here appears to fall victim to the naive tendency of individuals to regard their specific historical location, including its associated modes of discourse and frameworks of rationality, as providing a privileged standpoint from which others may be evaluated.“ (Alister E. McGrath, The Genesis of Doctrine. A Study in the Foundation of Doctrinal Criticism, Grand Rapids (MI), Cambridge (UK), Vancouver 1997, S. 148f.).

ergeben sich beide aus dem lutherischen Rechtfertigungsgeschehen. Jeder Einzelne wird hierbei gerechtfertigt – unabhängig von den anderen Christen –, indem er daran glaubt und darauf vertraut, dass Gott ihn/sie aufgrund seiner Gnade gerecht macht, indem er sie äußerlich, wie ein Richter, frei spricht aufgrund der Genugtuung Jesu am Kreuz (vgl. CA 4). Die gemeinschaftliche Dimension des Glaubens verschwindet, weil die Kirche mit der Vermittlung des Heils nichts – oder nur akzidentell – zu tun hat. Man kann Harnack seine Sicht auf das Urchristentum aus diesem Grund nicht vorwerfen, da er in den Traditionen seiner Kirche und in den philosophischen Traditionen der Neuzeit steht. Zusammenfassend lässt sich das methodische Vorgehen seines Werkes, wie folgt, beschreiben: Harnack projiziert in das Evangelium und Urchristentum das Wesen der protestantischen Kirchen hinein, um dann die Evangeliumsgemäßheit der protestantischen Kirchen und die Notwendigkeit der Reformation daraus abzuleiten, wobei diese Evangeliumsgemäßheit bei der Kirche seiner Zeit in der Gefahr steht, verdunkelt zu werden und erneuert werden muss.

Ein weiteres Beispiel für Harnacks letztlich deduktive Vorgehensweise soll noch angeführt werden. Die Vorstellung, in der Urkirche wären alle Christen geistbegabte Charismatiker gewesen, die der Geist Gottes wie in eine warme Bettdecke hüllte, ist schlichtweg romantisierend-überzogen. Dies ist auch die Wunschvorstellung des Lukas gewesen, aber aus seiner Apostelgeschichte im Vergleich mit den Paulusbriefen sieht man, dass auch er die Wirklichkeit seinen theologischen Konzepten ein wenig anpasst. Der Galaterbrief wurde zum Beispiel geschrieben, weil die Geistcharismatiker, die aus dem Geist der Innerlichkeit lebten, wenige Jahre nach ihrer Bekehrung drohten, ins Judentum zurückzufallen. Die Korintherbriefe sind Ausdruck des Versuchs, massive Streitereien in Korinth zu beseitigen, indem Paulus an die Einheit im Geist und an die Nächstenliebe appelliert. Die Apostelgeschichte schweigt über die auf dem Apostelkonzil vereinbarte Jerusalemkollekte. Diese Beispiele zeigen, dass kein Autor – auch Harnack nicht – frei ist von jeglichen Ideologien seiner Zeit und dass er deswegen intentional Theologie betreibt.

Ein dritter Punkt lässt sich bei Harnack indirekt feststellen: Harnacks Hellenisierungsthese setzt die Unfähigkeit menschlicher Gemeinschaften voraus, den Glauben, bzw. die Wahrheit, von einer Generation auf die andere hin zu tradieren, ohne das Wesen der Sache zu verändern. Die Relativität des Menschen in Zeit und Geschichte, sowie die sich daraus ergebende Intentionalität, verändern das Wesen einer Sache, eines Wissensgegenstandes, einer Glaubenswahrheit substantiell. Der Mensch interpretiert das Evangelium so, wie er es brauchen kann, auch wenn das im Widerspruch dazu steht, dass Harnack das Wesen des Christentums aus den synoptischen Evangelien zweifellos erhoben haben will. Die Freiheit des Menschen, der Christen, hat sich am Evangelium bis zur Wiederherstellung durch Luther nur versündigt, es verfälscht. Ein Wirken des Heiligen Geistes in der Geschichte und im einzelnen Menschen, das diesem Faktum entgegenwirken könnte, behandelt Harnack nicht. Dass ohne das Geistwirken aus Jesus bis zum Auftreten Luhers letztlich ein unverstandenes Genie wird, wenn er einerseits über ihn schreibt – „[Er] erkannte überall die Hand des lebendigen Gottes“[214], andererseits aber diese Hand Gottes – so scheint es – in der Geschichte nach dem Tod Jesu nicht mehr existiert, bemerkt er nicht.

Ein weiteres Faktum, welches damit verbunden und festzuhalten ist, besteht in der scheinbaren Unvereinbarkeit von Tradition und Evangelium. Diese Unvereinbarkeit liegt in der Auffassung von der Innerlichkeit des religiösen Vollzugs begründet. Wenn Form nur etwas Äußeres ist, was zwar nötig ist, aber beliebig gestaltbar, dann dürfte es keine Tradition geben, da jede Generation für sich die kirchlichen Formen (Gottesdienstweise, Lehre, Disziplin) neu festlegen müsste. Tradition wird so an sich schon zu einem Negativum, zu einem Abfall vom Evangelium.

Als Ergebnis von Harnacks Thesen lässt sich festhalten, dass er virtuos auf der Klaviatur der Geschichte zu spielen versteht, um daraus seine Hellenisierungsthese zu begründen. Diese These ist allerdings nicht in einem neutralen Raum geboren, sondern trägt die typische Handschrift des neunzehnten Jahrhunderts und protestantisch-liberaler Theologie.

Im nun folgenden zweiten Teil der Arbeit soll der Ansatz einer Dogmenentwicklungstheorie gemacht werden, der zu zeigen versucht, dass eine Dogmenentwicklungstheorie nicht apriori vor der Relativität der Geschichte zu kapitulieren hat. Dass dieser Ansatz zugegebenermaßen intentional sein muss und sein wird, ist in diesem Kapitel bereits angesprochen worden. Um dies zu bewerkstelligen, wird, wie bei Harnack, das Urchristentum auferstehen müssen, um als Begründung einzelner kirchlicher Lehren zu dienen. Es ist nicht auszuschließen, dass diese Interpretation einmal, wie die Harnacks in diesem Kapitel, als die typische Art Theologie zu treiben am Beginn des einundzwanzigsten Jahrhunderts gesehen werden wird, mit all der Relativität, die dadurch mit einfließt. Andererseits gibt es aus der eigenen geschichtlichen Perspektivität kein Entkommen, so dass auch Harnack kein Vorwurf für seine Vorstellungen über das Evangelium, Jesus und die Dogmengeschichte zu machen ist.

[214] Harnack, Das Wesen des Christentums, S. 78 [3. Vorlesung].

# II. Teil

## 3. Grundlegende Überlegungen

Im zweiten Teil dieser Arbeit soll nun ein Eigenentwurf einer systematischen Dogmenentwicklungstheorie stehen. Dieser Entwurf soll dabei auf die Ideen und Einsichten der im ersten Teil behandelten Autoren aufbauen. Es wird sich daher einiges, bereits Gesagtes wiederholen, ohne dass auf den entsprechenden Autor explizit Bezug genommen wird.

Da das Thema – wie im ersten Teil der Arbeit mehrmals gezeigt – mit vielen philosophischen Überlegungen behaftet ist, die nur ansatzweise bei den geschilderten Autoren angedeutet wurden, müssen dementsprechend zuerst philosophische, aber auch wissenschaftstheoretische Probleme diskutiert werden. Denn dogmatische Wahrheit (eine Glaubenswahrheit) ist ein Wissensgegenstand. Wissen aber setzt Erkennen voraus. Nur wenn man sich selbst darüber Rechenschaft ablegen kann, wie man zu einer Erkenntnis gelangt ist, kann eine Dogmenentwicklungstheorie den apologetischen Anspruch erfüllen, der an sie natürlicherweise gestellt wird. Denn letztlich handelt es sich bei der Frage nach der Lehrentwicklung in der Kirche um ein Philosophieren über den Verlauf von Geschichte, um, wie Harnack es formulierte, „überall die Hand des lebendigen Gottes“[215] am Werk zu erkennen. Es geht also um Erkenntnis und deren Verteidigung (Apologie). Daher muss sich der folgende Ansatz, soweit es geht, an der Erkenntnisordnung orientieren, um die Erkenntnis möglichst plausibel zu vermitteln. Seiner Grundausrichtung nach muss dieser zweite Teil dementsprechend hauptsächlich in fundamentaltheologischer Methode durchgeführt werden. Dies bedeutet, dass der Glaube der Kirche als wahr vorausgesetzt wird, gleichzeitig aber gerade dies hauptsächlich mit den Mitteln der Vernunft untermauert werden soll. Allerdings lassen sich dogmatische und fundamentaltheologische Methode schwer voneinander abgrenzen. Setzt man die Rahner´sche Gnadenlehre voraus, ist jede Trennung und Abgrenzung apriori überflüssig. Denn Erkenntnis- und Seinsordnung fallen im begnadeten christlichen Verstand zusammen. Würde man aber trotzdem eine Trennungslinie angeben wollen – weil man z. B. Rahners Thesen nicht teilt – , so könnte man sie bei der Verwendung des Autoritätsarguments ziehen. Die Dogmatik verwendet dieses Argument ohne Bedenken, während die Fundamentaltheologie sich mit der Frage beschäftigt, warum die Autorität eine solche ist. Da bei der Aufstellung einer Dogmenentwicklungstheorie nicht auf Autorität verzichtet werden kann, mischen sich fundamentaltheologische und dogmatische Überlegungen miteinander. Damit steht aber zugleich

---

[215] Harnack, Das Wesen des Christentums, S. 78 [3. Vorlesung].

der Addressat einer solchen Dissertation fest: Ein christlicher Leser, eine christliche Leserin. Sie dient daher mehr der Selbstvergewisserung als der Überzeugung Andersdenkender.

Ein weiteres Problem eines eigenen Ansatzes einer Dogmenentwicklungstheorie stellt die Tatsache dar, dass man viele Themen der fundamentalen und dogmatischen Theologie ansprechen muss, keines davon aber ausführlich behandeln kann, wie dies bei einzelnen Monographien über diese Themen möglich ist. Sie verzichtet daher, auf den Diskussionsstand zu den theologischen Einzelfragen einzugehen. So ist das Nachfolgende weder eine adäquate philosophische Darstellung einer Erkenntnistheorie noch eine vollständige Lehre zum Problem der Offenbarung, noch eine umfassende Abhandlung über Schrift, Tradition und Lehramt. Es stellt dagegen eine generelle und abstrakte Abhandlung dieser Themenkreise unter dem Aspekt einer faktischen Entwicklung dar, die sich im Angesicht der Offenbarung Gottes rechtfertigen muss. Gleichzeitig will und kann diese Arbeit kein Lehrbuch sein, da die eine oder andere unten aufgeführte Position nicht konsensfähig sein dürfte und weil diese Arbeit speziell auf das Problem der Lehrentwicklung hin konzipiert ist. Manche könnten das Nachfolgende auch als abstraktes Philosophieren über zweitausend Jahre Theologie-, Kirchen- und Dogmengeschichte bezeichnen, das nicht zwingender sei als Harnacks Ideen zu diesem Thema. Dissertationswürdig könne es daher gar nicht sein. Das Argument gilt aber schon deshalb nicht, weil es dann überhaupt keine wissenschaftlichen Arbeiten mehr in den geisteswissenschaftlichen Fächern geben könnte, da es im Grunde genommen keine induktiven Methoden in den Geisteswissenschaften gibt, wie unten demonstriert wird. Das hier nur angedeutete Problem macht bereits deutlich, wie wichtig für eine Dogmenentwicklungstheorie eine erkenntnistheoretische und wissenschaftstheoretische Grundlegung ist, auf deren Basis das eigentliche Problem dann behandelt werden kann.

Aber auch eine philosophische Grundlegung besitzt ihre Tücken. Denn die gegenwärtige Philosophie unterscheidet drei große Zugänge zum Problem „der Wirklichkeit".

> „The first is that of ontology, which asks whether we can rightly claim to understand anything that exists if we have not first of all come to grasp what existence, i.e. 'being' itself is. The second way of approaching the issue is the question of epistemology which asks how we can claim knowledge about being until we have clearly laid out the grounds and limits of the human capacity to know anything whatsoever. And the third great approach to a first philosophy in the West is that of language, which asks how we can possibly define knowing or grasp the nature of being without having first gotten

clear as to the conditions and rules determining all our statements about being or knowing."[216]

Diese drei Ansätze kann man auch als drei Reflexionsstufen betrachten, die aufeinander aufbauen. Die Ontologie nähert sich der Wirklichkeit und erklärt diese, ohne sich größere Gedanken über die Erkenntnisfähigkeit des Subjekts zu machen. Der zweite Ansatz versucht die Erkenntnisfähigkeit des Menschen auszuloten, bevor dieser sich daran macht, das Seiende in seiner ontologischen und ontischen Konstitution beschreiben zu wollen. Der zweite Ansatz vernachlässigt bei seinen Forschungen aber die spezifische Art des Menschen, sprachlich und in Begriffen zu denken, so dass die Forschungsergebnisse der Epistemologie von der dritten Reflexionsstufe als potentiell partiell angesehen werden. Problem der dritten Stufe ist allerdings, dass sie kaum mehr zur Wirklichkeit vorzudringen wagt, da die Probleme auf dem Weg dorthin so zahlreich sind – vor allem weil die menschliche Sprache sich als sehr komplex erweist, dass sie sich auf dem Weg dorthin selbst zu verlieren scheint.

Gegen die These, man bedürfe einer philosophia prima zur Fundierung eines wissenschaftlichen Gesamtgebäudes, wie sie von Descartes gefordert wurde, erhebt sich der Widerstand des sogenannten amerikanischen Pragmatismus „nonfoundationalist pragmatism".

John E. Thiel[217] beschreibt dies so:

[216] D. Lyle Dabney, Nature Dis-Graced and Grace De-Natured: The Problematic of the Augustinian Doctrine of Grace for Contemporary Theology, Nr. 55, Milwaukee 2000, „Der erste [Zugang] ist der der Ontologie, welcher fragt, ob wir gerechterweise in Anspruch nehmen können, irgendetwas Existierendes zu verstehen, wenn wir nicht zuallererst begriffen haben, was das Sein selbst ist. Der zweite Zugangsweg zum Problem ist die Frage der Epistemologie, wie wir Wissen über das Sein beanspruchen können, bevor wir nicht die Grundlagen und Grenzen menschlichen Verstehens, um überhaupt irgendetwas zu erkennen, dargelegt haben. Und der dritte große Zugang zu einer ersten Philosophie im Westen ist der der Sprache, welcher fragt, wie es uns möglich ist, Wissen und Verstehen des Wesens einer Sache feststellen zu können, ohne uns vorher über die Bedingungen und Regeln, die alle unsere Aussagen über das Sein und das Wissen determinieren, im klaren zu sein".

„Although there is no definable school that represents the epistemological sensibilities of nonfoundationalism, there is at least a family resemblance of such philosophical commitments in the tradition of American pragmatism. Building on the work of an older generation that includes Charles Sanders Peirce, William James, and John Dewey, such contemporary pragmatists as Wilfrid Sellars, Willard Van Orman Quine, Richard Rorty, and Richard J. Bernstein share several common assumptions that might be described as nonfoundationalist. All are keenly suspicious of the Cartesian understanding of the philosophical task in which thinking is called upon to establish a 'first philosophy', an architectonic of all knowledge grounded on some immediately experienced, self-certain principle that serves as 'foundations' for the entire edifice of knowledge. All oppose traditional understandings of the philosophical justification of belief in

---

[217] John E. Thiel, Senses of Tradition. Continuity and Development in Catholic Faith, Oxford 2000, S. 116-120, „Obwohl es keine definierbare Schule gibt, die die epistemologischen Sensibilitäten des ‚Nonfoundationalismus' repräsentiert, gibt es wenigstens eine Familienähnlichkeit solcher, philosophischer Verpflichtungen zu der Tradition des amerikanischen Pragmatismus. Auf dem Werk einer älteren Generation, die Charles Sanders Peirce, William James, und John Dewey einschließt, aufbauend, teilen gegenwärtige Pragmatisten wie Wilfrid Sellars, Willard Van Orman Quine, Richard Rorty, und Richard J. Bernstein gemeinsame Annahmen, die man als ‚nonfoudationalistisch' beschreiben könnte. Sie alle sind stark misstrauisch gegenüber dem Cartesischen Verständnis der philosophischen Aufgabe, bei der das Denken dazu benutzt wird, eine ‚erste Philosophie' zu etablieren, eine Architektur allen Wissens, begründet auf einige unmittelbar erfahrene, selbst-sichere Prinzipien, die als „Fundamente" für ein ganzes Wissensgebäude dienen. Alle opponieren gegen ein traditionelles Verständnis philosophischer Glaubensrechtfertigung, bei dem von der Vernunft erwartet wird, die Gültigkeit von Wissensansprüchen durch letztendliche Berufung auf unzweifelhafte Prinzipien aufzuzeigen, auf denen solche Wissensansprüche beruhen. Alle betrachten als die Aufgabe der Philosophie, zumindest an diesem Punkt ihrer Geschichte, die Kritik am Cartesianismus und in der Gründung angemessenerer Wissensdarlegungen, in denen Wissensansprüche ohne Berufung auf fundamentale Prinzipien begründet werden. [...] Egal, ob diese ‚Wissensbegründungen' in solchen philosophischen Darlegungen erscheinen wie in Platons ewigen Formen, Descartes klaren und distinkten Ideen, John Lockes Gegebenheit sinnlicher Erfahrung, oder Kants transzendentalen Kategorien, sie alle werden von ihren Vertretern als unmittelbar gerechtfertigte Überzeugungen eingeschätzt, deren Sicherheit weitergehende Ansprüche in einem größeren Wissensgebäude rechtfertigt. [...] Unzweifelhaft und unbestreitbar liefern diese ‚Fundamente' eine Ausgangsposition für logische Deduktion oder eine Basis für den induktiven Aufstieg des Denkens zu gültigem Wissen. [...] Die Absicht von Sellars und Quines ‚nonfoudationalistischer' Sicht bezüglich der Aufgabe der Rechtfertigung besteht darin, dass das, was man Wissen nennt, sich selbst Begründung genug ist, selbst ein offener Erklärungsprozess der, man könnte auch sagen Argumentationsprozess für die, wertvollen Überzeugungen in bestimmten bedeutungsvollen Kontexten. Bei der Abwesenheit von ‚Fundamenten' werden Argumente die prinzipiellen Mittel, durch die grundsätzliche Überzeugungen an sich geformt werden und durch die ihr Wert Stichhaltigkeit und so Autorität gewinnt. Argumente sind dann nicht dispensabel bei Wissensansprüchen in dieser ‚nonfoundationalistischen' Perspektive, wegen der Gründe, die sie für die Überzeugungen liefern. Sie unterstützen, erzählen, kritisieren und bewerten diese Ansprüche nicht nur neu, sondern sind ebenso diese Ansprüche selbst".

which reasoning is expected to show the validity of claims to knowledge finally by appeal to indubitable 'foundations' on which such claims rest. All regard the business of philosophy, at least at this moment in its history, as the criticism of Cartesianism and the foundation of more adequate accounts of knowing in which claims to knowledge are justified without appeal to foundationalist principles. [...] Whether the 'foundations' of knowing appear in such philosophical accounts as Plato's eternal forms, Descartes's clear and distinct ideas, John Locke's givenness of sense experience, or Kant's transcendental categories of the understanding, they are esteemed by their proponents as immediately justified beliefs whose certainty justifies more derivative claims in the larger body of knowledge. [...] Noninferential and indisputable, the 'foundations' provide a point of departure for logical deduction or a foothold for thinking's inductive climb toward valid knowledge. [...] The purport of Sellars and Quine's nonfoundationalist view on the task of justification is that what is called knowledge is its justification, itself an openended process of explaining – one might say arguing for – the beliefs valued in particular meaningful contexts. In the absence of 'foundations', arguments are the principal means by which basic beliefs are themselves shaped and by which their values gain cogency and thus authority. Arguments, then, are indispensable to claims to knowledge in this nonfoundationalist perspective, for the reasons they provide for beliefs not only support, relate, criticize and revise those claims but also are those claims themselves."

Diese pragmatische Position ist aus mehreren Gründen problematisch, auch wenn sie einen positiven Aspekt auf eine Dogmenentwicklungstheorie haben könnte. Die Notwendigkeit einer Dogmenentwicklungstheorie als solches fiele in einem solchen Konzept weg, da die Glaubensinhalte der Kirche nur noch einer stichhaltigen Begründung bedürften, warum die Kirche das lehrt, was sie lehrt. Aber als Grund würde nicht der Rekurs auf die Wirklichkeit genügen, d. h. das Geoffenbart-Sein dieser Lehre durch Gott. Denn damit würde man sich auf ein selbstevidentes Prinzip berufen, auf das der Wahrheitsanspruch gründet. Genau dies wird aber abgelehnt. Daher gibt es auch keine universalen Wahrheitsansprüche, die sich letztlich nur durch Rekurs auf die „Wirklichkeit" begründen lassen. Kohärenz und Konsistenz werden somit zu entscheidenden Größen im Diskurs der Argumente. Autorität ist in einem solchen philosophischen und wissenschaftstheoretischen System nicht vorgesehen. Auf die katholische Kirche konkret angewendet, bedeutet dies, dass die Vorlage einer Glaubenswahrheit durch das Lehramt nur so gut ist, wie die Argumente, die das Lehramt für diese Position anführt. Ein infiniter Begründungsregress wird möglich und von Vertretern dieser Position begrüßt.

Letztlich handelt es sich bei dieser Position um die altbekannte Position des Skeptizismus, der die Möglichkeit einer Wahrheitserkenntnis ablehnt. Dieser Position steht der Dogmatismus gegenüber, der diese Möglichkeit grundsätzlich bejaht, auch wenn die Bandbreite innerhalb dieser Bewegung von Platon bis Kant reicht. Mit der dogmatischen Position wird zugleich dem infiniten Argumentationsregress durch die Berufung auf ein evidentes Prinzip ein Ende gesetzt. Für die Theologie kann dieses Ende nur in der Wirklichkeit der Offenbarung liegen.[218] Damit ist Theologie und jede Religion dieser Erde überhaupt apriori ein Feind der Skepsis und ihres philosophischen Systems. Aus der Existenz ganz unterschiedlicher letzter Begründungsprinzipien der Erkenntnis und des Wissens kann man nicht auf die Relativität allen Wissens und aller Wissenssysteme schließen. Die Pluralität schließt nämlich nicht aus, dass ein System nicht tatsächlich das richtige oder wahre ist. Zudem gibt es de facto letzte Prinzipien, die einen Wissensgegenstand hinreichend begründen. Diese Erfahrung zu leugnen, ist zwar möglich, aber widerspricht jedoch der Erfahrung, dass jeder Mensch irgendetwas als wirklich ansieht[219] und als evident hinnimmt.

Ausgehend von diesen Überlegungen soll nun so etwas wie eine „philosophia prima", eine philosophische Fundierung, für eine Dogmenentwicklungstheorie entworfen werden. Diese kann niemals die Tiefe einer philosophischen oder fundamentaltheologischen Arbeit zu diesem Thema erreichen, und ist von ihrer Methode darauf angelegt, gewissen Vorgaben gerecht zu werden, die der Glaube und seine rationale Durchdringung benötigen. Leitidee hierfür stellt die Frage nach Wahrheit und deren Erkenntnis dar.

Zu philosophieren bedeutet, die Wirklichkeit erfassen zu wollen. Es gibt dabei keinen Fortschritt im Sinne einer immer besseren Erfassung dieser Wirklichkeit, sondern nur verschiedene Konzepte die von Platon bis Heidegger und darüber hinaus reichen. Aus diesem Grund wird auf eine Bezugnahme zu den großen philosophischen Ansätzen der Geschichte verzichtet, ohne behaupten zu können und zu wollen, dass in das folgende nicht viele Gedanken dieser Philosophien eingeflossen ist. Eine Bezugnahme würde jedoch die wissenschaftliche Verpflichtung nach sich ziehen, zu erklären, warum man sich bei der einen Frage dem einen Philosophen anschließt, bei einer anderen Frage jedoch nicht. Da Epistemologie jedoch nur einen Rahmen zur Erörterung des eigentlichen Themas bildet, ist eine kom-

---

[218] Dass mit dieser These faktisch noch nichts gewonnen ist, da man die Frage beantworten muss, wie man diese Offenbarungswirklichkeit erkennt und möglichst die subjektiven Komponenten der Erkenntnis ausschaltet, ist ein anderes Problem, das später behandelt wird. Zunächst ist nur wichtig, festzustellen, dass die christliche Theologie grundsätzlich in der Offenbarungswirklichkeit ihr letztbegründendes Prinzip sieht.

[219] Dies bleibt zugegebenermaßen ein Postulat, solange man die eigene Erfahrung nicht als selbstevidentes Prinzip ansieht, das den Diskurs beendet.

pakte Abhandlung philosophischer Fragen einer genauen Diskussion, wie man sie bei philosophischen Dissertationen vorfindet, vorgezogen worden.

## 3.1. Erkenntnistheoretische Möglichkeitsbedingungen einer Dogmenentwicklungstheorie

### 3.1.1. Die Wahrheit und die Wahrheit des Glaubens

#### 3.1.1.1. Die Wahrheit des Glaubens

Die Glaubensinhalte der Kirche beanspruchen seit jeher objektiv wahr zu sein. Ihr Wahrheitsanspruch basiert auf dem Wahrheitsanspruch des Glaubens selbst, der wiederum göttliches Geschenk ist. Gott ist letzter Garant der Wahrheit des Glaubens.

Was aber meint der Begriff „Wahrheit des Glaubens“? Was ist Glauben? Die klassische Antwort auf diese Frage würde lauten: das Für-Wahr-Halten von der Kirche vorgelegter Glaubenswahrheiten. Diese Definition beschränkt den Glaubensbegriff jedoch einseitig auf das „Glauben an etwas“. Daher wurde sie auch trotz biblischer Bezeugung[220] in der heutigen Theologie als zu einseitig aufgegeben. Daher soll nun eine Kurzdefinition gegeben werden, die in höchstem Maße unvollständig und bruchstückhaft bleibt, aber dennoch die wichtigsten Aspekte zu berücksichtigen bemüht ist: Der Glaube ist die Basis einer Relation, deren Ursprung der Mensch und deren Ziel Gott ist, der hierbei mit Verstand, Wille und Herzen (m. a. W.: ganzheitlich personal) anerkannt, angestrebt, gewollt und geliebt wird.[221] Der

---

[220] Vgl. Jak 2,19: „Du glaubst: Es gibt nur den einen Gott. Damit hast du recht; das glauben auch die Dämonen, und sie zittern.“ Diese Jakobusstelle benutzt den Begriff „Glauben“ in Sinne des „glauben an etwas“, und nicht im Sinne des „glauben an jemanden“.

[221] Bezieht man diese Definition auf eine höhere, trinitarisch-gnadentheologische Ebene, so bedeutet dies folgendes: Wenn Erlösung (Himmel) Teilhabe an der innertrinitarischen Relation des Sohnes zum Vater im Heiligen Geist ist, dann bedeutet die Auffassung von Glauben als Relationsbasis einer Mensch-Gott Relation die Erhebung der menschlichen Natur durch den Heiligen Geist, (der Urheber des Glaubens ist,) und die Anteilgabe an der menschlichen Natur Christi seitens des Heiligen Geistes. Dies korrespondiert mit der physischen Erlösungslehre der alten Kirche, in der die Eucharistie den Leib vergöttlichte, indem Christus durch seinen Heiligen Geist Anteil an seinem Leib und damit an seinem Tod und seiner Auferstehung gab. Die Vergöttlichung des Menschen durch den Heiligen Geist ist Christus-Werdung, dessen menschliche Natur zwar durch den Logos subsistiert, aber dessen Einheit durch den Heiligen Geist vermittelt ist. Glaube bedeutet also nicht Eintreten in die Sohnesrelation zum Vater, die man Gezeugt-Sein/ Sohnsein nennt, so dass Glaube und Gezeugt-Sein das gleiche nur auf unterschiedlichen Ebenen wären, sondern bedeutet Anteilgabe an der menschlichen Natur Christi durch den Heiligen Geist und über sie Eintritt in die Sohnesrelation zum Vater.

Damit ist diese hier vorgenommene Definition des Glaubens als kohärent zur Soteriologie erwiesen.

Glaube „meint deshalb gerade [...] nicht einen vereinzelten menschlichen Akt neben andern, sondern jenes Gesamtverhalten, jene Gesamtbefindlichkeit, worin der Mensch durch die Kraft der Gnade der Offenbarungsanrede Gottes entspricht."[222] Dem Glauben entspricht die Relation Gottes zu den (allen) Menschen, deren Basis man Offenbarung (bzw. Schöpfung[223] oder Gnade[224]) nennt. Der Offenbarungsbegriff ist ein Oberbegriff und besitzt drei Arten. Die Offenbarung Gottes in seinen Werken; dazu zählen vor allem die Schöpfung (in ihrem Beginn und ihrem Erhalt) und die Wunder. Als zweites die Offenbarung Gottes durch die Propheten. Die dritte und höchste Form der Offenbarung ist die Selbstoffenbarung Gottes in Jesus Christus als eingeborener Sohn des Vaters. Diesen verschiedenen Arten der Offenbarung entspricht bei der umgekehrten Relation – dem Glauben – ebenfalls eine bestimmte Unterteilung. Das Konzil von Trient hat in Anlehnung an den 1 Korintherbrief (1 Kor 13) versucht, die Dynamik der Glaubensrelation mit den drei Begriffen „Glaube, Hoffnung und Liebe" zu erfassen. „Liebe" beschreibt dabei die höchste Form von Glaubensdynamik,

---

[222] Hans Urs von Balthasar, Herrlichkeit. Eine theologische Ästhetik Bd.1, Einsiedeln 1961, S. 123.

[223] Der Offenbarungsbegriff schließt den Begriff der Schöpfung mit ein. Die Schöpfung ist eine Offenbarung Gottes. Dies betont das 1. Vatikanum, wenn es heißt: „Dieser alleinige wahre Gott hat in seiner Güte und allmächtigen Kraft – nicht um seine Seligkeit zu vermehren, noch um (Vollkommenheit) zu erwerben, sondern um seine Vollkommenheit zu offenbaren durch die Güter, die er den Geschöpfen gewährt – aus völlig freiem Entschluß, vom Anfang der Zeit an aus nichts zugleich beide Schöpfungen [materielle und geistige] geschaffen'"(DH 3002). Die Schöpfung ist Offenbarung der Güte Gottes. Wäre dem nicht so, könnte auch Paulus in Röm 1,19f. nicht schreiben: „Denn was man von Gott erkennen kann, ist ihnen offenbar; Gott hat es ihnen offenbart. Seit Erschaffung der Welt wird seine unsichtbare Wirklichkeit an den Werken der Schöpfung mit der Vernunft wahrgenommen, seine ewige Macht und Gottheit." Gott hat also nicht zwei Relationen zu seiner Schöpfung (Schöpfung und Offenbarung), sondern nur eine Relation, die man als Selbstoffenbarung bezeichnet. Man kann zwar noch einmal logisch trennen zwischen Offenbarung Gottes und ihrem Produkt, der Schöpfung, allerdings müsste man dann fragen, ob die Schöpfung ohne eine konstante Offenbarungsrelation überhaupt existieren (subsistieren) könnte. Die Tradition hat dies verneint und daher eine creatio continua gelehrt.

Zugleich muss gesagt werden, dass, wenn Schöpfung einen bestimmten Teil der Selbstoffenbarung Gottes meint, beziehungsweise eine bestimmte Art dieser Selbstoffenbarung, und wenn Offenbarung als Relationsbasis einer Beziehung von Gott auf den Menschen hin begriffen wird, die Schöpfung von Anfang an auf den Menschen als Relationsziel hin angelegt ist, auch wenn der Mensch in der Evolution erst sehr spät entsteht.

[224] Die Selbstoffenbarung Gottes ist ein Gnadenakt, genau wie die Schöpfung Ausdruck der Gnade ist. Die Begriffe Schöpfung, Gnade und Offenbarung bezeichnen jeweils ein aktives, freies und damit gnadenhaftes Handeln Gottes, wobei der Offenbarungsbegriff Überbegriff der beiden anderen ist, da diese einen bestimmten Aspekt des Wirkens Gottes bezeichnen. Im allgemeinen wird der Begriff „Offenbarung" jedoch für die heilschaffende Offenbarung Gottes herangezogen, da die Schöpfung zwar Ausdruck der Gnade Gottes ist, aber aufgrund des Sündenfalls nicht mehr in gnadenhafter Beziehung mit ihm steht, so dass Menschen in der Lage sind, zu behaupten, die Existenz des Seienden sei nicht Ausdruck einer gnadenhaften Offenbarung.

während der Begriff „Glaube" zunächst einmal nur das „Glauben an etwas" aussagt. Nur aus dem Glauben, dass Gott existiert, ergibt sich zum Beispiel noch keine Liebe zu Gott oder automatisch ein Gott wohlgefälliges Verhalten. Erst wenn man beginnt zu hoffen, dass der Glaube wahr sein möge, beginnt die Dynamik auf den in der Liebe vollendeten Glauben.

Die theologische Tradition benutzt zwei Termini, um den reinen Glaubensinhalt von der Dynamik, die er entfalten will, zu unterscheiden: „fides, quae creditur" und „fides, qua creditur". Beide versuchen dieses personale Geschehen zwischen Mensch und Gott noch einmal durch Differenzierung besser zu deuten. Man kann diese zwei „Teile" des Glaubens heute mit den Worten „Erkenntnis" und „Anerkenntnis" interpretieren. Die „fides quae" umfasst das Erkennen der Offenbarungsinhalte, das Erkennen Gottes in angemessener Weise, die kognitiven Aspekte des Glaubens, und damit das Fürwahrhalten des Inhalts dieser Erkenntnis. Der Begriff „fides qua" hingegen bezeichnet die Glaubensakte, den Vollzug des Glaubens aufgrund des Fürwahrhaltens der Offenbarungsinhalte und aufgrund der Hoffnung auf und der Liebe zum sich offenbarenden dreifaltigen Gott. Die fides qua ist die Folge einer Willensentscheidung und der zuvorkommenden Gnade, die den Menschen fähig macht, sich für oder gegen die Offenbarung zu entscheiden. Der Glaubensvollzug ist damit die Umsetzung des für wahr Erkannten, des göttlichen Willens, in das eigene Leben aufgrund der Gnade. Andernfalls kann man nicht von Anerkennung sprechen, wenn man etwas für wahr hält, dies aber zu keinerlei Lebensveränderung führt.

Es wird deutlich, dass die Abgrenzung „fides quae" gleich Glaubensinhalte und „fides qua" gleich Glaubensakt bei genauerer Betrachtung künstlich wirkt, da beide ineinander fließen und untrennbar verwoben sind, sobald man unter „Glauben" ein „Glauben an jemanden" versteht, das natürlicherweise das „Glauben an etwas" – respektive die Eigenschaften des anderen – mit einschließt. „Fides quae" und „fides qua" werden in dieser Auffassung von Glauben als personalem Vorgang zu einer Einheit, die sie in re auch sind, verschmolzen. Wenn Glaube etwas personales ist, kann fides quae und fides qua nur logisch, aber nicht real, voneinander getrennt werden. Ein Glaubensinhalt ohne Glaubensakt ist eine leere Formel, eine Wahrheit, die nicht anerkannt wird. Wenn Gott das Leben in Fülle ist und sich offenbart, um uns dieses Leben mitzuteilen, dann zielt dieser Offenbarungsakt auf eine ganzheitliche Antwort des Menschen ab, der die Glaubensinhalte erkennt und beginnt, Gott für sie und damit ihn an sich zu lieben. Das andere Extrem bestünde in einer Überordnung der fides qua über die fides quae. An dieser Stelle setzen heute pastoraltheologische Überlegungen an, die sich nicht mit abstrakten Wahrheiten beschäftigen wollen, sondern mit der existentiellen Verortung der Glaubensinhalte. Nicht die Kirche mit ihren vielen Glaubenssätzen (fides quae), die die meisten Christen sowieso kaum kennen, ist Ausgangspunkt dieser Überlegungen, sondern die existentielle Dynamik des Glaubens (fides qua). Wichtig sei nicht so sehr, was geglaubt wird, sondern dass überhaupt geglaubt wird und der Glaube eine Dynamik entfaltet. Eine Wahrheit, ein Dogma, ohne existentielle Verortung im Leben der Christen kann nicht heilsnotwendig sein und ist somit dispensabel. Gleichzeitig wird die Frage an die Kirche gestellt, wieso diese so viele Wahrheiten verkündet, tradiert und feststellt, deren Heilsrelevanz – deren Dynamik – aber, so scheint es, fast null ist. Sagt es nicht über den Wahrheitsgehalt eines Dogmas etwas aus, wenn die Gläubigen auch ohne die Dogmen der Kirche in den Himmel kommen? Die Kritik trägt in sich ein wichtiges Anliegen. Man darf bei der Behandlung der Glaubensinhalte nicht die existentielle Verortung vergessen, die diese Inhalte besitzen müssen. Es geht um die subjektive Aneignung der Dogmatik und damit um den Beweis, dass die in theologischen Fachtermini abgefassten Lehren der Kirche einer existentiellen Wirklichkeit entsprechen. Solange daraus keine Überordnung der fides qua über die fides quae wird, ist diese Mahnung gerechtfertigt. Aber die Glaubensinhalte sind genauso wichtig wie der Vollzug. Ansonsten würde man etwas vollziehen, das Ziel – Gott – aber nicht erreichen. Dem Aberglauben wäre Tür und Tor geöffnet. Denn das, was vielleicht eine größere Zahl der Christen glaubt – und was sich in deren Leben ausdrückt – muss noch nicht offenbart sein, auch wenn es scheinbar lebendiger Glaube ist. Als Beispiele können Ängste vor Freitagen, die auf den dreizehnten eines Monats fallen, genannt werden, oder schwarze Katzen oder auch Voodoo und Geisterkult. Außerdem muss das, was für den Menschen Heil und Leben (Gott) bedeutet, vom Menschen nicht unbedingt so gesehen werden. Nur so lässt sich der häufige Abfall Israels vom Sinai-Bund erklären.

Die diachrone Einheit der Kirche muss hier ebenso bedacht werden. Denn die Konzilsväter in der Antike, des Mittelalters und der Neuzeit hätten etwas nicht als ihren Glauben bekannt, was sie nicht in einem Glaubensakt festgehalten hätten. Worin liegt aber nun die Wahrheit des Glaubens an jemanden? Wenn sich fides quae und fides qua nicht voneinander trennen lassen, wie soll man dann den Wahrheitsbegriff auf den Bereich der fides qua anwenden? Als Antwort darauf ist das Wort Jesu hilfreich: „Ich bin der Weg, die Wahrheit und das Leben“ (Joh 14,6). Leben, Wahrheit und Weg werden vom Johannesevangelisten als personale Eigenschaften Jesu bezeichnet. Jesus als Person ist die Wahrheit Gottes. Er ist Offenbarer und Offenbarung Gottes, Geber und Gabe. Wahrheit und Offenbarung werden Äquivalenzbegriffe. Und da Offenbarung und der Offenbarer Jesus nicht getrennt werden können, ist Jesus die Wahrheit Gottes.

Er ist das Da-Sein Gottes auf Erden, die sichtbare Inkarnation des göttlichen Wortes. Wahrheit ist dabei etwas Leben Schaffendes, Befreiendes, weil Jesus die Welt befreit und das Leben neu geschaffen hat. Insofern gibt es eine leichte Bedeutungsverschiebung des Wahrheitsbegriffs im Vergleich zu seiner alltäglichen Bedeutung, wo er die Angemessenheit (adaequatio) eines Aussagesatzes mit der Wirklichkeit aussagt. Überträgt man diese alltägliche Definition zurück, so kann man unter der Voraussetzung, dass jegliches göttliches Wort performatives Wort ist (Jes 55,11), d. h. die Wirklichkeit erschafft, die es aussagt, um so berechtigter behaupten, dass Jesus die Wahrheit ist, insofern er das Wort Gottes ist. Er ist die Wahrheit und das Leben in Person. Er ist Urheber des Glaubens, weil der Glaube die in der Bejahung antwortende Wirklichkeit ist, die das Wort Gottes schafft. Gott ist Urheber und fortwährender Garant des Glaubens, weil er den Glauben nicht nur hervorbringt durch sein Wort, sondern ihn zugleich unablässig erhält in seinem Geist. Dieser Geist schafft ebenfalls die Bedingungen der Möglichkeit für die Annahme der göttlichen Offenbarung auf Seiten des Menschen, damit diese den Inhalt seiner Offenbarung (ihn selbst und seinen Willen) adäquat erkennen können. Im Falle der Schöpfungsoffenbarung sind diese Bedingungen der Erkenntnis jedem Menschen mitgegeben. Es ist zum einen der Körper mit seinen Sinnesorganen, zum anderen der Geist mit seinen Vollzügen als Verstand, Wille und Gedächtnis. Im Falle der Offenbarung durch einen Propheten muss er diesen darüber hinaus so begnaden, dass Verstand und Wille das von Gott Gewollte erfassen können. Das gleiche gilt für die menschliche Natur Christi. Zugleich muss jeder Mensch die Anlage für so eine Begnadung aufweisen, wenn Gott tatsächlich das Heil aller Menschen will. Aber Gott muss nicht nur die adäquate Annahme seiner Offenbarung im Offenbarungsempfänger (Prophet/Gläubigen) sicherstellen, sondern er muss zugleich Bedingungen schaffen, die es ermöglichen, das einmal von ihm adäquat Erkannte in seinem Kern unverfälscht weiterzutradieren. Andernfalls müsste Gott sich jedem Menschen erneut offenbaren.[225]

In diesem Sinn ist Gott der Garant der Wahrheit des Glaubens. Der Glaube ist wahr, weil Gott ihn bewirkt – wahr macht. Gott ist die Ursache des Glaubens und zugleich die Ursache für eine wahrheitsgemäße Weitergabe der ursprünglichen Offenbarung, der wahrheitsgemäßen Weitergabe der Relation, in die er die Jünger und die Kirche in und durch Jesus Christus gesetzt hat. In welchem Grad dann der einzelne Mensch in der Kirche in diese Relation eintritt oder nicht, ist Ausdruck seiner Freiheit und seines Glaubens.

Die hier vorgetragenen Überlegungen sind in jeder dogmatischen Einleitung zu finden. Sie sind Grundbestand katholischer Theologie. Die Wahrheit des Glaubens ist bedingt durch die Wahrheit ihres Urhebers. Die Wahrheit des Glaubens gründet sich daher letztlich auf die Autorität Gottes, der wahr ist und sich in der Offenbarung selbst schenkt und gleichzeitig sich selbst – die Wahrheit – im durch den Heiligen Geist begnadeten Verstand

[225] Gemeint ist eine gnadenhafte, nicht eine Schöpfungsoffenbarung, die zwar auch gnadenhaft ist, in der klassischen theologischen Terminologie jedoch abgetrennt wird als Natur (Schöpfungsordnung) und Gnade (Erlösungsordnung).

empfängt. Diese Wahrheit ist aber nur demjenigen erkenntlich, der sie annimmt und beginnt, Jesus als das zu erkennen, was er ist. Er muss sich auf die Gnade einlassen, um die Wahrheit und die volle Gnade, die Gemeinschaft mit Gott zu empfangen.

#### 3.1.1.2. Die Wahrheit

Das Problem bei der Bestimmung des Wahrheitsbegriffs aus dem Terminus „Wahrheit des Glaubens" liegt darin, dass innerhalb des Terminus der Wahrheitsbegriff anders (analog) gebraucht wird als in der Alltagssprache. Denn „Wahrheit" wird dort nicht nur zur Bezeichnung für existentiell relevante Dinge (die Offenbarung) verwendet, sondern auch und vor allem für Sachverhalte ohne existentielle Bedeutung, die wahr sind, weil sie existieren. Natürlich sind alle Dinge, die Gott spricht, wahr, weil er sie wahr macht, und Gott damit die Wahrheit an sich ist. Insofern ist jedes Wort Gottes wahr und heilsrelevant. Aber es gibt dennoch Dinge, die wahr sind, auch wenn sie nicht direkt Heilsrelevanz beanspruchen können. Daher kann man nicht alle Wahrheiten, an der die Kirche festhält und die nicht heilsrelevant sind, apriori als unwichtige Sachverhalte abtun. Diese Sachverhalte sind zwar durch den Wechsel vom instruktionstheoretischen zum kommunikationstheoretischen Offenbarungsparadigma sozusagen „aus der Offenbarung" herausgefallen, aber deshalb sind sie nicht automatisch zu Sachverhalten geworden, die zeitbedingt, geschichtlich und damit letztlich unwichtig sind.[226]

In der Alltagssprache verbindet man den Begriff „Wahrheit" mit einem Aussagesatz. Ein Satz ist genau dann wahr, wenn der Inhalt, den der Satz

---

[226] Man muss an dieser Stelle erwähnen, dass die Kirche in ihrer Tradition neben der abgeschlossenen öffentlichen Offenbarung die Existenz von Privatoffenbarungen für möglich erachtet, in denen die Empfänger, ihren eigenen Angaben zufolge, Befehle und Weisungen für *ihr* Leben bekommen, sowie eventuell zukünftige Dinge erfahren.

Diese eindeutig instruktionstheoretischen Privatoffenbarungen sind aber höchst umstritten aufgrund der Tatsache, dass Gottes Allmacht und Gnade in der Lage sind, das Leben eines Menschen in die von Gott gewollte Richtung zu lenken (– niemand kann den Heilsplan Gottes durchkreuzen –), so dass der Sinn von Privatoffenbarungen theologisch fraglich ist, zumal sie als ein instruktionstheoretisches Relikt in einem kommunikationstheoretischen Paradigma erscheinen. Da das Lehramt der Kirche aber an der Möglichkeit der Privatoffenbarungen festhält, müssen sie erwähnt werden.

ausdrückt, in der Wirklichkeit so existiert, wie behauptet wurde.[227] Aussagesätze sind daher entweder einerseits wahr oder falsch.[228] Allerdings gibt es Aussagesätze, deren Wahrheitsanspruch indifferent bleibt, d. h., dass diese Aussagesätze gemacht werden, ohne dass mit ihnen ein Wahrheitsanspruch zum Ausdruck gebracht werden soll. Es sind Aussagen, bei den die Wahrheit nicht relevant[229] ist. Das Problem lässt sich, wie folgt, abstrakt

---

[227] Gegen diese Definition erhebt sich der Einwand: Wenn es sich bei einem Aussagesatz um eine Negativwahrheit handelt, d. h. wenn ein Satz dadurch wahr ist, dass dessen Inhalt verneint wird, so kann der Satz nicht mit der Wirklichkeit übereinstimmen, da der Satz mit dem Nichts korrespondieren müsste. Das Nichts gibt es aber nicht. Somit entspricht dem Satz keine Wirklichkeit. Dieser Einwand ist allerdings nur ein formaler Einwand gegen die Definition, nicht gegen den Inhalt der Definition. Denn einer Negativwahrheit entspricht immer eine Positivlüge, deren Falschheit man mit der Wirklichkeit überprüfen kann. Man kann gegen die Argumentation noch formallogische Einwände ins Feld führen, diese sollen aber hier nicht behandelt werden. Vgl. hierzu: Albert Keller, Allgemeine Erkenntnistheorie [= Grundkurs Philosophie 2], Stuttgart u. a. ²1990.

[228] Zwischen Sein und Nicht-Sein gibt es kein Drittes, daher auch nicht zwischen wahr und falsch.

[229] Beispielsweise bei Romanen, Erzählungen, Märchen. Vor allem muss man auf die sogenannte performative Rede hinweisen, bei der sich, obwohl es sich um Aussagesätze handelt, die Wahrheitsfrage so nicht stellt, weil mit dem Ausspruch des Satzes die Wirklichkeit so gesetzt wird, wie der Satz sie gesetzt wissen will. Eine Überprüfung der Wahrheit des Satzes entfällt. Ein weiteres Gebiet, in dem sich die Frage nach Wahrheit nicht stellt, sind Erzählungen, die an sich zwar keinen Wahrheitsanspruch erheben, deren Aussageabsichten jedoch durchaus wahre Sachverhalte ausdrücken wollen. Bestes theologisches Beispiel hierfür ist Lk 1,26-38. Die Erzählung von der Empfängnis Jesu durch Maria ist nicht dafür konzipiert, einen Sachverhalt so zu präsentieren, wie er historisch gewesen ist. Die ganze Erzählung wäre nur dann als wahr zu bezeichnen, wenn jede ihrer Propositionen wahr ist, d. h. wenn tatsächlich um das Jahr 5 v. Chr. ein Engel namens Gabriel von Gott in eine Stadt namens Nazareth gesandt worden ist, dazu materielle Gestalt angenommen hätte, zu Maria die berichteten Worte gesprochen hat, um so Mariens Einverständnis einzuholen für ein Wunder, das die Naturgesetze außer Kraft setzt und seinesgleichen in der Menschheitsgeschichte sucht. In diesem Fall hätte der Autor des Lukasevangeliums einen historischen Bericht verfasst, ganz gleich wie er von dieser Geschichte so genau unterrichtet wurde. (In Betracht käme nur Maria, die der Urkirche genau erzählt hätte, wie es sich mit der Empfängnis Jesu zugetragen hat). Dennoch beansprucht Lukas, obwohl die Historizität seiner Erzählung gegen null geht, einen wahren Sachverhalt zum Ausdruck zu bringen. Der wahre Sachverhalt besteht in der Gottessohnschaft Jesu Christi, der auf der Erzählebene eine Jungfrauengeburt entspricht. Damit wird zum einen gesagt, dass Jesus von Nazareth nicht zufällig geboren wurde, sondern dass diese Geburt einem göttlichen Heilsplan entsprach und ihn verwirklicht hat („empfangen durch den Heiligen Geist“). Zum anderen wird gesagt, dass dieses Kind außergewöhnlich sein wird, wie seine Geburt außergewöhnlich war. Parallelen für solch besondere Geburten gibt es bei Moses, Samuel, Samson, aber auch bei Caesar, Octavianus Augustus oder auch Buddha. Die Gottessohnschaft Jesu hängt nicht von der Jungfrauengeburt ab, sondern umgekehrt. Wenn jemand die Frage nach der Wahrheit der Jungfrauengeburt stellt, verfehlt er damit die Aussageabsicht des Lukas, dem es mehr darum geht, die Messianität Jesu und seine Gottessohnschaft mit einem weiteren Ornament zu versehen, das wahr ist, weil die Gottessohnschaft Jesu wahr ist.

beschreiben: A erkennt[230] einen Sachverhalt S und fasst den Sachverhalt in einen Aussagesatz S', den er B mit dem Anspruch von Wahrheit kund tut. B, vorausgesetzt es gibt keine Kommunikationsprobleme, hört S' und ist nun über S informiert. B hat nun zwei Möglichkeiten, entsprechend seinem Vertrauen, d. h. seiner Beziehung, zu A. Vertraut B dem A, dann nimmt er den Sachverhalt S ohne weitere Prüfung als existent hin.[231] Misstraut er ihm hingegen, ist er gezwungen, den Sachverhalt S zu überprüfen. Dabei ergeben sich wiederum zwei Möglichkeiten. S ist ein Sachverhalt, der für B mittels eines zweiten Erkenntnisvorgangs überprüfbar ist. Kommt B nach diesem zweiten Erkenntnisvorgang zur selben Ergebnis wie A, so ist S, in seiner verbalen Gestalt S', wahr gewesen.[232] Der Satz hat mit der Wirklichkeit korrespondiert. Kommt B zu einem anderen Ergebnis als A, so ist S' falsch, weil S nicht existiert.[233] Ist aber S ein Sachverhalt, der von B nicht überprüft werden kann, weil er z. B. zeitlich vergangen ist, so ist für ihn die Existenz von S nicht erkennbar und die Wahrheit von S' nicht entscheidbar. Um zu einem guten Urteil über die Wahrheit oder Unwahrheit von S' zu gelangen, sind ab hier andere Kriterien ausschlaggebend als der Rekurs auf die Wirklichkeit.[234] B hat natürlich an diesem Punkt noch die Möglichkeit, A aufgrund seiner Autorität hin zu glauben und die Suche nach weiteren Kriterien zur Erhöhung der Wahrheitswahrscheinlichkeit von S' einzustellen.

An dieser Stelle wird deutlich, wieso diese ganzen philosophischen Überlegungen hier angeführt werden müssen. In einer Arbeit über Dogmenentwicklungstheorie beschäftigt man sich mit dem Zweifel darüber, dass A die

---

Das Argument, dass der ewigen Zeugung des Logos durch den Vater auf der inkarnatorischen Ebene nur eine Jungfrauengeburt entsprechen könne, stammt aus einer späteren Zeit und ist kein stringenter Beweis für die Wahrheit einer Jungfrauengeburt, da es sich um eine Angemessenheitsüberlegung vom Dogma der Trinität auf Jesu weltlichen Anfang handelt.

[230] Wie dies möglich ist, s. u.

[231] Als Ausnahmen können hier zum einen wohl falsche analytische Urteile apriori gelten, deren Falschheit evident ist, und deren Annahme durch B man als Aberglaube oder Geisteskrankheit bezeichnen müsste. Eine andere Ausnahme besteht dann, wenn B zwar dem A vertraut und ihm glaubt, dass A S' für wahr hält, aber außerdem vermutet, dass A aufgrund eines fehlerhaften Erkenntnisvorgangs nicht die Wirklichkeit an sich (S) erkannt hat, sondern eine interpretative Wirklichkeit in S' konstituiert und zum Ausdruck gebracht hat.

[232] Gemeint ist nicht, dass B den Satz durch den zweiten Erkenntnisvorgang wahr macht, sondern dass er dessen Wahrheit erkannt hat, indem er die Existenz von S erkannt hat. Vorausgesetzt ist hierbei das Postulat der Selbstevidenz sinnlicher Wahrnehmung.

[233] Vorausgesetzt ist hier, dass bei B kein fehlerhafter oder interpretativer Erkenntnisvorgang vorliegt.

[234] Z. B. Kohärenz, innere Konsistenz, Praktikabilität von S' oder eigene Erfahrungen, die in die gleiche Richtung deuten wie S'. Diese Kriterien bestimmen jedoch nicht die Wahrheit von S' an sich. Die Wahrheit von S' wird nur von der Existenz von S (der Wirklichkeit) normiert. Die Kriterien dienen nur dazu, falls B dem A misstraut, für B die Annahme von S' zu erleichtern, indem ihm die Rationalität von S' demonstriert wird, die allerdings nicht zwingend für die Zustimmung zu S' ist.

Wahrheit sagt. A ist die Kirche und ihre Aussagen über Gott, die göttliche Offenbarung, sofern sie inhaltlicher Art ist. Problem der Dogmenentwicklungstheorie ist, dass die Sätze, Dogmen der Kirche bzw. das Lehrsystem der Kirche, das sich in Sätzen niederschlägt, zunächst einmal zur Art der nicht überprüfbaren Sätze/Sachverhalte gehören. Die Lösung liegt im Fall der Dogmenentwicklungstheorie aber nicht nur darin, die Autorität der Autoritäten (Schrift, Tradition, Lehramt) zu begründen, aufgrund deren man die Aussagen glauben soll. Vor allem versucht Dogmenentwicklungstheorie sich des Problems der Tradition anzunehmen, um von hier aus zu argumentieren. Bevor man jedoch sich dem Problem des Tradierens stellt, muss man sich fragen, wie es zu den Inhalten kam, die tradiert werden. Anders gesagt: Man muss sich erst mit der Offenbarung und dem Glauben der Apostel beschäftigen, bevor man diesen Glauben dem Traditionsprozess übergibt. Dazu gehört aber auch die Frage, ob die Apostel, die ersten Empfänger der Offenbarung Jesu, diese korrekt erkannt haben bzw. erkennen konnten usw.. Daher müssen diese erkenntnistheoretischen Fragen zunächst erörtert werden, bevor man über Schrift, Tradition und Lehramt schreiben kann. Man kann sich den Sachverhalt auch an einer Grafik mit einem vereinfachten Schema – gemessen an der Komplexität der Wirklichkeit – veranschaulichen:

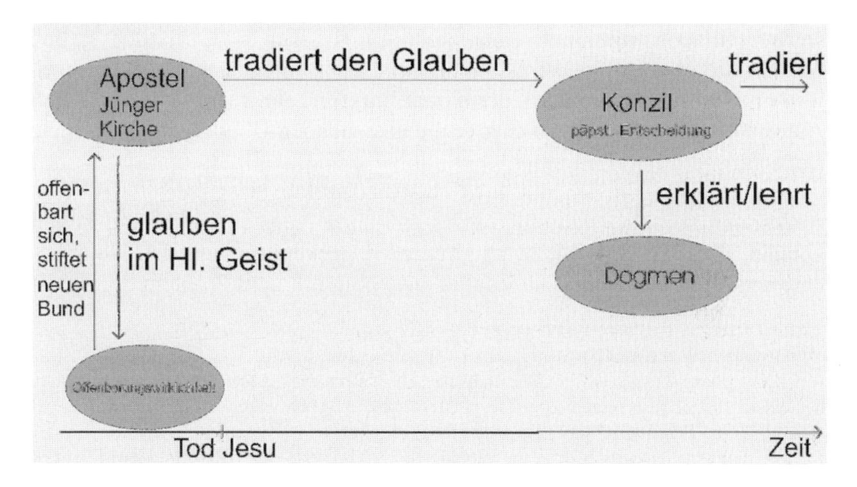


Dieses vereinfachte Schema macht deutlich, wo das Problem einer Dogmenentwicklungstheorie liegt und liegen muss: Während die Apostel mit der Offenbarungswirklichkeit direkt Kontakt hatten und von ihr „geformt“ wurden, so besteht zwischen ihnen und der Kirche zu einer späteren Zeit ein zeitlicher Abstand, der bewirkt, dass kein direkter Kontakt mit der Offenbarungswirklichkeit besteht. Die Offenbarung Gottes hat in Jesus Christus ihren Höhepunkt erreicht und ist damit seit ca. 2000 Jahren abgeschlossen.[235] Der Rekurs auf die Wirklichkeit zur Verifizierung von Lehraussagen entfällt mit der Himmelfahrt Jesu bzw. dem Tod des letzen Apostels (s. u.).[236] Nun kann man gegen das Schema seine starke Simplifizierung des Sachverhalts ins Feld führen, da es nicht den Heiligen Geist und auch nicht die Schrift berücksichtigt. Dieser Einwand stellt sich aber deshalb nicht als berechtigt dar, weil man sich mit dem Argument der Hilfe des Heiligen Geistes apriori den Entwurf einer Dogmenentwicklungstheorie sparen kann. Der Heilige Geist vermag problemlos den Graben der Geschichte, der die Kirche von ihrem Gründer trennt, zu überbrücken. Es geht aber gerade darum, dem Geist Gottes bei seinem Wirken „über die Schulter" zu sehen, und sein Wirken aus der Geschichte heraus – so gut es geht – zu erkennen. Es geht – empirisch gesehen – darum, Hilfskonstruktionen theologisch zu erforschen, die den Rekurs auf die vergangene[237] Offenbarungswirklichkeit ersetzen und überflüssig machen, ohne dabei über die Maßen auf den Heiligen Geist zu rekurrieren, dessen Wirken nur der Glaube erkennt.[238] Dass man aber letztlich nie ohne den Heiligen Geist und damit ohne Autorität auskommen wird, soll aber auch an dieser Stelle bereits festgehalten werden. Man benötigt den Heiligen Geist nicht zuletzt zur Begründung der Schriftinspiration. Denn ohne die Begründung für die Autorität der Schrift kann eine Dogmenentwicklungstheorie nie dem Problem der Freiheit eines Traditionsprozesses entkommen. An diesem Punkt wird zugleich klar, dass solche Hilfskonstruktionen einen strengen Kritiker nie zufrieden stellen werden, da er diese Konstruktionen nicht als zwingend anerkennen wird, weil er nicht bereit sein wird, der Kirche aufgrund ihrer von Gott gestifteten Autorität hin zu glauben, so dass er die anstehenden Überlegungen als reine Luftschlösser verwerfen muss.

Aus dem obigen Schema wird ebenso deutlich, dass solche Hilfskonstruktionen nur über den einen Pfeil zwischen Apostel und Konzil laufen können, der mit dem Stichwort „Tradition" gekennzeichnet ist. Dogmenentwicklungstheorie muss sich daher ausgiebig mit dem Problem der Tradi-

---

[235] Vgl. DV Nr. 4 (DH 4204).

[236] Dass dieser Rekurs auf die Wirklichkeit, selbst wenn man durch die Zeit sehen könnte, nur einem Jünger Jesu (einem begnadeten Menschen) möglich wäre, da Begnadung Voraussetzung für die Erkenntnis Gottes ist, wird hier angenommen.

[237] Gemeint ist empirisch gesehen vergangen. Die Präsenz der Offenbarungswirklichkeit durch den Heiligen Geist in der Verkündigung und den Sakramenten der Kirche ist wahr, aber eine Aussage, die erst noch fundiert werden muss.

[238] Man kann an dieser Stelle den Eindruck gewinnen, es würde für diese Arbeit auf ein veraltetes Zwei-Stockwerk-Denken rekurriert, welches mit der modernen Rahner'schen Gnadenlehre überholt sei. So richtig diese Feststellung sein mag, so problematisch hat sich die Rahner'sche Gnadenlehre im Bereich der Dogmenentwicklung herausgestellt (siehe 1. Teil dieser Arbeit). Es geht daher nicht darum, „alte" Gnadenlehren zu revitalisieren, sondern darum, aus der künstlichen Trennung von Natur und Gnade eine bessere Vermittlung der Dogmenentwicklung auf Geschichte hin zu erzielen. Denn die Existenz von Natur ist konsensfähig, die von Gnade jedoch nicht.

tion, der Geschichte und der menschlichen Freiheit in der Geschichte auseinander setzen. Ziel dieser Analyse müsste es sein, das zu zeigen, was eine gnadentheologische Betrachtung des Themas apriori feststellt: Der Heilige Geist garantiert das „In-der-Wahrheit-Sein“ der katholischen und apostolischen Kirche. Der Traditionsprozess müsste derart sein, dass sich eine Konstanz einstellt, die es ermöglicht, Konzilszeit und Apostelzeit übereinander zu legen, um so zu der These zu kommen, dass das, was die Konzilsbischöfe beschließen, genauso gut ist, als hätten die Apostel selbst es beschlossen, da sich ihr Glaube und der der Bischöfe nicht wesentlich unterscheidet, auch wenn er reflektierter sein mag. Für diese Konstanz wird sich der Rekurs auf den Heiligen Geist ein weiteres Mal unumgänglich erweisen. Ohne eine konstante Christusrelation der Kirche, die der Heilige Geist unverändert durch alle Zeiten hindurch bewahrt, lässt sich eine Dogmenentwicklungstheorie nicht entwerfen. Ohne die bleibende Gegenwart des Heils in der Kirche, mag sie für einen Kritiker auch nur ein frommes Postulat sein, lässt sich keine Theorie über Lehrentwicklung aufstellen, da alles in Relativismus enden würde. Keine Dogmenentwicklungstheorie kann sich der Erkenntnis entziehen, dass es einen konstanten Kern, eine Substanz, christlichen Glaubens geben muss, der durch die Zeit trotz menschlicher Freiheit bewahrt wird. Wie man dann diesen Kern, diese Substanz, bestimmt, ist ein weiteres Problem. Dazu soll zunächst einmal der Pfeil zwischen Apostel und Offenbarungswirklichkeit analysiert werden, um dem nachzugehen, was eigentlich der „Glaube der Apostel“ war und ist. Zunächst soll und muss diese Beziehung erkenntnistheoretisch/philosophisch, in einem zweiten Schritt dann gnadentheologisch beleuchtet werden. Denn ohne die Möglichkeit einer wahren Erkenntnis des Menschen überhaupt, braucht man sich auch nicht die Mühe zu machen, geschichtliche Entwicklungen als „wahr“ zu rechtfertigen. Hinzu kommt erschwerend, dass das Erkenntnisobjekt kein dem Menschen vertrautes endliches Objekt ist, woraus sich weitere Probleme ergeben. Aber die Möglichkeit wahrer Erkenntnis muss nicht nur für die Erkenntnisse der Apostel gezeigt werden, sondern auch die Möglichkeit wahrer zwischenmenschlicher Erkenntnis. Andernfalls wäre eine Überlieferung wahrer Erkenntnis durch die Zeit vollkommen ausgeschlossen und man hätte den riesigen Fall eines „Flüsterpost“ – Spiels vor sich. Aus dem obigen Bild ergibt sich auch die weitere Gliederung des 2. Teils dieser Arbeit. Folgende Komplexe müssen behandelt werden: 1. Die Offenbarung und ihre Erkennbarkeit 2. Der Glaube als das Ziel der Offenbarung 3. Der Glaube im Leben der Kirche durch die Geschichte. Der letzte Punkt umfasst dementsprechend die Lehre der Kirche, ihre Schrift, ihre Dogmen, das Rechtfertigen ihrer Dogmen, das Lehramt und den Prozess des Tradierens durch die Zeit. Papst und Konzilien stellen letztlich Teile dieses Prozesses der Weitergabe und Verkündigung des Glaubens dar, so dass ihnen kein extra Kapitel eingeräumt werden muss.

### 3.1.2. Erkenntnistheoretische Überlegungen

#### 3.1.2.1. Voraussetzungen der Erkenntnis

A erkennt S. Dieser Satz birgt bereits eine Vielzahl philosophischer Probleme. Jedes dieser drei Wörter wäre eine eigene philosophische Abhandlung wert. „A" entspräche ein Werk über Anthropologie, „erkennt" eines über Erkenntnistheorie in Kombination mit A, „S" schließlich würde man wohl in einem Werk über „Phänomenologie" oder „Ontologie" – je nach erkenntnistheoretischer Auffassung – abhandeln. Dennoch müssen alle drei Themenkreise angeschnitten werden, um eine Basis zu schaffen, auf der sich Theologie betreiben lässt. Man kann als kritischer Leser den Eindruck gewinnen, dass ab hier ein wissenschaftlicher Zirkel vorliegt, da das Ergebnis der Untersuchung bereits festzustehen scheint und somit die folgenden Ausführungen intentional sind. Damit wird aber genau jenes Postulat verlassen, die Wirklichkeit an sich erkennen zu wollen, da ja nicht unintentional erkannt wird, sondern die Beobachtungen zu einer bestimmten Anschauung verdichtet werden. Auf diesen Einwand muss man jedoch antworten, dass jede wissenschaftliche Untersuchung intentional ist. Am Anfang jeder Arbeit steht eine Idee, ein mögliches Ergebnis. Dies gilt auch für philosophische Überlegungen. Ob sich dieses Ergebnis nach Durchführung der wissenschaftlichen Untersuchung noch halten lässt, ist eine andere Frage.[239] Ziel dieser Untersuchung ist es, sicherzustellen, dass ein Mensch nach dem Vorgang der Selbstoffenbarung Gottes diese neue Relation, in die er durch die Offenbarung eingetreten ist, so in Worten beschreiben kann, dass es möglich ist, diese Worte als „objektiv wahr" zu bezeichnen. Und da diese Relation, in die Gott jeden Menschen ruft, die gleiche ist, nämlich die Teilhabe an der Sohnesrelation Christi zum Vater, müssen diese Worte unter den Gläubigen, die an dieser Relation partizipieren,[240] grundsätzlich kommunikabel und konsensfähig sein.

Wie kann ein Mensch einen Sachverhalt, ein Objekt erkennen? Zunächst einmal ist festzustellen, dass der Mensch als Erkenntnissubjekt aus zwei

---

[239] Letztlich handelt sich bei jeder Wissenschaft um ein zirkuläres System. Zirkulär ist es, insofern jede Wissenschaft Prämissen (Axiome) voraussetzt, und daraus ihre Schlüsse zieht. Eventuell wird einmal eine Prämisse aufgegeben, weil sie nicht mehr gebraucht wird oder sich als unnütz erwiesen hat für den Fortgang der Wissenschaft. Aber in der Regel stützen sich Ergebnisse und Voraussetzungen gegenseitig. Eine bewiesene These ist nur so gut, wie ihre Voraussetzung.

[240] Wie man diese erkennt, ist ein anderes Problem.

verschiedenen Konstitutionsprinzipien besteht, die man als Geist und Materie/Stoff bezeichnet.[241]

Diese beiden Konstitutionsprinzipien der menschlichen Lebenswelt bestimmen das philosophische Denken seit jeher. Platon löste als erster großer Philosoph diesen Dualismus zugunsten des Geistes auf. Es gibt das Geistige, die Idee als Urbild, und ihre konkrete Verwirklichung in der Materie, das Abbild. Zwischen beiden besteht ein Gefälle. Aber letztlich umspannt der Geist, das Ideelle die Gesamtwirklichkeit, das Universum. Aristoteles schließt sich dieser Auffassung an, dass alles, was ist, ein geistiges Prinzip (μορφή) besitzt, das es zu dem macht, was es ist.[242] Erst mit der Neuzeit zerbricht diese Auffassung mit Einzug des Nominalismus, der die Wirklichkeit einer „vergeistigten" Welt ablehnt und den Menschen zur einzigen Epiphanie des Geistes im Universum macht und ihn damit der materiellen Welt „entfremdet". Subjekt und Objekt treten nahezu unüberbrückbar auseinander. Von dieser Trennung hat die Philosophie immer wieder mit wechselndem Erfolg versucht, sich zu erholen (Universalienproblem). Das Objekt scheint in unendlich weiter Ferne, zu der nur die Sinne als Medien der Erkenntnis vorstoßen, das aber dem Erkenntnis Suchenden kein Wesen anbietet, sondern nur eine Kombination aus Materie bzw. ein empirisches Phänomen. Ja, das Erkenntnissubjekt scheint dem Erkenntnisobjekt erst das Wesen – oder besser die Bedeutung – zuzuordnen. Alles, was ist, ist in der Neuzeit zwar immer noch metaphysisch zusammengesetzt aus Existenz und Essenz, aber die Essenz inhäriert nicht mehr dem Objekt, sondern wird dem existenten Stoff durch den Geist des Erkenntnissubjekts zugeteilt. Vorgegeben ist der Stoff, die Materie, nicht

[241] Es gibt nur zwei philosophische Anschauungen, die das leugnen. Zum einen den Materialismus, der die Tätigkeiten und Existenz des Geistes auf stoffliche Anordnungen und chemische Prozesse zurückführt. Der Materialismus ist aber unfähig zu erklären, wieso der Mensch die Materie als Materie erkennen kann, wenn er nicht anderer Art als die Materie ist. Etwas als etwas erkennen zu können, setzt immer eine Erhabenheit über das erkannte Etwas voraus (vergleiche auch Karl Rahner, Grundkurs des Glaubens, Freiburg u. a. 8.Sonderausgabe 1997, S. 42f.). Die andere Auffassung ist ein idealistischer Monismus, bei der die Natur nur eine Erscheinungsform des Geistes (evtl. eines alles umfassenden Geistes) ist. Problem hierbei sind pantheistische Konsequenzen und die Angewiesenheit des Menschen auf materielle Güter, wie die Gesundheit des Körpers als Möglichkeitsbedingung geistigen Selbstvollzugs, mit anderen Worten: die Entzogenheit gewisser materieller Vorgänge durch den Geist.

[242] Diese Auffassung entstammt wahrscheinlich der Eigenbeobachtung. Der Mensch ist mehr als die Summe seiner Teile. Dieses mehr ist ein geistiges Prinzip, das ihn als lebendiges Wesen von den unbelebten Objekten unterscheidet und das man als „Seele" tituliert. Die Seele unterscheidet den Menschen von seinem eigenen Leichnam. Aufgrund dieser Tatsache liegt der Schluss nahe, dass allen Objekten, ob lebendig oder nicht, ebenfalls ein geistiges Prinzip inhäriert, das sie zu dem macht, was sie sind, wie die Seele den Menschen zu dem macht, was er ist.

seine/ihre Bedeutung.[243] Die materielle Welt und die geistige Welt sind sozusagen zwei Sphären, die im Menschen konvergieren, da er Teil beider Welten ist.

Es scheint allerdings ein Faktum zu geben, das diese Situation verbessern könnte: Es gibt nicht nur ein Erkenntnissubjekt im Universum, sondern mehrere Menschen, aus deren Existenz sich eine interpersonale Erkenntnisebene ergibt, die oben schon bei der Satzanalyse behandelt wurde. Mit anderen Worten: Es gibt nicht nur Geist-Materie-Erkenntnis (Ich-Es), sondern auch Geist-Geist-Erkenntnis (Ich-Du), auch wenn Martin Buber dies so ablehnen würde, da hier bereits das Du wieder ins Es abgesunken ist, um eine „Erkenntnis" von ihm zu gewinnen. An dieser Stelle kann man den Eindruck gewinnen, die Theologie werde von der Subjekt-Objekt-Spaltung der Neuzeit nicht tangiert, da es sich bei der Offenbarung und ihrer menschlichen Tradierung vor allem um eine Geist-Geist-Erkenntnis (Ich-Du) handelt, indem das menschliche Ich das göttliche Du als liebendes Du, als Heil und Rettung begegnet. Dieser Eindruck täuscht aber. Denn eine Geist-Geist-Erkenntnis vollzieht sich – nach katholischen Verständnis – (auch) im Rahmen materieller, d. h. raum-zeitlicher und damit geschichtlicher Gegebenheiten als Medien der Kommunikation, so dass dem Erkenntnissubjekt wiederum materielle Gegebenheiten als Objekte entgegentreten, denen er eine Bedeutung geben muss.[244] Dies destruiert letztlich die Möglichkeit, den Subjekt-Objekt-Graben im Falle der Theologie mit Hilfe Gottes und des Glaubens als einer Subjekt-Subjekt-Beziehung zu überspringen, um die Objektivität des Glaubens und der Glaubensinhalte zu postulieren, weil ja Gott die Wirklichkeit an sich kennt und diese dem Subjekt direkt geoffenbart hätte, da man sofort zurückfragen müsste, ob das Subjekt die Offenbarung Gottes richtig erkannt hat bzw. apriori überhaupt richtig erkennen kann. Da es aber keine direkte Gottesbeziehungen für einen Menschen gibt, offenbart sich Gott als Jesus von Nazareth in der Geschichte. Und diesem geschichtlichem Faktum mussten seine Jünger eine Bedeutung geben. Diese Bedeutung entspringt aber, das lehrt die Erfahrung, nicht einer willkürlichen Setzung des einzelnen Erkenntnissubjekts oder eines Kollektivs. Denn

[243] Welche ethische Bedeutung dies hat, sieht man z. B. an der Frage, ob ein Zellhaufen mit menschlichem Erbgut (Materie) ein Mensch ist oder nicht.

[244] Offenbarung vollzieht sich in der Geschichte als Medium. Jede interpersonale Kommunikation bedarf bestimmter materieller Medien (Schall, Licht, Berührung). Dies gilt nicht nur für die mitmenschliche Kommunikation, sondern auch für die Kommunikation Gott- Mensch. Einen unmittelbaren Kontakt Gottes mit dem Menschen, gibt es nach Zeugnis der Schrift nicht, da der Mensch sterben müsste, falls ihm Gott, so wie er ist, begegnen würde (Ex 33,23). (Die Visionen der Propheten (Jes, Ez) sind ihrer Vorstellungswelt nach analog zu den Vorstellungen Gottes als eines irdischen Königs gebildet worden und keine direkten „Gottessichtungen").

das Maß der Bedeutung ist die „Wirklichkeit"[245]. Zu erklären ist dies damit, dass die Erkenntniskategorien des menschlichen Geistes die Seinskategorien der Wirklichkeit sind.[246] – Daraus ergibt sich auch die grundsätzliche Fähigkeit zur Kommunikation aller Menschen. –

Der menschliche Geist muss hierbei als eine disponierte Materie[247] gedacht werden, die von der Wirklichkeit ihre Form empfängt und eingeprägt bekommt. Dies geschieht durch unvermeidliche Interaktion mit der Welt mittels des Körpers und der Sinnesorgane[248]. Der Geist bekommt mittels dieser Interaktion seine Erkenntniskategorien. Die Kategorien der Wirklichkeit werden zu Kategorien seines Denkens und jeder menschlichen Erkenntnis, vor allem Raum und Zeit als grundsätzliche Kategorien, außerhalb

---

[245] Auch für diese These soll wiederum die Evidenz der Erfahrung herangezogen werden. Ein Philosoph würde an dieser Stelle wahrscheinlich fragen: „Welche Wirklichkeit? Deine? Meine oder welche? Was ist schon wirklich und wie beurteilt man das?" Das Problem besteht aber nicht in der Existenz einer Wirklichkeit an sich, die im obigen Stichwort gemeint ist, sondern in der Erkennbarkeit derselben. Um die Normativität einer suprapersonalen Wirklichkeit annehmen zu können, bedarf es der Annahme von transpersonalen Erkenntniskategorien, die jeder Mensch besitzt, und die, trotz der interpretierenden Funktion des Verstandes, die nicht bestritten werden kann, den Grund der Kommunikation bilden.

[246] Die Begründung dieser These wäre im Rahmen dieser Arbeit äußerst langwierig und schwierig. An dieser Stelle soll der Hinweis auf die Identität der principia per se nota in der Wirklichkeit und im Denken gemacht werden. Schlagkräftig kann dieser Hinweis allerdings nur unter der Prämisse sein, dass der menschliche Verstand nicht vollkommen das Erkenntnisobjekt und damit letztlich das, was man die Wirklichkeit nennt, konstituiert. Wer aber solch eine These aufstellt, kann sie letztlich nicht begründen. Keiner der philosophischen Großentwürfe zur Erklärung der Wirklichkeit hat letzte Plausibilität. Aus demselben Grund gibt es noch Philosophie, und nicht nur mehr Philosophiegeschichte. Daher bleibt die These, dass dem Denken Wirklichkeit entspricht zwar relativ alt, aber gerade dieses Alter macht diese These zu einer der bewährtesten Thesen überhaupt, zumal der menschliche Alltag, nicht zuletzt die Sprache, von dieser Grundüberzeugung geprägt ist.

Das menschliche Denken orientiert sich an der Wirklichkeit. Das Kontradiktionsprinzip ist zum Beispiel nicht nur ein Prinzip, das der Mensch an die Wirklichkeit heranträgt, das in der Welt des Stoffes aber keine Entsprechung finden würde. Gerade umgekehrt verhält es sich. Weil die Wirklichkeit der stofflichen Welt diesem Prinzip gemäß aufgebaut ist und weil der Mensch in dieser stofflichen Welt mit ihrem Gesetzen leben muss, deswegen ist dieses Prinzip auch die Grundlage menschlichen Denkens. Ein anderes Beispiel: Weil den Bewegungsabläufen in der stofflichen Welt ein Gesetz zu inhärieren scheint, deshalb ist der Mensch in der Lage, dieses Gesetz in Worte oder Formeln zu fassen. Natürlich kann es eventuell immer eine bessere und genauere Formel geben, die noch mehr Relationen in der Wirklichkeit berücksichtigt und damit alles noch vorhersagbarer macht, aber das ändert nichts an der Grundthese, dass die stoffliche Welt konstitutive Strukturen aufweist, die der Mensch zu seinen eigenen Denkstrukturen macht, die er dann in einer Reflexion auf sein Denken und Erkennen als internalisierte Wirklichkeitsstrukturen erkennt, und nicht nur in die Wirklichkeit hineinprojiziert. Dies besagt aber noch nicht, dass den einzelnen wahrnehmbaren Phänomenen ein Wesen inhäriert, dass das Erkenntnissubjekt nur durch Sinnswahrnehmung zu erkennen braucht.

[247] Im aristotelischen Sinn.

[248] Vorausgesetzt ist, dass die Sinnesorgane nur Medien sind und nicht den Inhalt verfälschen.

derer der Mensch nur mit Hilfe der Negation denken kann, so dass er z. B. das mit „Ewigkeit“ Gemeinte nicht denken kann.[249]

Bei beiden Kategorien handelt es sich letztlich um die Daseinsweise von Materie und Geist. Materie besitzt immer eine räumliche Ausdehnung und existiert in der Zeit. Der Geist ist zwar prinzipiell über Raum und Zeit erhaben – da er diese beiden Kategorien als solche erkennen kann –, muss jedoch als menschlicher Geist – als Geist, der sich auf die materielle Welt bezieht und sich in ihr vollzieht – diese beiden Kategorien zu seinen eigenen machen. Ebenso übernimmt der Mensch die Eigenschaften und Gesetze der materiellen Welt als Ausgangspunkt für sein Denken. Dass z. B. Wasser bergab und nicht bergauf fließt, dass Eisen hart ist, oder dass Hitze und Kälte einander gleichzeitig und am gleichen Ort ausschließen usw., stellen Grunderkenntnisse materieller Wirklichkeit dar. In ähnlicher Weise erlernt der menschliche Geist die Regeln lebendigen Seins[250], vor allem aber die Regeln gemeinschaftlichen geistigen Daseins, die sich in den Regeln zwischenmenschlicher Konversation – des Austauschs geistiger Inhalte mittels materieller Gegebenheiten – hauptsächlich verwirklichen. Anders gesagt: Er erlernt Sprache als Produkt zur geistigen Strukturierung der materiellen Wirklichkeit und des eigenen Denkens.[251]

Raum und Zeit, Materie und Geist bilden gleichsam das Koordinatensystem, den Bezugsrahmen menschlichen Lebens. Jede dieser vier extramentalen „Wirklichkeiten“ steht in Beziehung zu den anderen drei. Raum, Zeit und Materie stellen keine voneinander unabhängigen Größen dar, wenn man den Hypothesen der gegenwärtigen Physik glauben darf. Dass der menschliche Geist sich auf Raum und Zeit als den Rahmenbedingungen seines Selbstvollzuges bezieht, ist aus der Reflexion auf diesen Selbstvollzug evident. Dass Materie und Geist aufeinander bezogen sind, beweist der Mensch als Mensch am besten, da er beide Wirklichkeiten in sich zu einer Einheit integriert. Ohne das Funktionieren der Körperchemie, vor allem des Gehirns, kann kein Mensch überleben oder sich als Geistwesen selbst vollzie-

---

[249] Man sollte sich an dieser Stelle unter sinnlichen Wahrnehmungen auch das Einwirken von gegliederten Sätzen vorstellen, die ihrerseits Abbild von erkannter Wirklichkeit darstellen und ebenfalls zur Ausbildung von Erkenntniskategorien beitragen.

[250] Hierunter kann man die Unwiederbringlichkeit des Lebens verstehen, die sich in der Unumkehrbarkeit des Todes ausdrückt. Man kann z. B. aber auch auf die Unberechenbarkeit tierischen und auch pflanzlichen Lebens verweisen, das sich der Kontrolle des menschlichen Geistes entzieht.

[251] Jedem neugeborenen Menschen wird eine bestimmte Sprache zur interpersonalen Kommunikation aufgezwungen. Er übernimmt mit der Sprache zugleich bestimmte Denkformen und Eigenheiten der Sprache, die ihn vermutlich in seinem weiteren Denken beeinflussen. Es spielt z. B. eine Rolle, ob jemand in einer anthropomorphen Sprache aufwächst oder in einer Sprache, die auch geschlechtsneutrale Wörter kennt. Gleichzeitig macht dieser Punkt deutlich, dass die Relation des Menschen zu anderen Menschen kein Akzidens für den Einzelnen darstellt, nicht nur weil er des Anderen zum Überleben bedarf, sondern auch weil er des fremden Geistes zur Formung des eigenen bedarf.

hen. Und ohne den Geist kann sich die Materie der Prädestination von Ursache und Wirkung nicht entziehen.

#### 3.1.2.2. Die Konstitution der Erkenntnis durch Subjekt und Objekt

Ist diese Kategorienbildung abgeschlossen,[252] ist der Mensch in der Lage seine Sinneswahrnehmungen zu ordnen und sich in der ihm begegnenden Welt zu orientieren. Er besitzt damit die Möglichkeitsbedingungen weitergehender Erkenntnis. Der Mensch ist mit seinem Erkennen immer auf die körperlich-materielle Wirklichkeit bezogen. Denn zur Erkenntnis der materiellen Welt bedarf er der materiellen Wirklichkeit seiner Sinnesorgane, der materiellen Funktion seiner Gehirnchemie, mit anderen Worten seines Körpers.[253] Gerade weil diese Verbundenheit des menschlichen Geistes mit seinem Körper so groß ist, weil er eine Einheit aus Körper und Geist ist, ist er gezwungen, die Regeln und Formen der ihm phänomenal begegnenden Wirklichkeit zu seinen eigenen zu machen. Daher ist die Wirklichkeit bei der Vergabe der Bedeutung durch das Erkenntnissubjekt maßgebend.[254] Dies bedeutet nicht, dass die Wirklichkeit Bedeutungen (Substanzen) anbieten würde. Die Wirklichkeit bietet nur die Sinneswahrnehmung materieller Objekte, nur die Existenz, nicht die Bedeutung dieser oder jener Existenz an. Die Erfahrungen, die im Umgang mit der Wirklichkeit gewonnen werden, normieren die Eigentätigkeit des Verstandes in der Zuordnung von Bedeutungen einzelner einströmender Sinnesphänomene. Genauso normieren auch andere Menschen mit ihren Erfahrungen die interpretative Kraft des Verstandes. Das heißt: Auch wenn der Materie kein Wesen inhäriert, das man nicht in sie hineinprojiziert, so ergibt sich das Wesen dennoch nicht willkürlich, sondern kann nur innerhalb der tatsächlichen Eigenschaften des real existierenden (geistigen oder materiellen) Stoffes in der Wirklichkeit selbst erhoben werden, die vom Geist mittels Interaktion (mittels

---

[252] Eine genaue Zeitangabe kann nur von einem Entwicklungspädagogen gemacht werden. Zu Denken ist wohl an ein bestimmtes Kleinkindalter.

[253] Theologisch kann man noch eine weitere Schlussfolgerung anschließen. Mit dem Bezug des Menschen auf die Wirklichkeit ist zugleich der Bezug des Menschen auf den Grund dieser Wirklichkeit mitgegeben. Weltbezug ist zugleich Gottbezug. Zugleich ist aber auch ersichtlich, dass, wenn die Wirklichkeit dem Menschen seine Denkkategorien liefert, sich hier zugleich ein natürlicher Gottesbezug jedes Menschen postulieren lässt. Denn die Wirklichkeit ist immer begnadete Wirklichkeit. Und wenn Gott das Heil aller Menschen will, dann wird er als Möglichkeitsbedingung und transzendentale Ursache der Wirklichkeit diese so geschaffen haben, dass sie jedem Menschen sozusagen „Religiosität“/Gottesbezogenheit einprägt.

[254] Niemand käme z. B. auf die Idee, einem Affen die Bedeutung eines Elefanten zu geben, weil beide Phänomene unterschiedlich sind, da sie in re unterschiedlich sind.

eines Lernprozesses) mit dem Objekt geformt werden.[255] So erweist sich der menschliche Geist zum einen frei, den Dingen ihre Bedeutung zu geben, zum anderen aber normiert durch Erfahrung, gewonnen aus der notwendigen Interaktion mit der Wirklichkeit.[256] Das letztere Moment ist der Grund, wieso man überhaupt noch die Wahrheitsfrage stellen kann. Das genaue Zueinander dieser beiden Komponenten bei einem konkreten Erkenntnisvorgang zu beschreiben, ist hier nicht möglich. Man müsste z. B. alle Störungen bedenken, die auftreten können (geistige oder körperliche Behinderung, Geisteskrankheit, halluzinogene Einflüsse, mangelnde Erfahrung = mangelnde Bildung, reiche Phantasie und vor allem mangelnder Einsichtswille).

Wichtig ist, aufzuzeigen, dass selbst wenn der Mensch mit seinen ihm gegebenen Kategorien das Erkenntnisobjekt bestimmen sollte (Idealismus) – was er tatsächlich tut – , er dennoch nicht frei bei dieser Konstitution des Erkenntnisobjekts ist, da die Wirklichkeit die Konstitution der Erkenntnis des Objekts mitbestimmt, nicht zuletzt weil die Kategorien der Erkenntnis internalisierte Kategorien der Wirklichkeit sind.[257] Falls es nicht so wäre, wäre die Möglichkeit dogmatischer Theologie destruiert. Dann stünde einer Offenbarung Gottes eine völlig willkürliche Interpretation durch den Offenbarungsempfänger entgegen. Um das Heil aller Menschen zu wirken, müsste Gott sich jedem einzeln offenbaren, da eine Interpretation eines anderen

---

[255] Vorausgesetzt ist hierbei, dass die Wirklichkeit Strukturen aufweist, die der Geist internalisiert. Lässt sich diese These beweisen? Im strengen Sinn nicht. Sie versucht nur, zwei unterschiedlichen Beobachtungen gerecht zu werden. Zum einen der Tatsache, dass alle Menschen an der Existenz von Wahrheit festhalten, weil sie ohne sie ihr Zusammenleben nicht bestreiten könnten. Ohne Erkenntnis der Wirklichkeit könnten z. B. Richter keine Urteile mehr fällen, wäre eine Aussage so gut wie eine andere; Kommunikation wäre absurd, da ihre Inhalte belanglos wären. Die andere Beobachtung ist die Tatsache, dass der menschliche Geist aber gleichzeitig die Fähigkeit hat, diese Wirklichkeit zu interpretieren, die ihm begegnet. Schon Adam im Garten Eden bekommt den Auftrag den Tieren einen Namen zu geben (Gen 2,19). Der Mensch hat die Fähigkeit, den Dingen eine Bedeutung zu geben. Allerdings kann diese Bedeutung nicht wahllos sein. Auch dies lässt sich durch Erfahrungen aus dem Alltag belegen. Das Faktum der Ermordung von sechs Millionen Juden während des dritten Reiches lässt sich nicht als eine Wohltat der Deutschen an der Welt interpretieren. Wer es dennoch täte, wäre ein menschenverachtender, antisemitischer Zyniker. Selbst wenn also den Fakten und Phänomenen nicht wie in der antiken Philosophie ein Wesen inhäriert, sondern vom Geist zugemessen wird, so geschieht diese Zuweisung nicht vollkommen frei und driftet somit nicht ins Willkürliche ab. Dass letztendlich die Internalisierung von Strukturen der Wirklichkeit einen Schöpfergott voraussetzt, der diese Strukturen geistgemäß geschaffen haben muss, ist ein unabwendbares Faktum dieser Hypothese.

[256] Die interpretierende Komponente bei der Erkenntnisgewinnung ist zugleich Möglichkeitsbedingung des Glaubens und Unglaubens.

[257] So sind selbst Erkenntnisse, die durch Neukombination bereits gemachter Erfahrungen, bereits vorhandenen Wissens, gewonnen werden, durch die Wirklichkeit normiert, insofern keine Idee entstehen wird, die keinen Bezug zu Wirklichkeit hat, weil sie z. B. denkunmöglich ist.

Menschen keine Relevanz, sprich keinen „objektiven“ Wahrheitsgehalt, besitzt.

Auf ein konkretes Beispiel hin angewandt, bedeutet diese Erkenntnistheorie, dass die Menschen, die mit Jesus zu tun hatten, seine Worte gehört, seine Taten gesehen haben, zwar frei waren, diesen ihre Bedeutung zu geben (Mt 16,16: „Du bist der Messias, der Sohn des lebendigen Gottes“ oder Mt 12,24: „Nur mit Hilfe von Beelzebul, dem Anführer der Dämonen, kann er die Dämonen austreiben.“), jedoch musste sich die Interpretation Jesu im Rahmen der objektiv vorgegebenen Fakten (Taten und Worte) bewegen. Aus diesen Fakten ergab sich unter Berücksichtigung der kulturellen und zeitlichen Gegebenheiten Palästinas entweder die Schlussfolgerung eines „dämonischen“ oder „göttlichen“ Wirkens Jesu. Man muss an diesem Punkt feststellen, dass man trotz normierender Wirklichkeit – in diesem Falle Jesus – noch nicht die Subjektivität hinter sich gelassen hat. Denn welche der zwei hier geschilderten Positionen wahr ist, bleibt eine subjektive Sicht und Frage. Der Einzelne hat also nicht die Möglichkeit zu sagen, mit „Du bist der Messias“ hätte er die Wahrheit an sich richtig erkannt, obwohl die Fakten diesen Schluss zulassen. Er hat sich für eine mögliche Interpretation des von ihm Gesehenen und Gehörten entschieden. Aber diese Interpretation, auf welchen bewussten oder unbewussten Gründen sie auch immer beruhen mag, bleibt nicht der einzig mögliche Schluss. Die Freiheit des Menschen, die sich in der Interpretationsfähigkeit des menschlichen Verstandes ausdrückt, bedingt geradezu eine Offenbarung Gottes in der Geschichte als einzige Möglichkeit, menschliche Freiheit zu wahren und sich dennoch den Menschen objektiv bekannt zu machen, indem er sich durch geschichtliche Taten den Menschen erschließt, ohne jedoch als direkter Urheber eindeutig identifizierbar zu sein. Gleichzeitig wird am gewählten Beispiel deutlich, dass es sich beim Interpretationsvorgang um einen komplexen Vorgang handelt, in den verschiedene Faktoren hineinspielen. Zum einen, wie gesagt, die Normativität des Objekts und seiner Eigenschaften, zum zweiten das Gedächtnis des Interpretierenden mit den dort abgelegten Erfahrungen ähnlicher Art, die auf das neue Objekt angewandt werden. Als drittes der Willen, das Objekt als das anerkennen zu wollen, als was man es erkannt hat. Die normierende Kraft des Gewussten und der Erfahrung stellt eine weitere dynamische Komponente des Erkenntnisgewinnungsprozesses dar, mit Hilfe dessen das Objekt interpretiert wird, wobei zugleich der Interpretationsspielraum noch einmal eingegrenzt wird. (Auf die Tradition hin angewandt, könnte man sagen, dass die Tradition als Kollektivgedächtnis der Kirche die Anzahl möglicher Schriftauslegungen normiert und limitiert.) Man könnte behaupten, dass diese zweite Komponente die Erkenntnis noch weiter „objektiviert“. Diese Behauptung wäre aber nur dann gerechtfertigt, falls es sich um „richtiges Wissen“ und „gültige Erfahrung“ handelt. Mit diesen beiden Stichwörtern soll zum Ausdruck kommen, dass gelerntes

Wissen fehlerhaft sein kann und dass gemachte Erfahrungen einseitig sein können. Daher kann man zwar sagen, dass diese zweite Komponente die Erkenntnis des Objekts „verobjektiviert", sprich objektiver macht, aber nicht in dem Sinne, dass die Wirklichkeit an sich damit erreicht würde. Andererseits, wenn den Objekten kein Wesen inhäriert, welche Wirklichkeit will man dann mit geistigen Begriffen, die einer materiellen Welt apriori wesensfremd sind, erreichen?

Positiv formuliert bedeutet dies, die Wirklichkeit bietet dem Geist des Menschen keine Deutung ihrer selbst an. Andererseits muss der Mensch den Dingen eine Bedeutung geben, um leben zu können. Bei dieser Deutungsvergabe ist der Einzelne nicht auf sich gestellt, sondern er erlernt Deutungsmodelle, welche meistens kulturell tradiert und somit reproduziert werden. Diese kulturell tradierten Deutungen der Wirklichkeit sind tragende Säulen zum Zusammenhalt einer Gesellschaft. Sie werden dem Heranwachsenden zunächst einmal vorgegeben, bis er sich dann als Erwachsener frei zu ihnen verhalten und sie gegebenenfalls modifizieren kann. Die Vermittlung verschiedener Interpretationen, der Transfer von Wissen, stellt eine der Hauptfunktionen menschlicher Sprache dar. Menschliche Rede dient unter anderem der Überzeugung des Anderen von der eigenen Position.

Es ist offenkundig, dass andere Menschen mit ihren Ansichten, in Reden oder Büchern oder sonstigen Medien kundgetan, versuchen, auf die Erfahrung der Menschen einzuwirken und andererseits Aussagen über die Wirklichkeit mit Wahrheitsanspruch machen, die das Erkenntnissubjekt weder durch seine Sinne, noch durch seine Erfahrung einholen kann. Dadurch kann und soll das Denken beeinflusst werden, bestimmte Dinge und Ereignisse in einem dem Redner oder Autor gefälligen Sinn zu interpretieren.

Ein Beispiel: Ein Prediger sagt zu einem Mitmenschen: „Gott liebt dich". Dieser scheinbar einfache Satz soll das Denken und Handeln des Hörers positiv beeinflussen, enthält aber eventuell mehrere Falltüren, die zu Missverständnissen führen können oder sogar den Satz an sich unverständlich machen. Zum einen handelt es sich beim Subjekt des Satzes um einen Begriff mit einem Inhalt, den dieser Mitmensch nur durch andere Menschen vermittelt bekommen hat. Da er dieses Wesen „Gott" in seiner materiellen Welt nicht finden kann, ist er auf Fremdinformationen (Fremderfahrung) angewiesen, die er, wie oben in der Erkenntnistheorie behauptet, mit Hilfe seines Verstandes auffüllt, damit sie nicht abstrakt bleiben, sondern er sich unter dem Begriff etwas vorstellen kann.[258] Die Normierung der Erkenntnis durch die empirisch wahrnehmbare Wirklichkeit entfällt. Damit ist der Eigentätigkeit des Verstandes im Fall des Begriffes „Gott" im Prinzip keine Grenze gesetzt, wenn der Mitmensch nicht andere Fremdinformationen zu diesem Begriff festhält und als wahr erachtet, aus welchem Grund auch

[258] Dass hierbei vor allem der Begriff „Gott" mit Erfahrungen der Beziehungen zum eigenen Vater aufgefüllt wird, ist für Psychologen und Theologen kein Geheimnis.

immer.[259] Das „liebt dich“ in diesem Satz ist aber genauso problematisch. Denn um den Inhalt dieser Aussage einzuholen, bedarf es der Erfahrung der Liebe durch das Subjekt. Dass nicht jeder Mensch die Erfahrung der Liebe in seinem Leben gemacht hat, dürfte konsensfähig sein, so dass auch bei diesem Satzteil die Notwendigkeit einer interpretativen Auffüllung bestehen kann. Aber im Gegensatz zum Begriff „Gott“ gibt es hier ein Normierung durch die Wirklichkeit, insofern man Liebe in ihren Auswirkungen bei seinen Mitmenschen beobachten kann, so dass der Begriff „Liebe“ durch einen Menschen, dem diese Erfahrung abgeht, nicht willkürlich gefüllt werden kann, sondern sich an den Beobachtungen der Umwelt, die diese selbst als Liebe bezeichnet, orientieren muss. Aber ein weiteres Problem tut sich bei diesem Satzteil auf, das weniger die Erkenntnis des Inhalts des Satzes betrifft, als vielmehr die Anerkenntnis des vermeintlichen Inhalts durch den Willen: Die eventuell mangelnde Erfahrung der Liebe durch das Subjekt des Satzes, die der Satz insgesamt ja behauptet. Es kann sein, dass die Eigentätigkeit des Verstandes an diesem Punkt eine Grenze findet und den Satz als solches ablehnt, weil der Inhalt des Satzes keinen Bezug zur Wirklichkeit des Hörers hat. Zugleich findet mit der Ablehnung des Satzes die Identifikation des Sprechers mit einem Lügner, oder zumindest mit einem Phantasten, statt. Oder anders gesagt: Es handelt sich um eine Aussage, der aufgrund zweier Tatsachen nicht geglaubt wird. Zum einen, weil der Satzinhalt nicht mit der Erfahrung des Hörers sich deckt und zum anderen weil der Hörer dem Sprecher nicht bereit ist – aus welchem Grund auch immer –, zu glauben und die Satzinformation zumindest als möglich zu erachten.

#### 3.1.2.3. Erkenntnis, Wahrheit, Urteil und Irrtum

Aus dem bisher Gesagten ergibt sich die Frage, was für einen Wert eine Erkenntnistheorie haben kann, bei der die Erkenntnis sich aus zwei Komponenten zusammensetzt, das interpretative Element aber gegenüber der normativen Wirklichkeit, dem normativen Phänomen, eindeutig den Vorzug genießt. Auf Gott angewandt, der in der empirischen Welt augenscheinlich nicht vorkommt, würde dies eine Auslieferung des Gottesbegriffes zur wahlweisen Füllung durch beliebige Inhalte führen. Es kann ja beim Gottesbegriff nicht nur darum gehen, eine positive Weltdeutung zu erzielen, so als ob die Kirchen und Religionen einen Begriff erfunden hätten, der dazu geeignet ist, Menschen bezüglich der Welt positiv oder negativ zu stimmen und dadurch einen kollektiven Zusammenhalt aufgrund der gemeinsamen

[259] Dass das Prädikat (und Objekt) des Satzes das Subjekt „Gott“ zumindest unterbewusst „auffüllen“, darf angenommen werden, auch wenn das Subjekt unbekannt ist.

Grundeinstellung gegenüber der Welt zu erzielen. Philosophisch ausgedrückt, stellt sich die Frage nach dem Wert einer Aufrechterhaltung des objektiven Wahrheitsbegriffs, wenn die normierende Wirklichkeit als zweite Erkenntniskomponente variiert und in vielen Erkenntnisfällen wegfällt?

Das zweite Problem, das im Rahmen dieser Fragen behandelt werden muss, ist der Erkenntnisirrtum und seine Quellen.

Bevor man sich an das Problem des objektiven Wahrheitsbegriffs heranwagt, sollte man sich in Erinnerung rufen, dass menschliche Sprache auf Konvention beruht. Außerdem steht Sprache am Ende eines Erkenntnisvorgangs. Sie bildet sozusagen die geistige Essenz des aus dem Vorgang Gewonnenen. Sprache und Kommunikation dient primär der Mitteilung von Erkenntnis und Wissen. Durch diese Mitteilung sollen Erkenntnisvorgänge ersetzt werden, insofern Kommunikation gleich mit den Ergebnissen von Erkenntnisvorgängen konfrontiert. Ferner hängt der Wahrheitsbegriff, wie bereits erwähnt, mit Aussagesätzen zusammen. Die Sprache jedoch besitzt vielerlei Formen von Aussagesätzen. Man kann sich dies an folgenden zwei Sätzen veranschaulichen: „Peter ist ein Mensch." und „Peter ist ein böser Mensch." Der erste Satz stellt eine reine Existenzbehauptung auf, während der zweite Satz ein moralisches Urteil bezüglich eines Menschen darstellt. Ob der erste Satz wahr ist, ist leicht dadurch zu erheben, ob der Name „Peter" einem Menschen zugeteilt wird, und nicht etwa einem Kater oder ähnlichem. Reine Existenzbehauptungen, die sich auf die Gegenwart beziehen, oder analytische Urteile apriori sind immer ohne jede Interpretation auf ihre Wahrheit durch Rekurs auf die Wirklichkeit überprüfbar. Handelt es sich jedoch um Aussagen, die sich auf die Vergangenheit beziehen, oder um Urteile, so stellt sich das Problem ganz anders dar. Da nicht anzunehmen ist, dass Peter die Bosheit ins Gesicht geschrieben steht, bleibt es eine Ermessensfrage des Empfängers dieses Urteils, ob er die Aussage teilt oder nicht. Die Fremdinformation über Peter will das Verhalten des Empfängers gegenüber der Wirklichkeit verändern. Außerdem soll es dem Empfänger Erfahrungen im Umgang mit Peter ersparen. Die Wahrheit des Urteils an sich, kann nicht entschieden werden. Die Wahrheit des Urteils bezüglich des Empfängers dieses Urteils jedoch, hängt von verschieden Faktoren ab: Ob der Empfänger dem Urteilenden vertraut, ob er Peter selbst kennt und Erfahrungen mit ihm gemacht hat oder nicht; falls er ihn kennt, ob er die Taten und Worte Peters als „böse" klassifizieren würde. Es hängt also von Peter und dem Interpretierenden ab, ob für den Interpretierenden das Urteil wahr ist oder nicht. Da die meisten Sätze im Alltag eine Form von Urteil beinhalten, sind die meisten Sätze auch nicht auf ihre Wahrheit an sich hinterfragbar. Nur der geringste Teil von alltäglichen Sätzen, wie „es regnet", lässt sich objektiv auf Wahrheit prüfen, da nur eine Existenzaussage gemacht wird, die keinerlei Interpretation fähig ist oder ihrer bedarf. Diese an sich objektiv wahren Sätze stellen den Grund für die Existenz des Wahrheitsbegriffs dar, der auch als Ideal bei Urteilen beibehalten wird. Denn die Aufgabe des Wahrheitsanspruchs von Urteilen erscheint dem Menschen kommunikationsfeindlich und damit unerträglich. Denn die Zustimmung zu einem Urteil schafft Gemeinschaft zwischen Empfänger und Urteilendem. Das gemeinsame Urteil verbindet, das unterschiedliche Urteil trennt. Das Problem der Dogmenrechtfertigung besteht – wie oben dargelegt – darin, dass die verbindlichen Lehren der Kirche nicht durch Rekurs auf die Offenbarungswirklichkeit überprüft werden können. Dies folgt aus zwei Gründen: Zum einen war die Offenbarung in Jesus Christus zu seiner Zeit bereits interpretierbar. Zum anderen ist man auf die Übermittlung durch dritte für diese Offenbarung angewiesen. Es geht also nicht um einen direkten Erkenntnisvorgang, sowie man mit einem stofflichen Objekt interagierend eine Erkenntnis gewinnen kann. Sondern man ist auf die Übermittlung bereits in der Vergangenheit gewonnener Erkenntnis angewiesen. Am meisten gilt dies zunächst für das Wort „Gott". Die Füllung dieses Wortes bedarf zunächst einmal einer Menge an Fremdinformationen, bis man in der Lage ist, in der Verkündigung und den Sakramenten die bleibende Heilsgegenwart Gottes zu erkennen. Denn Gottes Existenz und Handlungen, die ihn aufgrund von Übernatürlichkeit eindeutig als Urheber identifizieren, sind nicht objektiv wahrnehmbar. Daher bleiben für Gott zwei Wege offen, sich zu offenbaren. Entweder er offenbart sich direkt dem menschlichen Geist ohne jede Vermittlung oder er offenbart sich in der Geschichte als Primärursache geschichtlicher Vorgänge. Die erste Offenbarungsart hat den Nachteil, dass Gott die Vorstellungskraft des Menschen übersteigt und ein direkter Kontakt von menschlichem Geist und göttlichem Geist, der dem menschlichen Geist Inhalte infusioniert, nicht ratsam erscheint, zumal eine dritte Person so eine Art der Offenbarung nicht auf göttliche Urheberschaft prüfen könnte, so dass die Offenbarung ins Leere liefe. Die zweite Möglichkeit bietet hingegen den Vorteil, geschichtliche Fakten zu schaffen, die sich objektiv nicht leugnen lassen. Der Nachteil bestünde darin, dass das Faktum nicht seine Bedeutung oder Motivation in sich trägt. Die Tat Gottes wäre als eine solche nicht erkennbar, und dem interpretierenden Menschen anheim gestellt. Da Gott diesen Weg gewählt hat, bedeutet dies auf menschlicher Seite, dass jemand/etwas Offenbarung sein kann oder auch nicht. Der Mensch, der das Faktum als Offenbarung interpretiert, sieht sich selbst von Gott begnadet, weil er diese Tat Gottes daraufhin erkennen kann. Ein anderer, der das Faktum nicht als Offenbarung interpretiert, erkennt darin etwas anderes, was er vielleicht nicht erklären kann, was aber nicht einen Gott zum Urheber haben muss. Da der Erste nicht nachweisen kann, dass seine Sicht begnadet ist, stehen beide Interpretationen nebeneinander und die Wahrheit an sich lässt sich nicht ermitteln. Der Erste jedoch übermittelt seine Gotteserkenntnis an Andere und füllt damit für die Empfänger – die Annahme dieser Fremderkenntnis durch die Empfänger vorausgesetzt – den

Gottesbegriff, auch wenn er selbst davon überzeugt ist, dass nicht er den Gottesbegriff „auffüllt", sondern dass Gott dies selbst tut. Da er von der Wahrheit seiner Interpretation überzeugt ist, entwirft er von ihr ausgehend eine Deutung der Wirklichkeit, der er Objektivität aufgrund von Offenbarung zuschreibt. Er verobjektiviert dabei seine subjektiven Überzeugungen und sichert sie mit der Begnadungsthese ab. Er instrumentalisiert die Objektivität Gottes, um die Identität von Subjekt und Objekt zu postulieren. Damit ist das Ziel erreicht, der Welt ihre Deutung und Gott ein Gesicht zu geben. Letztlich ist aber, wie das Beispiel zeigt, damit nicht gesagt, dass es sich nicht wirklich so verhält, wie der Glaubende das annimmt. Denn, wenn er wirklich von Gott begnadet ist, dann hat er die Wirklichkeit objektiv richtig erkannt. Dies lässt sich aber nicht beweisen. Daher kann man der verobjektivierten, aber eigentlich subjektiven Sicht nicht das Prädikat „objektiv an sich" zuteilen, da dies der erkenntnistheoretischen Grundlage entbehren würde.

Auf das konkrete Beispiel der Sakramententheologie angewandt, bedeutet dies, dass z. B. der Glaube, welcher den interpretierenden Teil der Erkenntnis beeinflusst, den jeweiligen Elementen des Sakraments die Bedeutung gibt, die das jeweilige Element als Sakrament hat. Davon unbenommen ist ein Wirken des Heiligen Geistes, der das Sakrament wirkt. Aber dieses Wirken ist empirisch nicht nachweisbar. Der Glaube des Einzelnen konstituiert, theologisch betrachtet, nicht das Sakrament – dies kann nur Gott selbst – , während er phänomenologisch dies sehr wohl tut.[260] An dem Beispiel zeigt sich die enge Verbindung von Offenbarungs- und Sakramentenvorstellung. Die Theologie verhandelt dementsprechend keine objektiven Wahrheiten. Sie wären nur dann objektiv, falls das, was der Glaube als Offenbarung betrachtet, wirklich, objektiv, Offenbarung ist. Da dies nicht zu beweisen ist, bleiben die Wahrheiten, die der Glaube als objektiv wahr betrachtet, theologisch hypothetisch. Erschwerend kommt hinzu, dass sich diese Glaubenserkenntnisse, die die Theologie erforscht, in der Vergangenheit entwickelt haben. Daraus ergibt sich zum einen das hermeneutische Problem, das zu erforschen, was der andere erkannt hat und weitergegeben hat. Dies geschieht in einem folgenden Kapitel. Zum anderen kann man fragen, ob der Offenbarungsempfänger die Dinge so erkannt hat, wie sie waren, ob er ihnen die richtige Bedeutung gegeben hat, ob ein Ereignis wirklich Gott zum Urheber hatte oder nicht usw.. Gleichzeitig muss man aber feststellen, dass dieser Zweifel, theologisch gesehen, keinen Gewinn bringt. Denn die Zwölf haben sich in ihrer Interpretation Jesu entschieden, dass dieser der Messias, der Sohn des lebendigen Gottes, ist (Mt 16,16). Man kann diese Entscheidung hinterfragen, als Christ jedoch, der diese

---

[260] Deswegen kann ein Ungläubiger auch kein Sakrament empfangen. Die Sakramente setzen den Glauben voraus (SC 59), auch wenn bei der Kindertaufe aufgrund der obex-Lehre eine gewisse Grauzone existiert.

Interpretation teilt, und als Theologe führt diese Frage zu keinem sinnvollen Ergebnis. Für eine Dogmenentwicklungstheorie kann man daher festhalten, dass es nicht darum geht, Dogmen als objektive Wahrheiten zu beweisen, sondern sie innerhalb der getroffenen Entscheidung der Apostel als „wahr" zu erweisen.

Trotz dieser Erkenntnis, dass sich einem Christen die Frage nicht stellt, ob die Apostel das richtig erkannt haben, was sie erkannt haben – dies muss für jeden Christen aus dem Heiligen Geist heraus eine evidente Einsicht sein – , soll noch theoretisch auf die Möglichkeit des Irrtums, die Möglichkeit falscher Erkenntnis eingegangen werden. Denn der Irrtum betrifft alle Bereiche menschlicher Erkenntnis, nicht nur Bereiche theologischer und religiöser Erkenntnis. Die Ausgangsfrage, die sich stellt, könnte man so formulieren:

Wenn das Erkenntnisobjekt von der Wirklichkeit her normiert wird, wie kommt es dann zu einer falschen Erkenntnis, einem Irrtum?

Zum einen muss man an der Möglichkeit festhalten, dass eine falsche Erkenntnis zustande kommt, indem die Erkenntnismedien nicht so funktionieren, wie sie sollten.[261] Dadurch kann die Wahrnehmung verzerrt werden, der durch die Wirklichkeit normierende Teil der Erkenntnis wird eingeschränkt und den Erkenntnisobjekten werden aufgrund falscher Assoziationen falsche Bedeutungen zugeschrieben, obwohl das Objekt dem Gedächtnis bekannt wäre. Ein weiterer Grund liegt darin, dass der interpretierende Verstand nicht unabhängig von gelerntem Wissen, und damit von Zeit und Ort unabhängig, operiert. Um einem Objekt eine Bedeutung geben zu können, um sein Wesen zu erkennen, muss er diesem Objekt schon einmal begegnet sein oder muss durch andere Informationen darüber informiert worden sein. Die Erkenntnis des „Wesen" eines beliebigen Objekts ist das Ergebnis einer Interaktion mit diesem Objekt. Hat keine Interaktion mit dem Objekt stattgefunden (ist das Objekt für das Erkenntnissubjekt neu), kann das Wesen eines Objekts nicht erkannt werden. Würde man zum Beispiel Platon ein Automobil vor sein Haus stellen, so könnte er dem Ding vor seiner Tür zunächst kein Wesen zuordnen. Durch die vier Räder wäre die Erstassoziation wohl „Wagen". Gäbe man ihm Zeit, das Objekt zu untersuchen, mit ihm zu interagieren (Zündschlüssel vorausgesetzt), so könnte er langsam dem Auto die Bedeutung geben, die der Erzeuger des Autos dieser Materie bei ihrer Formung gegeben hat. Es bestünde aber auch die Möglichkeit, diese Interaktion abzukürzen bzw. überflüssig zu machen, indem man ihm eine Betriebsanleitung auf Altgriechisch beilegt. Aus diesen Überlegungen wird ersichtlich, dass das Erkennen nicht nur eine Angelegenheit des Verstandes ist, sondern ebenso sehr des Gedächtnisses und des bereits vorhandenen Wissens. Ohne Gedächtnis, in dem Informationen und Erfah-

[261] Man denke an Alkoholeinfluss auf die Gehirnchemie, oder atropinierte Augen usw.

rungen mit Objekten abgelegt sind, ist ein Erkenntnisvorgang unvollständig, da das Wesen einer Sache nicht erkannt werden kann. Außerdem gibt es Erkenntnisse, für die die Sinnesorgane keinerlei Rolle spielen und die durch Rekombination von Gewusstem und Erfahrenem entstehen, sogenannte Geistesblitze oder Ideen. Aber auch hier normiert die Wirklichkeit die Ideen, so dass zum Beispiel niemand einen viereckigen Kreis denken wird.

Irrtum beruht also in der Regel[262] auf Mangel an Information und Erfahrung in Kombination mit dem interpretierenden Verstand, der vorschnell ein Urteil fällt – zum Teil auch, weil die Situation keine Zeit lässt, ein Urteil aufzuschieben. Eventuell paart sich dieser Mangel an Information mit der Ungeduld, das Objekt zu studieren oder der Unmöglichkeit der Interaktion mit dem Objekt, die dann zu Kombinationsschlüssen aufgrund von (Wirklichkeitswahrnehmung und) vorhandener Information führt. Erschwerend hierbei ist, dass man niemals davon ausgehen kann, alle möglichen Informationen zu besitzen, so dass immer die Möglichkeit eines Irrtums bestehen bleibt. Dabei potenziert sich die Wahrscheinlichkeit von Irrtümern, je weniger Informationen vorhanden sind. Es besteht aber auch die Möglichkeit falscher Erkenntnis aufgrund von gezielter und willentlicher Desinformation durch andere Menschen, die durch diese Desinformationen versuchen, Menschen in ihrem Sinne zu manipulieren. Daher sind Informationen vor ihrer Übernahme in der Regel zu prüfen, auch wenn sie im alltäglichen Leben de facto auf Autorität hin geglaubt werden, bis das Gegenteil bewiesen ist. Im Fall unzureichender Informationen besteht auch, nebenbei bemerkt, für die Theologie als Wissenschaft die Gefahr, sich andere Informationen zu erschließen, die zwar logisch aus den Vorhandenen folgen, real aber nicht überprüfbar sind und somit in der Gefahr stehen, sich von der Wirklichkeit (von Gott) weiter zu entfernen als nötig.

Als Ergebnis dieser Untersuchung lässt sich feststellen, dass der Mensch zwar Wirklichkeit erkennen kann, dass ihm dies in Bezug auf die Offenbarung aber wenig nützt, da die Wirklichkeit keine Bedeutungen mitliefert und Offenbarung eine Deutung geschehener Geschichte darstellt, die in der Vergangenheit liegt. Der Mensch stützt sich zur Erkenntnis der Offenbarung, zur Erkenntnis Gottes, immer auf den Glauben an die Autorität der Offenbarungsempfänger (die Propheten, Apostel und Jesus Christus ausgenommen) und damit auf Fremdinformationen. Ohne den Glauben an irgendeine Autorität ist die Möglichkeit, Theologie zu betreiben oder zu glauben, destruiert, da Gott sich de facto nicht jedem offenbart, sondern Offenbarungsmittler erwählt, die dann als Multiplikatoren der Offenbarung dienen. Damit ist man aber immer zugleich auf Autorität verwiesen. Räumt man ihnen Autorität ein, werden sie zu Offenbarungsmittlern/Propheten. Tut man dies nicht, sind sie Hochstapler. Es gibt allerdings keinen Menschen,

[262] Es gibt neben medialen Erkenntnisstörungen noch die Möglichkeit der Geisteskrankheit, bei der der Bezug zur Wirklichkeit schwer gestört bzw. verloren ist.

der ohne die Anerkenntnis irgendeiner Autorität leben kann. Die Position des Skeptikers ist wegen der Sozialität des Menschen nicht praktikabel. Jeder Mensch muss grundsätzlich zuerst darauf vertrauen, dass der andere die Wahrheit sagen will, auch wenn der sich eventuell gerade im Irrtum befindet. Dieses Grundvertrauen in die anderen Menschen nicht zu besitzen, kann man als irrational bezeichnen und darin eine entwicklungspsychologische Störung sehen. Damit ist gezeigt, dass nicht überprüfbare Aussagen zunächst einmal als wahr zu betrachten sind, weil es vernünftig ist, davon auszugehen, dass der andere die Wahrheit sagen will, trotz interpretierendem Erkenntniselement oder eventueller böswilliger Absichten. Natürlich kann dieser sich irren; natürlich ist die Offenbarung als solche nicht beweisbar, aber die Verwiesenheit des Geistes auf die Wirklichkeit minimiert einen Irrtum. In Bezug auf Gott kommt dazu noch die Begnadung des Offenbarungsmittlers, die eine korrekte Interpretation der Offenbarung (Gottes) sicherstellt. Aber auch ohne diese Annahme sind die Aussagen über Gott zunächst als wahr anzunehmen und als solche ohne den Aussagenden und dessen Autorität zu betrachten. Man kann, setzt man die grundsätzliche Erkennbarkeit der Wirklichkeit durch den Menschen voraus, sogar noch einen weiteren Schritt gehen. Da Gott sich in der Geschichte offenbart, kann man davon ausgehen, dass die Zeugen dieser Offenbarung diese richtig erkennen würden. Begnadung müsste man nur dafür voraussetzen, dass sie die Offenbarung als solche erkennen.[263] Die Kreuzigung und der Tod Jesu z. B. sind erkennbare, geschichtliche Tatsachen, die den Menschen seiner Zeit erkennbar waren. Es ist also vernünftig, diese Tatsache als wahr anzunehmen. (Natürlich kann man die Autorität der Apostel, Evangelisten, Juden und heidnischen Schriftsteller anzweifeln und einen Scheintod proklamieren, allerdings hätte so eine Hypothese die Rationalitätsvermutung gegen sich.) Die Erkenntnis aber, dass mit dem Tod Jesu am Kreuz sich ein Offenbarungsinhalt verbindet, setzt eine Begnadung des Erkennenden voraus, damit der interpretierende Verstand den Inhalt mit dem Kreuzestod verbindet, den Gott durch ihn offenbaren wollte. Da dieser interpretierende Teil des Verstandes Ausdruck menschlicher Freiheit bezüglich ihrer Erkenntnis ist und Gott Möglichkeitsbedingung menschlicher Freiheit ist, besteht gerade in dem interpretierenden Verstand die Basis für eine begnadete Erkenntnis. Ob diese Erkenntnis hierauf auch durch den Willen als solche anerkannt wird, ist ein anderes Problem.

---

[263] Mit anderen Worten: Der interpretierende Teil der menschlichen Erkenntnis muss begnadet sein, um das geschichtliche Ereignis, durch das sich Gott offenbart, als solches zu erkennen. Ansonsten bleibt z. B. ein göttlich gewirktes Wunder ein seltenes Naturereignis oder eine dämonische List, je nach Erkenntnissubjekt verschieden. Man kann in diesem interpretierenden Teil den freiheitlichen Aspekt des menschlichen Erkennens sehen, so dass die Freiheit des Menschen sich nicht nur im Willen, sondern auch in der Erkenntnis ausdrückt.

### 3.1.3. „Geschichtlichkeit“ der „Wahrheit“

Aus dem beschriebenen Modus der Erkenntnis ergibt sich die sogenannte „Geschichtlichkeit der Wahrheit“. Wenn die Erkenntnis sich zusammensetzt aus sinnlichen Phänomenen und ihrer Deutung, wobei die Deutung nicht willkürlich sein kann, sondern ihren Maßstab am Phänomen, an der Wirklichkeit selbst findet, dann bleibt dennoch ein großer Spielraum für den interpretierenden Verstand. Dieser interpretative Teil des Erkenntnisvorgangs ist konstituiert aus bisher gemachten Erfahrungen, gewonnenen Erkenntnissen, die auf ein neues Phänomen, eine neue Situation, angewendet werden. Diese bisherigen Erfahrungen, das im Gedächtnis vorhandene Wissen, bildet sozusagen den Interpretationshorizont für eine neue Erfahrung und Erkenntnis. Damit sind Ort (Kulturraum) und Zeit wichtige Größen für die Erschließung eines Phänomens. Dies relativiert die Erkenntnis aber nicht totaliter, sondern versieht sie nur mit einer zeitgeschichtlichen Komponente. Eine totale Relativität wäre nur dann der Fall, wenn die Kategorien der Wirklichkeit sich verändert hätten.

In diesem Fall gäbe es aber auch kein Verstehen der früher entstandenen Erkenntnis durch eine spätere Zeit. Die Schrift z. B. wäre in ihrem Literalsinn nicht verständlich. Geisteswissenschaft an sich wäre unmöglich. Vertreter einer solchen Position führen als Argument an, dass man nicht nur die Relativität der zu untersuchenden Zeit bedenken müsse, sondern ebenso die Relativität des eigenen Erkennens und der eigenen Zeit und dass aufgrund dieser „doppelten Relativität“ ein Verstehen unmöglich sei. Diese These lässt sich aber dadurch widerlegen, dass sich Erkenntnis auf dieselbe Wirklichkeit bezieht. Daher ist eine hermeneutische Erschließung einer früheren Erkenntnis, festgehalten in einem Schriftstück, möglich, wenn man auch nicht aufgrund der interpretierenden Arbeit des Verstandes behaupten kann, dass man sicher das Objekt so erfasst habe, wie der erkennende Mensch eines früheren Zeitpunkts. Insofern bleibt eine früher gemachte und schriftlich fixierte Erkenntnis heute Interpretationsgegenstand, allerdings kann diese Interpretation nicht wahllos erfolgen, sondern muss sich daran orientieren, dass der Erkennende einer früheren Zeit versucht hat, Erkenntnisse innerhalb seiner Wirklichkeit geistig zu erfassen – einer Wirklichkeit, die in ihren Rahmenbedingungen identisch ist mit der Wirklichkeit eines heutigen Menschen. Natürlich gibt es kulturelle Verschiebungen. Aber, um es bildlich zu sagen: Ein Schiff ist heute noch ein Schiff, ein Stein ein Stein, ein Haus ein Haus usw. Die Geschichtlichkeit bezieht sich auf die Vorstellungen, die bei der Erwähnung solcher Begriffe im Einzelnen emporsteigen. Stellte sich der antike Mensch unter „Schiff“ z. B. eine Triere aus Holz vor, so verbindet ein heutiger Mensch mit dem Begriff eher eine dieselgetriebene Stahlkonstruktion, die auf dem Meer fährt. Die konkrete Wirklichkeit, die der Begriff „Schiff“ bezeichnet, hat sich verändert, und würde man nur die Bezeichnung in einer Schrift haben ohne antike Zeichnungen oder Wracks von Schiffen, wäre es schwer, sich vorzustellen, was der antike Autor sich darunter vorgestellt haben könnte, aber im Wesentlichen bleibt ein Schiff ein menschengemachtes Meeresfahrzeug.

Sich in den Denkhorizont einer anderen Zeit hineinzuversetzen, bleibt allerdings trotz gemeinsamer Wirklichkeit nicht einfach, zumal sich die konkrete Wirklichkeit auch verändert. Die menschlichen Begriffe scheinen aber dennoch auch aufgrund von Abstraktion die Fähigkeit zu besitzen, gewisse zeitliche und zeitgeschichtliche Komponenten aus der Sprache zu entfernen, so dass Sprache als geistiges Produkt, sowie der Geist selbst, eine gewisse „Überzeitlichkeit" an sich haben. Dies und der Bezug der Erkenntnis auf die Wirklichkeit ermöglichen die Kommunikabilität aller Menschen und eröffnen damit die Möglichkeit des Verstehens des anderen, auch über zeitliche und kulturelle Brücken hinweg. Ein „Haus" ist ein Haus, ein „Schiff" ein Schiff, und „Stein" bezeichnet immer noch das gleiche wie vor 3000 Jahren.

Die „Geschichtlichkeit der Wahrheit" macht also die „Wahrheit" nicht absolut relativ, weil das erkennende Subjekt das Phänomen der Wirklichkeit gemäß erkannt hat, auch wenn es das Phänomen seinem eigenen Denkhorizont unterworfen und damit eine zeitlich-relative Komponente seiner Erkenntnis hinzugefügt hat. Die Möglichkeit des Irrtums bleibt selbstverständlich nie ausgeschlossen.

Als ein weiteres Beispiel soll der Begriff „Himmel" dienen. „Gott ist im Himmel."[264] Diese Aussage stellt eine Antwort auf die Frage dar, wo dieser Gott ist, der sich in der Rettung am Schilfmeer oder in der Erlösung aller Menschen durch Jesus Christus als Gott in seiner Herrlichkeit erwiesen hat. Diese Bezeichnung des „Wohnortes" Gottes mit dem Begriff „Himmel" entspricht einem ptolemäischen Weltbild, bei dem Gott über der Himmelssphäre thront. Diese Bezeichnung ist somit eine geschichtlich bedingte Interpretation für die Tatsache, dass man Gott nicht sehen kann, – was für ihn wiederum nicht gilt –, und dass Gott erhaben ist und alles sieht, oder – schlicht ausgedrückt – dass Gott transzendent und gleichzeitig doch präsent ist. Ein Kritiker könnte nun in dieser Argumentation ein Rückzugsgefecht der Theologie sehen, die versuche, den Begriff „Himmel" zu retten, obwohl er sich im Zuge der Defizienz des ptolemäischen Weltbilds ebenfalls als falsch bzw. nichts-sagend herausgestellt habe. Die Geschichtlichkeit des Horizontes beweise die Falschheit des darin Ausgedrückten.

Diese Unterstellung basiert aber auf der Annahme, dass Wirklichkeit in keiner Weise mit diesem Begriff erkannt worden ist, d. h., dass mit dem Begriff nichts „Wahres" festgehalten oder umschrieben worden sein kann. Außerdem stellt sich die Frage, ob die totale Ablehnung einer Erkenntnis aufgrund von „Geschichtlichkeit" nicht einem Fortschrittsoptimismus hul-

---

[264] Vgl. Dtn 4,39; Jos 2,11; Ps 115,3; Koh 5,11.

digt, der für den später Lebenden die Erkenntnis von Wahrheit annimmt, während er für den früher Lebenden wegen geschichtlicher Befangenheit – um nicht zu sagen: Dummheit – die Erkenntnismöglichkeit von Wahrheit ablehnt.

Solche Aussagen wie „Als er das gesagt hatte, wurde er vor ihren Augen emporgehoben, und eine Wolke nahm ihn auf und entzog ihn ihren Blicken.“(Apg 1,9) beweisen nicht die Primitivität im Denken des Verfassers eines solchen Satzes und sind aufgrund des unterschiedlichen geistesgeschichtlichen Horizonts nicht apriori als „geschichtlich“ (=erledigt) abzutun. Denn die Geschichtlichkeit der Wahrheit besagt nicht, dass jede Aussage relativ ist, sondern dass jede Aussage in Relation zu ihrer Zeit, aber auch zur Wirklichkeit steht, die sich in ihr wiederfindet, sofern sie richtig erkannt wurde (s. o.).

### 3.1.4. Sprachliche Probleme

Nach den erkenntnistheoretischen Problemen sollen einige Überlegungen zu sprachlichen Problemen folgen. Im obigen Modell wurde vorausgesetzt, dass A einen Sachverhalt S erkennt und diesen in einen Satz S’ fasst. B hört diesen Satz und ist über S nun informiert. Dieses Modell stellt aber bereits eine Reduktion eines wirklichen Kommunikationsvorgangs dar. Denn, obwohl es sich bei dem Satz bereits um ein geistiges Produkt handelt – sozusagen ein geistiges Abbild der Wirklichkeit, welches vom menschlichen Verstand weniger interpretiert werden muss, da Sätze bereits Bedeutungen beinhalten – , ist dieser Satz dennoch medial durch materielle Gegebenheiten vermittelt. Außerdem handelt es sich genau genommen bei dem Satz wiederum um ein Objekt, welches dem B begegnet und welches er potentiell interpretieren kann. Grundsätzlich kann es bei jeder Station dieses Kommunikationsvorganges zu Problemen kommen. A kann zum Beispiel einen Sachverhalt nicht adäquat in Sprache umsetzen (bewusst oder unabsichtlich), so dass der Aussagesinn verborgen bleibt. Man kann hier z. B. an Doppeldeutigkeiten denken.

Ein Beispiel: „Halbgötter in weiß sind auch nur Menschen.“ Worauf sich dieser Satz bezieht, ist nicht klar, da nicht eindeutig ist, wofür „Halbgötter in weiß“ eine Metapher ist. Es können z. B. Ärzte gemeint sein, weil sie weiße Kittel tragen. Oder aber es können die Päpste gemeint sein, die weiße Soutanen tragen. Derjenige, der den Satz spricht, ist sich entweder zunächst über die Zweideutigkeit des Bildes nicht klar und meint, es sei für den Hörer (im gegebenen Kontext) eindeutig, oder setzt bewusst darauf, seine Aussageabsicht in der Zweideutigkeit zu halten, um sie im Ernstfall nicht verantworten zu müssen. Wie in dem gewählten Beispiel haben viele Wörter der Sprache mehrere Bedeutungen, wobei die verschiedenen Bedeutungen eines Wortes entweder miteinander zu tun haben (Analogie) oder aber keinerlei Verbindung aufweisen (Äquivokation). Es kann eine Bedeutung auch mehrere Wörter als Ausdruck besitzen. Viele Bedeutungen von Wörtern ergeben sich aus dem Gesamtzusammenhang aller Sätze, aber bei weitem nicht alle, so dass man gezwungen ist, falls eine Rückfrage an den Sprechenden nicht möglich ist, den gemeinten Aussagesinn interpretativ zu erschließen. Zu der möglichen Zweideutigkeit von Sätzen ergibt sich noch das Problem, dass der Empfänger (B) des Satzes eventuell einige Wörter des Satzes oder Metaphern des Satzes oder vielleicht die gesamte Sprache nicht kennt. Die Aussageabsicht des A ist ihm dadurch zunächst einmal verborgen. Die Wahrheitsfrage stellt sich zunächst so lange nicht, bis B sich sicher sein kann, A verstanden zu haben. Außerdem kann es zu phonetischen Missverständnissen kommen.[265] Relevant sind im Zusammenhang dieser Arbeit allerdings nur die Metaphern-, Bedeutungs- und Sprachprobleme, weil sie alle in Bezug auf die Bibel vorkommen.

Im Bezug auf diese Probleme kann man nun auf die grundsätzliche Erkennbarkeit der Wirklichkeit verweisen (s. o.). Aussagen menschlicher Sprache beziehen sich grundsätzlich auf die dem Menschen vorgegebenen Wirklichkeit. Diese verändert sich zwar durch den gestalterischen Willen des Menschen, aber dennoch bleiben Bezugspunkte gegeben. Diese Bezugspunkte der Wirklichkeit stellen eine Grundkommunikation über Sprachgrenzen hinweg sicher. Es wird in jeder Sprache Wörter für „Wasser, Luft, Baum, Berg, Meer, Weg“ usw. geben. Ebenso wird es Wörter wie logische Operatoren[266], sowie räumliche und zeitliche Termini[267] geben. Dies sichert jedoch nur eine Grundkommunikation. Metaphern zu verstehen, stellt schon höhere Anforderungen, wobei Metaphern der eigenen Sprache zu verstehen, bereits eine hohe geistige Leistung ist. Metaphern in einer anderen Sprache stellen dementsprechend noch höhere Anforderungen an den Hörer/Leser. Der Hörer/Leser benötigt nämlich zusätzlich zu seinem Verstand eine gute Kenntnis der Fremdsprache und ihrer Grammatik, um solche Sprachgebilde wie Metaphern zu verstehen. Er muss sich hierfür in den (geschichtlichen) Denkhorizont einer anderen Kultur und Sprache hineinversetzen. Aber auch hier wird noch einmal sichtbar, dass mit der oben getroffenen Grundoption der Erkennbarkeit es grundsätzlich möglich ist, mittels Interaktion (Beschäftigung mit der Fremdsprache) diese so zu erlernen, um das Wesen der Worte erkennen, bzw. die Bedeutung verstehen zu können. Die Erkenntnis ist dem Menschen nicht grundsätzlich entzogen, auch wenn Metaphern, ob fremdsprachig oder nicht, durch interpretierende Elemente des Erkenntnisvorgangs umgedeutet werden können, so dass auch

[265] Bsp.: „I am the son, I am the heir“ klingt wie "I am the sun, I am the air." Beide Sätze haben völlig verschiedene Bedeutungen.

[266] Und, oder, entweder – oder, nicht, ja, nein.

[267] Hier, dort, damals, heute, morgen, nirgends, überall, niemals, immer usw.

in diesem Fall, wie bei jeder Kommunikation, gilt, dass man nie sicher sein kann, den anderen richtig verstanden zu haben, falls man nicht bei ihm nachfragen kann. Außerdem lässt sich auch mit Forschung das interpretierende Element der Erkenntnis nicht vollkommen ausschalten. Was hier für Metaphern gesagt wurde, gilt in gleicher Weise für Fachtermini. Fachtermini sind Kunstprodukte der Sprache, die in einem Begriff eine Fülle von Erkenntnisinhalten in sich enthalten, die aber nur der versteht, der die Erkenntnisinhalte kennt, die mit dem Fachterminus definitionsgemäß verbunden sind. Als Beispiel sei der Begriff „Transsubstantiation" genannt. Dieser Begriff setzt nicht nur eine Kenntnis der lateinischen Sprache voraus, sondern auch der aristotelischen Philosophie und des christlichen Gottesdienstes.

Je länger sich jemand mit einem Objekt beschäftigt und je mehr Informationen über das Objekt bzw. von dem Objekt vorhanden sind, desto besser ist in der Regel das Ergebnis des Erkenntnisversuchs, da versucht wird, das interpretierende Erkenntnismoment durch Integration aller verfügbaren Informationen zu minimieren, auch wenn es sich niemals ganz ausschalten lässt. Dies schließt nicht aus, dass der Wille, ein bestimmtes Ergebnis zu erzielen, so stark sein kann, dass es den gesamten Erkenntnisversuch korrumpiert, aber auch in diesem Fall ist der Erkenntnisversuch für andere Erkenntnis Suchende als Information interessant.

Die Bibel ist also ein Buch, das dem menschlichen Erkennen prinzipiell zugänglich ist, sogar ohne eine Begnadung des Lesers vorauszusetzen. Die Aussageabsicht der verschiedenen Autoren der Bibel ist erkennbar. Es gibt einen Literalsinn. Dies hebt die Spaltung zwischen Text und seiner Interpretation nicht auf, besagt aber zugleich, dass eine Interpretation nicht genauso gut ist wie eine andere. Grundsätzlich ist eine Interpretation, die die meisten Informationen integriert die beste, weil sie die besten Chancen hat, den Text so zu erfassen, wie der Autor ihn in seinem Denkhorizont verfasst hat. Man wird zwar nie mit letzter Sicherheit die Aussageabsicht des Autors kennen, aber da die Absicht in den Text geflossen ist, kann man sie prinzipiell erfassen und eine Interpretation mit Wahrheitsanspruch vertreten. Nur wenn kein Zugang zur Wirklichkeit an sich bestehen würde, dann wäre eine Interpretation genauso gut wie eine andere. Hinzu käme ein weiteres Moment. Man müsste davon ausgehen, dass der wahre Sinn der Bibel mit den Autoren für immer verloren ist. Letztlich ist die Bibel an sich – in dieser Sicht – nicht mehr erkennbar, ihr Literalsinn wäre verloren. Konkret würde dies bedeuten, dass z. B. die nachapostolische Kirche die Kirche der Apostel, deren Niederschlag das Neue Testament ist, nicht mehr verstanden hätte. Auf diesen erkenntnistheoretischen Fundamenten ruht Adolf von Harnacks These der Hellenisierung des Christentums.[268]

---

[268] Natürlich ist mit der erkenntnistheoretischen Begründung noch nicht die gesamte Hellenisierungsthese erklärt.

Es gibt ein weiteres Problem zu bedenken: Die Worte der Schrift oder auch die kirchliche Verkündigung bezeugen nicht einen kontingenten Sachverhalt, sondern eine Selbstoffenbarung Gottes in der Geschichte. Zwar ermöglicht die Geschichtlichkeit der Offenbarung grundsätzlich ihre Erkennbarkeit, da Wirklichkeit erkannt werden und in Sprache umgesetzt werden kann, dies sagt aber noch nichts darüber aus, ob die Sätze und Begriffe über die Offenbarung dieser auch gerecht werden. Gott ist unendlich und unbegreiflich. Daher werden Worte, menschliche Begriffe und Sprache ihn niemals adäquat beschreiben können. Deshalb wählte Gott das Medium der Geschichte, um sich zu offenbaren. Denn die Geschichte kann vom Menschen erfasst werden, auch wenn sie Gott nur indirekt in Erscheinung treten lässt. Gott offenbart sich z. B. in ihr als der Heil bringende, als der das Heil selbst Seiende; er offenbart sich als der Treue und Gerechte, er offenbart sich als der einzige Gott usw.. Die Texte im Alten und Neuen Testament belegen dies. Die Frage, ob menschliche Begriffe dem Offenbarer angemessen sind, wird damit akademisch, weil die Begriffswahl nichts an den geschichtlichen Taten Gottes ändert. Die Geschichtlichkeit bewirkt zugleich, dass Gott nicht beliebig titulierbar ist. Gott ist z. B. nicht „böse" oder ein Tierhasser, weil er das Heer Pharaos samt Pferden im Meer versinken lässt, sondern der Befreier, weil er jeder Form von Unterdrückung ein Ende bereitet. Daher sind Titulaturen Gottes als „Befreier", als „Heiliger" angemessen. Es geht diesen Ausdrücken allerdings nicht darum, mit dem Begriff Gottes Sein an sich zu treffen, sondern nur um eine Beschreibung seines Wesen aufgrund seiner Offenbarung.

Die Erkennbarkeit der Welt und die geschichtliche Offenbarung Gottes normieren die menschlichen Möglichkeiten, Gott zu beschreiben, während gleichzeitig die Freiheit besteht, dass jeder Kulturraum, jede Sprache, jeder einzelne Mensch das Mysterium Gottes unterschiedlich aussagt, und dennoch alle dasselbe sagen.[269]

### 3.1.5. Konsistenz und Kohärenz

#### 3.1.5.1. Konsistenz

Konsistenz bezeichnet die innere Widerspruchsfreiheit einer Theorie, einer Aussage, eines Statements. Sie ist ein entscheidendes Kriterium für die Wahrheit (eines Systems). Konsistenz basiert auf dem Kontradiktionsprin-

---

[269] Voraussetzung ist eine begnadete Erkenntnis der Offenbarung im Glauben. Ansonsten wäre eine richtige Erfassung der Offenbarung fraglich. Im obigen Beispiel gesprochen: Ansonsten könnte aus dem guten Gott doch noch ein Pferde- und Menschenhasser werden.

zip, welches die gleichzeitige Unmöglichkeit des Seins und Nichtseins ein und desselben unter derselben Hinsicht aussagt.

Das kirchliche Bekenntnis zu Gott muss dementsprechend in sich schlüssig sein, um überhaupt wahrheitsfähig zu sein.

Dagegen erhebt sich folgender Einwand: Wenn das Göttliche unendlich, damit unverstehbar und unbeschreibbar ist, dann kann man sich ihm – hält man an der grundsätzlichen Möglichkeit einer Beschreibung überhaupt fest – nur mit Hilfe von Paradoxien nähern. Dies entspräche in der Mathematik einer Wurzelziehung mittels Intervallschachtelung. Sören Kierkegaard behauptete, dass Gott das Paradoxe schlechthin ist. Gott ist der ganz Andere, und Unbegreifliche. „Je paradoxer der Glaubensinhalt sei, desto mehr sei der Glaube Glaube.“[270] Der Glaube ist daher das Wagnis des Gehorsams gegenüber dem Paradoxen. Die Inkonsistenz wird bei dieser Position gerade als das Kennzeichen der Wahrheit christlichen Glaubens angesehen. Die Konsequenz wäre, dass die Theologie als Wissenschaft sich von allen anderen Wissenschaften unterscheidet, insofern ihr Materialobjekt ein Glaube mit paradoxen Inhalten wäre. Daher wäre sie prinzipiell überflüssig, da sie den Glauben nur mit anderen Worten beschreiben, ihn aber nicht verstehen könnte. Das Problem der Position Kierkegaards besteht darin, dass die Selbstoffenbarung auf Verständnis hin angelegt ist. Denn der Liebe des Menschen zu Gott bedarf es eines Grundes. Dieser liegt in der zuvorkommenden Liebe Gottes (Gnade), die erst erkannt und verstanden werden muss. Denn um jemanden zu lieben, muss man ihn zumindest kennen.[271] Gott wird erkannt durch seine Offenbarung. Da er derselbe ist, gestern, heute und in Ewigkeit (Hebr 13,8), muss man davon ausgehen, dass seine Offenbarung in sich konsistent ist. Gott bzw. seine Offenbarung widerspricht sich apriori nicht. Das ändert nichts an der Unbegreiflichkeit Gottes, korrigiert aber diese Unerkennbarkeit durch die faktische Selbsterschließung Gottes in der Geschichte. Gott verlangt kein „credo, quia absurdum est“. Dies könnte man nur dann behaupten, wenn ein sichtbarer Bruch in der Heilsgeschichte vorläge, der eine eindeutige Planänderung Gottes voraussetzte. Da aber solch ein Bruch nicht vorliegt, ist und bleibt Theologie als Wissenschaft möglich und Konsistenz ein notwendiges Wahrheitskriterium. Eine Lehre der Kirche, die inkonsistent ist, hat die Wahrheitsvermutung gegen sich. Ein mögliches Beispiel: Würde ein Konzil definitiv etwas Kontradiktorisches bezüglich essentieller Glaubensinhalte lehren als ein früheres Konzil, dann wäre nicht nur die Annahme eines göttlichen Beistandes

---

[270] Johannes Hirschberger, Geschichte der Philosophie Bd. 2, Freiburg u. a. Sonderausgabe der 14. Auflage 1991, S. 497.

[271] Aurelius Augustinus, De trinitate VIII 4,6 [zitiert nach Michael Schmaus, Bibliothek der Kirchenväter Reihe 2 Bd. XIV, München 1936, S. 23]: „Wer aber kann lieben, was er nicht kennt? Es kann etwas zwar gewußt und nicht geliebt werden. Doch ich frage, ob etwas geliebt werden kann, von dem man nichts weiß“.

für das Lehramt und das Amt in der Kirche als falsch erwiesen, sondern auch eine der beiden Lehren müsste zwingend falsch sein.

### 3.1.5.2. Kohärenz und Konvenienz

Die Begriffe „Kohärenz" und „Konvenienz" bezeichnen dasselbe Phänomen, nur zu unterschiedlichen Zeitphasen. Beide Begriffe beziehen sich auf die Relation zweier verschiedener Erkenntnisse. Konvenient ist eine Überlegung, wenn aus einer gesicherten, wahren Erkenntnis A unter Zuhilfenahme einer unüberprüften oder unüberprüfbaren Annahme B eine Konklusion C deduziert wird. Die Wahrheit der Konklusion hängt dementsprechend von der Wahrheit der Annahme B ab, bzw. von der Zustimmung zu B. Man darf sich dies allerdings nicht zu schematisch vorstellen. Es kann vorkommen, dass verschiedene gesicherte Erkenntnisse gebündelt werden, um eine neue Synthese zu bilden. Diese neue Synthese kommt aber immer mittels eines ungesicherten Elementes (B) zustande. Andernfalls würde es sich nicht um eine Konvenienzüberlegung handeln, sondern um eine formallogische Deduktion. Als kohärent bezeichnet man das Ergebnis einer zeitlich vergangenen Konvenienzüberlegung. A ist zu C kohärent. Von Kohärenz spricht man in der Regel bei zwei Aussagen, die nicht direkt miteinander zu tun haben, aber dennoch miteinander verbunden sind durch einen oder mehrere Zwischenschritte. Kohärente Sätze sind jedoch nicht alle aus Konvenienzüberlegungen entstanden. Sie können auch ihre Verbindung in der Wirklichkeit oder in der einen Offenbarung Gottes besitzen, so dass sie zusammenpassen, weil Gott einer bzw. die Wirklichkeit eine ist. Allerdings sind zwei Aussagen, die durch eine Konvenienzüberlegung entstanden sind, notwendig zueinander kohärent. In diesem Fall bleibt zwischen beiden Aussagen jedoch ein Gefälle bezüglich der Wahrheitserkenntnis. Während A, wie auch immer, „bewiesen" ist, besitzt C nur eine Konsenswahrscheinlichkeit, die davon abhängig ist, wie glaubwürdig der Einzelne die Annahme B ansieht. C bleibt zwar entweder wahr oder falsch, dies kann vom Erkenntnissubjekt allerdings nicht entschieden werden, solange B nicht sicher wahr ist. Man kann in diesem Zusammenhang auch von Wahrheitswahrscheinlichkeit sprechen. Dementsprechend fällt die „Wahrheitswahrscheinlichkeit" von A zu C von 1 auf kleiner 1.

Die Bedeutung der Konvenienzüberlegung wird besonders in der Dogmengeschichte deutlich. Der Glaube der Kirche, die Summe ihrer Bekenntnisse gewinnt häufig durch Konvenienzüberlegungen Quantität. Dementsprechend muss man sich diesen Vorgang extensiv vorstellen. Er beginnt in einer Mitte von Zentralbekenntnissen und driftet im Laufe der Zeit in äußere Bereiche ab. Bei diesem Vorgang kommt es gleichzeitig zu neuen Grenzbestimmungen von der Mitte aus gesehen, so dass die Kirche die Ergebnisse von Konvenienzüberlegungen nun zu ihrem inneren Kern zählt. (Natürlich werden niemals alle Ergebnisse rezipiert, viele sogar verworfen). Anders gesagt: Es findet eine Rückkopplung einer Konvenienzüberlegung mit dem Glauben statt, falls B von der Kirche als wahr angenommen worden ist. Somit wird das Bekenntnis quantitativ immer größer, wobei im Falle der Dogmenentwicklung die Wahrheitswahrscheinlichkeit zwar theoretisch abfällt, praktisch aber durch Erklärung der Kirche die Wahrheitswahrscheinlichkeit auf 1 (=wahr) gesetzt wird, indem sie das Ergebnis einer solchen Überlegung in ihr Bekenntnis aufnimmt. So entsteht auf der einen Seite eine „Hierarchie der Wahrheiten", auf der anderen Seite wird dieser Erkenntnis jede Konsequenz entzogen, da das Bekenntnis der Kirche wahr ist und deswegen nicht rückgängig gemacht werden kann.[272] Die quantitative Ausdifferenzierung des kirchlichen Bekenntnisses erweist sich somit als größtes ökumenisches Hindernis. Denn die Verlagerung der Grenzen des kirchlichen Bekenntnisses auf Konzilien stößt gleichzeitig neue Überlegungen an, die vielleicht irgendwann wiederum „dogmatisiert" werden.

Das beste Beispiel für Konvenienzüberlegungen in der Dogmengeschichte bietet die Mariologie, deren Inhalte weitgehend aus christologischen und anthropologischen Vorlagen entstanden sind. Man denke zum Beispiel an die Immaculata conceptio. Ausgehend von der Gottessohnschaft Jesu und der Tatsache, dass alle Menschen außer Jesus Christus Sünder sind, die der Erlösungstat Christi zu ihrem Heil bedürfen, als wahren Prämissen, kombinierte man diese Erkenntnis mit der Annahme B, dass Gott nur die schönste aller Frauen wählen würde, um durch sie eine menschliche Natur anzunehmen. Das Resultat der Kombination beider Überlegungen war, dass Gott Maria, damit sie die schönste aller Frauen sei, vom ersten Augenblick ihres Da-Seins an von aller Sünde bewahrt haben müsse, und dass sie daher unbefleckt von der Erbsünde durch ihre Mutter empfangen worden sei. Ulrich Horst[273] zeigt, wie sich die Annahme B in Laufe des Hochmittelalters noch steigert. Hatten Thomas von Aquin und Bonaventura noch dafür votiert, dass Maria bei Beseelung von der Erbsünde befreit worden sei, so sprach sich Wilhelm von Ware für eine Nichtzuziehung der Erbsünde durch Maria aus.

> „Wilhelm von Ware begründet sodann seine Entscheidung zugunsten der Erbsündenfreiheit Mariens, indem er deren Möglichkeit (possibilitas), Angemessenheit (congruentia) und Tatsächlichkeit (actualitas) aufzuzeigen versucht. Zurecht sieht man in dieser Dreiheit die ursprüngliche Form des später in der Mariologie vielzitierten Prinzips

---

[272] Die einzige Möglichkeit der Hierachie der Wahrheiten zu ihrem Recht zu verhelfen, ist die Koppelung der Wahrheitsfrage an die Heilsrelevanz, welche unten diskutiert wird.

[273] Ulrich Horst, Das Dogma der Unbefleckten Empfängnis Marias (1854). Vorgeschichte und Folgen, in: Manfred Weitlauff (Hg.), Kirche im 19. Jahrhundert, Regensburg 1998, S. 95-114.

decuit – potuit – ergo fecit, das die spekulative Basis für die Deduktion der Immaculata Conceptio darstellt: Das Privileg war Maria angemessen und gereichte ihr zur Zierde (decuit), Gott konnte es bewirken (potuit). Und aus beiden folgt: Er hat es deshalb auch getan."[274]

Diese Entwicklung wurde am 8.12.1854 durch päpstliche Lehrentscheidung endgültig bestätigt. Damit wurde zugleich die Annahme B, Gott würde nur mittels einer makellosen Frau eine menschliche Natur annehmen, für wahr erklärt, obwohl es sich lediglich um eine Angemessenheitsüberlegung handelt, die sich nicht in der Schrift belegen lässt und deren Wahrheit nur Gott allein kennt.

Die Mariologie ist aber nicht der einzige Traktat, in dem sich solche Konvenienzüberlegungen finden. Die gesamte Theologie bedient sich oft solcher Überlegungen. Damit wird zugleich die Kohärenz einer Überlegung zu den bereits „gesicherten" Aussagen ein aussagekräftiger Vorindikator für die Wahrheit einer Spekulation. Die Folge ist, dass alle Dogmen der Kirche zueinander kohärent sind und sein müssen. Das Bindeglied mag nicht offensichtlich sein, aber es muss vorhanden sein. Damit führt potentiell eine Wahrheit zu einer anderen usw. bis sozusagen der Kreis abgeschritten ist und man wieder am Anfang ankommt.

Als zweites Beispiel für eine Konvenienzüberlegung kann die Erbsündenlehre gesehen werden. Sie speist sich aus mehreren Erkenntnissen: Zum einen aus der Erkenntnis, dass es einen Gott gibt; dass dieser Gott sich in der Geschichte als guter Gott geoffenbart hat, der das Heil und die Freiheit der Menschen will;[275] zum zweiten aus der Reflexion auf die Welt, die mit Leid und Tod nicht so ist, wie sie sein könnte;[276] Gott kann aber nicht die Ursache des Leids und des Bösen sein, da dies seiner Offenbarung widerspricht;[277] zum dritten: wenn Gott Gott ist und es kein zweites, böses Prinzip des Universums geben kann, dann bleibt nur der Mensch, vor allem als geistiges und freies Wesen als Grund für die Abwesenheit Gottes in der Schöpfung und damit für Leid und Tod übrig.[278] Daher muss man davon ausgehen, dass am Anfang die ersten Menschen sich gegen Gott entschieden haben und Gott ihnen ihren Wunsch erfüllt hat.[279] Diese Entscheidung am Anfang der Menschheit wird daher in alle Generationen vererbt (Erbsünde) und findet erst durch den Tod Christi ihre Vergebung.

---

[274] Ebd., S. 97.

[275] Alle drei Aussagen sind Erkenntnisse des Glaubens und daher theologische Fakten.

[276] Dies lässt sich, solange man die Existenz einer res extensa annimmt, nicht leugnen.

[277] Dies ist eine Konklusion aus der Offenbarung Gottes und dem Leid der Welt und damit so wahr, wie der erste Punkt.

[278] Auch dies ist eine Konklusion, welche Wahrheit beanspruchen kann, da aus der Reflexion auf die Welt keine anderen (geistigen) Ursachen für die Gottverlassenheit in Frage kommen.

[279] Dies ist ein Konvenienzüberlegung, da keine überprüfbaren Erkenntnisse aus dieser Zeit vorliegen.

Durch solche Konvenienzüberlegungen kann aber keinesfalls die gesamte Dogmenentwicklung erklärt werden. Es ist nur eine Facette der Entwicklung, wenn auch eine wichtige, die wohl einerseits aus Mangel an Informationen und andererseits aus einer menschlichen Neugier heraus gespeist wird. Es gibt in jeder Wissenschaft gesicherte Erkenntnis und darüber hinausgehend weiterführende Hypothesen, die durch Konvenienzüberlegungen entstanden sind und sich kohärent zu den gesicherten Erkenntnissen verhalten.

Wissenschaftstheoretisch ist daher die innere Kohärenz eines Lehrsystems zwingend geboten, da die Wirklichkeit, auf die sich die entsprechende Wissenschaft bezieht, notwendigerweise eine ist (gleiches Materialobjekt). Andernfalls würde es sich um eine andere Wissenschaft handeln. Aussagen, die zueinander kohärent sind, haben die Wahrheitsvermutung zunächst auf ihrer Seite, solange der ungesicherte Teil, der zur Aussage führte, nicht als unglaubwürdig erwiesen ist. Dass hierfür ein gewisser Konsens der Gelehrten ebenso eine Rolle spielt, darf als sicher gelten. Nicht umsonst kannte die neuscholastische Methode die Klassifizierung „sententia communis", um den Konsens der Theologen bezüglich einer Erkenntnis zum Ausdruck zu bringen.

## 3.2. Methodisches Vorgehen

Nachdem im vorangegangenen Kapitel die Wahrheitsfähigkeit menschlicher Erkenntnis aufgrund der Normativität der Wirklichkeit festgestellt wurde, muss nun die Methode einer Dogmenentwicklungstheorie geklärt werden. Hierbei bietet sich zunächst folgendes Vorgehen an, welches in anderen Wissenschaften und auch anderen theologischen Fächern praktiziert wird: Zunächst erhebt man historisch die tatsächlich stattgefundene Entwicklung, um dann mittels Abstraktion eine Theorie darüber zu legen, die diesem historischen Befund gerecht wird. Eine Dogmenentwicklungstheorie wird so zu einer Erklärung bezüglich der Summe aller Einzelbeobachtungen. Die sich aus dieser Methode ergebende Theorie hat allerdings unter Umständen den Nachteil, dass sie der Behauptung der Kirche einer widerspruchsfreien Entwicklung zuwiderläuft, was gerade die Wissenschaftlichkeit einer so entstandenen Theorie in den Augen der Vertreter einer solchen Vorgehensweise unterstreicht. Das Problem dieses Vorgehens besteht in einem verborgenen Denkfehler. Denn die Summe historischer Einzelbeobachtungen erklärt das Ganze nicht. Zu glauben, man könne ein Phänomen aus der Summe seiner Komponenten erklären, ist ein atomistischer Fehlschluss. Das Wesen eines Moleküls lässt sich zum Beispiel nicht aus den Essenzen der Atome, aus denen es besteht, erklären. Wendet man diese Methode daher auf das Problem der Dogmenentwicklung an, so kann man feststellen, dass Dogmenentwicklungstheorien, die auf eine solche Methode zurückgreifen, eines weiteren Elementes bedürfen, damit eine Theorie überhaupt zustande kommt. Dieses Element wird allerdings nicht aus der Geschichte gewonnen, sondern an sie herangetragen, so dass eine solche Theorie eine mehr oder weniger „kirchenfreundliche“ oder „moderne“ Interpretation eines Einzelnen darstellt. Das beste Beispiel für ein solches methodisches Vorgehen wurde oben bei Adolf von Harnack dargestellt, der, ausgehend von einem beachtlichen historischen Wissen, dieses so interpretiert hat, wie er es für richtig hielt, um das Christentum im Namen des Evangeliums von allem Institutionalisiertem (sprich Kirche) zu befreien. Dieses methodische Problem stellt sich bei allen historischen Untersuchungen, die eine deskriptive Ebene verlassen, um Deutungen abzugeben. Diese Methode ist aber deswegen nicht unbrauchbar, eine Dogmenentwicklungstheorie aufzustellen. Sie muss sich nur im Klaren darüber sein, dass diese Theorie sich nicht notwendig aus den historischen Beobachtungen ergibt, sondern ein Produkt der Geistes anhand bestimmter vorgegebener, normierenden Fakten darstellt. Da also eine Erhebung des Historischen im Grunde genommen nur akzidentell zur Entstehung einer solchen Theorie beiträgt, kann man ebenso gut einen anderen methodischen Ansatz wählen, der zumindest nicht Gefahr läuft, im Gegensatz zur Lehre der Kirche zu stehen.[280] Ausgangspunkt dieses Ansatzes wäre die Vermutung, dass die Dogmen der Kirche sich aus dem einen Ursprung, der Offenbarung Gottes, herleiten. Die angenommene Wahrheit muss dann nur noch mit den geschichtlichen Fakten sozusagen „nach unten“ vermittelt werden. Diese Methode bedeutet aber gleichzeitig eine andere Sicht auf die Geschichte. Während die erste Methode die Geschichte als einen Ort der Beliebigkeit[281] ansieht, der durch den menschlichen Geist seine Ordnung empfängt, betrachtet die zweite Methode die Geschichte als einen Ort der „Notwendigkeit“, in der sich Gott als ihr Souverän erweist.[282] Das Problem dieser Methode liegt in der pädagogischen Vermittlung auf die historische Ebene. Zum einen darf nicht der Eindruck entstehen, man hätte die Ergebnisse mithilfe der ersten Methode „notwendig“ aus historischen Fakten „deduziert“ („Steinbruchexegese“). Zum anderen müssen die Ergebnisse im allgemeinen mit den historischen Fakten übereinstimmen, ansonsten wird ihre Wahrheit für die Vernunft zweifelhaft.

Ein weiteres Problem dieser Methode liegt darin, dass sich nur die Theologie als Glaubenswissenschaft ihrer bedienen kann. Sie wird daher von anderen Wissenschaften auch gerne als „Apriorismus“ oder „Dogmatismus“ abgetan und Theologie zur Ideologie gestempelt. Dieser Vorwurf ist allerdings nicht gerechtfertigt. Denn zum einen gibt es kein einheitliches, alle Wissenschaften umfassendes Wissenschaftlichkeitsideal. Zum anderen ist die Theologie jederzeit in der Lage, die Schwäche der ersten Methode auszunutzen und die Wahrheit ihrer Dogmen als zweifelsfreie Ergebnisse aus historischer Forschung darzustellen, wohl wissend, dass die erste Methode nur Fakten und deren Interpretationen kennt, so dass diese Interpretationen immer Hypothesen bleiben und die Wahrheitsfrage somit vor der „Tür zur Wissenschaft“ abgegeben wird, um einen herrschaftsfreien Diskurs nicht durch „Ideologien“ zu stören.

Konkret auf die Dogmenentwicklung angewandt bedeutet diese Methode, den Glauben der Kirche von der Wahrheit ihres Bekenntnisses ernst zu nehmen und von der Identität des Glaubens der Kirche mit dem Glauben der Apostel auszugehen, um dann diese Einsicht auf eine geschichtliche Ebene zu vermitteln, ohne es sich mit der Berufung auf die Geistführung der Kirche zu leicht zu machen. Das Argument der Führung der Kirche durch den Geist Gottes ist zwar Inhalt des Glaubens und damit für einen Gläubigen

[280] Man kann das methodische Problem analog zum historischen Problemkreis Glaube und Wissen betrachten. Man kann mit der Vernunft den Glauben mit seinen Inhalten nicht „beweisen“, so dass der Glaube an Jesus Christus natürliches Ergebnis der Vernunftbetätigung des Menschen wird. Das bedeutet jedoch nicht, dass der Glaube der Vernunft nicht zugänglich wäre. Daher setzt die Theologie den Glauben der Kirche als wahr voraus, um ihn dann mit den Mitteln der Vernunft systematisch zu durchdringen und historisch zu verankern.

[281] Das Wort „Freiheit“ wurde bewusst vermieden.

[282] Es geht nicht um eine Wiederbelebung des Hegel'schen absoluten Geistes, mit dessen Hilfe man alles Entstandene rechtfertigen kann, sondern um das „credo in Spiritum Sanctum“.

hinreichendes Argument, verbietet aber nicht eine genauere wissenschaftlich-theologische Durchdringung, die in der Vermittlung dieser Glaubenserkenntnis in eine historische Wirklichkeit bedeutet. Gleichzeitig bedingt diese Methode einen anderen Umgang mit historischen Fakten, vor allem mit Quelltexten. Diese können und dürfen nicht gegen eine spätere Entwicklung interpretiert werden, sondern nur zu ihren Gunsten. Ein konkretes Beispiel: Mt 16,18 darf nicht gegen den Jurisdiktionsprimat des Papstes ausgelegt werden, sondern schlechtestenfalls so, dass diese Stelle diesbezüglich überhaupt nichts aussagt. Ein anderes Beispiel: Mk 3,32 darf zunächst einmal nicht gegen eine immerwährende Jungfräulichkeit Mariens ausgelegt werden, bis man eventuell andere theologische Konzepte bezüglich des Begriffs „Jungfräulichkeit" aufgestellt hat. Dies gilt nicht nur für die Interpretation der Schrift, sondern ebenso für Texte der Kirchenväter oder auch für Beschlüsse von Synoden und Konzilien.

Problematisch wird es für dieses methodische Vorgehen dann, wenn die Normativität des faktisch Vorgegebenen keine Interpretation zugunsten des später von der Kirche bezeugten Dogmas zulässt. Hätte die Kirche einer früheren Generation ein Dogma explizit so abgelehnt, wie die Kirche einer späteren Generation es lehrt, dann wäre die Lehre der Kirche tatsächlich als Ideologie enttarnt. Aber nicht nur das, sondern es würde auch der christliche / katholische Glaube in seinen Grundfesten erschüttert. Denn die Führung der Kirche durch den Geist Gottes wäre damit widerlegt. Mit dieser Führung fallen die Sakramente als Objektivationen der Gnade in der Raumzeit – darunter auch die gesamte „Amtstheologie" – , es fällt eine effektive Gnadenlehre, wie sie das Neue Testament bezeugt, es fällt die Sakramentalität der Kirche weg. Der dritte Artikel des Nicäno-Konstantinopolitanums würde fraglich. Offenbarung an sich würde ohne den Geist Gottes fraglich. Denn ohne den Geist Gottes, der den einzelnen Menschen begnadet, könnte Offenbarung nicht erkannt werden, bzw., wie Rahner dies sagt, den Kategorien eines menschlichen und endlichen Erkenntnissubjekts anheimfallen und damit hoffnungslos verfälscht werden. Da aber der dritte Teil des Credo nicht isoliert ist von den anderen Teilen, erstreckt sich eine Negation des Wirkens des Heiligen Geistes in der Kirchengeschichte auf das Wirken Jesu Christi selbst. Ohne das Wirken des Geistes Gottes wäre das Messiasbekenntnis des Petrus niemals möglich gewesen. Der Schrift wäre ihre Möglichkeitsbedingung entzogen. Nicht Gott hätte Israel aus Ägypten geführt, sondern Mose. Nicht Gott hätte durch die Propheten gesprochen, vielmehr wären diese notorische Pessimisten, denen die Geschichte recht gegeben hat. Die Apostel hätten Jesus als Sohn Gottes nicht erkennen können,[283] sie hätten seine Auferstehung nicht erkennen können, der christliche Glaube wäre eine Lüge. Damit fiele die Gotteslehre an sich und man käme zum

[283] Vgl. Mt 16,17.

aristotelischen „ersten unbewegten Beweger“ zurück, über den man nichts wüsste. Damit kann es einen kontradiktorischen Gegensatz zwischen der Kirche zu unterschiedlichen Generationen bezüglich einer Lehre nicht geben. Daraus folgt aber, dass prinzipiell jedes Dogma auf eine geschichtliche Ebene vermittelt werden kann, da die Normativität der Wirklichkeit, des Faktischen, niemals ein Dogma der Kirche widerlegen kann. Selbst wenn sich geschichtliche Gegenstimmen zu einem späteren Dogma in der Geschichte bei Kirchenvätern oder Kirchenlehrern finden ließen, so kann dies das Dogma allein deshalb nicht destruieren, da nur das Lehramt eine Aussage des Lehramts destruieren könnte. Vereinzelte theologische Meinungen, die jedem Theologen, Kirchenvater oder Kirchenlehrer zugestanden werden müssen, können a priori eine Lehre der Kirche nicht widerlegen.

Diese hier skizzierte Methode soll im folgenden angewandt werden, nicht nur deshalb, weil es zu ihr praktisch keine Alternative gibt, sondern auch weil sie kohärent zu einer brauchbaren Gnadentheologie ist, in der Gnade Voraussetzung menschlichen Selbstvollzugs darstellt. Dadurch wird – im Grunde genommen – die erste (aposteriorisch-historische) Methode als theologisch fragwürdig eingestuft, da es widersinnig erscheint, erst von der die Natur ermöglichenden Gnade abzusehen, um dann das Wirken oder, noch fragwürdiger, das Nicht-Wirken der Gnade in der Geschichte zu belegen. Deshalb soll im nächsten Kapitel auch die fundamentaltheologische Methode für kurze Zeit verlassen werden, um festzustellen, was Offenbarung ist und wie sie geschieht. Dieser Sprung von der Erkenntnis- zur Seinsordnung lässt sich mit dem oben Gesagten begründen. Dogmenentwicklungstheorie will Dogmen rechtfertigen. Diese werden daher als „wahr“ vorausgesetzt. Das leugnet nicht, dass es einen Unterschied zwischen Erkenntnis- und Seinsordnung gibt, sondern nur, dass dieser Unterschied für einen Gläubigen nicht existiert. Theologie setzt den Glauben der Kirche voraus und analysiert ihn nach unterschiedlichen formalen Gesichtspunkten. Der Glaube der Apostel an Jesus Christus wird nicht noch einmal hinterfragt, wie oben bereits gesagt wurde. Es wird nur gefragt, wie es zu ihm kam. Dies wiederum hat die bisherigen erkenntnistheoretischen Überlegungen, die zunächst einmal Erkenntnis- und Seinsordnung trennen, sinnvoll gemacht. Dass der Erkenntnis der Apostel eine Offenbarung entspricht, und dass das Sein Gottes der menschlichen Erkenntnis vorausgeht, sind Ergebnisse jenes Erkenntnisvorgangs, der seinem Inhalt nach von einem Christen nicht hinterfragt werden kann. Diese Erkenntnis jedoch muss auf die Geschichte und die Vernunft hin vermittelt werden. Damit eine Vermittlung geschehen kann, ist es aber zuerst nötig, das zu ermitteln, was vermittelt werden soll. Dies ist der Glaube und sein Pendant – die Offenbarung.

Diese Vorgehensweise erfüllt dabei gleichzeitig den oben gestellten Anspruch, auf die Gnade nur dort zu rekurrieren, wo es absolut notwendig erscheint. Denn, wie oben bereits demonstriert, würde sich das Problem einer Dogmenentwicklung und Dogmenrechtfertigung mittels der Gnadenlehre schnell und einfach, aber auch ungeschichtlich durchführen lassen.

## 3.3. Ontische Voraussetzung einer Dogmenentwicklung – die Offenbarung

„Die Liebe Gottes wurde unter uns dadurch offenbart, dass Gott seinen einzigen Sohn in die Welt gesandt hat, damit wir durch ihn leben" (1 Joh 4,9). Dieser zur Veranschaulichung herausgegriffene Satz aus dem ersten Johannesbrief führt direkt in das wichtigste Zentrum für eine Dogmenentwicklungslehre überhaupt. Denn die Offenbarung ist die Wirklichkeit, auf die sich die Dogmen ihrem eigenen Selbstverständnis nach beziehen. Das Wesen von Offenbarung muss dementsprechend ausführlich behandelt werden. Wesentliche Eigenschaften macht der exemplarisch ausgewählte Satz des Johannesbriefs deutlich. Die trivialste Erkenntnis, die dieser Satz gibt, die aber Voraussetzung für Offenbarung ist, ist die Existenz eines offenbarenden Gottes. Das zweite Element, das der Satz enthüllt, besteht in der Art von Offenbarung. Er offenbart seine Liebe zu den Menschen[284] in der Sendung eines Menschen, seines Sohnes (Jesus). Umgekehrt bedeutet dies: Jesus ist als Mensch, indem was er tut, indem was er sagt, eine Offenbarung der Liebe Gottes. Wenn Offenbarung in menschlichen Bildern gesprochen, eine Art „Sprechakt" Gottes ist, so muss man Jesus als das „Wort" Gottes bezeichnen, indem er seine Liebe ausspricht. Die Offenbarung Gottes wird hier mit der Geschichte eines Menschen in eine enge Verbindung gebracht. Die Geschichte ist der Ort der Begegnung Gottes mit dem Menschen. Die Inhalte der Offenbarung werden von Gott nicht mittels eines übernatürlichen Sprechaktes kundgetan, sondern erschließen sich den Menschen in der Begegnung mit Jesus. Gerade darin erweist sich Gott als Person und nicht als irgendeine rational nicht fassbare numinose Kraft oder als bloßer Garant der Ethik. Eine unpersönliche Gottheit würde und kann sich nicht im Leben und als das Leben eines Menschen offenbaren. Zu einem unpersönlichen Numinosum würde man auch nicht „Vater" sagen (Mt 6,9). Jesus von Nazareth offenbart aber nicht nur ein Attribut Gottes, „die Liebe", wie dies der obige Satz grammatikalisch impliziert, sondern Gott offenbart sich selbst, sein Wesen, seinen Willen. Das Willensobjekt Gottes wird bereits im obigen Satz angedeutet, wenn als Ziel der Sendung Jesu das Leben der Menschen angegeben wird. Gott will das Heil der Menschen, er will sie, um im obigen Bild zu bleiben, „lebendig machen". Die Offenbarung dient diesem Ziel. Dieser Wille Gottes wird im Johannesbrief als „Lie-

[284] Man kann das „unter uns" alternativ auch auf die johanneische Gemeinde beziehen, was des universalen Ziels der Offenbarung an sich keinen Abbruch tut. Offenbarung kann nicht partikulär sein. Sonst hätte man es mit einem parteiischen Gott zu tun. Solch ein Gott wäre nicht moralisch vollkommen, was problematisch ist, da Vollkommenheit (moralische und ontische) und Gott-Sein ein und dasselbe sind.

be“ interpretiert. Das Wort „Liebe“ bleibt dabei eine endliche, menschliche Umschreibung für die Beziehung Gottes zur Welt, die man Offenbarung nennt.

Offenbarung ist daher eine Beziehung Gottes zum Menschen, eine Beziehung Gottes zur Welt, in der jeder einzelne Mensch eingeschlossen ist, deren Relationsfundament nur im Wesen Gottes selbst liegen kann. Wie man dieses Relationsfundament dann bezeichnet, ob als „Liebe“ oder „Gnade“ oder nicht näher spezifisch als „freien Willensakt Gottes“, hängt davon ab, ob man dieses Fundament entweder im Willen oder im Wesen Gottes verortet. Philosophisch betrachtet, können Wesen und Willen Gottes nicht voneinander getrennt werden, da Gottes Wesen einfach ist. Gottes Wesen setzt sich nicht aus verschiedenen Komponenten zusammen, in die man es logisch teilen könnte. Die Einfachheit ist ein Postulat der Vollkommenheit Gottes. Gott will, was er ist, und ist, was er will. Letztlich bleibt die von Gott frei gesetzte Beziehung zur Welt für den Menschen unerklärbar, da Gott als vollkommenes Wesen dieser Beziehung nicht bedarf. Weder Schöpfung noch Offenbarung sind notwendige Vollzugsmomente göttlichen Seins, da andernfalls Gott nicht mehr Gott wäre oder die Welt zumindest „einen Teil Gottes“ darstellen müsste. Das Wort „Liebe“, das diesem Rätsel der Schöpfung/Offenbarung eine angemessene Deutung geben soll, ist aufgrund der Offenbarung Gottes in der Geschichte die beste Interpretation, die der Mensch in der Lage ist, nachzuvollziehen. Das Wesen der Offenbarung ist dementsprechend am bestem mit „Liebe“ zu bezeichnen. Weil Gott die Welt liebt, ruft er sie ins Dasein, weil er sie liebt, rettet er sie durch seinen Sohn, der am Kreuz das Leben neu schafft.

> „Durch seine Offenbarung wollte Gott sich selbst und die ewigen Entscheidungen seines Willens über das Heil der Menschen kundtun und mitteilen, um Anteil zu geben am göttlichen Reichtum, der die Fassungskraft des menschlichen Geistes schlechthin übersteigt.“[285]

Jesus von Nazareth ist in seiner Person die unüberbietbare Fülle dieser Offenbarung, die den göttlichen Reichtum vermittelt. Dies bezeugt das Wort „einzig“ im Johanneszitat. Jesus ist als Person nicht nur Repräsentant Gottes, wie ein Prophet, sondern selbst göttliche Person. Er ist als Mensch das Wort Gottes; er ist das menschgewordene Fundament der Beziehung Gottes zur Welt, die Liebe Gottes selbst. Daher wird Jesus in der Schrift die Bedeutung des Schöpfungs- und Offenbarungsmittlers gegeben (Kol 1,16-20). Daraus ergibt sich, dass die Offenbarung Gottes in der Schöpfung und die Offenbarung Gottes durch Propheten (im AT) hineingenommen und vollendet wird durch die Offenbarung Jesu Christi. Von ihr bekommen sie ihr

[285] DV 6 [Übersetzung von Rahner, Vorgrimler, Kleines Konzilskompendium, Freiburg u. a. [26]1994], „Divina revelatione Deus Seipsum atque aeterna voluntatis suae decreta circa hominum salutem manifestare ac communicare voluit, ad participanda scilicet bona divina, quae humanae mentis intelligentiam omnino superant“.

Maß. Wenn Jesus als das Fundament der Beziehung Gott Vaters zur Welt und zum Menschen bezeichnet wird, so wird deutlich, dass dieses Fundament selbst personal ist. Jesus Christus ist als Person der Grund der Beziehung Gottes zur Welt. Damit erweist sich die Dreifaltigkeit als Möglichkeitsbedingung von Schöpfung und kontingentem Seienden überhaupt. Das Wort Gottes, Jesus Christus, ist der Grund und damit der Mittler der Beziehung Gottes zum Menschen.

Oben wurde gesagt, dass der Grund der Beziehung Gottes zum Menschen nur im Wesen Gottes liegen könne und dass dieses Wesen am besten mit dem Wort „Liebe“ zu charakterisieren ist. Wenn nun Jesus von Nazareth als Person Fundament der Relation Gottes zum Menschen bezeichnet wird, so wird deutlich, dass die göttlichen Personen nicht vom göttlichen Wesen getrennt werden können, dass sie mit ihm eins sind, insofern jede von ihnen und alle zusammen Träger des göttlichen Wesens ist. Die Trinitätstheologie muss als Horizont jeder Offenbarungslehre gesehen werden. Auch wenn es vermessen erscheint, einen historischen Menschen als Grund der Existenz des Universum und als dessen Erlöser zu bezeichnen,[286] so ist gerade dies die Bedeutung, welche die Christen Jesus, dem Sohn Mariens, zumessen. Gleichzeitig folgt aus diesem Bekenntnis, dass jede Offenbarung nicht nur an ihm gemessen werden muss, sondern auch dass jede Offenbarung durch ihn geschehen sein muss. Damit ergibt sich die Hermeneutik, dass alles, was sich „Offenbarung“ nennt, an dem, was Jesus war, was er getan und gesagt hat, messen lassen muss. Was im Gegensatz zu dem steht, kann sich nicht auf göttlichen Ursprung berufen, egal welcher Religion es entstammt.

Zugleich ist mit der Inkarnation des göttlichen Wortes der Höhepunkt jeder Offenbarung erreicht. Die Offenbarung in Jesus Christus ist nicht mehr steigerungsfähig, da er selbst die Offenbarung Gottes, das Wort Gottes ist. Sie ist daher abgeschlossen. Die Beziehung des Vaters zur Welt, deren Fundament der Sohn ist, wurde durch die Menschwerdung des Sohnes für alle Menschen bleibend dargestellt. Deshalb müssen sich alle Menschen zu dieser von Gott angebotenen Beziehung und damit zu deren Mittler und Inhalt Jesus Christus verhalten.[287] Die Beziehung selbst dauert an, auch wenn ihr Höhepunkt mit dem Leben Jesu erreicht ist. Die Vollendung und der Abschluss der Offenbarung mit Jesus Christus (dem Tod des letzten Apostels) besagt also nicht, dass die Beziehung Gottes (des Vaters) zur Welt überhaupt aufgehört hätte, sondern nur, dass ihre Fülle bereits in der Geschichte verwirklicht wurde und dass es qualitativ nichts mehr zu sagen gibt, gemäß Mi 6,8: „Es ist dir gesagt worden, Mensch, was gut ist und was

[286] Vgl. Kol 1,16; Joh 1,1-17; Phil 2,6-11 u. a.

[287] Die von dieser Offenbarung wissen, müssen sich auf andere Weise zu ihr verhalten als die, die nichts von ihr wissen. (siehe auch 3.6.).

der Herr von dir erwartet: Nichts anderes als dies: Recht tun, Güte und Treue lieben, in Ehrfurcht den Weg gehen mit deinem Gott."

> Das „Offenbarungsgeschehen [durch Jesus Christus] ereignet sich in Tat und Wort, die innerlich miteinander verknüpft sind: die Werke nämlich, die Gott im Verlauf der Heilgeschichte wirkt, offenbaren und bekräftigen die Lehre und die durch die Worte bezeichneten Wirklichkeiten; die Worte verkündigen die Werke und lassen das Geheimnis, das sie enthalten, ans Licht treten. Die Tiefe der durch diese Offenbarung über Gott und über das Heil des Menschen erschlossenen Wahrheit leuchtet uns auf in Christus, der zugleich der Mittler und die Fülle der Offenbarung ist."[288]

Das Zitat erweckt den Anschein, als gäbe es zwei Arten von Offenbarung: Eine Wortoffenbarung und eine Tatoffenbarung. Dies scheint im Widerspruch mit der obigen These zu stehen, dass es nur eine (frei gesetzte) Beziehung Gottes zu Welt gibt, die den Namen „Offenbarung" (oder „Schöpfung") trägt. Dieser Widerspruch wird aber bereits durch den Konzilstexte abgemildert, indem das Konzil auf die innere Verbindung von Wort und Tatoffenbarung hinweist. Aufgehoben ist der Widerspruch bei Jesus Christus, der das Wort Gottes ist und daher die Taten Gottes vollbringt. Er ist, wie gesagt, das Fundament der Offenbarung, ihr Inhalt, der Grund ihrer Existenz. Jesus erweist sich als Wort Gottes im Selbstvollzug (Tat) seines Menschseins. In dieser Tatoffenbarung, in seinem Dasein als Mensch, durch das Gott dem Menschen begegnet, sich ihm gegenüber „ausspricht", lassen sich, wie das Konzil dies sagt, auf der phänomenologischen Ebene zwei relevante Akte unterscheiden. Zum einen Jesu Taten, wie Heilungen, Tempelaustreibung, Abendmahl usw., zum anderen seine Verkündigung, seine Predigten. Da Jesus das Wort Gottes ist, verkündigt er das, was er ist, verkündigt er das, was Gott will, und damit das, was Gott ist. Jesus ist als Wort Gottes Inhalt der Offenbarung und als Mensch Offenbarer seiner Selbst (der „Liebe" s. o.), des göttlichen Willens und der Gottesherrschaft. Die Worte und Taten des Offenbarers Jesus verweisen auf das Wesen und den Willen Gottes, verweisen auf ihn, der das ausgesprochene Wesen Gottes als Mensch ist, verweisen auf ihn als zweite göttliche Person. Der Sohn als das Wort Gottes ist Möglichkeitsbedingung von Offenbarung (Schöpfung). Was der Mensch Jesus sagt und verkündet, darf nicht direkt als das Wort Gottes angesehen werden, sondern als Hinweis auf dieses Wort, das laut erstem Johannesbrief seinem Wesen nach die Liebe ist. Das-

---

[288] DV 2 [obige Übersetzung aus Rahner, Vorgrimler, Kleines Konzilskompendium, Freiburg u. a. [26]1994], „Haec revelationis oeconomia fit gestis verbisque intrinsece inter se connexis, ita ut opera, in historia salutis a Deo patrata, doctrinam et res verbis significatas manifestent ac corroborent, verba autem opera proclamant et mysterium in eis contentum eludicent. Intima autem per hanc revelationem tam de Deo quam de hominis salute veritas nobis in Christo illucescit, qui mediator simul et plenitudo totius revelationis exsitit".

selbe gilt für seine Taten, die er mit der Hilfe Gottes (seiner göttlichen Natur) getan hat. Es sind nicht direkt Gottes Taten, sondern Taten Jesu, in denen seinen Jünger den „Finger Gottes“ (Lk 11,20) am Werk sehen und ihn letztlich als den Sohn (Mt 16,16), als das tätige Wort Gottes (Jes 55,11) erkennen. Gottes Offenbarung in Jesus Christus erweist sich als indirekte, d. h. mittelbare Offenbarung. Auf der Erkenntnisebene, in der Geschichte des Jesus von Nazareth ist kein Gott direkt sichtbar. Andernfalls hätte man Jesus nicht ans Kreuz geschlagen. Sichtbar ist nur ein historischer Mann mit seinen Taten und Reden. Nur für einen begnadeten Menschen werden diese Taten und diese Reden Zeugnisse dafür, dass in Jesus das göttliche Wort, die Offenbarung selbst und das Leben der Welt Mensch geworden ist (Joh 1,14)[289]. Die Offenbarung Gottes muss indirekt sein, wenn sie auf eine freie Antwort des Menschen zielt. Würde Gott sich direkt offenbaren, bliebe keine Freiheit mehr zum Glauben oder Unglauben. Dies wäre, biblisch gesprochen, das Gericht über die Welt. Solange dies Gericht aber nicht da ist, offenbart sich Gott nur indirekt und untersagt Moses (Ex 33,20), sein Gesicht zu sehen. Anders formuliert: Die Offenbarung Gottes ist sakramentale Offenbarung. Sie bedarf eines Mediums, nicht weil Gott sich nicht anders offenbaren könnte, wenn er wollte, sondern weil dies der scheinbar einzige Weg ist, Offenbarung und zugleich Freiheit des Menschen zu ermöglichen. Die Geschichte als Ort menschlichen Handelns und menschlicher Freiheit erweist sich als die Materie der Offenbarung, deren Form (Inhalt) Gott selbst ist.[290] Dies ist das Bekenntnis der Schrift im Alten Testament, in dem Gottes Handeln in der Geschichte bezeugt wird. Diese Be-

[289] Dies entspricht der oben erwähnten Freiheit des Menschen im Vorgang der Erkenntnis, die sich im interpretativen Anteil zeigt und auf die der Heilige Geist begnadend einwirken kann, um den Glauben und damit die „wahre“ Sicht auf Jesus, den Sohn Gottes, zu ermöglichen.

[290] Man könnte aber genauso die menschliche Natur Jesu als das Medium bezeichnen, durch das sich die göttliche Natur offenbart. Da sich jede menschliche Natur allerdings geschichtlich vollzieht, kommt man wieder zum obigen Satz, dass die Geschichte die Materie, das Medium der Offenbarung darstellt, dessen Inhalt der Wille Gottes und sein Wesen ist. Wenn das Zweite Vatikanische Konzil Jesus als „mediator et plenitudo totius revelationis“ (DV2) bezeichnet, so wird bereits auf den sakramentalen Charakter der Offenbarung hingewiesen. Die menschliche Natur Jesu vermittelt die Fülle der Offenbarung, die Jesus selbst als Person ist.

zeugung geht manchmal sogar ins theologisch Seltsame hinein,[291] indem Gottes Handeln in der Geschichte übertrieben dargestellt wird. Im Neuen Testament wird das Handeln Gottes ebenfalls bezeugt. Jesus selbst sieht sich als Vollbringer des göttlichen Willens in den Exorzismen, die er durchführt.[292] Vor allem die Apokalypse des Johannes aber macht deutlich, dass die Geschichte bis zum Gericht am jüngsten Tag gemäß dem Willen Gottes verläuft, auch wenn die Kirche unter vielerlei Nachstellungen des Feindes zu leiden haben wird. Der Endsieg ist bereits erzielt und nichts kann und wird den Plan Gottes und seine Herrschaft aufhalten.[293]

Die chalcedonensische Formel der einen Person in zwei Naturen hat also ihr Analogon in der Offenbarungstheorie. Der Mensch Jesus offenbart die Liebe Gottes, die er selbst ist, und dadurch Gott, seinen Vater. Gott begegnet den Menschen als Mensch. Er verkleidet sich nicht nur als Mensch, um seine Gebote kundzutun oder mit den Menschen zu spielen, wie die Götter des Olymp im Mythos dies taten. Er will die Menschen in die Beziehung setzen, in der er mit seinem Vater steht. Dies kann er nur dann verwirklichen, wenn er den Willen des Vaters tut und ihn somit für die Welt sichtbar macht. Jesus verkündigt daher nicht sich selbst, sondern seinen Vater. Da er aber das Medium, das Sakrament Gottes für die Welt, das Wort Gottes an die Welt ist, wird er zwangsläufig zum Inhalt, an den geglaubt wird. Denn, indem was er tut und was er sagt, muss man den Willen Gottes ablesen. Seine Predigt ist die Predigt eines Menschen, dessen Interpretation des Wesens und Willens Gottes aufgrund der Begnadung seines menschlichen Verstandes und Willens durch den Heiligen Geist nicht nur wahr ist, sondern auch die letztgültige Interpretation, die nur noch im Bereich der Bilder und des Sprachgebrauchs interpretierend ist, aber nicht mehr in dem, was die sprachlichen Bilder umschreiben sollen, wie dies bei den Propheten noch der Fall ist. Johannes beschreibt dies mit den Worten: „Niemand hat Gott je gesehen. Der Einzige, der Gott ist und am Herzen des Vaters ruht, er hat Kunde gebracht“ (Joh 1,18). Dadurch unterscheidet sich Jesus von jedem Propheten des alten Bundes. Er selbst sagt: „Himmel und Erde werden

---

[291] Im Richterbuch wird Israel als Retter von Gott Ehud gegeben (Ri 3,15). Dieser ermordet den feindlichen König, unter dem Israel leidet. Dies bedeutet konkret: Gott erwählt einen Menschen, um einen anderen Menschen umzubringen. Ein anderes Beispiel: In 2 Sam 24,1 heißt es: „Der Zorn des Herrn entbrannte noch einmal gegen Israel, und er reizte David gegen das Volk auf und sagte: Geh, zähl Israel und Juda!“ und weiter in Vers 15 als Folge dieser Handlung heißt es: „Da ließ der Herr über Israel eine Pest kommen; sie dauerte von jenem Morgen an bis zu dem festgesetzten Zeitpunkt, und es starben zwischen Dan und Beerscheba siebzigtausend Menschen im Volk.“ Eine aufgetretene Pest wird hier als von Gott gewollt vorgestellt. Ob es so viele Tote waren, sei dahingestellt. Wichtig festzuhalten ist jedoch, dass alles Geschehen auf Erden in einer Beziehung zu Gott gesehen wird und dies manchmal in übertriebenem Maße.

[292] Vgl. Lk 11,20; Joh 5,19 u. a.

[293] Vgl. Offb. 12,7-12; 20,11ff.

vergehen, aber meine Worte werden nicht vergehen“ (Mt 24,35). Seine Gleichnisse vom Reich Gottes zum Beispiel sind nicht nur anschauliche Explikationen seines Gottesbildes, sondern eine nicht mehr steigerbare Aussage darüber, wie der „Himmel“ wirklich ist. Jesus versteht sich selbst als der eschatologische Mittler der Gottesherrschaft. Dies zeigt sich durch die Sammlung des Zwölferkreises und in der Bergpredigt, wird aber vollends bei letzten Abendmahl, wo er seinem Tod eine Heilsbedeutung gibt, deutlich. Diese Dinge belegen die göttliche „Folie“ (Natur), die dieser Mensch als Hintergrund haben muss. Das Konzil von Chalcedon fasst diese Transparenz Jesu auf Gott, seinen Vater, in die Formel eines wahren Menschen, der zugleich zweite göttliche Person ist.

Die Selbstoffenbarung Gottes in der Geschichte und die Mittelbarkeit jeglicher Offenbarung findet, rein literarisch betrachtet, einen Widerspruch im Alten Testament, in dem verschiedene Passagen aufgeschrieben sind, die nicht zur hier entwickelten Theorie zu passen scheinen. Denn wenn Offenbarung mittelbar geschieht, wenn sie indirekt ist, wie passt dann das, was man im allgemeinen Wortoffenbarung nennt, dazu? Bei Jesus, der selbst das Wort Gottes ist, lassen sich Wortoffenbarung und Tatoffenbarung vereinigen, auch wenn, wie gesagt, die Predigten und die Verkündigung Jesu nicht direkt das Wort Gottes an sich sind, sondern Gottes Wort in Menschenwort. Anders gesagt: Es stellt sich das Problem der Propheten, der an sie ergangenen Offenbarung und der durch sie ergangenen Offenbarung. Die Botensendformel „So spricht JHWH“ impliziert auf der literarischen Ebene einen tatsächlichen Sprechakt Gottes. Aber noch ein weiteres Problem stellt sich. Im Alten Testament sind oft Offenbarungen bezeugt, die nicht Selbstoffenbarungen Gottes genannt werden können. In 2 Sam 2,1 zum Beispiel heißt es: „Danach befragte David den Herrn: Soll ich in eine der Städte Judas hinaufziehen? Der Herr antwortete ihm: Zieh hinauf! David fragte: Wohin soll ich ziehen? Er antwortete: Nach Hebron.“ Oder in 1 Sam 28,3-25 bedient sich Saul der Nekromantie, um die Zukunft offenbart zu bekommen. Im selben Sinn scheint aber auch Johannes auf Patmos den Begriff „Offenbarung“ zu verwenden: „Offenbarung Jesu Christi, die Gott ihm gegeben hat, damit er seinen Knechten zeigt, *was bald geschehen muß*“ (Offb 1,1). Beide Einwände belegen, dass der Offenbarungsbegriff selbst eine Entwicklung hinter sich hat. Diese Entwicklung führte von einer supranaturalistischen Vorstellung eines göttlichen Sprechens zu der oben skizzierten Offenbarungsvorstellung. Was ist also (von) den Propheten offenbart worden?

Zunächst einmal muss man mit Ez 22,28 („Seine Propheten aber übertünchen ihnen alles. Sie haben nichtige Visionen, verkünden ihnen falsche Orakel und sagen: So spricht Gott, der Herr - obwohl der Herr gar nicht gesprochen hat.“) feststellen, dass es zur Zeit der Königreiche Israel und Juda Berufspropheten gegeben hat, deren Aufgabe darin bestand, das politische System, die bestehenden Verhältnisse durch Sakralisierung zu stabilisieren. Ezechiel bescheinigt ihnen, dass sie sich als Boten Jahwes ausgeben, ohne von ihm gesandt zu sein. Sie benutzen die Botensendformel, um ihre eigene Botschaft zu propagieren. Ezechiel hingegen führt seinen Dasein als Prophet auf eine Vision zurück, bei der er von Gott Audienz in dessen himmlischen Thronsaal gewährt bekommt und bei der er seine Sendung als Prophet empfängt (Ez 2,1-3,15). Trotz der göttlichen Autorisierung seiner Sendung sieht sich der Prophet gezwungen, mit anderen Propheten, die das Gegenteil vorhersagen zu konkurrieren. Und da Ezechiel sich weitgehend als Unheilprophet betätigt (Ez 4,1-36,15), ist diese Konkurrenzsituation doppelt schwer, da die Leute eher geneigt sind, Heilsprophezeiungen zu glauben, anstatt sich nach Tod, Untergang und Gericht zu sehnen. Historisch betrachtet wurde diese Konkurrenzsituationen durch den Verlauf der Geschichte entschieden. Die Geschichte machte den einen Propheten zum Lügen-, den anderen zum wahren Propheten Jahwes. Die Worte des wahren Propheten wurden aufgeschrieben, weil Gott als Herr der Geschichte ihn als seinen Gesandten ausgewiesen hat. Das gilt für alle Propheten. Die Propheten haben ihre Prophezeiungen nicht dadurch verbreitet, dass sie diese aufgeschrieben haben. Dies geschah zu einem späteren Zeitpunkt, zu dem die Mehrzahl dessen, was der Prophet gesagt hat, auch eingetroffen war. Hinzu kommt, dass man damit rechnen muss, dass diese Niederschriften theologisch verarbeitet worden sind. Mit der Einsicht, dass die Geschichte den wahren vom Lügenprophet scheidet, relativiert sich die Frage, was die wahren Propheten als Offenbarung empfangen haben. Dass sie vom Heiligen Geist begnadet und beseelt waren, steht außer Zweifel. Dies bezeugt die Geschichte, die ihnen recht gegeben hat. Diese Begnadung durch den Heiligen Geist findet ihren literarischen Ausdruck in Berufungsvisionen und -auditionen der Propheten.[294] Manches prophetische Buch des Alten Testaments verzichtet auf eine explizite Berufungsvision und „begnügt“ sich mit der Botensendformel, die den Sprecher als „Geistträger“ autorisiert. Es lässt sich feststellen, dass die Botensendformel im nachhinein zur Autorisierung hinreichend ist, weil der Prophet als solcher nicht mehr umstritten ist. Außerdem sind die himmlischen Visionen, die Jesaja und Ezechiel zuteil werden, menschlichen Vorstellungen von Gott entnommen, der als König mit Hofstaat dargestellt wird. Hinzu kommt, dass „das Gefühl der Distanz [...] in der Geschichte der Prophetie zu[nimmt]. Während Jesaja noch Jahwe selbst schaut und Worte aus den Beratungen seines Thronrats vernimmt, sieht Ezechiel nur noch die von Gott ausstrahlende Herrlichkeit, und zu den apokalyptischen Sehern spricht nur noch der Engel Gottes, nicht mehr Gott selbst.“[295] Diese zunehmende Scheu untermauert die These, dass man es bei den Berufungsvisionen mit Autorisierungserzählungen zu tun hat, die Got-

[294] Vgl. Ex 3-4; 1 Sam 3,1ff. ; Jes 6,1ff. ; Jer 1,4ff.
[295] Wolfhart Pannenberg, Systematische Theologie Bd. I, Göttingen 1988, S. 223.

tes Autorität für den Propheten zunächst einmal für die literarische Erzählung ausleihen. Aber nicht die Berufungserzählung, sondern die Geschichte autorisiert letztlich den Propheten. Dies widerspricht nicht der Begnadung des Propheten, sondern nur einer buchstäblichen Auslegungen der Prophetenbücher des Alten Testaments. Er hat den Verstand und den Willen der Propheten begnadet: Den Verstand, um die Lage des Volkes (Israel und Juda) durch die „Augen Gottes“ zu sehen, den Willen, um das Gesehene dem Volk zu verkünden. Die wahrgenommenen Verhältnisse konnten im Angesicht des Jahweglaubens nur das Gericht Jahwes über das Volk bedeuten und hierauf Jahwes neue Huld. Reinigung und neues Heil ist die Botschaft der Propheten. Der Evangelist Markus fasst die Botschaft Jesu mit dem Satz zusammen: „Die Zeit ist erfüllt, das Reich Gottes ist nahe. Kehrt um, und glaubt an das Evangelium“ (Mk 1,15)! Auch bei Jesus geht es um Umkehr und neues Heil. Der Unterschied Jesu zu den Propheten besteht nur darin, dass er das endgültige Heil verwirklicht, das die Propheten nur ankündigen können. Die Interpretation der Propheten bezüglich ihres Lebensumfeldes, welches ihrer Meinung nach Gott nur mit Strafe beantworten konnte, zeigt noch einmal, dass die Freiheit des menschlichen Erkennens und Willens der Ort des Wirkens Gottes ist. Der Heilige Geist „übersteuert“ weder die Einsicht noch den Willen des Menschen, kann aber als Möglichkeitsbedingung menschlichen Selbstvollzugs den Mensch sehen lassen, ihm „offenbaren“, was er sehen soll. Wie der angerufene Mensch mit seinem Willen darauf reagiert, ob er das Erkannte auch anerkennt, bleibt die Entscheidung seines freien Willens. Er kann sich entscheiden, nach Tarschisch ans andere Ende der Welt zu fliehen, um sich der Verantwortung dieser Offenbarung – nämlich sie zu verkünden – zu entziehen, aber der Glaube an Gott als Herrn der Geschichte beinhaltet, dass irgendjemand nach Ninive gehen wird, da es mit dem Gottesbegriff unvereinbar ist, dass Gottes Pläne durch die Freiheit eines Menschen durchkreuzt werden.

Die Prophetenoffenbarungen abschließend, soll noch auf einen Einwand eingegangen werden, der anhand von 1 Sam 16 durchgeführt werden soll. Wenn sich Berufung eines Propheten durch Begnadigung der Erkenntnis eines Menschen vollzieht, wie konnte dann Samuel das übernatürliche Wissen besitzen, dass er einen Sohn Isais anstelle von Saul zum König salben sollte und vor allem welchen? Wie soll man das übernatürliche Wissen, das die Propheten zu besitzen scheinen, erklären? Auch in diesem Fall darf man sich von der literarischen Erzählung nicht blenden lassen. Denn diese Erzählung der Salbung Davids durch Samuel dient nur einem Zweck: Der Rechtfertigung der Machtergreifung Davids. Alles, was David von dieser Textstelle an tut, steht damit nicht mehr unter Rechtfertigungszwang, warum sich David gegen Saul gewendet hat, eine eigene Anhängerschaft gesammelt hat und sich vom Diener Sauls zum konkurrierenden Klansführer und schließlich zum König emporgeschwungen hat. Das erste Samuelbuch weist dafür allein Saul die Schuld zu. David wird als gerechter Herrscher idealisiert. Zweimal schildert das Buch, wie David das Leben Sauls schont,[296] um die Schuld am Streit Saul und dessen Neid und Angst zuzuweisen. Dem gleichen Ziel dient die frühe Königsalbung Davids durch Samuel, obwohl David nach Sauls Tod noch zweimal zum König gesalbt wird,[297] einmal zum König des Stammes Juda, das andere mal von Anführern der anderen israelitischen Stämme zum König über ganz Israel. Die Szene der Salbung Davids zum König durch Samuel hat ihren theologischen Grund in der Demonstration, wie sich ein von Gott erwählter Herrscher, ein gerechter Herrscher verhält und wie Gott ihm aufgrund seiner Treue alles gibt, was er sich wünscht, und nicht in der Darstellung eines übernatürlichen Wissens Samuels, das ihm Gott hat zuteil werden lassen. Diese exemplarische Entkräftigung des Vorwurfs, die Propheten hätten in der Schrift ein übernatürliches Wissen, welches sie direkt von Gott empfangen haben, lässt sich auch an den anderen Stellen der Schrift, wo dies scheinbar der Fall ist, durchführen.

Außerdem würde es sich verbieten, die Predigt Jesu als ein indirektes Wort Gottes zu bezeichnen und gleichzeitig den Propheten einen direkten Empfang dieses Wortes zuzuschreiben. Dies würde auch gegen die obige Forderung verstoßen, dass die Propheten von Jesus her zu verstehen sind und nicht umgekehrt.

Daher lässt sich feststellen, dass die Schrift keinen Gegenbeweis zu der oben skizzierten Offenbarungsvorstellung darstellt, auch wenn die Schrift auf der literarischen Ebene das Wort „Offenbarung" anders versteht. Auch die Offenbarungsvorstellung hat sich entwickelt. Sie musste sich auch entwickeln, da mit der Inkarnation Gottes eine neue Kategorie von Offenbarung geschehen ist, die alttestamentliche Kategorien bei weitem übertrifft. Offenbarung musste und muss fortan von Jesus her verstanden werden als eine Beziehung Gottes zum Menschen, die mit der Schöpfung beginnend, Jesus Christus als ihr Urbild, als ihren Grund und ihr Fundament hat.

Fundamentaltheologisch gewendet, stellen die Propheten Interpreten der Situation ihres Volkes im Lichte des JHWH-Glaubens dar. Dasselbe gilt von den meisten Verfassern der einzelnen alttestamentlichen Schriften. Die Weisheitsliteratur verfolgt andere Zielsetzungen. So wie die Apostel Jesus als den Sohn Gottes, der mehr ist als alle Propheten zusammen vor ihm, erkannt und interpretiert haben, so haben die Propheten die Situation ihres Volkes im Licht des Glaubens interpretiert, und so haben die Deuteronomisten nachträglich die Geschichte Israels von Abraham bis zum Exil im Lichte des Glaubens gedeutet.

---

[296] Vgl. 1 Sam 24; 1 Sam 26.
[297] Vgl. 2 Sam 2,4 und 2 Sam 5,3.

## 3.4. Der Glaube

Der Glaube ist Antwort des Menschen auf die von Gott ergangene Offenbarung. Sein Wesen ist die Anerkennung des sich offenbarenden Gottes. Da Jesus der Inhalt der Offenbarung, das Wort Gottes ist, bezieht sich der Glaube auf ihn als ihren Inhalt. Anerkennung der Offenbarung, Anerkennung Gottes, ist damit Anerkennung Jesu Christi. Gleichzeitig bedeutet diese Anerkennung das Eintreten in die von Gott, dem Vater, gewollte und in Jesus Christus gestiftete Beziehung zu ihm. Die Offenbarung, die Gott, den Vater, in Jesus Christus dem Menschen offenbart, findet ihr Ziel mit dem Eintritt des Menschen in die Beziehung zu Gott, deren Grund Jesus Christus und deren Träger der Heilige Geist selbst ist. Wie Jesus Christus Fundament der Offenbarungsbeziehung ist, so ist der Heilige Geist Grund des Glaubens. So erweisen sich Glaube und Offenbarung hineingenommen in das trinitarische Wesen Gottes. Denn der Heilige Geist ermöglicht die Erkenntnis des Sohnes als das Wort des Vaters und führt den Menschen im Glauben zum Sohn und zum Vater. Er wird vom Vater und vom Sohn ausgesandt (Joh 14,26 und Joh 15,26), damit der Mensch die Offenbarung als solche erkennt, und ermöglicht es ihm, sich willentlich zu ihr zu verhalten. „Glauben umfasst die ganzheitliche Übereignung des Menschen an den offenbarenden und rettenden Gott.“[298] Diese ganzheitliche Übereignung geschieht mit Verstand und Wille. Es ist ein Eintreten in die Beziehung zu Gott. Dieses Eintreten ist zugleich das Eintreten in die βασιλεία τοῦ θεοῦ. Da der Mensch von sich aus zum Glauben nicht fähig ist, muss sich Gott selbst ihm als Gabe schenken. Gott schenkt sich dem Menschen in Jesus Christus und im Heiligen Geist. Der Heilige Geist und der Mensch als freies Wesen wirken zusammen, um den Menschen in die βασιλεία τοῦ θεοῦ eintreten zu lassen und um das Heil des Menschen zu wirken. Der freie Entschluss des Menschen muss hierbei als Ergebnis gnadenhaften Handelns Gottes verstanden werden. Reine „Natur“ ohne Gnade gibt es in der Wirklichkeit nicht.[299] Dieses Eintreten ist ein dynamischer Prozess, indem Gnade und der freie Entschluss des Menschen diesen auf den Weg zur „Heiligkeit“ voranschreiten lässt.[300] Diese Tatsache bezeugt das Trienter Konzil, wenn es vom Wachstum der empfangenen

[298] Henri de Lubac, Die göttliche Offenbarung. Kommentar zum Vorwort und zum ersten Kapitel der dogmatischen Konstitution „Dei Verbum“ des Zweiten Vatikanischen Konzils [übersetzt von Rudolf Voderholzer], Einsiedeln Freiburg 2001, S. 166.

[299] Vgl. Fußnote 150.

[300] Dasselbe lässt sich ebenso vom Unglauben, dem freien Entschluss gegen den sich offenbarenden Gott sagen. Dieser Prozess führt zur völligen Unfreiheit des Menschen, zur Unfähigkeit, Gottes Willen zu akzeptieren, und letztlich in die Hölle.

Rechtfertigung spricht.[301] Der Heilige Geist, die Gnade, wirkt dort, wo die Freiheit ist, die sie bewirkt (hat). Der Heilige Geist lässt dem interpretierenden Verstand der Jünger Jesus als Sohn Gottes erkennen. Er lässt sie damit die „Wirklichkeit an sich" erkennen und führt sie entweder zur Bejahung dieser Erkenntnis (Joh 6,60ff.) oder zur Ablehnung. Die Begnadung des Willens betrifft nicht die Entscheidung für oder gegen Gott. Andernfalls wäre der Mensch prädestiniert. Sie betrifft vielmehr kontinuierliche Umsetzung des für wahr Erkannten. Denn obwohl der Mensch sich für Gott entschieden hat, so bleibt er dennoch Widerständen gegen die Entscheidung ausgesetzt (Folge der Erbsünde). Um diese Widerstände, ob äußerlich[302] oder innerlich[303], konsequent zu überwinden, bedarf es der Begnadung des menschlichen Willens. Nur so kann eine ganzheitliche, personale Übereignung des Menschen trotz der Erbsünde gelingen. Eine personale Übereignung betrifft den Menschen als ganzen, mit all seinen Lebensvollzügen. Sie beinhaltet daher kognitive und affektive Aspekte. Beides lässt sich zu Verstand (kognitiv) und Wille (affektiv) parallelisieren. Die kognitiven Aspekte betreffen den Inhalt, das Wort Gottes, zu dem der Heilige Geist hinführt, die affektiven Elemente des Glaubens bewirken die Liebe des begnadeten Menschen zu Gott. Beide Aspekte lassen sich zwar logisch unterscheiden, kommen aber realiter nicht getrennt voneinander vor. Ein Glaube ohne Liebe zum offenbarenden Gott hat entweder die Offenbarung nicht verstanden[304] oder lehnt sie im Grunde genommen ab. Die Auflösung des Glaubens im Gefühl ohne eine Bindung an Inhalte verspottet die Offenbarung in Jesus Christus, vor allem das Kreuz Christi. Der Glaube des Menschen an Gott, hat viele Ausdrucksformen im Leben der Gläubigen. Als höchste Ausdrucksform des Glaubens kann man das Bekenntnis ansehen.[305] In ihm bekennt sich der Gläubige vor aller Welt zu Gott und zu dessen Offenbarung in Jesus Christus. Im Bekenntnis verdichten sich die kognitiven und affektiven Elemente zu ihrem engst möglichen Akt.[306] In 1 Kor 12,3 sieht Paulus das Bekenntnis zu Jesus als einen Ausspruch des Heiligen Geistes selbst. Daher ist das Bekenntnis der Gesamtkirche unfehlbar. Der

---

[301] Vgl. 10. Kapitel des Rechtfertigungsdekrets des Trienter Konzils in der 6. Sitzung vom 13.1.1547: DH 1535.

[302] Man denke an Situationen, in denen man zwar erkannt hat, was das Gute und Richtige zu tun wäre, es aber nicht wählbar zu sein scheint.

[303] Vgl. Mt 26,41.

[304] Wenn jemand an Gott glaubt aufgrund von Furcht vor den Höllenstrafen, so glaubt er zwar an Jesus Christus, hat das Wesen Gottes aber nicht begriffen.

[305] Jesus selbst gibt dem Bekenntnis in Lk 12,8 entscheidende Bedeutung für die Gottesbeziehung.

[306] Damit ist nicht gesagt, dass jeder einzelne Gläubige immer die Bedeutung dieses Aktes für sich „einholen" kann, da das institutionalisierte Bekenntnis der Kirche ebenfalls schematisch ohne großen Impetus „abgespult" werden kann. Dies ist wohl der Hintergrund von Mt 7,21.

einzelne Gläubige kann sich in den Glaubensinhalten irren, die Gesamtkirche kann dies nicht, da ihr der Heilige Geist vom irdischen Jesus selbst versprochen[307] und vom Auferstandenen geschenkt worden ist.[308]

Man muss an dieser Stelle dem Einwand begegnen, es würden hier die beiden Verwendungsarten von Bekenntnis unzulässig vermischt. Die Unfehlbarkeit eines sich zu Jesus Christus Bekennenden werde hier in Anspruch genommen für „etwas“ bekennen, nämlich die Glaubensinhalte der Kirche. Das eine hätte aber mit dem anderen nichts zu tun. Während man dem Bekenntnis zu Jesus durchaus Unfehlbarkeit und Geistgewirktheit zuerkennen könne, gelte dies für „Etwas-Bekennen“ nicht. Dieser Einwand setzt jedoch voraus, dass das „Sich-zu-jemandem-Bekennen“ als eine personale Vertrauensaussage keine weiteren Inhalte haben kann als ein „ich vertraue auf ihn“. Vergleichbar ist diese Bekenntnisaussage mit dem zwischenmenschlichen „Ich liebe dich“. Auch diese Aussage scheint inhaltlich nicht mehr als ein Gefühl einer Person zu einer Anderen zum Ausdruck zu bringen. Aber auch im zwischenmenschlichen Bereich wird diese Liebe mit Inhalten verbunden. Niemand liebt grundlos, auch wenn Martin Buber dies meint.[309] Die Gründe mögen nicht reflektiert sein, aber es wird Gründe geben. Auf ähnliche Weise verhält es sich mit dem Bekenntnis zu Jesus Christus. Die Menschen lieben Gott aufgrund seiner Offenbarung. Die Apostel und die Kirche bekennen sich zu dem dreifaltigen Gott und nennen die treffendsten Argumente in ihrem exemplarischen Bekenntnis, dem „Credo“, welches die geschichtlichen Heilstaten Gottes schildert. Wenn aber das Bekenntnis zu Jesus, welches laut Paulus geistgewirkt ist, und die Inhalte so eng verbunden sind, muss man annehmen, dass es die weiterführenden Inhalte ebenfalls sind. Außerdem wie will man sich zu jemanden bekennen, den der andere nicht kennt, wenn nicht durch Inhalte? Wie soll sich die Kirche zu Jesus und zum unsichtbaren und unbegreifbaren Gott vor der Welt und vor Irrlehrern in den eigenen Reihen bekennen, wenn nicht durch Inhalte? Der Irrlehrer[310] kennt Jesus nicht, weil er keine Beziehung im Heiligen Geist zu ihm hat, oder er bedeutet ihm nicht das, was er ihm bedeuten müsste. Wenn der Heilige Geist Grund und Träger der antwortenden Beziehung des Menschen zu Gott ist und Urheber des vom Menschen frei gemachten Bekenntnisses zu Jesus Christus, so schließt das Bekenntnis ebenso zentrale Inhalte mit ein. Es ist ja nicht so, dass davon auszugehen wäre, Gott würde den Menschen nur bis zu einem „ich liebe dich“ führen,

---

[307] Vgl. Joh 14,26; 15,25; Mt 10,20; 28,20.

[308] Vgl. Apg 2,1-13; Röm 5,5.

[309] Vgl. Martin Buber, Ich und Du, Stuttgart 1995, S. 12, „Zwischen Ich und Du steht kein Zweck, keine Gier und keine Vorwegnahme [...]. Alles Mittel ist Hindernis. Nur wo alles Mittel zerfallen ist, geschieht die Begegnung“.

[310] Gemeint sind Häresien, die das in Frage stellen, was die Kirche über Gott glaubt (Christologie, Trinitätslehre, Soteriologie, Gnadenlehre, Schöpfungslehre).

ihn darüber hinaus aber seinen eigenen Spekulationen über die Art und den Inhalt der Beziehung dem Dunkel überlassen. Dies widerspräche zudem der geschichtlichen Offenbarung. Wenn der Geist Gottes der „unendliche Horizont“ ist, innerhalb dessen sich der Mensch geistig vollzieht, dann kann man diese Trennung zwischen Bekenntnis an sich und weiterführenden Inhalten nicht machen. Nebenbei bemerkt, wäre eine Inspiration der Schrift damit in ernster Gefahr. Sie würde damit zu einem rein ausdeutenden, subjektiv-interpretativen Buch.[311] Daher sind die Bekenntnisse der Kirche zu Jesus Christus geistgewirkt und unfehlbar. Grundsätzlich ist aber alles Geistgewirkte maßgebend, egal für welche Zeit.

Das gleiche gilt für den Lobpreis Gottes, von dem bereits der Psalmist sagt: „Aus dem Mund der Kinder und Säuglinge schaffst du dir Lob, deinen Gegnern zum Trotz; deine Feinde und Widersacher müssen verstummen“ (Ps 8,3). Aber sowohl dem Bekenntnis wie auch dem Lobpreis müssen Taten folgen, die vor der Welt die Geistgewirktheit des Bekenntnisses bezeugen. Der Glaube bedarf eines Ausdrucks im Leben des Gläubigen. Jesus fordert dies in Mt 7,21, ebenso wie Jakobus in Jak 2,26. Beide Stellen unterstreichen, dass der Glaube alle Lebensbereiche formen soll. Der Eintritt in die Gottesherrschaft macht den Gläubigen zu einem neuen Menschen.[312]

[311] Es mag sein, dass die Schrift dies auf einer rein phänomenologischen Ebene ist. Für einen Christen jedoch stellt sie mehr dar als nur eine mögliche Interpretation geschichtlicher Ereignisse. Sie ist Ausdruck des eigenen Glaubens und erhält damit den Status des Objektiven.

[312] Vgl. 2 Kor 5,17; 1 Petr 1,3.

## 3.5. Die Offenbarung und der Glaube der Apostel

Nachdem in den letzten beiden Kapiteln allgemein das Wesen der Offenbarung und des Glaubens umrissen wurden, soll nun auf den Glauben der Apostel eingegangen werden. Denn ihr Glaube ist es, der der Kirche als Maßstab zur Erlangung des Heils gilt. Ihn zu bewahren, stellt das übergeordnete Ziel dar, zu dessen Erlangung das Lehramt Dogmen verkündet. Dabei sind aber mehrere Dinge zu bedenken.

Zunächst muss man sich fragen, was der Apostelbegriff bezeichnet. Dieser wird meist in einer lukanischen Prägung verwendet. Die Kirche hat sich dafür entschieden, den nachösterlichen Zwölferkreis plus Paulus so zu bezeichnen. Paulus kommt dieser Titel deshalb zu, weil er sich sozusagen das Apostolat mit Petrus teilt. Was Petrus für die Judenmission ist, ist Paulus für die Heidenmission. Diese Teilung des Apostolats sieht man in Gal 2,7f. angedeutet, wo Paulus von der Gnade Petri zur Judenmission spricht, während ihm die Gabe der Heidenmission gegeben ist. Bei diesem Gedanken der Splittung des Apostolats handelt es sich jedoch um einen Harmonisierungsversuch zwischen der paulinischen Verwendung des Apostelbegriffs und der lukanischen Beschränkung dessen auf den Zwölferkreis. Für Paulus ist Apostel, wem eine Auferstehungsoffenbarung[313] zuteil wurde.

Hier zeigt sich wiederum die enge Verbindung zwischen Offenbarung und Sendung. Offenbarung ist kein Selbstzweck. Offenbarung dient einem Ziel: dem Heil der Welt. Deshalb ist jede Offenbarung – ob privat oder öffentlich – darauf angelegt, etwas in der Welt zu bewirken. Paulus wurde sie zuteil, um die Heidenvölker zu missionieren. Genauso wurde laut Paulus anderen Menschen eine Auferstehungsoffenbarung zuteil, die sie zu Abgesandten des Herrn, zu „Aposteln" machte. Während die zwölf Apostel jedoch mit dem historischen Jesus durch Galiläa und Judäa gezogen sind und deshalb die Tatsache der Auferstehung und die Identität des Auferstandenen mit dem Gekreuzigten bezeugen können, gilt dies für die paulinischen A-

---

[313] Die Offenbarung der Auferstehung Christi durch den Heiligen Geist sperrt sich zu der oben dargelegten Offenbarungstheorie, wenn man davon ausgeht, dass der Auferstandene den Jüngern nicht körperlich-materiell erschienen ist, wie dies die Auferstehungserzählungen der Evangelien nachlegen. Würde man sich die Offenbarung der Auferstehung so vorstellen, so wäre dies zur obigen Offenbarungsvorstellung kohärent. Die gegenwärtige Theologie fasst die Auferstehung jedoch als eine transzendentale Erkenntnis der Jünger auf. Anders gesagt: Es handelt sich um eine Art infusioniertes Wissen, das den Aposteln kollektiv durch den Heiligen Geist zuteil wurde. In Anbetracht dessen, was oben zu den Propheten gesagt wurde, würde es sich bei dieser Wissensinfusion um einen Vorgang ohne Vergleich und Parallele in der Geschichte handeln. Eine Parallelisierung zu dem bei den Propheten Gesagten, würde sich dem Vorwurf nähern, die Apostel hätten die Auferstehung Christi nur erfunden. Solch eine subjektivierende Annahme erscheint jedoch am Zentrum des christlichen Glaubens völlig unannehmbar.

postel nicht unbedingt in gleicher Weise. Sie können die Auferstehung Christi bezeugen, aber sie waren nicht seine engsten Jünger zu seinen Lebzeiten, kannten ihn vielleicht nicht einmal zu seinen Lebzeiten, wie Paulus ihn vermutlich auch nicht gekannt hat. Das macht sie nicht weniger wertvoll, macht ihren Glauben nicht weniger wertvoll, macht sie aber, historisch gesehen, zu Zeugen zweiter Ordnung. Ihr Glaube ist nicht weniger wertvoll, da sie eine Auferstehungserfahrung gemacht haben, und der Geist Christi ihnen diese – ebenso wie den Zwölf – zuteil werden ließ. Betrachtet werden sollen aber zunächst einmal die zwölf Apostel. Denn bei ihnen lässt sich der Weg zum Glauben anhand der Evangelien nachzeichnen.

Damit ist aber zugleich eine weitere Unterscheidung gemacht. Der Glaube der Apostel vor Ostern und ihr Glaube danach. Warum also ihren Weg zum Glauben vor Ostern nachzeichnen, wenn für eine Dogmenentwicklungstheorie allein ihr Glaube nach Ostern entscheidend ist? Der Grund kann nur in einer näheren Beleuchtung des Pfingstereignisses und der Geistwirkens bestehen. Dies soll vermeiden, dass Pfingsten als ein Ereignis erscheint, dass die Zwölf in eine supernaturale Sphäre entrückte, die sie nicht nur zu Offenbarungsempfängern, sondern zugleich zu einer Art „Offenbarern" machte. Gleichzeitig soll der gnadenhafte Charakter des Pfingstereignisses in keiner Weise geschmälert werden. Theologisch ist die Geistsendung mit der Auferstehung und Himmelfahrt Christi verbunden. Die Gabe des Heiligen Geistes ist auch nur nachösterlich sinnvoll. Denn wenn der Heilige Geist den Menschen in die Gottesherrschaft eintreten lässt und wenn er der Grund des Glaubens ist, dann muss erstens die Gottesherrschaft zunächst einmal errichtet sein. Dies ist erst mit dem Kreuz Christi der Fall. Zweitens ist eine Ausgießung des Heiligen Geistes nicht sinnvoll, solange es kein Objekt des Glaubens gibt. Jesus muss Gott erst offenbaren, er muss seinen Vater und dessen Willen bildlich darstellen, um seinen erwählten Jüngern einen Grund und Gegenstand für ihren Glauben, ihre Liebe und ihre Hingabe zu geben. Der überwältigendste Gegenstand, den Gott offenbaren musste, ist jedoch die Auferstehung Jesu und dessen Einsetzung als Herrscher des Alls, diesmal als Mensch und Gott zugleich.

Die Offenbarung in Jesus Christus hat dementsprechend pädagogischen Charakter. Jesus führt seine Jünger Schritt für Schritt zur Erkenntnis Gottes, lässt sich von ihrem Unglauben und Missverständnissen nicht entmutigen und ermöglicht so, dass der Heilige Geist ein konkretes Objekt für sein Wirken bekommt. Jesus gibt seinen Jüngerinnen und Jüngern ein neues Herz aus Fleisch, wie der Prophet Ezechiel dies sagen würde (Ez 36,26). Zum Schlagen bringt dieses Herz erst die Auferstehung Christi und die damit verbundene Ausgießung des Heiligen Geistes. Für Augustinus kann man nichts lieben, was man nicht kennt. Daher bedarf es des Glaubens, der Glaubensinhalte, die einen mit Gott vertraut machen, den man weder sehen noch greifen kann. Erst diese Glaubensinhalte ermöglichen ein „Kennen" und damit ein Lieben Gottes.[314] Diese Glaubensinhalte schafft die Offenbarung Gottes in der Geschichte. Zwar ermöglicht bereits die Betrachtung der Schöpfung die Erkenntnis eines guten, allmächtigen Schöpfergottes,[315] diese Offenbarung ist aber nur ein schwaches Abbild der geschichtlichen Offenbarung Gottes. Sie langt bestenfalls aus, den Menschen als Sünder zu überführen, wie Paulus dies meint, aber sie ermöglicht es kaum, dem Menschen die Größe der Gnade Gottes vor Augen zu stellen. Dazu bedurfte es der Berufung Abrahams, des Auszugs aus Ägypten, der Bestellung von Propheten. Da aber all diese Offenbarungen nicht das zu erreichen vermochten, was sie sollten,[316] bedurfte es der Sendung des Sohnes, um das Wesen Gottes unüberbietbar in und durch Jesus von Nazareth zu offenbaren. Jesus macht seine Jünger von Knechten zu Freunden,[317] er formt sie und bereitet sie für die Basileia vor. Die Ausgießung des Heiligen Geistes am Pfingsttag besiegelt diese Freundschaft endgültig. Er lässt die Zwölf das Erlebte in neuem Licht sehen. Er begnadet ihren Verstand und ihren Willen, dass sie fähig werden, hinauszugehen und als seine Apostel Jesus, den Auferstandenen, zu verkündigen. Er befähigt sie, die Auferstehung Jesu zu erkennen, seine Bedeutung nicht nur für sie, sondern für das Heil der Welt.

Petrus gelangt laut Apostelgeschichte als Erster zur Erkenntnis, dass Gott Juden und Heiden zu der einen Gemeinschaft der Gottessöhne und –töchter beruft.[318] Dies bedeutet, wie oben gesagt nicht, dass der Heilige Geist die menschlichen Eigenschaften und Schwächen der Apostel übersteuert. Er kompensiert sie bestenfalls. So hat Petrus, trotz seiner richtigen Erkenntnis bezüglich der Bedeutung Jesu für Juden und Heiden gleichermaßen, sich dazu hinreißen lassen, einen Ausgleich für das Zusammenleben in gemischten Gemeinden (aus Juden und Heiden) zu suchen.[319] Paulus wirft ihm daraufhin inkonsequentes Verhalten vor. Er habe zwar die Bedeutung der Auf-

---

[314] Vgl. Aurelius Augustinus, De trinitate VIII, Kap. 4, Kempten, München 1936, S. 22-24.

[315] Vgl. 1. Vatikanisches Konzil, Dogmatische Konstitution „Dei Filius": DH 3004; vgl. Röm 1,20.

[316] Vgl. Mk 12,1-12 par.

[317] Vgl. Joh 15,15.

[318] Vgl. Apg 10,9ff.

[319] Vgl. Gal 2.

erstehung Christi erkannt, handle aber aus Furcht nicht seiner Erkenntnis gemäß.[320]

An diesem Beispiel zeigt sich, dass die Sendung des Heiligen Geistes den Empfänger zwar verändert, ihn aber nicht zu einem anderen macht. Petrus und die Zwölf wurden durch die Auferstehung Jesu, die sie nur im Heiligen Geist erkennen konnten, verändert. Die Begegnung mit dem Auferstanden veränderte sie in der Weise, dass es sie zu „Aposteln", zu Abgesandten dieser Botschaft machte. Ihr Vorrang vor den anderen Aposteln, die ebenfalls Zeugen der Auferstehung, des Auferstandenen, wurden, liegt darin, dass sie den historischen Jesus gekannt haben. Sie haben Jesus kennen gelernt, sind mit ihm umhergezogen, haben seine Lehre gehört, seine Taten gesehen. Sie sind damit die Quelle aller geschichtlichen Erfahrungen, die die Kirche (vor allem in den Evangelien) tradiert. Allein diese Erfahrungen begründen in keiner Weise die Bedeutung Jesu für das Heil der Welt. Diese Begründung liefert allein die Auferstehung. So sind jene, denen Jesus sich als Lebender geoffenbart hat, zwar dazu berufen, dies zu bezeugen. Diese frohe Botschaft, dies Evangelium haben sie direkt von Jesus empfangen.[321] Dennoch müssen sie auf das Wissen, auf die Erfahrungen der Zwölf zurückgreifen, um Verlässliches über Jesus und seine Lehren und damit über das Wesen und den Willen Gottes verkündigen zu können. Die Ausgießung des Heiligen Geistes und die Begegnung mit dem Auferstandenen verleiht ihnen ihren Auftrag und ihre Sendung, vermittelt ihnen aber kein historisches Wissen über Jesus. Die Begegnung mit dem Auferstandenen schenkt ihnen einen Erfahrung mit Jesus, die über alle übrigen Erfahrungen hinausgeht, da sie ihr Leben fortan ausschließlich in den Dienst an seinem Evangelium gestellt haben, aber diese Erfahrung verschafft ihnen nicht die Tradition, wie die Zwölf sie besaßen und die sie von ihnen lernen mussten.[322]

---

[320] Joachim Gnilka schreibt dazu: „Die Furcht des Petrus mag Paulus auf die Jakobusleute und den Herrenbruder selbst und die Möglichkeit bezogen haben, die führende Rolle in der Judenmission zu verlieren. Sie könnte sich daneben aber auch auf die jüdischen politischen Autoritäten in Jerusalem beziehen, die zur Verfolgung gegen die Judenchristen ansetzten. Die wichtigere sachliche Kritik zielt auf theologische Inkonsequenz, auf Verhalten wider besseres Wissen. In seinem nicht mehr jüdischen, sondern heidnischen Lebensstil hatte Kephas seine Überzeugung kundgetan, daß das mosaische Gesetz keine heilsrelevante Bedeutung mehr besitzt. Hat er diese Überzeugung preisgegeben? Sehr wahrscheinlich nicht. Nur könnte er in dieser Auseinandersetzung, inspiriert durch die Jakobusleute, das Gesetz als eine Institution erkannt haben, die die Geschichte Israels geprägt hat und als kultureller Lebensraum die Eigenheit des jüdischen Menschen ausmacht, der diesem erhalten bleiben muß. Er mag als für die Judenmission Verantwortlicher entschieden und in dieser Situation den Konflikt mit Paulus, der ihn auch persönlich gekränkt haben mag, in Kauf genommen haben. Kephas war im Gegensatz zu Paulus ein Mensch, der eher zu Kompromissen bereit war. Vielleicht hoffte er auf einen solchen Kompromiß für später." [=HThKNT Suppl. Bd. VI] Freiburg u. a. 1996, S. 106.

[321] Vgl. Gal 1,11f.

[322] Vgl. 1 Kor 11,23.

Wenn allerdings Paulus und andere Apostel den historischen Jesus nicht gekannt haben, woher weiß man, ob das, was sie verkündigten, auch der Wahrheit entspricht? Oder anders gesagt: Es stellt sich bereits hier – noch vor jeder Schrift – das Problem der Tradition. Bereits Paulus steht dogmenentwicklungstheoretisch in einem Rechtfertigungszwang. Hat er die Tradition der Zwölf unverfälscht übernommen? Hat er sie verändert? Und wenn ja, an welchen Kriterien erkennt man das?

Die Bedeutung dieser Fragen hängen mit der hohen Bedeutung paulinischer Briefe im Neuen Testament zusammen. Die paulinischen Briefe sind die ältesten christlichen Zeugnisse im Neuen Testament und daher wegen ihrer Nähe zum Ursprung des christlichen Glaubens, aber auch wegen ihres Inhalts bedeutsam. Fragt man nach Kriterien für die Christlichkeit paulinischen Zeugnisses, so kann man empirisch betrachtet, nur ein einziges Kriterium nennen: Die Anerkennung Pauli durch die zwölf Apostel (Apg 15ff.). Paulus selbst schreibt in Gal 2,2: „Ich ging hinauf aufgrund einer Offenbarung, legte der Gemeinde und im besonderen den «Angesehenen» das Evangelium vor, das ich unter den Heiden verkündige; ich wollte sicher sein, daß ich nicht vergeblich laufe oder gelaufen bin.“ Es kommt dabei nicht darauf an, ob alle Zwölf gleichermaßen anwesend waren und Paulus in seinem Bekenntnis und in seiner Lehre bestätigt haben, sondern es genügt, dass Kephas und Johannes dies stellvertretend für alle Zwölf taten. Diese Anerkennung stellt zugleich die Bestätigung seines Apostolats dar. Paulus war Zeuge der Auferstehung und damit „Geistträger“. Und diese Begnadung stellt ein weiteres wichtiges, wenn auch nicht empirischen Kriterium dar. Selbst wenn Paulus eine falsche Tradition gelernt haben sollte (in Damaskus oder Antiochien), so hätte er sie als falsch erkannt und als solche ausgeschieden. Dass es falsche Traditionen gab, bezeugt der Galaterbrief deutlich, wenn Paulus den Einfluss „christlicher“ Missionare beklagt, die den Galatern falsche Traditionen verkündigen wollen, die den Christusbezug des Heils verdunkeln und somit das Heil der Galater an sich gefährden. Dafür, dass Petrus und Johannes ihn anerkannt haben, gibt es zugegebenermaßen nur das Wort Pauli selbst. Doch es gibt keinen vertretbaren Grund, an dieser Aussage zu zweifeln.

Paulus ist aber nicht nur Traditor empfangener Lehren (1 Kor 11,23), sondern wie die anderen Apostel auch Offenbarungs-„entwickler“. Die Begegnung mit dem Auferstandenen qualifiziert Paulus, nicht nur ihm Tradiertes weiterzutradieren, sondern auch Inhalte zu entwickeln, zu systematisieren und dann zu verkündigen. Seine Briefe spiegeln seine eigene Theologie wider, sowie auch die anderen Dokumente des Neuen Testaments die Theologie ihrer jeweiligen Verfasser widerspiegeln. Paulus reflektiert und interpretiert die ihm zuteil gewordene Offenbarung Gottes. Er tut dies im Heiligen Geist oder, um es anders zu sagen: Er betrachtet die Taten Jesu und seine Christusbeziehung in einem lumen supernaturale. Die Theologie, die Reflexion auf die ergangene Offenbarung Gottes, ist ein notwendig mit der Offenbarung verbundener Akt. Der Johannesevangelist legt Jesus selbst die Worte in den Mund: „Jesus antwortete ihm: Was ich tue, verstehst du jetzt noch nicht; doch später wirst du es begreifen“ (Joh 13,7). Auch wenn Petrus die Taten Jesu in dem Moment, in dem sie geschehen, in ihrem Sinn nicht erfassen kann, so beginnt doch in diesem Augenblick der Versuch des Verstehens, auch wenn im Johannesevangelium Petrus der Paraklet noch fehlt, der diesem Suchen des Verstandes ein Ziel geben kann.

> „Der Akt des einfachen Hörens [,des Empfangs der Offenbarung,] und Annehmens und der Akt der Reflexion sind gar nicht adäquat unterscheidbare und gänzlich zeitlich hintereinander reihbare Akte und Phasen eines geistigen Entstehungsprozesses. Die Theologie beginnt also als Bedingung des schlichten Hörens schon im ersten Augenblick des Hörens selbst. Und sie kann dann gar nicht anders als weitergehen und sich entfalten. [...] Die Männer des Neuen Testaments denken nach, sie reflektieren auf die Daten ihres Glaubens, die sie schon wissen; sie haben „Probleme“, die sie sich nach bestem Können selbst in einer theologischen Reflexion lösen; sie haben Einwände gehört, auf die sie antworten, die neue Erkenntnisse bei ihnen hervortreiben; sie haben eine verschiedene geistige und theologische Herkunft, diese macht sich in der Perspektive ihrer Aussagen geltend, in der Wahl der Begriffe, in den Akzenten, den sie ihren Darlegungen geben.“[323]

Was Karl Rahner hier im Bezug auf die Schriften des Neuen Testaments hin sagt, gilt in gleicher Weise für die Predigt der Apostel. Paulus setzt eigene Akzente, ebenso wie Petrus, Johannes usw.. Jeder von den Aposteln versucht, das Geschehene, die geschehene Offenbarung in Jesus Christus, in Worte zu fassen. Er versucht, die Taten Jesu zu deuten; er versucht, Gott immer tiefer zu verstehen. Offenbarung muss geradezu auf menschliche Reflexion zielen, wenn der interpretierende und freie Verstand des Menschen der Ort des Wirkens des Heiligen Geistes ist, ohne mit diesem Wirken eine Naturkausalität außer Kraft setzen zu müssen, um sozusagen den menschlichen Verstand mit den von Gott gewünschten Inhalten zu „übersteuern“. Daher ist das Wirken Gottes in der Geschichte auf Reflexion und damit auf kreative Entfaltung, sprich Entwicklung, hin angelegt. Die Entwicklung kann aber nicht ins Phantastische gleiten, weil sie ihre Entwicklungsnorm von der ergangenen Offenbarung empfängt. Diese ist Unterscheidungskriterium zwischen geistgeleiteter Reflexion und phantasievollem Eigenbau eines „falschen Propheten“. An dieser Stelle kann man Newmans Entfaltung der Idee noch einmal in Erinnerung rufen. Vergleicht man Offenbarung mit einer Idee, so ist deren Entfaltung eine Notwendigkeit. In

[323] Karl Rahner, Schriften V, S. 38f.

jeder Wissenschaft zieht eine neue Idee eine Reihe methodischer Entfaltungen nach sich, die der Konsolidierung der Idee dienen. Genauso verhält es sich mit der Offenbarung, deren Konsolidierung gleichzeitig das Heil der Welt und damit Gottes Wille ist. Daher ist Theologie nicht das unausweichliche Folgeprodukt einer unklaren und fehlerhaften Offenbarung, sondern das mit der Offenbarung selbst angelegte Reflektieren des Menschen auf den Grund seines Glaubens, der Offenbarung Gottes. Theologie ist inneres Moment des Glaubensvollzugs selbst, bei dem die Glaubensinhalte mittels des durch das Glaubenslicht erleuchteten Verstandes durchdrungen werden.

Obwohl diese Bestimmung des Wesens der Theologie grundsätzlich gilt, so unterscheidet sich die Theologie des Paulus und der Apostel von der Theologie der nachapostolischen Zeit. Wäre dem nicht so, so wäre das Problem der Dogmenentwicklung wesentlich kleiner. Dann hätte man nicht mehr das Problem, geschichtliche Entwicklungen im Ursprung (in der Offenbarung) suchen zu müssen, sondern könnte sich auf die Aussagen der von Gott beglaubigten Auferstehungszeugen verlassen, um ein Dogma hinreichend zu begründen. Da aber Jesus Christus in den Himmel aufgefahren ist und die Auferstehungserscheinungen damit ihr Ende gefunden haben und da Paulus sich als letzten Menschen bezeichnet, dem eine solche Erscheinung zuteil wurde (1 Kor 15,8), unterscheidet sich die Theologie Pauli und der Apostel wesentlich von der Theologie späterer Theologen. Die Theologie der Apostel ist normative Theologie, norma normans für jede spätere Theologie. Grund hierfür, es sei noch einmal wiederholt, ist die Überzeugung der (nachapostolischen) Kirche, dass Jesus von Nazareth selbst die Apostel (alle, denen eine Auferstehungsoffenbarung zuteil wurde) zu seinen Zeugen bestellt hat und sie damit als Träger seines Geistes vor der Kirche und der Welt ausgewiesen hat. Damit war die Vollmacht verbunden, die ergangene Offenbarung ihren Inhalten nach zu entwickeln. Andernfalls gäbe der Satz, dass die Offenbarung erst mit dem Tod des letzten Apostels abgeschlossen ist,[324] keinen Sinn. Sie wäre schon mit der Himmelfahrt Christi abgeschlossen. Diese Vollmacht beinhaltete jedoch nicht eine Vollmacht, Neues zu erfinden. Dies lässt sich im Bereich der Sakramententheologie verdeutlichen, indem das Lehramt immer wieder die Auffassung abgelehnt hat, einige Sakramente seien von den Aposteln oder der Kirche eingesetzt worden.[325] Auch das Zweite Vatikanische Konzil bindet die Apostel an die bereits ergangene Offenbarung in Jesus Christus. Sie sind Empfänger dieser Offenbarung, ihre Verkünder und Tradenten. Das Konzil führt in DV 7 aus:

> „Quod [praedicatio evangelii] quidem fideliter factum est, tum ab Apostolis, qui in praedicatione orali, exemplis et institutionibus ea tradiderunt quae sive ex ore, conversatione et operibus Christi acce-

[324] Vgl. Dekret „Lamentabili" vom 3.7.1907: DH 3421.

[325] Vgl. Dekret „Lamentabili" vom 3.7.1907: DH 3440; 3444; 3448.

perant, sive a Spiritu Sancto suggerente didicerant, tum ab illis Apostolis virisque apostolicis, qui, sub inspiratione eiusdem Spiritus Sancti, nuntium salutis scriptis mandaverunt."[326]

Die Apostel haben unter dem Beistand des Heiligen Geistes hinzugelernt. Daher unterscheidet man auch drei verschiedene Traditionsstränge im Neuen Testament (synoptisch, paulinisch, johanneisch), die sich aus der Interpretation der Offenbarung durch die Apostel und ihre Gemeinden ergeben haben. Die Unterschiedlichkeit dieser Interpretationen kann jedoch nicht als Ausdruck einer ansetzenden „Entgeistigung" gesehen werden, da niemand weiß, ob die Vielfalt nicht dazu dient, den Kern dieser Interpretationen, das Interpretierte – Jesus von Nazareth – , besser zu verstehen. So könnte die Vielfalt der unterschiedlichen Traditionen im Neuen Testament dazu benutzt werden, um Jesus besser zu verstehen als dies eine einzige Tradition könnte. Besäße man zum Beispiel nur die synoptische Tradition, so wäre es fraglich, ob es zu Nicäa so schnell gekommen wäre. Besäße man nur die johanneische Tradition, so wäre vielleicht das Bewusstsein der vollen menschlichen Natur Christi nicht so ausgeprägt, wie es nach Chalcedon ist. Daher sollte man die Pluralität der apostolischen Interpretationen nicht als Fluch ansehen, der die Offenbarung relativiert, sondern als Stärkung des Bewusstseins für Jesus Christus, das Wort Gottes.

Deswegen kann man die Theologie des Paulus im Römerbrief einerseits als dessen eigenen, neuen Entwurf, basierend auf seiner Überzeugung der universalen Bedeutung des Kreuzestodes Christi, sehen oder als einen vom Heiligen Geist hervorgerufenen und begleiteten Lernvorgang, in dessen Verlauf dem Paulus die Bedeutung des Kreuzestodes Christi für die Heilsökonomie immer tiefer erschlossen wurde. Somit wäre der Vorwurf, den man an Paulus richtet, er habe aus Jesus, dem Verkündiger, Jesus, den Verkündigten, gemacht, haltlos, weil Paulus die Basileia-Verkündigung Jesu mit dem Schicksal ihres Mittlers verbindet, so dass das, was Jesus gepredigt hat, das war, was er gelebt hat. Und durch Jesu Gehorsam bis zum Tod wurde die Gottesherrschaft errichtet. Pauli Interpretation Jesu stellt daher keine Verfälschung, sondern eine Fokussierung der Basileia-Verkündigung Jesu unter dem Aspekt ihres Mittlers dar, die man im Wirken des Heiligen Geistes verortet sehen kann.

Da diese Geistführung aber potentiell für einzelne Theologen zu allen Zeiten der Kirche angenommen werden muss, kann sie die Normativität paulinischer und apostolischer Theologie nicht allein begründen. Man hat

---

[326] „Dies ist gewiss treulich gemacht worden, bald von den Aposteln, welche in der mündlichen Verkündigung, durch Beispiele und Institutionen das weitergegeben haben, was sie entweder aus dem Mund, der Begegnung und den Werken Christi empfangen hatten, oder was sie auf Eingebung des Heiligen Geistes gelernt hatten, bald von jenen Aposteln und apostolischen Männern, welche unter der Inspiration desselben Heiligen Geistes die Nachricht vom Heil in Schriften überlieferten".

daher zwei Möglichkeiten: Entweder man begründet die Normativität paulinischer Theologie mit einer besonderen Geistbegnadung, die er mit den übrigen Aposteln teilte, oder man führt die Normativität seiner Theologie auf seine Autorität zurück, die er aufgrund seiner Erwählung durch Christus besaß und die nicht reproduzierbar für spätere Zeiten ist, da Jesus zur Rechten Gottes, des Vaters, sitzt. Verbunden damit ist die Frage nach dem Wesen der Schrift, auf die später noch eingegangen wird. Sie lautet: Ist die Schrift das Wort Gottes oder kündet sie nur vom Wort Gottes?

Der große Vorteil der ersten Variante läge in den Konsequenzen, die sich daraus für die Schrift, das Neue Testament, ergeben würden. Die Inspiration der Schrift kann man durch so eine Annahme leicht begründen, ohne sich mit dem historischen Faktum abmühen zu müssen, dass außer Paulus wohl keine Apostel (kein direkter Auferstehungszeuge) ein Schriftstück des Neuen Testaments verfasst hat. Dies ergibt sich weitgehend aus den in der biblischen Theologie gängigen Datierungen der einzelnen Schriftstücke des Neuen Testaments. Apostel wäre demnach nicht jemand, der dem Auferstandenen begegnet ist (wie Paulus dies meint) oder einer der Zwölf (wie Lukas dem Apostelbegriff bestimmt), sondern jemand, den der Heilige Geist dazu macht, sprich die Autoren wie „Matthäus“, „Markus“, „Lukas“, „Johannes“, „Petrus“, „Judas“ usw.. Das Problem dieser Variante liegt darin, wie man sich diese gesteigerte Geistbegabung genau vorstellen soll. Denn es würde nicht genügen, nur eine quantitative Differenz zwischen einem Apostel und z. B. einem Aurelius Augustinus zu konstatieren, sondern nötig wäre eine qualitative Differenz, um jede Vergleichbarkeit auszuschließen. Eine quantitative Differenz würde ein intensiveres Geistwirken in den Aposteln und Autoren der Schrift bedeuten, welches spätere Theologen nicht mehr gehabt hätten. Solch eine Position leistet jedoch der These Harnacks Vorschub, wonach der Geist Christi sich nach dem apostolischen Zeitalter verflüchtigt habe. Unter einer qualitativen Differenz müsste man eine grundsätzlich andere Wirkweise des Geistes bei den Aposteln im Gegensatz zu allen anderen Christen annehmen. Dabei stellt sich die Frage, wie der Geist auf eine grundsätzlich andere Art und Weise Verstand und Willen eines Menschen beeinflussen soll als auf die Art, in der er bei jedem anderen Christgläubigen wirkt. Denn dieses Wirken des Heiligen Geistes muss gleichzeitig noch die Freiheit des Gläubigen berücksichtigen und kann ihn nicht nur zu einem menschlichen Schreibgriffel oder Sprachrohr reduzieren. Diese Probleme müssen hier keiner Lösung zugeführt werden, da für die zweite Variante votiert werden soll.

Die Normativität apostolischer und paulinischer Theologie soll in einer durch den Auferstandenen selbst verliehenen, nicht reproduzierbaren Autorität der Apostel selbst liegen.[327] Dadurch wird der Übergang von apostoli-

[327] Die Konsequenzen für die Schrift und die Schriftinspiration werden weiter unten diskutiert.

scher zu nachapostolischer Zeit sanfter gestaltet, ohne gleichzeitig die apostolische Zeit und den apostolischen Glauben in ihrem Wert zu schmälern. Zugleich können theologische Streitfragen in apostolischer Zeit eingeräumt werden, ohne an einem Geistwirken an sich zweifeln zu müssen. Der Geist wirkte aktiv an der Findung einer Lösung für solche Probleme mit, indem er an die Offenbarung und den Willen Jesu erinnerte und somit bereits die Apostel in die ganze Wahrheit einführte (Joh 16,3). Der Nachteil dieser Auffassung liegt, wie bereits angedeutet, darin, dass viele neutestamentlichen Schriften zunächst nicht mehr das Prädikat „apostolisch“ erhalten können, da ihre Autoren keine Apostel waren. (Paulus bleibt ausgenommen). Darauf wird jedoch später eingegangen.

Für dieses Kapitel ist es wichtig, festzuhalten, warum der Glaube der Apostel das ist, was die Kirche zu bewahren versucht. Die Zwölf wurden von Jesus in ihrem Glauben geformt. Seine Taten und seine Predigt hat sie geprägt. Sie hat ihnen gleichzeitig die Inhalte ihrer eigenen Verkündigung gegeben. Die Zwölf haben aber nicht nur Jesu Taten gesehen und seine Worte gehört, sondern sie haben ihn, das menschliche Antlitz Gottes, kennen gelernt. Sie sind nachösterlich in die Christusbeziehung eingetreten, die die Grundlage jeglichen Heils darstellt. Deshalb versucht die Kirche, ihren Glauben zu bewahren und jedem einzelnen Menschen zu schenken. Die Zwölf sind aber mehr als das. Sie sind durch den Auferstandenen autorisierte Verkünder seines Evangeliums. Ihr Umgang mit ihm, die Tatsache, dass sie ihn kennen, ermöglicht es ihnen, „Neues“ zu entwickeln, welches im Sinne Jesu, seiner Botschaft und seiner Lehre entspricht. Dies gilt in abgeschwächter Form auch für jene, die Paulus „Apostel“ nennt und denen der Auferstandene erschienen ist. Sie sind allerdings in ihrer Verkündigung von den Zwölf abhängig, da diese den historischen Jesus besser kannten. Aber sie haben in gleicher Weise vom Auferstandenen die Autorität empfangen, ihn als den Auferstandenen zu verkündigen und „Neues“ zu entwickeln, da auch sie in der gleichen Heilsbeziehung wie die Zwölf standen. So ist zum Beispiel Paulus nicht traditionsunabhängig, insofern er Glaubensinhalte empfangen hat, gleichzeitig steht er in seiner nachösterlichen Christusbeziehung, in seinem Glauben, dem Petrus in Nichts nach. Der Heilige Geist verschafft ihm zwar keine Inhalte – die muss er von den Zwölf lernen – , aber er gibt ihm die Fähigkeit, seinen eigenen Glauben zu erforschen, seine Christusbeziehung auszuloten und dies in seine Verkündigung einfließen zu lassen. Normativ ist diese Verkündigung eigener Theologie deshalb, weil Jesus ihm in einer persönlichen Begegnung diese Autorität verleiht. So unterscheidet sich das Theologietreiben eines Augustinus und eines Paulus nicht in der Methode, sondern nur im Ergebnis aufgrund von Autorität.

## 3.6. Die Heilsfrage und die Glaubensinhalte

### 3.6.1. Die Partikularität des Christentums und das Heil der Welt

Nachdem im vergangenen Kapitel der Frage nach der Entstehung und Normativität des Glaubens der Apostel nachgegangen wurde, soll in diesem Abschnitt mehr die inhaltliche Seite dieses Glaubens beleuchtet werden. Da dies zugleich der Glaube ist, den die Kirche bewahren will, kann man die Frage auch so formulieren: Welche Glaubensinhalte muss man zu seinem Heil glauben? Angestoßen ist diese Frage nicht zuletzt durch die Feststellung unterschiedlicher Traditionslinien in apostolischer Zeit, die im letzten Kapitel bereits erwähnt wurden. Muss das Zentrum und damit die gesuchten heilsnotwendigen Inhalte nicht in der Schnittmenge der drei Traditionen liegen? Denn in ihren partikulären Ansichten kann kein heilsnotwendiger Inhalt verborgen sein. Wenn dies aber schon bei apostolischen Traditionen gilt, um so mehr stellt sich dann die Frage nach der Heilsnotwendigkeit der kirchlichen Lehren, die zeitlich viel später entstanden sind. Oder stellen sie den Fokus dar, der der Schrift und ihren Traditionen fehlt?

Bevor man sich der Beantwortung dieser Frage nähert, muss man sich ins Gedächtnis rufen, dass Gott allein und frei jedem das Heil gewährt, wie er es will. Es verbietet sich von vorneherein angeben zu wollen, wie die Kriterien des göttlichen Gerichts am Jüngsten Tag sein werden, zumal jede(r) individuell sein Urteil empfängt. Dennoch gibt die Offenbarung Anhaltspunkte für eine wohl begründete Spekulation diesbezüglich. Denn die Freiheit Gottes wird durch seine Offenbarung nicht eingeschränkt, sondern seine freien Entschlüsse offenbart.

Für das Heil finden sich in der Schrift und in der Theologie mehrere Umschreibungen, die alle versuchen, „Heil“ anschaulich und vorstellbar zu machen. Die anschaulichsten Bilder liefert die Offenbarung des Johannes mit ihrer Vision des himmlischen Jerusalems (Offb 21f.). Das Johannesevangelium spricht vom „Wohnen bei Gott“ (Joh 14,2). Für Paulus ist das Heil das Leben bei Gott mit einem „verwandelten Leib“ (1 Kor 15,35ff.). Die Theologie bezeichnet das Heil als Partizipation des Menschen am Leben des dreifaltigen Gottes. Diese Partizipation geschieht bereits auf Erden in verborgener Weise, da der Heilige Geist bereits in den Christen wohnt (1 Kor 3,16; 1 Kor 12,13; Röm 8,9-11), und wird offenbar bei der Auferstehung der Christen, die durch den Geist zum Leben auferstehen (Röm 8,11). Diese letzte Beschreibung umschreibt nicht nur das Wesen der Erlösung, sondern zugleich die Art, wie man an der Christus erwirkten Erlösung Anteil gewinnt: im Heiligen Geist.

Konnte das Konzil von Trient die Anteilgewinnung am Heil als einen gnadengewirkten Prozess verstehen, der über Vorbereitung mittels aktueller Gnaden, die Verleihung des Gerechtfertigtenstandes in der Taufe bewirkte und sich durch gute Werke unter Führung des innewohnenden Geistes danach vermehrte,[328] so stellt sich das Problem des Heils einem globalisierten Bewusstsein heute auf neue Weise. Wenn Gott das Heil durch die Taufe, bzw. durch den Glauben, den die Taufe bezeichnet, verleiht, wieso sind dann nicht alle Menschen Christen? Oder umgekehrt gefragt: Ist das Faktum, dass nicht alle Menschen an Jesus Christus glauben nicht der Beweis, dass der Universalitätsanspruch, den die Christen ihrem Glaubensobjekt, Jesus Christus, zuschreiben, falsch ist; dass dieser Universalitätsanspruch nur eine menschengemachte Verabsolutierung eines möglichen Wegs zum „Göttlichen" ist?

Nun verbietet die oben entworfene Erkenntnistheorie den Versuch, den universellen Wahrheitsanspruch als „objektiv" zu betrachten. Es handelt sich bei diesem Universalitätsanspruch, den die Kirche und der einzelne Christgläubige macht, um die Projektion einer subjektiv für wahr gehaltenen Universalität Christi, die sich aus der Beziehung des Einzelnen (/der Kirche) zu Christus – dem Glauben – ergibt, in eine gedachte Wirklichkeit hinein. Dies bedeutet nicht, dass es sich in der Wirklichkeit an sich so verhält, wie der Glaubende es bekennt, sondern nur, dass diese Wirklichkeit nicht „objektiv" genannt werden kann, solange die gnadenhafte Erhöhung des christlichen Bewusstseins durch den Heiligen Geist, die Erkenntnis- und Seinsordnung zusammenbinden würde, nicht bewiesen werden kann. Es handelt sich bei dieser „objektiven Wirklichkeit", die der Glaube entwirft, um das subjektive Konstrukt einer objektiven Wirklichkeit, die die Wirklichkeit an sich zunächst nicht berührt.[329] Da aber der Einzelne sich letztlich nicht von seinem subjektiven Standpunkt, von seinem Glauben oder Unglauben, distanzieren kann (bzw. nur theoretisch und für kurze Zeit), da jeder Mensch einen Standpunkt für oder gegen diese durch den Glauben an Christus gegebene Position beziehen muss, kann man wieder von einem universalen und „objektiven" Anspruch des Christentums sprechen. Dementsprechend muss das Christentum den Universalitätsanspruch, den es für Jesus von Nazareth erhebt, rational begründen und erklären, wie die historische Partikularität Jesu mit diesem universalen Anspruch auszugleichen ist.

---

[328] Vgl. Konzil von Trient, 6. Sitzung vom 13.1.1547, Dekret über die Rechtfertigung: DH 1520-1550.

[329] Da der Mensch nicht auf das Wirken des Heiligen Geistes, das Möglichkeitsbedingung des eigenen Selbstvollzugs darstellt, reflektieren kann, kann der Beweis, dass es sich bei der christlichen Sicht der Dinge um die „objektive" Wirklichkeit handelt, letztlich nicht erbracht werden – genauso wenig wie der Beweis, dass es nicht so ist. Erschwerend kommt noch hinzu, dass auch die Begnadung durch den Heiligen Geist rein ontologisch aufgefasst werden könne.

Wenn das Christentum seinen universalen Anspruch, die einzige von Gott gewollte Religion zu sein,[330] aufrecht erhalten will, dann muss sie plausibel die Partikularität einer geschichtlichen Offenbarung in Jesus Christus mit einer universellen Gültigkeit dieser Offenbarung für alle Menschen zu allen Zeiten ausgleichen. An der Universalität des Christentums, an der einzigen Heilsmittlerschaft Christi hängt nicht zuletzt die Wahrheit des Christentums an sich und damit auch die Wahrheit der Dogmen und der Lehre der Kirche. Die Kirche kann nicht, nicht einmal kurz, die Position des Unglaubens einnehmen und philosophisch argumentieren, es handle sich beim Glauben und den Glaubensinhalten um eine verobjektivierte subjektive Wirklichkeitssicht, die genauso gültig sein kann, wie z. B. eine taoistische Wirklichkeitssicht. Daher ist für den Christen die universale Heilsmittlerschaft Christi eine „objektive", ohne dies noch einmal relativieren zu können, weil dies die Position des Unglaubens wäre.

Wenn also laut kirchlichem Bekenntnis niemand zum Vater kommt außer durch Jesus Christus (Joh 14,6), dann muss sich jeder Mensch zu Jesus direkt oder indirekt verhalten, um sein Heil zu erlangen. Die personale Beziehung zu Jesus Christus, der Glaube an ihn oder der Unglaube, sind entscheidend für die Heilsfrage eines jeden Menschen. Wie soll aber jemand, der nichts von Christus weiß, an ihn glauben oder eine Christusbeziehung eingehen? Andererseits kann Gott ihm nicht aufgrund seiner Unwissenheit das Heil ohne eine Christusbeziehung gewähren, da er sonst seine eigene Offenbarung relativieren würde. Außerdem wäre in diesem Fall Unwissenheit ein Segen und die Christen wären benachteiligt. Man könnte zwar versuchen, diese Benachteiligung im Reich Gottes auszugleichen. Aber eine „Zweiklassengesellschaft" im Himmel würde einige Fragen an die Gerechtigkeit Gottes stellen, und man wäre wieder am Ausgangspunkt, dass man begründen müsste, warum Gott parteiisch ist und nur einem Teil der Menschen die Erlangung des (vollen) Heils ermöglicht. Diese Vorstellung eines Zweiklassen-Himmels ist zudem nur schwer vorstellbar, wenn Himmel die Partizipation am Leben des dreifaltigen Gottes ist. Auf der anderen Seite darf die Unwissenheit über die geschichtliche Offenbarung in Jesus Christus einem Unwissenden auch nicht zum Fluch werden, da sonst Gottes Gerechtigkeit wieder zur Disposition stünde.

Dieses Problem mit anderen Worten ausgedrückt heißt, dass Chancengleichheit für alle Menschen bestehen muss, das durch Christus vermittelte Heil zu erlangen. Nun kann man an diesem Punkt einwenden, dass sich diese Spekulation mit dem Stichwort „Chancengleichheit" selbst wiederlegt hätte. Denn keine zwei Menschen auf Erden haben die gleichen Chancen,

[330] Dies gilt auch gegenüber dem Glauben Israels, da sich die Kirche als eschatologischer Rest Israels versteht, weil Israel mit der immer noch andauernden Ablehnung Christi nicht nur den neuen Bund als Vollendung des Alten ablehnt, sondern damit auch den Alten Bund nicht erfüllen kann.

bedingt durch Gene, Umwelt, Erziehung. Das Evangelium widerlegt diesen Einwand, indem Jesus diese Chancengleichheit im Gleichnis von den Tagelöhnern im Weinberg postuliert (Mt 20,1-16). Gott gleicht die Chancenungleichheit auf Erden aufgrund seiner Gerechtigkeit aus. Zugleich bestätigt dieses Gleichnis das oben Gesagte, dass Gott in seinem Gericht frei und gerecht ist und dass kein Mensch detaillierte Kriterien für das Endgericht angeben kann, da Gott jeden individuell und gerecht beurteilen wird. Dies bedeutet jedoch nicht, dass man aufgrund der individuellen Heilsbedingungen jedes Menschen nicht allgemein über das Thema Aussagen machen könnte, oder dass Gott von der Heilsvermittlung durch seinen Sohn dispensieren würde oder könnte.

Zunächst soll der Fall behandelt werden, wie ein Mensch, der Christus nicht kennt, in eine durch Christus vermittelte Beziehung zu ihm und zu Gott, seinem Vater, eingehen kann. Grundvoraussetzung aller weiteren Überlegungen ist das Kreuzesopfer Christi. Durch seinen Tod am Kreuz hat Christus die Sünden der Welt hinweggenommen. Er hat durch seinen Gehorsam am Kreuz Gott, seinem Vater, für die Sünden der Welt ein für allemal Genugtuung geleistet und durch die Annahme der Gottesherrschaft diese endgültig errichtet. Durch seinen freiwilligen Tod am Kreuz hat er Gott, seinen Vater, verherrlicht und ihn als Gott, der souveräner Herrscher der Schöpfung ist und sich durch die Sünde des Menschen seine Pläne nicht durchkreuzen lässt, bewiesen. Diese Liebestat Jesu ist objektive Möglichkeitsbedingung des Heils jedes Menschen.

Als zweite Komponente für das Heil eines von Christus nicht informierten Menschen ist das Gebot Joh 13,34: „Liebt einander! Wie ich euch geliebt habe, so sollt auch ihr einander lieben." Wie aber soll ein Nicht-Christ sich an dieses Gebot halten? Wenn es Teil einer Erlösungsstruktur für Nicht-Christen sein soll, dann muss dieses Gebot in der Schöpfungsordnung erkennbar sein. Es wird hier darauf verzichtet, dies empirisch vor allem mit Verweis auf Ehe und Familie, in denen natürlicherweise die Liebe als Sinn menschlicher Existenz aufscheint, nachzuweisen. Es soll stattdessen ein Verweis auf die Begnadung jedes Menschen durch den Heiligen Geist gemacht werden. Wie Karl Rahner dies ausführlich darlegt, ist der Heilige Geist Möglichkeitsbedingung menschlichen Selbstvollzugs. Da er der Grund menschlicher Freiheit ist, ist er in der Lage, bewusstseinsimmanent das Gebot der Nächstenliebe im Menschen zu evozieren. Dies sollte man in Verbindung sehen mit dem, was Paulus und das Vatikanum I. in Anlehnung an ihn sagt, dass die Existenz Gottes aus den Werken der Schöpfung erkennbar ist.[331] Diese Erkennbarkeit ist keine rein natürliche Leistung des Menschen, da es keine Natur ohne Gnade geben kann. Die transzendentale Analyse Rahners und die Existenz des Gewissens als unbedingte Verpflich-

[331] Vgl. Röm 1,19f.; vgl. 1. Vatikanisches Konzil, Dogmatische Konstitution „Dei Filius": DH 3004.

tung zum Guten verweisen auf Ursprung und Ziel menschlichen Lebens, welches in einem göttlichen Guten liegt. Davon unberührt bleibt die Anerkenntnis der Existenz Gottes als Konstitutivum menschlichen Lebens. Diese Anerkennung ist wiederum ein vom Heiligen Geist getragener Akt, der ein gegebenenfalls gesprochenes menschliches Nein zunächst respektiert, wenn auch nicht akzeptiert.

Mit dem moralischen Gebot, das Gute zu tun, und der Existenz Gottes ist jedem Menschen gleichzeitig das Gebot der Nächstenliebe geoffenbart. Die Konstitution des Menschen, seine Natur, verweist auf die Liebe als Inbegriff des Guten. Die Frage nach dem Sinn und Grund der eigenen Existenz als geistgewirkter Akt bewirkt die Erkenntnis des Verdankt-Seins, oder neutraler formuliert des „Nicht-aus-sich-selbst-Seins", sowohl des eigenen Lebens wie des Seienden an sich. Diese Erkenntnis schließt mit der Gotteshypothese ab, so dass Gott die Erkenntnis seiner selbst durch jeden Menschen ermöglicht. Von diesem Erkenntnispunkt ist es nur ein kleiner Schritt zur Konklusion, dass das Seiende auch so sein können soll, wie es ist. Bedingung dieses Schlusses ist, dass Gott das Seiende so, wie es ist, gewollt hat. Gott muss damit Person mit Willen sein. Dass diese Hypothese nicht jedem einsichtig und die sich daraus ergebende Konklusion nicht unumstritten ist, sollte man dabei beachten. Empirisch betrachtet, leugnet diese Prämisse vor allem der Buddhismus, aber auch andere Religionen kennen keine personale Gottesvorstellung. Als Gegenargument ließe sich anführen, dass der Mensch Person ist, weil Gott es vor ihm war. Dieses Argument ist aber wiederum nicht schlüssig, da es zum einen ein Urbild-Abbild-Schema voraussetzt, welches man nicht teilen muss, da zum anderen dieses Schema leicht umgekehrt werden kann und damit dem Projektionsvorwurf Vorschub leistet. Ein weiterer Einwand wäre eine Dualität in Gott, deren Folge eine totale Destruktion des christlichen Schöpfungsglaubens wäre. Der Einwand einer Dualität lässt sich mit dem Hinweis auf den Gottesbegriff entkräften, der in sich keine Dualität zulässt, wenn mit dem Gottesbegriff „Allmacht" konnotiert wird. Dass die Welt selbst nicht göttlich ist, lässt sich mit dem Hinweis auf ihre Endlichkeit begründen. Wie man es auch dreht, die zweite Prämisse läst sich nicht ohne Offenbarung begründen. Und somit ist der Weg vom Gewissensinhalt, dass das Gute zu tun, das Böse zu meiden ist, und den jeder Mensch kennt, zum Gebot der Nächstenliebe, welches implizit jedem Menschen offenbar sein muss, aposteriori versperrt.

Obwohl aus der natürlichen Theologie diese Ableitung theologisch nicht gemacht werden kann, so gibt es dennoch zwei Möglichkeiten, die impliziten Bekanntheit des Gebotes herzuleiten. Zum einen kann man mit der Erfahrung des Menschen und seiner moralischen, durch das Gewissen bezeugten Verpflichtung zum Guten argumentieren, dessen höchste Form die Liebe ist. Jeder Mensch, der liebt, der sich um die Lebensbedingungen seiner Mitmenschen und seiner Umwelt sorgt, macht eine Sinnerfahrung für sein

Dasein.[332] Die größten Religionen der Erde bejahen deswegen die Liebe und Nächstenliebe als Weg oder als Hilfsmittel zur Erleuchtung.[333] Das Gebot der Nächstenliebe scheint sich schon allein aus der Sozialität des Menschen und der damit verbundenen Erfahrung, dass es zum Guten keine Alternative gibt, zu ergeben.

Die andere Möglichkeit die Bekanntheit des Gebots herzuleiten, ist die Ablehnung einer Herleitung und die Postulierung des impliziten Wissens dieses Gebots für jeden Menschen, da Gott de facto jeden Menschen zum Heil berufen hat und der Glaube an Christus in der Liebe zum Nächsten seine Konkretisierung finden muss. Dieses implizite Wissen wird durch den Heiligen Geist vermittelt, der Grundbedingung menschlicher Freiheit ist und gerade durch diese Freiheit den Menschen zur Erkenntnis der Erfüllung seines Lebens in der Liebe führen kann. Dass die Liebe zu seinem Nächsten aber Christusbeziehung ist, ergibt sich nicht nur aus dem Schriftwort „Amen, ich sage euch: Was ihr für einen meiner geringsten Brüder getan habt, das habt ihr mir getan." (Mt 25,40), sondern vor allem aus dem Kreuzestod Christi, der für die Sünden aller Menschen gestorben ist und damit jeden anderen Menschen zum Mitbruder /zur Mitschwester macht, die er objektiv-wirklich und subjektiv-potentiell erlöst hat. Die Liebe eines Menschen zu seinem Nächsten ist damit Christusbeziehung, da Christus den Nächsten geliebt und sich für ihn/sie geopfert hat. Das Erlösungshandeln Christi, das die Liebe Gottes zu den Menschen offenbart, begründet die Möglichkeit der Christusbeziehung und der Gottesliebe durch die Nächstenliebe.

Diese Art der Rechtfertigung darf keinesfalls als Werkgerechtigkeit verstanden werden. Denn der Primat der Gnade bleibt in dieser Konzeption gewahrt. Die Nächstenliebe ist kein verdienstliches Werk, auf das Gott mit der Gnade der Rechtfertigung zu antworten hätte, sondern die Gnade der Rechtfertigung, erworben im Kreuz Christi, geoffenbart dem Verstand jedes Menschen durch den Heiligen Geist als Bejahung der Liebe zu sinnerfülltem Leben, geht jedem menschlichen Selbstvollzug voraus. Das bedeutet nicht, dass jeder Mensch als Gerechter oder Gerechtfertigter zur Welt kommt, sondern nur, dass ein jeder Mensch die Möglichkeit hat, ob Christ oder nicht, aufgrund seines Lebens in der Gnade bei der Auferstehung der Toten als Gerecht(fertigt)er das Gericht zu verlassen. Nicht aufgrund eigener Leistungen, sondern weil Jesus Christus ihm seine Sünden vergeben hat.

---

[332] Egoistische oder zerstörerische Liebe ist hier nicht gemeint, sondern Liebe als höchste Form moralischen Handelns, die damit synonym mit dem Begriff des Guten ist. In Vollendung wird es diese Liebe bei Menschen nicht geben. Aber gerade deswegen ist die Liebe Jesu, die die Vollendung ist, der Grund der Erlösung für alle anderen Menschen.

[333] Almosengeben und Gastfreundschaft sind in den abrahamitischen Religionen Pflicht, aber auch im Buddhismus und im Hinduismus verbreitet. Vgl. Mircea Eliade, Geschichte der religiösen Ideen, 4 Bde., Freiburg u. a. $^{3}$1997.

### 3.6.2. Die christliche Heilsfrage

Das hier Dargelegte führt zu einem weiteren Problem. Wenn das hier Gesagte wahr ist, haben sich dann alle Dogmen der Kirche nicht ad absurdum geführt mit Ausnahme des Gebots der Nächsten- und damit der Gottesliebe? Sind die Christen gegenüber einem, der niemals etwas von Christus etwas gehört hat, aber versucht, das Gute zu tun, nicht im Nachteil? Oder umgekehrt gefragt: Ist ein Nicht-Christ, weil die Nächstenliebe das schwerste, in einer erbsündigen Welt zu verwirklichende Gut ist, gegenüber einem Christen nicht noch immer benachteiligt, dass man Gott immer noch parteiisches Verhalten vorwerfen kann? Diesem Vorwurf wird man niemals entgehen können, da jede Religion, will sie sich nicht selbst ad absurdum führen, von sich behaupten muss, dass man durch sie als Instrument schneller, besser und sicherer zu seinem Heil kommt als ohne sie. Das Christentum ist hierbei keine Ausnahme. Deswegen ist Gott aber nicht parteiisch oder ungerecht, sondern er gleicht, wie gezeigt, den Mangel an Chancen, den ein einzelner Mensch hat, aufgrund seiner Gerechtigkeit aus, so dass dieser Vorwurf nicht berechtigt ist. Christ und Nicht-Christ können ihr Ziel, das Heil, erreichen.

Worin liegt der Vorteil ein Christ zu sein und welche Rolle spielen die Dogmen der Kirche in diesem Zusammenhang? Die Antwort ist kurz, beinhaltet aber zugleich eine Unzahl verschiedener Aspekte: Der Vorteil des Christen ist die Kirche. Die Kirche macht den Einzelnen in ihrer Verkündigung mit der Offenbarung Gottes bekannt, sie erschließt ihm die Bedeutung dieser Offenbarung, bestärkt ihn im Glauben durch ihre von Gott verbürgte Heiligkeit, insofern sie das Wort Gottes, niedergelegt in der Schrift, bewahrt und verkündet und in den Sakramenten eine reale Gottesbeziehung ermöglicht. Die Kirche ist der Vorteil des Christen, insofern sie die Unwissenheit über Gott, sein Wesen und seinen Willen behebt. Das Wissen des Evangeliums schafft Freude, Zufriedenheit und Geborgenheit in Gott. Die Sakramente bewirken Gemeinschaft mit Gott, Stärkung im Glauben und die Zuversicht auf das gütige Handeln Gottes am Menschen. Aber diese Heilsmittel, die dem Christen zur Verfügung stehen, erhöhen zugleich den Verpflichtungsgrad auf das Evangelium. Das Evangelium stellt hierbei aber keine Last dar, die man für sein Heil auf sich nimmt, sondern einen willkommenen Begleiter auf dem Weg ins Reich Gottes (Lk 24,13-35). Es ist Frohbotschaft, nicht Drohbotschaft. Trotzdem kann man behaupten, dass durch die Verpflichtung des Christen zu einem Leben nach dem Evangelium der Vorteil gegenüber einem Nicht-Christen abgemildert wird. Der Vorteil, den die Kirche als Instrument des Heils verschafft, ist eine direkte Christusbeziehung. Während sich im obigen Fall die Christusbeziehung in der Beziehung zum Nächsten indirekt verwirklicht, wird sie einem Christen direkt angeboten. Das Fundament dieser Beziehung ist Gott, der Heilige

Geist, selbst, der den Glauben hervorruft und bestärkt, der in den Sakramenten wirkt und als Urheber der Schrift dem Hörer des Wortes die Wahrheit dieses Gehörten offenbar macht. Durch die Verkündigung der Kirche, die er trägt, bekommt er die Inhalte, deren Wahrheit er dem Hörer aufzeigen kann. Erst die Verkündigung ermöglicht es ihm über die Begnadung eines jeden Menschen hinaus zu wirken und den Menschen zu einer direkten Entscheidung für oder gegen Christus, den Verkündigten, zu bewegen. Der Heilige Geist bewirkt dementsprechend keine Inhalte über die Erkenntnis der Existenz Gottes und die Verpflichtung zum Guten im Gewissen hinaus, sondern bedarf der konkreten geschichtlichen Verkündigung der Kirche, um die Freiheit des Einzelnen, die er bewirkt, nicht gleichzeitig wieder zu gefährden, indem er einem Nicht-Christen die Inhalte des Glaubens übernatürlich infusioniert. Dies würde zwar den freien Willen theoretisch nicht aufheben, aber aufgrund des eindeutigen übernatürlichen Ursprungs eines so infusionierten Wissens bliebe kaum ein Spielraum, die Inhalte und den mit ihnen Bezeichneten abzulehnen. Die direkte Christusbeziehung bedarf daher der Verkündigung der Kirche als Instrumentalursache, die der Heilige Geist benutzt, um sie zu wirken. Trinitarisch gesprochen, bewirkt die geschichtliche Offenbarung in Jesus Christus erst die Inhalte, zu denen der Heilige Geist die Gläubigen führt. So erweist sich die Sendung des Sohnes als Selbstoffenbarung Gottes inhaltlicher Art, die die Sendung des Geistes und sein Wirken in ihrer Fülle begründet, indem er den Gläubigen Jesus von Nazareth als einzigen Sohn vom Vater offenbar sein lässt.

### 3.6.3. Die Heilsrelevanz der Dogmen

Es wurde die Kenntnis des Evangeliums, des Willens und der Pläne Gottes, sowie die direkte Christusbeziehung als der Vorteil bezeichnet, den ein Christ gegenüber einem Nicht-Christen besitzt. Was sind die zentralen Aussagen des Evangeliums, die ein Christ zu seinem Heil glauben muss, welche Glaubensinhalte gehören zentral zu einer direkten Christusbeziehung hinzu?

Auf diese Fragen gibt es zwei mögliche Formen der Antwort. Zum einen kann man versuchen, eine statische Grenze innerhalb der Glaubensinhalte der Kirche zu ziehen, zum anderen wäre es möglich, ein dynamisches Modell zur Beantwortung vorzuschlagen.[334] Bei einem statischen Modell ergeben sich mehrere Probleme. Zum einen wäre solch eine Grenze künstlich, da die meisten Glaubensinhalte zueinander in Beziehung stehen, ein kohärentes System ergeben, wenn sie nicht sogar mittels Konvenienzüberlegun-

[334] Ein dynamisches Modell bestünde in der Annahme, dass man mit einer Wahrheit alle anderen Wahrheiten implizit mit angenommen und bejaht hat, weil eine christliche Lehre letztlich zur anderen führt. Dieses Modell wird weiter unten diskutiert.

gen auseinander entstanden sind. Man müsste somit begründen, warum eine Wahrheit zum Zentrum gehört, eine nahe verwandte Aussage aber nicht mehr. Welches Kriterium müsste man anwenden und wer soll entscheiden, welches Kriterium richtig ist, das eine dem zentralen Bereich des Glaubens zuzuordnen, das andere aber nicht? Ein sinnloser, weil nie zu einem befriedigenden Ergebnis führender Streit wäre vorprogrammiert. Zum anderen würde eine solche Grenzziehung die Glaubensinhalte wie eine Last erscheinen lassen, die der einzelne Gläubige für sein Heil auf sich nehmen müsste, und die die Theologie möglichst zu reduzieren hätte. Aber gerade das Gegenteil sollte der Fall sein. Die Glaubenslehren der Kirchen sollten der Vertiefung der Christusbeziehung dienen. Die minimalistische Frage, die hier gestellt werden muss, kann daher nur auf die Feststellung einer unumstößlichen Basis hinauslaufen, hinter die man nicht mehr zurück kann, ohne denjenigen, der nicht an ihr festhält, noch als Christ bezeichnen zu können. Diese Basis sollte jedoch aufgrund der Dynamik des Geistes keine Stufe sein, auf der man selbstgenügsam verharrt, da man sonst als Nicht-Christ ein besseres Los im Gericht hätte. Andererseits muss jeder Mensch unterschiedlich mit den Auswirkungen der Erbsünde fertig werden. An einem konkreten Beispiel veranschaulicht, bedeutet dies, dass ein afrikanischer Christ zum Beispiel, der täglich um sein materielles Überleben kämpfen muss, anders glauben muss als ein westeuropäischer Theologe, der ein quantitativ höheres Pensum an Glaubensinhalten glauben darf und muss. Davon unbenommen ist ein Grundstock, den jeder Christ zumindest implizit glauben muss. Ohne diese Basis wäre ein Christ auf der Stufe eines Nicht-Christen angekommen. Dieser Grundstock besteht im Glauben an die Gottessohnschaft Christi (Mt 16,16; Joh 1,34; 1 Kor 1,19 u. a.), die Auferstehung (Mk 16,6ff.; Joh 20f.; Röm 1,4 u. a.) und dessen universale Heilsmittlerschaft (Mk 14,62; Joh 14,6; Phil 2,9-11 u. a.). Diese drei Komponenten sind letztlich die wesentlichen Elemente, die das Gebet zu einem gekreuzigten Menschen sinnvoll machen. Man kann sagen, dass jeder, der zu Jesus Christus[335] betet, diese drei Komponenten letztlich explizit bejahen muss. Verbunden damit ist die Überzeugung des Gläubigen, dass der Glaube an Christus, dass seine Christusbeziehung ihn/sie retten wird. Unterpfand hierfür sind die von der Kirche verwalteten Gaben Christi, die Schrift und die Sakramente.

An diesem Punkt stellt sich nun das Problem von implizitem und explizitem Glauben. Es wurde bereits gesagt, dass ein Christ als Mindestanforderung an die Gottessohnschaft Christi, an dessen Auferstehung und universales Heilsmittlertum explizit glauben muss, weil diese drei Komponenten erst eine Christusbeziehung begründen. Wenn jemand diese drei Dinge bejaht,

[335] Gemeint ist direktes Christusgebet, nicht ein Gebet z. B. eines sonst praktisch atheistisch lebenden Menschen, das dieser an „Gott“ richtet, wenn er meint, er könnte jetzt ein Wunder brauchen.

kann man dann behaupten, er hätte alle Dinge, die sich daraus logisch ableiten ebenfalls angenommen? An einem konkreten Beispiel gefragt: Wenn jemand an die „Gottessohnschaft" Christi glaubt, sowie sie im Neuen Testament bezeugt wird, hat er dann implizit bereits das Trinitätsdogma bejaht? Die Antwort muss aufgrund der Dogmengeschichte negativ ausfallen. Denn der explizite Glaube von Teilen der Kirche hat es nicht vermocht, die Gottessohnschaft Christi in das Dogma der Trinität zu überführen, obwohl es von soteriologischen Prämissen aus und aufgrund des Schriftzeugnisses die einzige logische Möglichkeit war. Geschichtliches Zeugnis dafür bieten die Ebioniten, Patripassianer und Arianer.

Man kann also feststellen, dass der Glaube an die drei christologischen Grundtatsachen noch nicht den impliziten Glauben z. B. an die Trinität nach sich zieht. Letztlich handelt es sich bei dem Begriff „implizit" um eine gedankliche Konstruktion zur Rechtfertigung von später Entstandenem durch Rückprojektion in früher Vorhandenes. Die These, die Trinitätslehre wäre implizit in der Schrift enthalten oder implizit im Glauben der Apostel, ist eine Konstruktion zur Rechtfertigung dieser Lehre aus der theologischen Überzeugung heraus, auf diese nicht verzichten zu können. Davon unbenommen mag es sein, dass die Trinitätslehre bei Betrachtung und theologischer Durchdringung aller früheren Glaubensinhalte sich als einzig vertretbare, logische Möglichkeit ergibt, so dass man den Eindruck gewinnt, sie ergebe sich aufgrund logischer Deduktion notwendig, aber dieser Eindruck täuscht bezüglich des Prädikats „notwendig", da dies geschichtlich widerlegt wird. Außerdem handelt es sich nicht um eine Deduktion im klassischen Sinn, sondern um einen theologischen Entwicklungsprozess, der durch außerchristliche Kritik und soteriologischen Intentionen vorangetrieben wurde. Der Eindruck der unbedingten Notwendigkeit der Lehre ergibt sich daraus, dass es sich bei der Trinitätslehre um eine metaphysische Lehre, das Wesen Gottes betreffend, handelt, und metaphysische Lehren eine Gesamtdeutung der Wirklichkeit bieten, was die Trinitätslehre zur christlichen Wirklichkeitssicht schlechthin erhebt, auf die man nicht mehr zu verzichten können meint, ohne die christliche Weltsicht an sich aufzugeben. Die Trinitätslehre gießt den Glauben an Christus gewissermaßen in eine Seinsordnung hinein. Da Seinsordnungen sich aber nicht ändern, ist die Trinität notwendig immer vorhanden und damit auch schon zur Entstehungszeit der Schrift. Daher muss sie, so schließt man, auch darin implizit enthalten sein.

So handelt es sich bei Dogmenentwicklungstheorien, die die Entwicklung als Explikation von im depositum fidei impliziten Inhalten sehen, um Theorien, die durch Rückprojektion späterer Erkenntnisse in frühere Zeiten, verschiedene Anzeichen in den früheren Zeiten sehen, die dann als Bestätigung des Späteren dienen. Diese Methode kann, wie oben in 3.2. gezeigt, vertreten werden. Allerdings erweist sie sich als historisch-unkritisch, da sie letztlich nichts anderes vornimmt, als das Ergebnis einer Entwicklung mittels Rückprojektion, d. h. Interpretation von vorliegenden Fakten aus der Vergangenheit, zu begründen. Anders gesagt: Bestimmten Aussagen der Schrift werden neue Bedeutungen zugewiesen, so dass diese Stellen nun implizit das enthalten, was später explizit vorliegt. Dies bedeutet nicht, dass diese Stellen nicht die tatsächliche Entwicklung angestoßen haben könnten, sondern nur, dass man dies nicht erheben kann.

Daher kann man sagen, dass zwar die Glaubensinhalte untereinander zusammenhängen, aber nicht, dass, wenn man einen angenommen hat, alle angenommen hat. Denn wäre es so, dass man mit den drei expliziten Minimalglaubensinhalten die gesamte christliche Lehre bejaht hätte, dann wären Häresien im Grunde genommen Denkfehler, bei denen der Häresiearch sich als unfähig erweist, aus A und B C zu folgern.

Verschärft wird dieses Problem durch die oben genannten Konvenienzüberlegungen. Wenn man schon bei zentralen Aussagen und Lehren wie der Trinität nicht behaupten kann, dass sie von jedem, der an Christus glaubt, implizit mitgeglaubt wird, umso mehr gilt dies für Glaubenslehren, die sich aus Konvenienzüberlegungen ergeben. Wiederum sollte man nicht – bildlich gesprochen – mit einem Ockham´schen Rasiermesser die Blätter vom Baum entfernen, bis dieser nackt vor einem steht, und diese Glaubenslehren als überflüssig oder vielleicht sogar als schädlich auffassen, wenngleich man ihnen keine Heilsnotwendigkeit zubilligen kann.

Man kann gedanklich zwei Arten von Glaubenslehren unterscheiden. Die einen, die sich bei rationalem Durchdenken „notwendig" zu den zentralen Aussagen des Christusglaubens hinzugesellen als einzig rational Mögliche,[336] aber nicht schon damit implizit Geglaubte, zum anderen jene, die zum Zentrum kohärent sind, zu denen es aber Alternativen gibt oder geschichtlich gab.[337] Man denke zum Beispiel an die Siebenzahl der Sakra-

[336] „Notwendig" ist im Sinne von theologisch unausweichlich gemeint. Letztlich ist z. B. die Trinitätslehre nicht explizit in der Schrift enthalten. Aber es gibt zu ihr theologisch keine Alternative, wenn man die drei Grundaxiome des Glaubens und der Glaubensrelation zu Christus bedenkt. Jede Häresie im Bereich der Gotteslehre, der Christologie, der Soteriologie und der Gnadenlehre wurden auf je ihre Weise einem dieser Axiome nicht gerecht. Die Trinitätstheologie und auch das Dogma von Chalcedon sind Lehren, die per Ausschlussverfahren übrig bleiben. Das heißt, dass sie einerseits den Glauben an Jesus Christus bewahren und ihn nicht schmälern und andererseits logisch-konsistent zum Zeugnis der Schrift und zu diesem Glauben sind. Und gerade daraus ergibt sich das historisch Faktum, dass es nie einem Theologen gelungen ist und auch niemals gelingen wird, diese Dogmen, die sich auf Gott beziehen, besser auszudrücken als sie ausgedrückt wurden. Dass die Trinität eine Seinsordnung nahe legt, die natürlich bereits zur Zeit der Schrift existiert haben muss, versteht sich von selbst. Von daher gesehen, kann man dann behaupten, die Trinität wäre implizit in der Schrift enthalten, auch wenn dies historisch-kritisch fragwürdig ist.

[337] Gemeint sind verbindliche Lehren der Kirche, die nicht Aussagen über Gott betreffen.

mente.[338] Denn der Glaube an die Siebenzahl der Sakramente fördert in keiner Weise die Christusbeziehung. Nicht einmal jedes Sakrament fördert die Christusbeziehung. Ehe und Weihe erheben nicht diesen Anspruch, den Glauben des Empfängers an Jesus Christus zu fördern und damit heilsrelevant für den Empfänger zu sein.

Diese gedankliche Trennung zwischen Glaubenslehre ohne Alternative in Anbetracht des gegebenen Zentrums und jenen mit Alternative ist theologisch schwierig durchzuführen. Denn geschichtlich betrachtet, gab es Alternativen zu Trinität, der Zwei-Naturen-Lehre, der Erbsündenlehre. Andererseits ist es noch nie einem Theologen gelungen, andere Theorien in diesen drei Gebieten aufzustellen, die nicht im Widerspruch zum zentralen Christusbekenntnis der Kirche stünden. Bei Arius hat sich jedes Gebet zu Christus, einem Gott, der diesen Namen im Grunde genommen gar nicht verdient hat, erübrigt. Welchen Wert soll die Offenbarung eines Gottes haben, der vom wahrlich allmächtigen Gott nichts weiß? Bei Apollinarius von Laodicäa wird Gott zu einem Schauspieler, der ein Drama zum besten gibt, welches ihn in seinem Wesen aber eigentlich nicht tangiert. Auferstehung ist überflüssig, denn es ist niemand am Kreuz gestorben. Pelagius schließlich reduziert die Heilsmittlerschaft Christi auf die Größe eines religiösen Fitnesstrainers, der zwar die Einrichtung des Fitnessstudios vermittelt hat und Motivationstrainer darin ist, aber nicht gleichzeitig der Einzige, der jemals Weltmeister war und sein wird, und seine Siegesprämie an seine Freunde verschenkt. Dies schmälert letztlich das Sterben Jesu am Kreuz auf unerträgliche Weise. Aber nur weil die häretischen Alternativen in Widerspruch zum Schriftzeugnis und den drei genannten expliziten Kernbekenntnissen stehen, kann man die Dogmen von Nicäa und Chalcedon nicht zur Explikation von bereits implizit Vorhandenem erklären. Dies wäre nur bei einer Argumentation, die der Seinsordnung Priorität vor der Erkenntnisordnung einräumt, möglich, obwohl es sich geschichtlich genau umgekehrt verhält.

### 3.6.4. Die theologische „Notwendigkeit" des Trinitätsdogmas und der Zwei-Naturen-Lehre

Die empirisch nachweisbare Unableitbarkeit expliziter Glaubensinhalte aus bereits vorhandenen expliziten Inhalten zeigt deutlich die Notwendigkeit geistgewirkter Theologie, die in der Lage ist, die personale Beziehung, aus der der Glaube an Jesus Christus besteht, in Worte menschlicher Sprache zu übersetzen und diese Theologie mit überzeugenden Argumenten für die Kirche zu versehen. Das Problem dieses Prozesses besteht darin, dass

[338] Davon unabhängig ist die Begnadung eines Konzils zu sehen, so dass die Beschlüsse eines Konzils nicht eine willkürliche Entscheidung zwischen zwei Möglichkeiten ist.

der Eindruck entsteht, es handle sich um die so entwickelten expliziten Wahrheiten um etwas Neues, geschichtlich Gewordenes und damit auch Geschichtlich-relatives, was so sein kann oder auch nicht, und was sich im geschichtlichen Machtparallelogramm der Kirche durchgesetzt hat. Dies kann man allerdings für diese zentralen Wahrheiten, von denen hier die Rede ist, nicht behaupten. Sie ergeben sich aus den durch die Offenbarung gegebenen Fakten und wohl begründeten Spekulationen und Interpretationen. Das macht die Inhalte „Trinität", „Zwei-Naturen-Lehre" und „Antipelagianismus" nicht zu logisch-notwendigen Deduktionen aus der Offenbarung, aber es macht sie zu den einzig plausiblen Lehren in Anbetracht des Offenbarungsbefundes.

Bevor dies bezüglich des Trinitätsdogmas theologisch aufgezeigt werden soll, soll zuvor eine Meinung eines anderen Theologen zur Entstehung der Trinitätslehre herausgegriffen werden. Er schreibt:

> „Study of pre-Nicene Christianity with regard to this most important item on the conciliar agenda shows that subordinationism not only was prevalent in the early Christian centuries but also possessed, by virtue of its prevalence, a normativeness that only gradually – first in the third century and definitively in the fourth – came to be challenged by many as heterodox belief. [...] In each case [Justin, Theophilus von Antiochien, Tertullian, Origines], christological subordinationism of one form or another seemed to be a tacit rule of faith, undoubtedly because such subordinationism preserved the transcendence of the Father and thus the crucial distinguishability of Father and Son for any faith that did not err on the side of modalism or Sabellianism. Certainly the particular traits of Arian subordinationism explain most of all why it, of all the early Christian variants on subordinationism, came to be judged as heretical by the now orthodox majority. But to the degree that the condemnation of Arianism at Nicea represented the rejection of any christological subordinationism, the conciliar teaching can be understood as a powerful expression of a development of doctrine in which believers increasingly made claims for the uncreated being of the divine logos. [...] Somewhere in the course of this shift from subordinationism to the authoritative teaching of Nicea on the Father-Son relationship, incipiently developing tradition first made its appearance, as a few Chris-

tians, or perhaps initially but one, made an explicit claim for the authority of a nonsubordinationist christology."[339]

Nach dieser Auffassung handelt es sich bei der Trinitätstheologie um eine Lehre, die ihren Ausgang nicht bei den Aposteln und deren Glauben genommen hat, sondern um eine spätere theologische Idee, auf die eine bestimmte Gruppe oder – wie es heißt – auch nur ein Einziger gekommen ist und die sich aufgrund der negativen Seiten des Arianismus in der Gesamtkirche durchsetzen und Anhänger gewinnen konnte. Im Wesentlichen wird man sich dieser Sicht anschließen müssen. Der Subordinationismus ist eine logische Konsequenz aus dem geschichtlichen Offenbarungsbefund. Denn einerseits ist ein Mensch apriori geringer als Gott, daher auch Jesus. Andererseits übersteigt aber der historische Jesus die Kategorien eines Menschen. Seine Auferstehung hat ihn als Heilsmittler zwischen Gott, seinem Vater, und den Menschen geoffenbart. Aus beidem entsteht in Kombination am wahrscheinlichsten eine subordinationistische Christologie, die solange nicht in die Krise kam, bis Arius sie dorthin führte, weil er diese Lehre bis in ihre letzte Konsequenz durchdachte und präsentierte. Diese Konsequenz – Jesus Christus als reines Geschöpf – war nicht annehmbar und offensichtlich mit der Bedeutung, den der Glaube der Kirche Jesus von Nazareth beimaß, unvereinbar. Außerdem gefährdete dies die Offenbarung in Jesus an sich. Die Ausgangsfakten blieben (Menschheit Jesu, Auferstehung und universale Heilsmittlerschaft), aber eine Neuinterpretation des geschichtlichen Befundes wurde notwendig.

Diese Neupositionierung der Kirche dauerte über einhundert Jahre (325-451 n. Chr.) und noch darüber hinaus. Vor die Wahl gestellt, Jesus entweder Schöpfer oder Geschöpf zuzuordnen, fiel es zunächst leicht, ausgehend vom

---

[339] John E. Thiel, Senses of Tradition, Oxford 2000, S. 135f., „Das Studium der vornicänischen Christenheit unter Berücksichtigung des wichtigsten Punkts auf der Konzilsagenda zeigt, dass der Subordinationismus nicht nur beliebt in den ersten christlichen Jahrhunderten war, sondern ebenso aufgrund seiner Beliebtheit eine Normativität besaß, die nur schrittweise – zum ersten mal im dritten, definitiv aber im vierten Jahrhundert – und von vielen als heterodox angegriffen werden konnte. [...] In jedem Fall [Justin, Theophilus von Antiochien, Tertullian, Origines] schien der christologische Subordinationismus in der ein oder anderen Form die stillschweigend [akzeptierte] Glaubensregel zu sein, zweifellos weil der Subordinationismus die Transzendenz des Vaters wahrte und so die Unterscheidbarkeit von Vater und Sohn für jeglichen Glauben, der sich nicht modalistisch oder sabellianisch irrte. Natürlich erklären die speziellen Züge des arianischen Subordinationismus am besten, warum der Arianismus von allen frühen christlichen Varianten des Subordinationismus von der nun orthodoxen Mehrheit als häretisch eingestuft wurde. Aber in dem Maße, wie die Verurteilung des Arianismus in Nicäa die Zurückweisung jeglichen christologischen Subordinationismus bedeutet, kann die konziliare Lehre als ein mächtiger Ausdruck einer Lehrentwicklung gesehen werden, in der Gläubige zunehmend ein ungeschaffenes Sein des göttlichen Logos gefordert haben. [...] Irgendwo im Laufe dieses Übergangs von Subordinationismus zur autoritativen Lehre von Nicäa über die Vater-Sohn-Relation trat eine sich anfänglich entwickelnde Tradition auf, als ein paar Christen, oder vielleicht nur eine(r), einen expliziten Anspruch für die Anerkennung einer nicht-subordinationistischen Christologie machte".

Glauben an ihn, ihn der Seite des Schöpfers zuzuordnen, ohne genau angeben zu können, wie man dies mit einer vollen Menschheit verbinden kann. Nicht, weil eine Gruppe von Gläubigen oder auch nur ein Einziger einmal begonnen haben, eine Gleichstellung von Vater und Sohn zu fordern und diese Forderung sich dann geschichtlich durchgesetzt hat, kam es zur Aufgabe der subordinatianischen Christologie, sondern weil der Glaube an Jesus Christus als auferstandenen Herrn, der angebetet und verherrlicht wird, dem alle Macht im Himmel und auf Erden gegeben ist (Mt 28,18), es verbot, ihn zu einem reinen Geschöpf zu machen. Es kam zur Aufgabe, weil die Christusbeziehung der Gläubigen (damit auch der Bischöfe) und die subordinatianische Lehre als inkompatibel erkannt wurden, ohne dass sich daraus gleich die Lösung ergab, wie sie heute vorliegt. Dass die Kirche die Vollmacht hat, ihre Christusbeziehung auszuloten und darzustellen, Lehren zu entwickeln, kann mit Verweis auf das zu Paulus Gesagte (s. o.) beantwortet werden. Paulus konnte Lehren als einzelner entwickeln, weil er Apostel war, die nachapostolische Kirche kann dies ebenfalls, allerdings nur als Gesamtkirche. Die Zwei-Naturen-Lehre entwickelte sich daraufhin als Reaktion auf die in Nicäa getroffene Entscheidung, in Kombination mit den geschichtlichen Fakten, die eine eindeutige Menschheit Jesu bezeugen. Mit anderen Worten, die Zwei-Naturen-Lehre ist der Versuch einer Vermittlung von wahrer Gottheit Jesu, für die man sich aufgrund des geschichtlichen Zeugnisses und des eigenen Glaubens entschieden hat, mit dem historischen Menschen Jesus unter Rücksichtnahme, dass es zwischen Schöpfer und Geschöpf kein Drittes geben kann. Die in Nicäa 325 soteriologisch motivierte, getroffene Entscheidung führt in ihrer Konsequenz zu metaphysischen Dimensionen, die auf ersten Blick einer Menschheit Jesu im Weg stehen.

Neben dem theologischen Gesichtspunkt soll die Entwicklung der Christologie bis zu Nicäa noch unter einem anderen Aspekt betrachtet werden.

Norbert Elias behauptet, dass in vor-aufgeklärten Gesellschaften immer zuerst die Frage geklärt wird, was dieses oder jenes Ereignis für das eigene Leben bedeutet und nicht die technische Frage, wie so ein Ereignis zustande kommt und funktioniert. Er führt dies auf eine mangelnde Distanzierung dieser Gesellschaften bezüglich ihrer Umwelt zurück und expliziert seine These anhand einer Sonnenfinsternis, die ein europäischer Offizier zusammen mit rekrutierten afrikanischen Soldaten erlebt. Die afrikanischen Soldaten sind wegen der Sonnenfinsternis in Panik und deuten sie als ein großes Unglück für ihr Leben, ein böses Omen, ein Zeichen der Götter. Der Offizier hingegen misst dem Ereignis keine Bedeutung bei, da er über die technischen Abläufe des Ereignisses Bescheid weiß. Er versucht diese Abläufe seinen Untergebenen klar zu machen. Diese reagieren mit Bewunderung für die Gelehrsamkeit ihres Führers, gleichzeitig aber mit Unverständnis, da er ihnen keine Antwort auf ihre Frage geben konnte, was das Ereignis für ihr Leben bedeute.[340]

Man kann dieses Beispiel auf das Christentum anwenden. Zuerst steht die Bedeutung von Jesus Christus für das Leben seiner Jüngerinnen und Jünger im Vordergrund des Interesses, und nicht die Frage, wie es sich genau um die Beziehung Jesu zu seinem Vater verhält und wie der Heilige Geist, von dem Jesus gesprochen hat, noch zusätzlich in dieses Bild passt. Die Klärung dieser Frage bedarf einer zunehmenden Distanzierung vom Objekt der Untersuchung, sowie Theologie an sich eine Selbstdistanzierung vom eigenen Glauben voraussetzt, um sie überhaupt betreiben zu können. Gleichzeitig darf diese Distanz nicht zu groß werden, weil der Theologe gleichzeitig in der Christusbeziehung stehen muss, um diese auszuloten. Man kann eine Parallele ziehen zu den Aussagen des Vatikanums I (Dei Filius), welches zum einen vor dem Fideismus warnt, der zu einer Zementierung des Glaubens führt, zum anderen aber auch im Rationalismus eine Gefahr sieht, bei der die Theologie den Christusbezug und damit den Bezug zur Wahrheit verliert. Mit dieser Theorie von Engagement und Distanzierung lässt sich zum einen begründen, warum die Schrift keine ausgefeilte ontologische Darlegung der Trinitätslehre enthält, zum anderen, warum diese relativ schnell in nachapostolischer Zeit entstanden ist. Denn die philosophischen Einwände antiker Denker gegen die Rede von einem Gott und dessen Sohn bedurften einer theologischen Fundierung. Dass diese Fundierung ontologisch geschehen musste – schließlich war Gott und somit der Grund allen Seins betroffen – ergab sich aus dem zu klärenden Thema, der Gotteslehre, selbst. Die Lehre des Athanasius setzte sich nicht deshalb gegen den Arianismus durch, weil Kaiser Theodosius sie per Reichsgesetz dekretierte, sondern weil Athanasius Theologie es besser verstand, das Problem von Vater, Sohn und Geist in ein theologisches System zu gießen, welches die Bedeutung, die die Kirche Jesus von Nazareth bemaß, gleichzeitig unmodifiziert bewahren konnte. Oder einfach ausgedrückt: Es war die bessere Theologie, welche dem Engagement der Gläubigen bezüglich Jesus Christus gerecht wurde.

Man kann dies parallel zu den Ausführungen im vorangegangenen Kapitel bezüglich der Theologie des Paulus sehen. Dort wurde gesagt, dass Paulus, basierend auf seinem Glauben und seiner Autorisierung durch Begegnung mit dem Auferstanden, die Offenbarung erforscht, reflektiert und interpretiert hat. Dabei hat er sie gleichzeitig weiterentwickelt. Andere Interpretationen, deren Existenz Paulus ebenfalls bezeugt (Gal 1,7; 5,10; 2 Kor 11,4), waren für Paulus eine große Last, zumal die Galater sich eventuell den falschen Lehren zuwandten. Aber die Theologie des Paulus hat sich nicht durchgesetzt, weil er eine „Hausmacht" hinter sich hatte oder weil er

[340] Norbert Elias, Engagement und Distanzierung, Frankfurt a. M. 1997, S. 97ff.

seine Theologie in Briefen schriftlich fixiert hat, sondern weil die Kirche seine Theologie als die bessere erkannt hat, – besser vor allem in Bezug auf ihre Christusrelation.

Das Argument beinhaltet den Gedanken von göttlichem Sprechen und göttlichem Hören. Die bessere Theologie ist aber nicht nur die, die der Heilige Geist der Kirche als solche offenbar macht, sondern auch die, die den Spagat zwischen dem Christusglauben, der in der Relation des Christen zu Christus besteht und der vom Heiligen Geist getragen wird, und den geschichtlichen Fakten, die vor allem die Schrift darbietet, besteht. Was für Paulus gilt, gilt ebenso für Athanasius. Nach der Reflexion auf die subordinatianische Christologie der ersten drei Jahrhunderte wird deren Defizienz im vierten Jahrhundert deutlich und daher auf dem ersten ökumenischen Konzil abgelehnt. Die Defizienz liegt in der mangelnden Fundierung des Glaubens an Jesus Christus. Der Subordinatianismus stellt die Beziehung des Christen zu Christus in Frage, weil er dessen Beziehung zu Gott, dem Vater, in Frage stellt. Dies ist auch ohne Heiligen Geist erkennbar. Aber um es pneumatologisch zuzuspitzen: Aus diesem Grund hat der Geist Gottes den Arianismus als falsch offenbart. Wenn es Aufgabe des Geistes ist, den Glauben zu bewahren, d. h. die Relation zwischen den Christen und Christus, dann handelt es sich bei Trinitätslehre nicht nur um die rational bessere Theologie, sondern dann hat sie sich aufgrund der Führung durch den Heiligen Geist durchgesetzt. Man könnte aber auch behaupten, es handle sich bei der Trinitätslehre und Christologie um das, was als Möglichkeit übrig bleibt, wenn man all jene Konsequenzen, zu denen die Häresien führen, durchdacht und als den Glauben gefährdend, ausgeschieden hat. Dies gilt für viele Dogmen der Kirche. Sie stellen das Optimum dar, das bleibt, wenn man die Konsequenzen, in die andere Positionen (Häresien) führen, vermeiden will. Man könnte von einem Primat der Soteriologie reden, die sich um die Person Jesu Christi aus dem Glauben heraus bildet.

### 3.6.5. Die Spaltung des Dogmas durch die Heilsfrage

Was als Begründungsverfahren für die in der Frühzeit formulierten Dogmen (Trinität, Zwei-Naturen-Lehre, Antipelagianismus) vorgeschlagen wurde, wird jedoch für die Dogmen späterer Zeit zum Problem. Zwar kommen auch im Mittelalter und in der Neuzeit viele Positionen dadurch zustande, dass man unangenehme Konsequenzen vermeiden will. Doch haben diese Fragen meistens nicht mehr direkt mit der Christologie, Gotteslehre oder Soteriologie zu tun. Sie stehen meistens nur noch in kohärenter Beziehung zu diesen Bereichen und haben sich geschichtlich gesehen aus ihnen heraus ergeben. Anders gesagt: Das Argument, dass sich die Dogmen von Nicäa und Chalcedon theologisch, nicht geschichtlich, „notwendig“ aus dem Glauben an Jesus und dem Zeugnis der Schrift ergeben, ist nur bis zu einem gewissen Punkt in der Hierarchie der Wahrheiten durchführbar, – nämlich für jene Wahrheiten und Lehren, die Gott betreffen und die daher den Anspruch erheben können, direkt bei jedem Christen vom Heiligen Geist in der Wahrheit gehalten und getragen zu werden. Im Grunde genommen müsste jene theologische „Notwendigkeit" dort aufhören, wo die erste Konvenienzüberlegung beginnt.

Aber wann fand diese erste Konvenienzüberlegung (nach Abschluss des Kanons) statt und in welchem Bereich (außerhalb von Gotteslehre und Christologie)? War es Irenäus mit seiner These, dass die Apostel doch wohl gut für ihre Kirche gesorgt hätten, indem sie geeignete Nachfolger für sich und die Kirche Christi bestellt hätten? Oder war es der oben zitierte Wilhelm von Ware? Oder war es Newman, als er von der Kostbarkeit der Offenbarung auf die Existenz eines immanenten Bewahrers und unfehlbaren Verkünders schloss? Die Beispiele sollen nur zeigen, dass es Konvenienzüberlegungen sehr früh gegeben hat, und dass es sie auch immer geben wird.[341] Im Grunde genommen geht es um den Knoten Offenbarung-Dogma-Heilsnotwendigkeit. Mit der Erkenntnis, dass Dogmen wie das Trinitätsdogma nicht implizit im expliziten Glauben an Christus enthalten sind, fällt letztlich der Anspruch des Dogmas, mit der Offenbarung gegeben zu sein, in sich zusammen. Während die Beziehung Offenbarung – Heilsnotwendigkeit apriori untrennbar ist, ergibt sich aus der Trennung von Offenbarung und Dogma die Trennung von Dogma und Heilsnotwendigkeit. Diese Trennung ist jedoch nicht absolut und schließt die Dogmen, die soteriologisch unausweichlich und damit „notwendig" sind, nicht mit ein. Die Gotteslehre und Christologie, sowie die Lehren und Dogmen, die „notwendig" an ihnen hängen – z. B. dass Gott aus freiem Willen die Welt aus dem Nichts erschaffen hat (Schöpfungslehre), stellen zwar keine Teile des christlichen Glaubens dar, die man mit den christlichen Grundwahrheiten schon

[341] Man könnte versucht sein, ebenso christologische und trinitätstheologische Inhalte als Produkte von Konvenienzüberlegungen darzustellen. Dies würde jedoch letztlich bedeuten, dass die Kirche aus dem Glauben an einen unspektakulären Menschen namens Jesus eine kosmische Lehre gemacht hätte. Damit würde man Strauß und Harnack recht geben. Der entscheidende Grund, solche Überlegungen nicht im Bereich von Christologie und Gotteslehre anzunehmen, liegt darin, dass die Selbstoffenbarung Gottes, die die Apostel verkündet haben, die Inhalte der Gotteslehre offenbart. Anders gesagt: Die Inhalte sind zwar nicht klar und präzise, aber sie sind vorhanden. Es gibt hier keinen Gestaltungsspielraum für spekulative Ideen, die nicht ihr Fundament in der Offenbarung haben. Das verhält sich z. B. in der Ekklesiologie ganz anders. Ein Beispiel für eine Konvenienzüberlegung in der Ekklesiologie ist folgende Argumentation: Nur Männer können zu Priestern geweiht werden, weil der Priester Christus repräsentiert und Jesus ein Mann ist. Diese Argumentationskette beruht auf der Annahme, dass die geforderte Christusrepräsentation die Geschlechtsidentität mit Jesus (also das männliche Geschlecht) voraussetze. Diese Annahme kann man teilen oder auch nicht. Die Frage besitzt keine Heilsrelevanz. Daher schweigt sich die Schrift darüber aus. Daher besteht hier auch Gestaltungsspielraum, der in Fragen der Christologie und Gotteslehre nicht besteht.

implizit mitangenommen hätte – insofern das Prädikat „implizit“ den geschichtlichen Reflexionsprozess, der zu ihnen führen muss, überspringt –, sind aber unter der Voraussetzung, dass es keine theologisch vertretbare Alternative im Licht des Christusglaubens gibt – was geschichtlich aus den Auseinandersetzungen zu dem Thema zu erheben ist[342] – , „implizit“ oder besser „potentiell“ mitangenommen. Die Abkoppelung des Dogmenbegriffs von der Offenbarung und von der Heilsrelevanz darf allerdings nicht in dem Sinn verstanden werden, dass die Dogmen nun ad libitum für den einzelnen Christen gestellt wären. Dies würde ihrer ekklesiologischen Bedeutung und den theologischen Auseinandersetzungen um sie nicht gerecht. Es geht ferner nicht darum, den Katholiken die Dogmen vom Hals zu schaffen, so als ob sie an deren Last jede Sekunde untergehen würden. Es schafft aber im Falle der „nicht-notwendigen“ Dogmen die Möglichkeit, diese als Produkt von theologischen Reflexionen in Lauf der Geschichte zu sehen. Sie sind die Kategorialisierung von genutzten Entwicklungsspielräumen. Und da an ihrer Entstehung eine Menge an theologischem Sachverstand beteiligt war – im Vorfeld, auf dem Konzil oder vor der ex cathedra Entscheidung – , stellen sie nicht nur ein mögliches Ergebnis, sondern die bestmöglichste Kategorialisierung dar.[343]

Dies bedeutet aber nicht, dass diese Lehren nicht mit zeitgeschichtlichen Elementen „amalgamiert“ sind. Die Herausforderung, frühere Zeiten sich erschließen zu müssen, bleibt daher eine beständige Aufgabe, nicht zuletzt weil der Geist Gottes die Kirche zu jeder Zeit begnadet und sie damit zu norma normata für spätere Zeiten macht. Die Unumkehrbarkeit dieser nicht theologisch notwendigen Dogmen ergibt sich daher nicht aus der Offenbarung – wie z. B. bei Nicäa und Chalcedon – , sondern aus dem Respekt vor dem Glaubenszeugnis vergangener kirchlicher Generationen und der Forderung Christi, als Kirche eins zu sein (Joh 17,21) – auch diachron.

[342] Das Argument wäre nur dann hinfällig, falls jemand behauptet, dass eine „unterlegene“ Theologie besser gewesen wäre, als die, die sich durchgesetzt hat. Kann man aber z. B. ernsthaft behaupten, dass Apollinarius mit seiner Christologie eine bessere Alternative im Vergleich zu der Lehre darstellt, die sich geschichtlich durchgesetzt hat? Oder wird Nestorius, bzw. die Position, die ihm zugeschrieben wird, der Einheit des Offenbarers besser gerecht als Chalcedon? Die Dogmen in diesen Bereichen stellen daher das Optimum an Theologie dar, dass geschichtlich erarbeitet und erreicht werden musste. „Implizit“ würde jedoch bedeuten, dass die Apostel auch schon das geglaubt hätten, was Nicäa oder Chalcedon gesagt hat. Dies wäre jedoch ein ungeschichtliche Vereinnahmung der Apostel, die man zwar durchführen kann, wenn die These der theologischen Unausweichlichkeit dieser Dogmen wahr ist, auf die man jedoch wegen der Ungeschichtlichkeit der Argumentation verzichten sollte.

[343] Die Dogmen von 1854 und 1950 stellen hierbei eine Ausnahme dar. Nicht, weil sie nicht sauber theologisch durchdacht wären, sondern weil diese Dogmen weder eine Relevanz für das Heil des einzelnen Christen noch eine Relevanz für das Leben der Kirche zu haben scheinen, von dem liturgischen Fest der immaculata conceptio, das es bereits vor der Dogmatisierung gab, abgesehen. Die Dogmatisierung von Sachverhalten, die niemand bestreitet, scheint zudem überflüssig.

Außerdem ist die Kirche eine Bekenntnisgemeinschaft. Da die Dogmen der Kirche Teil des Bekenntnisses sind, spielen sie für die Kirchengliedschaft nach wie vor eine entscheidende Rolle. Nur weil ein Dogma nicht oben in der Hierarchie der Wahrheiten steht, bedeutet dies nicht, dass man es ablehnen kann – in der Meinung, man sei immer noch katholisch, weil man ja in Christologie und Gotteslehre orthodox sei. Letztlich würde man mit dem Dogma ja nicht nur den Inhalt des Dogmas ablehnen, sondern auch die Autorität dessen, der es beschlossen hat – also des Papstes und der Bischöfe. Denn selbst wenn das alles theologische Tiefflieger wären, so bleibt das Gebot Christi zur Einheit dennoch bestehen (Joh 17,21f.). Das impliziert aber auch, das christliche Gegenüber – damit auch den Papst und die Bischöfe – ernst zu nehmen.

Ursprünglich kam die Verankerung der Dogmen in der Offenbarung auch aus der Amtstheologie, die das Lehramt als Instrument des Heiligen Geistes zur Leitung der Kirche sah. Damit waren die Dogmen sozusagen „göttlich legitimiert“. Und weil der Heilige Geist zu Christus hinführt, mussten sie auch in der Offenbarung enthalten sein. Es fand sozusagen ein Autoritätswechsel statt. Aus der Autorität des Lehramts, das die Dogmen beschloss, wurde über das Weihesakrament die Autorität Gottes, des Geistes, und somit kamen die Dogmen aus dem Geist und aus der Offenbarung. Die Aufgabe der Verbindung zwischen Offenbarung und Dogma für bestimmte Bereiche der christlichen Lehre bedeutet keine Bestreitung der Theologie des Weihesakramentes. Es besagt nur, dass die Inanspruchnahme der Autorität Gottes durch das Lehramt nur in den Fällen geschehen sollte, in denen es sich wirklich um Inhalte handelt, die die Selbstoffenbarung Gottes auch enthält. Für die anderen Fälle wäre es ausreichend, auf das Weihesakrament und die sich daraus ergebende Autorität hinzuweisen, sowie auf den Auftrag, das Evangelium zu verkünden und das Leben im Geiste dieses Evangeliums zu gestalten. Dies schließt die Gestaltung kirchlichen Lebens (und damit kirchlichen Lehrens) mit ein. Das Evangelium, die Offenbarung Gottes, bleibt trotzdem vollkommen, auch wenn sie spekulativ weiterentwickelt wird, um dem Leben der Kirche Gestalt zu geben. Letztlich ist es zum Beispiel nicht entscheidend, in wie vielen Sakramenten den Gläubigen die überwältigende Gnade Christi vermittelt wird, ob in sieben, zehn oder zwölf. Der Heilige Geist würde in jedem die Gnade wirken, die es bezeichnet. Nicht, weil die Kirche die Möglichkeit hätte, Sakramente einzusetzen und Gott ihrem Willen zu unterwerfen, sondern weil die Gnade so überreich vorhanden ist, so dass eine Beschränkung auf sieben Sakramente fast wie eine Verstümmelung wirkt. In dieser überreichen Fülle der Gnade kann man auch den Kern der ex opere operato Lehre erblicken.

### 3.6.6. Konsequenzen und Einwände

Durch die vorgeschlagene Trennung von Offenbarung und Dogma, bekommt man ein zweifach gestuftes Problem einer Dogmenentwicklungstheorie. Während man den einen Teil der kirchlichen Lehren strikt durch die Offenbarung, aus der sie stammen, begründen muss, d. h. vor allem durch die Schrift, ist bei den anderen Lehren eine sehr dynamische Entwicklung möglich, die nur widerspruchsfrei zur Offenbarung sein muss. Dies bedeutet nicht, dass diese Entwicklung eine rein menschlich-kausale wäre, sondern sie muss in Verbindung mit dem Wirken des Heiligen Geistes begriffen werden. Die hier vorgetragene These ist auch letztlich die Frucht des de facto stattgefundenen Begründungswechsels der Dogmen im 19. Jahrhundert, bei der das Lehramt aufgrund mangelnder Bezeugung des Primatsdogmas und der Immaculata Conceptio in der Schrift anfing, mit der Unfehlbarkeit der Gesamtkirche im Glauben und in grundlegenden Sittenfragen zu argumentieren. Der Widerstand gegen das Dogma vom Jurisdiktionsprimat des Papstes im neunzehnten Jahrhundert war vor allem bedingt durch die Auffassung von der Verbindung von Dogma und Heilsnotwendigkeit, aus der sich naturgemäß eine Schriftbegründung des Dogmas zwingend ableitete. Das Lehramt der Kirche hat selbst die Trennung des Dogmenbegriffs von der Heilsfrage eingeleitet und damit auch die Entkoppelung vom Offenbarungsbegriff bewirkt. Das moderne Problem von der Frage nach der Heilsmöglichkeit der Nicht-Christen bei gleichzeitiger Bejahung dieser Möglichkeit durch das Zweite Vatikanische Konzil[344] hat die Heilsnotwendigkeit vom Dogmenbegriff endgültig abgelöst. Gleichzeitig schreiben dieselben Konzilsväter: „In comparandis doctrinis meminerint existere ordinem seu ‚hierarchiam' vertitatum doctrinae catholicae, cum diversus sit earum nexus cum fundamento fidei christianae."[345] Diese Aussage bezieht sich zwar nicht auf die Dogmen der Kirche, sondern ruft die damals gängigen theologischen Qualifizierungen einzelner Sätze ins Bewusstsein, kann, ja muss aber nach den Entwicklungen des 19. Jahrhunderts ebenfalls auf den Begriff „Dogma" angewandt werden. Die Dogmen der Kirche sind nicht alle gleich heilsrelevant. Die Kirchengeschichte ist dabei eine Geschichte der Ausdifferenzierung christlicher Wahrheiten vom Zentrum zu den Randbereichen hin, bei gleichzeitiger Gegenbewegung, die im Blick auf das Zentrum des Glaubens die Sicht für das Wichtige und Notwendige schärft, wie Rahner dies sagt. Diese Geschichte kann man dementsprechend als eine Geschichte der Ausdifferenzierung des Glaubens und seiner Wahrheiten bei gleichzeitiger Abnahme der Heilsrelevanz dieser

---

[344] Vgl. LG 16.

[345] UR 11, „Beim Vergleich der Lehren mögen sie (die Theologen) sich erinnern, dass es eine Ordnung oder ‚Hierarchie' der Wahrheiten gibt, weil deren Verbindung zum Fundament des christlichen Glaubens verschieden ist".

Wahrheiten bezeichnen. Als ein Beispiel dafür kann man folgende Aussage betrachten:

> „Docet autem Sacra Scriptura et Traditione innixa, Ecclesiam hanc peregrinantem necessariam esse ad salutem. Unus enim Christus est Mediator ac via salutis, qui in Corpore suo, quod est Ecclesia, praesens nobis fit; Ipse autem necessitatem fidei et baptismi expressis verbis inculcando (cf. Mc. 16,16; Io 3,5), necessitatem Ecclesiae, in quam homines per baptismum tamquam per ianuam intrant, simul confirmavit. Quare illi homines salvari non possent, qui Ecclesiam Catholicam a Deo per Iesum Christum ut necessariam esse conditam non ignorantes, tamen vel in eam intrare, vel in eadem perseverare noluerint."[346]

Diese Aussage belegt, dass die Kirche zwar objektiv zum Heil notwendig ist, aber nur für den, der das auch weiß, bzw. der das auch glaubt. Sie ist objektiv nötig, subjektiv aber nicht unbedingt. Nun gehört die hier als Beispiel gewählte Aussage zu den Kernlehren, die unmittelbar an den oben geschilderten Grundstock anschließt – nämlich, dass die Offenbarung Jesu auf die Kirche als neue Bundesgemeinschaft Gottes zielt und Jesus daher gekommen ist, die Welt zu erlösen und diese neue Gemeinschaft (die Kirche) zu gründen. Wenn es sich bei dieser zentralen Aussage schon um eine nicht subjektiv-explizit zu glaubende Wahrheit handelt, dann gilt dies um so mehr bei peripehereren Aussagen wie Ablass und dergleichen.

Zusammenfassend lässt sich also behaupten, dass es ein Zentrum christlichen Glaubens gibt, in dem sich objektiver Glaubensinhalt und subjektiver Glaube vereinigen, so dass jeder, der sich Christ nennt, diese Inhalte bejahen muss. Dies sind vor allem die christologisch-soteriologischen Inhalte, die explizit geglaubt werden müssen. Daran hängen die mit diesen notwendig verbundenen Inhalte der Trinität, der Gnadenlehre und der Kirche. In diesen Bereichen trennen sich aber bereits objektive Wahrheit und subjektive Glaubensnotwendigkeit. Obwohl diese Glaubensinhalte „implizit" mit dem Bekenntnis zu Jesus Christus mitgegeben sind, so wird man die Heilsnotwendigkeit dieser Inhalte von der expliziten Kenntnis dieser Inhalte abhängig machen müssen, so wie das Vatikanum II dies bezüglich der Heilsnotwendigkeit der Kirche tut. Die katholische Kirche ist von Jesus als Heilsinstrument gewollt und gegründet worden und ist damit ein mittleres Ziel im göttlichen Heilsplan, wenn auch nicht das Endziel. Dies ist ein

---

[346] LG 14, „Sie lehrt aber durch Schrift und Tradition verknüpft, diese pilgernde Kirche sei zum Heile notwendig. Einer nämlich ist Christus als Mittler und Weg des Heils, der in seinem Körper, der die Kirche ist, uns gegenwärtig sei; Er selbst bekräftigt die Notwendigkeit des Glaubens und der Taufe in ausdrücklichen Worten einschärfend, die Notwendigkeit der Kirche, in die die Menschen durch die Taufe wie durch eine Tür eintreten. Daher können jene Menschen nicht gerettet werden, welche nicht unwissend darüber sind, dass die katholische Kirche von Gott durch Jesus Christus als notwendig gegründet worden ist, aber dennoch weder in sie eintreten, noch in in ihr ausharren wollen".

Glaubensinhalt, der sich notwendig aus der geschichtlichen Offenbarung Jesu ergibt, der aber nur dann von einzelnen Gläubigen nachvollzogen werden muss, wenn er ihm vernünftig in seiner Notwendigkeit durch die Kirche (und ihr Lehramt) dargelegt worden ist. Dabei ist dieser zusätzliche Glaubensinhalt – wie gesagt – für den Gläubigen nicht als Last zu verstehen, die er jetzt auch noch für sein Heil auf sich zu nehmen hat, sondern als ein weiterer Baustein, der in seiner Wahrheit vom inneren Glaubenslicht angestrahlt wird.

Je weiter man sich jedoch von den zentralen Bereichen des Glaubens entfernt, um so mehr gerät man in Bereiche, in denen nicht nur die subjektive Glaubensnotwendigkeit abnimmt, sondern auch die objektive Notwendigkeit verschwindet. Man kommt in Bereiche, die sich nicht notwendig aus zentralen christologischen Glaubensinhalten ergeben, sondern nur akzidentell mit jenen verbunden sind; Bereiche, die die Kirche dynamisch entwickeln und auch wieder revidieren kann. Man denke zum Beispiel an die Materie des Weihesakraments, die Entwicklung in der Bußtheologie vom Hirt des Hermas bis zur heutigen Form, die damit verbundene Entstehung des Ablasses, die Entstehung und de facto-Abschaffung der Metropoliten als Teil der Kirchenverfassung u. v. a. m.. Bei all diesen Beispielen wird man kaum behaupten können, dass sie eine Rolle für die Christusbeziehung spielen, auch wenn sie theologisch gut begründet und konsistent zu zentraleren Glaubensinhalten sind. Es handelt sich um Bereiche, in denen die Kirche auch in ihrer Glaubenslehre flexibel sein muss, um den Glauben neuen geschichtlichen Orten anzupassen. Zugegebenermaßen sind hiervon vor allem Lehrbereiche betroffen, die auf die gängige Praxis in der Kirche reflektieren, z. B. dogmatische Untersuchungen zur theologischen Rechtfertigung der mittelalterlichen Praxis der eucharistischen Anbetung und dergleichen.

Diese hier vorgestellte These ist allerdings nicht unumstritten. Vor allem lehramtliche Dokumente, von denen zwei aufgegriffen werden sollen, scheinen dem zu widersprechen. Der eine Satz bezüglich der zuvor definierten unbefleckten Empfängnis lautet:

> „Quapropter si qui secus ac a Nobis definitum est, quod Deus avertat, praesumpserint corde sentire, ii noverint ac porro sciant, se proprio iudicio condemnatos, naufragium circa fidem passos esse et ab unitate Ecclesiae defecisse, ac praeterea facto ipso suo semet poenis

> a iure statutis subiicere, si, quod corde sentiunt, verbo aut scripto vel alio quovis externo modo significare aussi fuerint."[347]

Der andere stammt aus dem apostolischen Schreiben „Ordinatio Sacerdotalis" und lautet:

> „Ut igitur omne dubium auferatur circa rem magni momenti, quae ad ipsam Ecclesiae divinam constitutionem pertinet, virtute ministerii Nostri confirmandi fratres (cf. Lc 22,32) declaramus Ecclesiam facultatem nullatenus habere ordinationem sacerdotalem mulieribus conferendi, hancque sententiam ab omnibus Ecclesiae fidelibus esse definitive tenendam."[348]

Der erste Satz beurteilt die Ablehnung der Lehre von der Unbefleckten Empfängnis als „Schiffbruch" im Glauben und stellt denjenigen außerhalb der Kirche, der ihr nicht zustimmt. Obwohl also diese Glaubenslehre so peripher ist, dass ihr eigentlich jeder ohne große Gewissensnot zustimmen kann, ist gerade andererseits die Sanktion bei Nicht-Zustimmung um so schärfer in Anbetracht der Position dieser Glaubenslehre in der Hierarchie der Wahrheiten. Die Schärfe der Sanktion ist daher durch die Anfechtung der Autorität des Definierenden bei Ablehnung der Definition bedingt und nicht durch die Wichtigkeit des Inhalts der Definition. Im zweiten Beispiel scheint der Papst sich selbst und der Kirche die Fähigkeit abzusprechen, in dieser ebenfalls peripheren Frage gestalterisch handeln zu können. Dies scheint im Gegensatz zu der These zu stehen, die Kirche besäße in Fragen, die sich nicht notwendig aus dem Christusglauben ergeben, gestalterische Spielräume. Dieser Widerspruch erweist sich aber als nur scheinbar, weil in dieser und durch diese Entscheidung die Kirche, vertreten durch ihren obersten Lehrer, diesen Gestaltungsspielraum nutzt, um diese Frage entsprechend zu regeln. Die Unfehlbarkeit dieser Entscheidung dient letztlich dazu, den prinzipiellen Gestaltungsspielraum, den Kirche in dieser Frage besitzt, für die Zukunft zu schließen und damit zugleich die bisherige Praxis und Tradition zu bestätigen. Fest steht, dass man diese Entscheidung, weil sie nicht zentral und für den Einzelnen heilsnotwendig ist, nicht aus der Offen-

---

[347] Bulle „Ineffabilis Deus" vom 8.12.1854: DH 2804, „Sollten daher, was Gott verhüte, sich welche herausnehmen, im Herzen anders zu sinnen, als von Uns definiert wurde, so sollen diese erkennen und fortan wissen, daß sie, durch eigenen Richterspruch verurteilt, Schiffbruch im Glauben erlitten haben und von der Einheit der Kirche abgefallen sind, und daß sie außerdem durch ihre Tat selbst den vom Recht festgelegten Strafen unterliegen, wenn sie es wagen sollten, das, was sie im Herzen sinnen, mündlich, schriftlich oder auf irgendeine andere äußerliche Weise zum Ausdruck zu bringen".

[348] De Sacerdotali ordinatione viris tantum reservanda Nr. 4, in : AAS 86 (1994), S. 548. Die Wortwahl lehnt sich an LG 25 an und versieht diese Entscheidung mit dem Attribut "infallibilis". „Dass also jeder Zweifel in dieser großen Frage ausgeräumt werde, die die göttliche Konstitution der Kirche selbst betrifft, erklären Wir, kraft unseres Amtes die Brüder zu stärken (vgl. Lk 22,32), dass die Kirche keinerlei Möglichkeit habe, die Priesterweihe Frauen anzutragen, und dass diese Meinung von allen Gläubigen der Kirche als endgültig zu halten ist".

barung heraus begründen muss. Man würde andernfalls auch, methodisch gesehen, der Heiligen Schrift Gewalt antun, da diese in keiner Weise dafür geschrieben wurde, solche Probleme zu lösen. Man muss sie stattdessen mit theologischen Argumenten und dem Hinweis auf die von Gott gestiftete Autorität des Lehramtes, solche Fragen zu regeln und das kirchliche Leben zu gestalten, beantworten.

# 4. Die Schrift als normativer Bezugspunkt kirchlicher Lehre

Nach Henri de Lubac gibt es zwei Pole zur Konzeption einer Lehre von der Schrift. Beide Konzeptionen hängen eng mit der Offenbarungsvorstellung zusammen. Er schreibt:

> „In Reaktion auf eine ‚intellektualistische' These, die darauf hinausliefe, die Glaubenswahrheiten zu ‚atomisieren' und die göttliche Offenbarung bloß ‚auf eine Folge von Worten, die sie zum Ausdruck bringen', zu reduzieren, könnte man umgekehrt versucht sein, darin nur noch ‚eine Abfolge von Ereignissen zu sehen, eine Folge von souveränen Machttaten Gottes in der Heilsgeschichte, worüber die Bibel berichtet', als enthielte die Bibel, die diese Berichte umfaßt, nicht auch das Wort Gottes selber. Damit wäre ein tiefer Graben aufgerissen zwischen dem ‚Ereignis des göttlichen Wortes auf der einen Seite, und den Auswortungen andererseits, in denen es Gestalt annimmt und die diesem Wort seinen wahrnehmbaren Inhalt geben."[349]

Die beiden Pole lassen sich mit „Wortoffenbarung" und „Tatoffenbarung" titulieren. Aus dem bisher Gesagten, wird ersichtlich, dass für die Integration beide Aspekte votiert werden soll, aber nur bezüglich Jesus Christus, nicht bezüglich der Schrift. Die Offenbarung in Jesus Christus ereignet sich als Tatoffenbarung und Wortoffenbarung. Jesus ist als Person die Offenbarung Gottes, in dem, was er tut, in dem, was er predigt. Daher ist nur er das Wort Gottes an sich. Von seinen Worten und Taten berichten die Evangelien. Vor allem aber versucht das Neue Testament, die Bedeutung dieses Mannes für die Welt, den Menschen und den Gläubigen zu erfassen. Das Neue Testament enthält daher vor allem eine Glaubensreflexion auf diese Offenbarung. Es ist Spiegel des Glaubens und damit auch der Verkündigung der Kirche am Übergang von apostolischer zu nachapostolischer Zeit. Als Werk des Glaubens, welcher vom Heiligen Geist getragen ist, bezieht sie sich ihrem inneren Wesen nach auf die geschichtliche Offenbarung Gottes in Jesus und bewahrt dessen Werke, dessen Taten und auch dessen Geist, in dem sie selbst verfasst wurde. Die Schrift erweist sich daher als Abbild der Offenbarungswirklichkeit, auf die die Lehren der Kirche sich beziehen. Sie ist daher einziger Bezugspunkt für eine kirchliche Lehre, die den Anspruch erhebt, offenbart zu sein, bzw. durch die Offenbarung gesetzt worden zu sein. Sie ist Ausgangs- und letzter Bezugspunkt jeder kirchlichen Lehre und Verkündigung. Gerade deshalb muss ihre Autorität und ihr Be-

[349] Henri de Lubac, Die göttliche Offenbarung [übersetzt von Rudolf Voderholzer], Einsiedeln, Freiburg 2001, S. 66.

zug zu den Dogmen, hierunter vor allem denen, die sich auf die Selbstoffenbarung Gottes beziehen, geklärt werden, auch wenn man, wie gezeigt, die Dogmen nicht aus ihr heraus beweisen kann. Dennoch gibt es Glaubensinhalte, die die Schrift direkt enthält (z. B. dass Gott Schöpfer der Welt ist oder dass Gott ein befreiender Gott ist oder dass Jesus die Sünden der Welt gesühnt hat usw.). Auch deshalb muss ihre Autorität und ihre Beziehung zur Kirche geklärt werden.

## 4.1. Die Transfiguration des Glaubens der Apostel in das Neue Testament oder die Inspiration der Schrift[350]

Wie bereits erwähnt, muss aus den Ergebnissen der neutestamentlichen Forschung der Schluss gezogen werden, dass nur wenige Schriften von einem Apostel verfasst worden sind. Original apostolisch sind vor allem Paulusbriefe, hier aber wiederum nicht alle (Eph, Kol, 2 Thess, 1 Tim, 2 Tim, Tit, Hebr gelten als nachpaulinisch)[351]. Mit dieser Erkenntnis stellt sich, wie schon bei Paulus, die Frage nach der Tradition und damit die Frage nach Authentizität und Korruption ihrer Lehre. Auch für sie gilt der paulinische Satz: „Denn ich habe vom Herrn empfangen, was ich euch dann überliefert habe" (1 Kor 11,23). Sie sind ebenso wie Paulus abhängig von Tradition. Sie sind abhängig von der Tradition apostolischer Verkündigung, apostolischen Glaubens. In Kombination mit der oben entworfenen Erkenntnistheorie ergibt sich daraus, dass den Evangelisten und den Autoren des Neuen Testaments die Verkündigung der Apostel und der Kirche als Faktum begegnet. Da es sich bei dieser Verkündigung bereits um ein geistiges Objekt handelt, das Deutungen und Interpretationen enthält, schränkt dies die Reichweite des interpretierenden Verstandes ein, da dieser ja nicht einem Objekt eine Bedeutung geben muss, wie bei empirischen Objekten, sondern nur das Gesagte verstehen und auf sein Leben hin, auf seine Christusbeziehung hin anwenden muss. Die Interpretation des gehörten Verkündigungswortes beschränkt sich dementsprechend weitgehend auf die Umsetzung dieses Gehörten ins eigene Leben.

Gleichzeitig wird die Autorität der Apostel und ihrer Verkündigung anerkannt, da diese Jesus, den Herrn, gekannt haben, Zeugen seiner Auferstehung waren und von ihm zur Verkündigung ausgesandt worden sind. Die Autorität der Apostel leitet sich für die Apostelschüler dementsprechend aus der dem Evangelium Christi eingeräumten Wahrheit und der Erwählung der Apostel durch Jesus Christus ab. Diese Erkenntnis der Wahrheit kann, dogmatisch gesehen, nur eine vom Heiligen Geist vermittelte sein, der in den Hörern der apostolischen Verkündigung die Inspiriertheit des durch seine Hilfe verkündigten Wortes erkennbar macht. Autorität und Wahrheit bedingen einander. Denn die Autorität der Apostel ergibt sich erst, wenn ihr Wort als wahr oder glaubwürdig vom Hörer anerkannt ist. Andererseits kann die

[350] Dies bedeutet nicht, dass unter dem Begriff „Schrift" nur das Neue Testament zu verstehen ist. Die Inspiration des Alten Testaments wurde von den Christen als selbstverständlich übernommen, da auch Jesus das Alte Testament als inspiriertes Wort betrachtete.

[351] Vgl. Joachim Gnilka, Theologie des Neuen Testaments [= HthKNT Suppl. Bd. V], Freiburg u. a. 1994, S. 325-397.

Wahrheit nicht überprüft werden, da die Auferstehung Christi nicht mittels Rekurs auf die Wirklichkeit in ihrer Existenz überprüft werden kann.

Die Verkündigungsinhalte der Apostel müssen dem obigen Modell entsprechend auf Autorität hin geglaubt oder verworfen werden. Aus diesem Paradoxon, welches nicht mit anderen psychologischen Möglichkeiten aufgelöst werden soll – etwa im Sinne von Anerkennung der Autorität von Aposteln aufgrund von Sympathie oder Antipathie –, kann man den Glauben der Apostelschüler – und nicht nur ihren – als vom Heiligen Geist selbst hervorgebrachten Glauben betrachten. Aber die Apostelschüler stellen keine adäquaten Nachfolger der Apostel dar. Sie sind keine Zeugen der Auferstehung, sie sind von ihm nicht direkt als seine Zeugen gesandt, sie haben den historischen Jesus nicht erlebt. Dennoch sind die Herausragendsten unter ihnen die Autoren des Neuen Testaments.

Nun gibt es mehrere Möglichkeiten, diesen „Mangel“ an Apostolizität zu beheben. Die patristische Variante versuchte, Autoren wie etwa den Evangelisten Markus als Schüler eines Apostel zu sehen, der nur das – neu angeordnet – aufgeschrieben habe, was der Apostel gepredigt habe.[352] Eine weitere Variante bestünde darin, den Autoren des Neuen Testaments, wie in 3.5. erwähnt, eine besondere Form der Begnadung zuzuschreiben, die das sichert, was bereits Papias besonders wichtig war: Das Nicht-Fehlen von Wichtigem und die Korrektheit des Überlieferten. Vielleicht war es ein besonderes, geschichtlich einmaliges Charisma, welches ihnen zuteil wurde, und sie die Schriften des NT verfassen ließ. Man darf sogar davon ausgehen. Das bedeutet jedoch nicht, dass der Heilige Geist ihnen übernatürliche Inhalte infusioniert hätte. Dagegen spricht z. B. die Mannigfaltigkeit der vier Evangelien, vor allem des vierten Evangeliums. An den Evangelien

---

[352] Joachim Gnilka schreibt dazu: „Die Aussage des Bischofs Papias von Hierapolis (+ nach 120/130), der sich dabei auf einen Presbyter Johannes beruft, verfolgt apologetische Tendenzen. Es geht darum, die Autorität und das Ansehen des ältesten Evangeliums jetzt durch die indirekte Bindung an den Apostel Petrus sicherzustellen. Als Verfasser wird Markus vorgestellt, der ‚zum Dolmetscher des Petrus geworden, alles, woran er sich erinnerte, sorgfältig aufschrieb, freilich nicht der Reihe nach, sowohl die Worte als auch die Taten des Herrn. Denn er hatte den Herrn weder gesehen, noch war er ihm nachgefolgt, sondern erst später, wie ich bereits sagte, dem Petrus. Dieser richtete seine Lehrvorträge nach den Bedürfnissen (der Hörer), jedoch nicht so, als wolle er eine (fortlaufende und geordnete) Zusammenstellung der Herrenworte geben. Darum fehlte auch Markus nicht darin, daß er einiges so aufschrieb, wie er es im Gedächtnis hatte. Denn er war darauf bedacht, nichts von dem Gehörten wegzulassen oder falsch wiederzugeben.'“ in: Das Evangelium nach Markus, Bd. 1[= EKK 2,1], Neukirchen-Vluyn [5]1998, S. 32. Vgl. Eusebius, Eccl Hist 3.39.15:

„καὶ τοῦθ' ὁ πρεσβύτερος ἔλεγεν· Μάρκος μὲν ἑρμηνευτὴς Πέτρου γενόμενος, ὅσα ἐμνημόνευσεν, ἀκριβῶς ἔγραψεν, οὐ μέντοι τάξει τὰ ὑπὸ τοῦ κυρίου ἢ λεχθέντα ἢ πραχθέντα. οὔτε γὰρ ἤκουσεν τοῦ κυρίου οὔτε παρηκολούθησεν αὐτῷ, ὕστερον δὲ, ὡς ἔφην, Πέτρῳ· ὃς πρὸς τὰς χρείας ἐποιεῖτο τὰς διδασκαλίας, ἀλλ' οὐχ ὥσπερ σύνταξιν τῶν κυριακῶν ποιούμενος λογίων, ὥστε οὐδὲν ἥμαρτεν Μάρκος οὕτως ἔνια γράψας ὡς ἀπεμνημόνευσεν. ἑνὸς γὰρ ἐποιήσατο πρόνοιαν, τοῦ μηδὲν ὧν ἤκουσεν παραλιπεῖν ἢ ψεύσασθαί τι ἐν αὐτοῖς.“

wird deutlich, dass die Stoffe z. T. aus der Tradition (von den Aposteln) stammten, zum Teil aber auch aufgrund gemeindlicher Situationen entstanden sind. Anders ausgedrückt: Die Evangelien enthalten nicht nur überlieferte Tradition, sondern auch schöpferische theologische Stoffe. Sie enthalten nicht nur Offenbarung, sondern auch Theologie.

Dies beantwortet jedoch nicht die Frage, ob dieser schöpferische, theologische Umgang mit Traditionsgut und die Komposition von Stoffen mit Sitz im Gemeindeleben legitim war. Im Falle Pauli wurde die Frage bereits bejaht, bei den anderen Autoren jedoch stellt sich diese Frage, da sie nicht die Autorität der Apostel besitzen. Es nützt zur Beantwortung dieser Frage nichts, auf die zeitliche Nähe zu den Aposteln oder die apostolische Predigt zu verweisen. Es besteht kein Zweifel darüber, dass sich große Teile der apostolischen Predigt in den neutestamentlichen Schriften wiederfinden, aber, solange man sich nicht daran machen will, apostolisch und nachapostolisch künstlich zu trennen und sozusagen das Neue Testament zu sezieren, müssen diese Schriften in ihrer Gesamtheit und damit auch in ihren schöpferischen Teilen anders gerechtfertigt werden.

Diese Rechtfertigung kann nur aus ihrem Inhalt selbst geschehen. Die Schriften sind Ausdruck des Glaubens am Ende der apostolischen Zeit (50-100 n.Chr.) Jede einzelne Schrift enthält Teile dieses Glaubens, je nach Umfang, Gattung, Absicht verschieden. Jede einzelne Schrift enthält den Glauben des/der Verfasser(s), und seine/ihre Interpretation der Bedeutung des Jesus von Nazareth. Aus dieser Deutung (Indikativ) folgen dann oftmals die Konkretisierungen für das Leben des Lesers/Hörers dieser Schriften (Imperativ). Diese Inhalte treffen beim Hörer aufgrund dessen Begnadung auf Zustimmung und Verständnis. Der Heilige Geist erschließt ihm das Gehörte als wahr, er lässt ihn die Begnadung des Autors, die Begnadung von dessen Glauben, aufgrund des Geschriebenen erkennen. Die Interpretation Jesu durch den Autor wird vom begnadeten Hörer als wahr übernommen und dem Autor Autorität eingeräumt. Diese Autorität beruht also nicht auf einer Sendung durch den auferstandenen Christus, sondern auf dem Inhalt des Textes, dessen Autor als vom Heiligen Geist begnadet oder „inspiriert“ erkannt wird.

Was hier vom Hörer gesagt wird, ist idealisiert. Denn wer garantiert auf der Erkenntnisebene die Begnadung des Hörers? An diesem Punkt wird eine kleine Aporie sichtbar. Denn im obigen Text wurde die Begnadung eines jeden Menschen postuliert, die aber erst durch die Zweitursache der Verkündigung zu ihrem eigentlichen Selbst kommt, insofern der Heilige Geist erst den Glauben wirken kann, wenn die Kirche die Glaubensinhalte diesem Menschen verkündigt. Daher kann jeder Mensch – und daraus ergibt sich die Aporie – die Wahrheit des Evangeliums erkennen, sie jedoch mit seinem freien Willen ablehnen. Dass jeder Mensch die Wahrheit des Evangeliums jedoch erkennt, ist – wie gezeigt – eine Konsequenz aus verschiedenen theologischen Rücksichtnahmen zur Vermeidung und Beantwortung kritischer Anfragen der Neuzeit und es gibt Theologen, die an dieser These zweifeln. Faktum bleibt, dass auch nicht jeder Christ, jedes Kirchenglied, die Begnadung der Schrift erkennen kann. Daher weicht die Theologie an diesem Punkt auf die Ebene der Gesamtkirche aus, der Unfehlbarkeit im Glauben vom Herrn verheißen ist (Mt 16,16ff.; Joh 14,15ff.).

Die Kirche erkennt die Begnadung der Schriften des Neuen Testaments und die Kirche verleiht jeder einzelnen von ihnen Autorität. Sie anerkennt die Interpretationen Jesu und seiner Bedeutung, um die die Schriften kreisen, als Ausdruck ihres Glaubens. Dabei ist nicht erheblich, ob die einzelnen Schriftstücke eventuell auf literarischer Ebene abweichen oder sich widersprechen; es ist nicht erheblich, ob die Theologie des Lukas kongruent ist mit der des Johannes, denn diese Mannigfaltigkeit wird durch Jesus und dessen Geist zu dem einen Glauben der Kirche integriert. Die Schrift des Neuen Testaments stimmt daher in den zentralen Aussagen über Jesus Christus und seine Bedeutung für das Leben der Welt überein. Dies hier Gesagte passt auch zu dem historischen Befund, dass christliche Gemeinden gegenseitig ihre Schriften „der Apostel“ ausgetauscht haben, so dass diese von der Gesamtkirche, der katholischen Kirche, anerkannt waren, bis sie schließlich im 2. Jahrhundert zum Kanon zusammengefasst wurden. Man kann sogar behaupten, dass die Mannigfaltigkeit der Schriften des NT, im Vergleich gelesen, die Ausbildung einer einheitlichen orthodoxen Christologie beschleunigt haben. Denn die Vielheit drängt notwendig zur Einheit, da Christus einer ist (1 Kor 8,6). Die katholische Kirche erkennt die Schriften des Neuen Testaments als im Heiligen Geist verfasst und akzeptiert damit gleichzeitig die theologischen Eigenkompositionen der Autoren als mögliche Ausdrucksform des Glaubens. Mit dieser Autorisierung verbindet sich zugleich eine Normativität der Schrift aufgrund „göttlicher“ Urheberschaft. Die Anerkennung des NT als Ausdruck des Glaubens der Kirche setzt ein Faktum, an dem nachfolgende Generationen von Christen nicht vorbei können. Denn nachfolgende Christen können nicht Schriften ablehnen, die die Gesamtkirche am Ausgang der apostolischen Zeit als inspiriert und Ausdruck christlichen Glaubens angesehen hat, ohne die diachrone Einheit der Kirche – sprich die Apostolizität – aufzugeben. Obwohl es sich also bei den Schriften des NT nicht um apostolische Schriften in dem Sinne handelt, dass Apostel sie verfasst hätten (ausgenommen die echten Paulusbriefe), so sieht die Kirche in ihnen ihren Ursprung als Glaubensgemeinschaft festgehalten. Als bleibendes Gut ist das Neue Testament die schriftliche Vergegenwärtigung des Ursprungs der Kirche. Sie ist aber vor allem Realsymbol des Glaubens der Kirche in apostolischer Zeit und Bezeugung des Grundes für diesen Glauben, Jesus von Nazareth. In diesem Sinne ist das Neue Testament „apostolisch“, als Realsymbol des Glaubens, den die Apostel mit ihrer Verkündigung hinterlassen haben. Sie ist gleichzeitig in ihrer Mannigfaltigkeit Zeugnis für das theologisch-geistige Potential, das die Offenbarung Gottes in seinem Wort ausgelöst hat. Die Gnade Gottes in ihrer Größe begreifen zu wollen, stellt das Ziel der meisten Schriften dar. Es gibt aber genauso konkrete Anlässe (z. B. Phlm, Jud, 2 Petr.), welche auch als allgemeine Warnungen und Ratschläge zur Lebensführung betrachtet werden können. Glaube und Ethik, Glaube und Leben sind in der Schrift, wie bereits erwähnt, eng verbundene Bereiche. Das Aufgenommenwerden in die Beziehung des Sohnes zum Vater aufgrund von Gnade, Glaube und Heiligem Geist steht jedoch im Vordergrund der neutestamentlichen Schriften. Insofern fördert die Schrift den Glauben an Gottes Heilwerk, die Hoffnung auf die Wiederkunft Christi und die Liebe zu Gott als Schöpfer und der Erlöser der Welt. Sie stellt ein bleibendes Werkzeug des Geistes dar, mit dem dieser die Kirche ermahnt, tröstet, erneuert. Man könnte sie sogar als schriftliche Kategorialisierung des Geistes Gottes bezeichnen, ein Geschenk an die Kirche, das aufgrund der Schriftlichkeit den Bezug der Kirche zu ihrem Ursprung bewahrt.

## 4.2. Mannigfaltigkeit und Suffizienz der Schrift

Aus dem bisher Gesagten, entstehen aber auch Probleme. Eines wurde bereits angesprochen. Wenn der Heilige Geist im übertragenen Sinn Urheber der Schrift ist, wieso gibt es dann eine so große Mannigfaltigkeit. Oder umgekehrt formuliert: Widerspricht nicht die theologische Mannigfaltigkeit der unterschiedlichen neutestamentlichen Schriften einer göttlichen Inspiration der Schrift? Ist die Inspiration ein theologischer Überbau, der vom Textbefund nicht gedeckt ist? Außerdem muss man der Frage nachgehen, ob aus der Tatsache, dass es Menschen gibt, die die Schrift nicht verstehen, nicht gefolgert werden kann, dass entweder die Schrift oder ihr Leser/Hörer bzw. beide nicht begnadet sind. Außerdem ist die Mannigfaltigkeit der Schrift für eine Dogmenentwicklungstheorie auf den ersten Anschein ein Ärgernis, da nachfolgende Entwicklungen aus ihr heraus gerechtfertigt werden sollten, für die Klarheit und Eindeutigkeit der Schrift eine bessere Voraussetzung wären als ein „Stimmengewirr an Interpretationen“.[353]

Ausgangsvoraussetzung dieser Probleme ist zunächst der sogenannte „Literalsinn“ der Schrift. Dieser enthält die Aussageabsicht des Autors auf Textebene ohne jede Interpretation.[354] Da dies aber nach oben vorgelegter Erkenntnislehre nicht möglich ist, handelt es sich beim „Literalsinn“ um ein Konstrukt, welches mit der Tatsache operiert, dass menschliche Sprache als geistiges Objekt Informationen und eventuell ihre Deutung enthält, die zwar selbst noch einmal für den Hörer interpretierbare Objekte sind, dieser Aspekt jedoch aufgrund ihres geistigen Wesens geringer ist als bei der Erkenntnis von materiellen Objekten. Denn Sprache dient ja der Mitteilung von bereits gemachter Erkenntnis an den Anderen. Der Andere kann diese noch einmal gemäß seinem Horizont interpretieren, muss dies aber nicht zwingend tun. Ein Beispiel: Wenn ein antiker Autor schreibt: „Ein Schiff fährt aus dem Hafen.“, dann ist dies eine gemachte Erkenntnis, die der Leser versteht, auch wenn Schiffe heutzutage aus Stahl bestehen und von Motoren angetrieben werden und sich das Aussehen von Häfen ebenfalls

---

[353] Die oben vertretene These, dass sich die unterschiedlichen neutestamentlichen Traditionen gegenseitig ergänzen und somit die Wahrheit fokussieren, statt sie zu relativieren, stellt eine Erkenntnis dar, die eine Geschichte voraussetzt, in der sich die Pluralität der Schrift als Segen und Korrekturhilfe gegen einseitige Auslegungen erwiesen hat. Die Pluralität und die sich daraus ergebende Widersprüchlichkeit einzelner Texte stellt jedoch zuerst im Hinblick auf die göttliche Urheberschaft der Schrift ein Ärgernis dar, da Pluralität und Geistwirken als einander widersprechend erscheinen.

[354] Dies setzt zum Beispiel bei den Evangelien voraus, dass der Autor mit dem Satz „Als sie etwa fünfundzwanzig oder dreißig Stadien gefahren waren, sahen sie, wie Jesus über den See ging und sich dem Boot näherte; und sie fürchteten sich.“ (Joh 6,19) genau das als historische Begebenheit erzählen wollte und diese Erzählung nicht selbst dazu verwendete, einen anderen Sachverhalt damit zu transportieren.

verändert hat. Man kann diesen Satz aber auch in seinem Literalsinn verstehen, ihn trotzdem aber anders interpretieren. Zum Beispiel könnte das Schiff ein Symbol für das „Ich" sein, das sich auf eine Reise in lebensfeindliche Umgebung begibt usw.. Hierbei handelt es sich um eine psychologische Interpretation, die nicht falsch ist, aber eindeutig über den Literalsinn hinaus geht.[355]

Dieser Literalsinn erweist sich z. B. bezüglich folgender Zitate als Problem: „Ich und der Vater sind eins" (Joh 10,30), „Der Vater ist größer als ich" (Joh 14,25), „Warum nennst du mich gut? Niemand ist gut außer Gott, dem Einen" (Mk 10,18), „So spricht Er, der «Amen» heißt, der treue und zuverlässige Zeuge, der Anfang der Schöpfung Gottes" (Offb 3,14), „Er war Gott gleich, hielt aber nicht daran fest, wie Gott zu sein" (Phil 2,6), „das Evangelium von seinem Sohn, der dem Fleisch nach geboren ist als Nachkomme Davids, der dem Geist der Heiligkeit nach eingesetzt ist als Sohn Gottes in Macht seit der Auferstehung von den Toten, das Evangelium von Jesus Christus, unserem Herrn" (Röm 1,3f.). Die Mannigfaltigkeit dieser christologisch ausgewählten Zitate aus der Schrift beinhaltet zumindest eine Inkongruenz bezüglich der Deutung Jesu. Nun wurde diese Mannigfaltigkeit bereits mit dem Hinweis auf die Wirkweise des Heiligen Geistes erklärt. Der Heilige Geist „übersteuert" nicht die menschlichen Autoren, so dass sie alle konsistent zueinander schreiben. Und die Kirche, die den Kanon der Schrift festlegt, akzeptiert sogar unterschiedliche theologische Konzepte zur Deutung Jesu als legitim. So erweist sich die Pluralität der Schrift als Problem bei der Lösung theologischer Fragen in späterer Zeit.[356] Denn die innere Pluralität der Schrift, ihre innere „Sperrigkeit" verlangt geradezu nach einer konsistenten Interpretation, welche dann selbstverständlich zulasten aller Schriftstellen geht, so dass sich alle in dieser Interpretation wiederfinden und doch die Interpretation, auf eine einzelne Schriftstelle hin angewandt, künstlich wirkt. So erheben die Lehren der Konzilien von Nicäa und Chalcedon mit ihrer Christologie den Anspruch, eine konsistente Interpretation für diese Stellen zu liefern. Künstlich wirkt diese Interpretation, weil die Zitate Joh 10,30, Phil 2,6 der göttlichen Natur Christi, die Zitate Joh 14,25, Mk 10,18 seiner menschlichen Natur zugeordnet werden. Das Offenbarungszitat 3,14 ist dementsprechend so zu interpretieren, dass „Anfang der Schöpfung" nicht so gemeint ist, dass Jesus von Nazareth das erste Geschöpf Gottes ist, sondern Anfang der Schöpfung im Sinne eines Prinzips der Schöpfung. Die alte Bekenntnisformel, die Paulus im Römerbrief zitiert,

[355] Dies ist kein Widerspruch zu der Tatsache, dass es Literatur gibt, die bewusst über diesen Literalsinn hinaus gehen will. Es handelt sich hierbei vor allem um poetische Literatur.

[356] Als einen weiteren Beleg für die Pluralität der Schrift sei auf das Nicäno-Konstantinopolitanum verwiesen, das eine Synthese aus johanneischem und lukanischem Geburtsgeschehen herzustellen versucht, indem es beides nebeneinander stellt: „et incarnatus est [Joh] de Spiritu Sancto ex Maria virgine[Lk], et homo factus est [Lk/Joh]" (DH 150).

darf nicht als ein Beleg gegen eine göttliche Natur Christi gelesen werden. Stattdessen muss sie auf zwei verschiedene Phasen der Heilsgeschichte bezogen werden: die Phase des irdischen Davidssohns und Menschen Jesus und die Phase als Auferstandener und diesmal auch als Mensch eingesetzter Herrscher des Alls.

Die Interpretation der Konzilien vereinigt die Pluralität der verschiedenen Schriften des Neuen Testaments und ihre verschiedenen Theologien. Man kann hier das, was Rahner als doppelte Bewegung der Dogmenentwicklung bezeichnet hat, bereits auf die Schrift anwenden. Der Geist Gottes bewirkt zum einen eine Vielfalt möglicher Ausdrucksformen christlichen Glaubens, eine Vielzahl an Deutungsversuchen der göttlichen Offenbarung in Christus, und zugleich führt er die daraus entstehende Inkongruenz zu einer Einheit zusammen, indem er der Kirche ein Paradigma zur Interpretation inkohärenter Aussagen auf der Literalebene gibt. Man könnte sogar behaupten, er infusioniert den Autoren der Schrift nicht übernatürliche Inhalte und lässt ihnen stattdessen ihre menschliche und theologische Freiheit, korrigiert aber im Laufe der Zeit Einseitigkeiten und Missverständnisse, die sich aus der menschlichen Freiheit der biblischen Autoren ergeben. Mit der letzten Aussage ist aber zugleich verbunden, dass die spätere Interpretation, die eindeutig über eine einzelne Textstelle hinausgeht und nicht aus ihr heraus erklärt werden kann – es zu versuchen, hieße, dem atomistischen Fehlschluss zu erliegen –, der früheren Textstelle mit ihrem Literalsinn vorzuziehen ist. Der einzelne Autor hat bei dem, was er geschrieben hat, nicht geirrt, andererseits wird seinem Werk nachträglich eine Interpretation vorgeschalten, die den Literalsinn interpretativ umgeht und sich selbst als Lesehermeneutik positioniert. Daraus ergibt sich: Zum einen ist die Schrift verständlich, zum anderen ist sie es nicht. Dort, wo sie es nicht ist, wird ihr eine Hermeneutik vorgeschaltet, die die Probleme umgeht. Es gibt sogar Theologen, für die die Dogmen der Kirche nichts anderes sind, als eine Hermeneutik zu Regelung von Sprache.[357]

---

[357] Alister McGrath referiert in seinem Buch „The Genesis of Doctine“ (Grand Rapids (MI), Cambridge (UK), 1990) die an Wittgenstein angelehnte Position von George A. Lindbeck (The Nature of Doctine. Religion and Theology in a Post-Liberal Age, Philadelphia 1984). Er schreibt: „Thus while illustrating his understanding of the regulative function of doctrines within theology, Lindbeck suggests that the Nicene creed 'does not make first-order truth claims'. In other words, the homoousion makes no ontological reference, but merely regulates language concerning both Christ and God. [...] Lindbeck asserts that Athanasius understands the term homoousios to mean 'whatever is said of the Father is said of the Son, except that the Son is not the Father', thus demonstrating that Athanasius 'thought of it, not as a first-order proposition with ontological reference, but as a second-order rule of speech'. Only in the medieval period, Lindbeck suggests, were metaphysical concepts read into this essentially grammatical approach to the homoousion. In the patristic period, he argues, the term was understood as rule of discourse, quite independent of any reference to extra-linguistic reality.“ S. 29.

Viel wichtiger aber ist jedoch die Frage, wie man die Wahrheit des Dogmas von Nicäa und Chalcedon mit der Schrift begründen soll, wenn die Dogmen erst die Schrift erklären, die sie begründen soll. Anders gesagt: Die Interpretation zur Sache kann aus der Sache, die durch die Interpretation erklärt werden soll, nicht noch einmal selbst erklärt werden. Es läge ein Zirkel vor. Es hilft einem dabei auch nicht, dass man behauptet, diese Interpretation sei nichts anderes als der Gesamtsinn der Schrift. Denn dieser Gesamtsinn kann nur eine Interpretation einzelner Textstellen aus unterschiedlichen Texten des Neuen Testaments sein. So mag ein Konzil zwar (zeitliche Probleme hintangestellt) nichts anderes als den Gesamtsinn der Schrift erklären, aber der Gesamtsinn bleibt eine Interpretation des Textes, die für die Zukunft als Hermeneutik einer Einzelstelle und den Schriften des AT und NT insgesamt vorangestellt werden soll.

Letztlich kann man das gleiche Phänomen in Bezug auf Altes und Neues Testament beobachten. Jesus selbst erhebt den Anspruch, das Alte Testament, die Heilige Schrift Israels, endgültig und letztgültig zu interpretieren. In der Bergpredigt (Mt 5-7) interpretiert Jesus die Thora und stellt seine Autorität über die des Moses (vgl. Mt 5,21f.; 5,27f.; 5,31f.; u. a.). Seine Worte sind mehr wert als die eines anderen Propheten (Mt 12,41 par.) und weiser als die Worte Salomos (Mt 12,42).

> „Jesus von Nazareth hat den Anspruch erhoben, der wahre Erbe des Alten Testaments – der ‚Schrift' – zu sein und ihm die endgültige Auslegung zu geben, Auslegung freilich nicht in der Art der Gelehrten, sondern aus der Autorität des Autors selbst: ‚Er lehrte wie einer, der (göttliche) Vollmacht hat, nicht wie die Schriftgelehrten' (Mk 1,22). Die Emmausgeschichte fasst diesen Anspruch nochmals zusammen: ‚Er legte ihnen dar, ausgehend von Mose und allen Propheten, was in der gesamten Schrift über ihn geschrieben steht' (Lk 24,27).“[358]

Die christliche Gemeinde bezieht und interpretiert das Alte Testament auf Jesus Christus hin, ja die Autoren der Schrift konzipieren ihre Werke teilweise oder überwiegend anhand alttestamentlicher Vorbilder, so dass sich alttestamentliche Verheißungen durch Jesus und in seinem Leben erfül-

[358] Joseph Ratzinger, Vorwort zur Schrift der päpstlichen Bibelkommission „Das jüdische Volk und seine Heilige Schrift in der christlichen Bibel [= Verlautbarungen des Apostolischen Stuhls 152], Bonn 2001.

len.[359] Die Offenbarung des Johannes liest die alttestamentliche apokalyptische Literatur neu. Selbst die Erzählung über das Leiden und Sterben Christi bedient sich alttestamentlicher Vorbilder[360]. Sie wurde zum Teil bewusst so modifiziert, dass diese Vorlagen dem kundigen Leser deutlich werden. Nicht zuletzt zitiert Jesus am Kreuz Psalm 22.

Dies mag zur Verdeutlichung der Parallele zwischen der Rechtfertigung von Dogmen und der Rechtfertigung der Schriftinterpretation Jesu genügen.

Es gibt aber eine weitere Parallele zu der oben erwähnten Rechtfertigung von theologischen Neuschöpfungen durch die Autoren der Schrift. Es wurde behauptet, dass die Apostolizität der nicht von Paulus stammenden neutestamentlichen Schriften letztlich auf die Identifizierung dieser Schriften mit den Predigten der Apostel durch die Kirche im Übergang zum nachapostolischen Zeitalter zurückzuführen ist. Dies lässt sich auf die Schriftauslegung Jesu parallel anwenden. Jesu Interpretation der Thora und der Propheten besitzt für den Gültigkeit, der bereit ist, Jesus zu glauben und ihm damit Autorität einzuräumen. Die Schriftgelehrten räumten seinen Interpre-

---

[359] Vgl. Päpstlichen Bibelkommission, Das jüdische Volk und seine Heilige Schrift in der christlichen Bibel [= Verlautbarungen des Apostolischen Stuhls 152], Bonn 2001, S. 16f. „Diese sprachliche Verwandtschaft erstreckt sich natürlich auf zahlreiche Ausdrücke, die das Neue Testament aus der Schrift des jüdischen Volkes entlehnt hat, bis hin zu dem häufigen Phänomen von *Reminiszenzen und impliziten Zitaten,* d. h. ganzen Sätzen, die das Neue Testament übernommen hat, ohne deren Zitatcharakter deutlich zu machen. Die Reminiszenzen zählen zu Hunderten, doch bleibt ihre Eigenart nicht selten Gegenstand von Diskussion. Als schlagendstes Beispiel lässt sich die Offenbarung des Johannes anführen, die kein einziges ausdrückliches Zitat der jüdischen Bibel enthält, aber aus einem dichten Geflecht von Reminiszenzen und Anspielungen besteht. Der Text der Offenbarung des Johannes ist in einem solchen Umfang vom Alten Testament geprägt, dass es oft schwierig ist [sic] zu entscheiden, wo eine Anspielung vorliegt und wo nicht. Was von der Offenbarung des Johannes gilt, das gilt – wenn auch in vermindertem Umfang – von den Evangelien, von der Apostelgeschichte und von den Briefen des Neues Testamentes. Der Unterschied besteht nur darin, dass sich in diesen anderen Schriften außerdem zahlreiche *ausdrückliche Zitate* finden, d. h. Zitate, die als solche eingeführt werden. Diese Schriften bekunden also offen ihre Entlehnungen und bezeugen auf diese Weise, dass sie die Autorität der jüdischen Bibel als göttlicher Offenbarung anerkennen.“ S. 38f.: „Im Judentum war man gewohnt, Texte in verschiedener Weise neu zu lesen. Das Alte Testament selbst bahnte hier den Weg. So las man etwa die Geschichte vom Manna neu; man leugnete nicht die ursprüngliche Vorgabe, doch vertiefte man den Sinn, indem man im Manna das Sinnbild des Wortes erblickte, mit dem Gott beständig sein Volk ernährt (vgl. *Dtn* 8,2-3). Die Bücher der Chronik sind eine Neulektüre des Buches Genesis und der Samuel- und Königsbücher. Das Kennzeichnende der christlichen Neulektüre besteht darin, dass sie – wie gesagt – im Lichte Christi erfolgt. Die neue Deutung beseitigt nicht den ursprünglichen Sinn. Paulus sagt eindeutig von den Israeliten, dass „ihnen die Worte Gottes anvertraut“ sind (*Röm* 3,2), und er hält es für selbstverständlich, dass diese Worte auch vor dem Kommen Christi gelesen und verstanden werden konnten. Wenn er von einer Verblendung der Juden bei der ‚Lesung des Alten Testamentes‘ (*2 Kor* 3,14) spricht, dann geht es nicht um eine vollständige Unfähigkeit der Lektüre, sondern um die Unfähigkeit zu einer Neulektüre im Lichte Christi“.

[360] Z. B. das Bild des leidenden Gottesknechts; die Ablehnung der Propheten/Jesu/Gottes durch das Bundesvolk Israel; usw.

tationen keine Autorität ein, da er nicht wie sie lehrte, sondern mit Vollmacht sprach. Zum einen radikalisierte er die Thora (Mt 19,9), zum anderen schwächte er sie ab (Sabbat). Er tat dies aufgrund seiner Vollmacht, die ihm aus seiner Sendung durch den Vater erwuchs. Bei Jesu Schriftinterpretationen besteht einerseits eindeutig ein Schriftbezug, andererseits will er die Schrift mit seinen Lehren in ihren eigentlichen Sinn hinein befreien (Mt 5,17). Anders gesagt: Die Interpretation entsteht aus dem gegebenen Faktum – der Thora, den Schriften und den Propheten –, leitet ihre Autorität aber von Jesus und nicht von der Thora (oder Moses) her ab. Die Wahrheitsfrage reduziert sich für Jesu Hörer auf die Frage, ob sie bereit sind, ihm zu glauben oder nicht. Denn das einzige formale Kriterium, welches gegen seine Interpretation sprechen würde, wäre Bezugslosigkeit zu dem zu Interpretierenden. Da aber die Normativität des wirklich Gegebenen bei seiner Interpretation gewahrt ist und solange man keine Konsenstheorie der Wahrheit vertritt, reduziert sich die Frage nach der Wahrheit auf die Frage nach der Glaubwürdigkeit des sie Kundtuenden. Auf die Dogmen der Kirche übertragen, gilt dasselbe. Die Dogmen der Kirche ergeben sich aus der Schrift als Anstoßpunkt einer Entwicklung. Sie besitzen daher einen positiven oder neutralen, nie aber einen negativen Schriftbezug. Die Notwendigkeit der Dogmen ergibt sich aus der Pluralität und der damit verbundenen Inkohärenz der Schrift, vor allem des Neuen Testaments. Der Literalsinn der Schrift reicht zur Beantwortung dringender theologischer Fragen nicht aus. Sie muss deshalb interpretiert werden und zugleich muss diese Interpretation für die Zukunft als Hermeneutik einer Schriftauslegung vorangestellt werden. Dies bedeutet nicht, dass die Schrift nicht noch allegorisch, anagogisch oder tropologisch ausgelegt werden kann, solange diese Interpretationen nicht den durch die Dogmen neu gewonnenen „Literalsinn" der Schrift antasten. Ein Konzilsbeschluss bezüglich des Glaubens stellt also dem Literalsinn der Schrift eine Hermeneutik zur Seite, welche in Kombination mit einem entsprechenden Text einen neuen „Literalsinn" für die Zukunft produziert.

Die Wahrheitsfrage nach dem Dogma reduziert sich, wie bei Jesus, auf die Frage nach der Glaubwürdigkeit dessen, der das Dogma verkündet. Das Dogma selbst in seinem Wahrheitsanspruch lässt sich aber nicht aus der Schrift heraus beweisen, egal, ob es sich um ein christlogisches oder mariologisches handelt, da es aus dem methodischen Zirkel kein Entkommen gibt. Selbst die historisch-kritische Methode mit ihren Ergebnissen stellt keine objektiven Fakten zur Verfügung, mit Hilfe derer man spätere Dogmen „wissenschaftlich" begründen könnte. – Nebenbei wäre es problematisch, der historisch-kritischen Exegese ein tieferes Schriftverständnis als den versammelten Bischöfen der Welt zusprechen zu wollen. – Denn die historisch-kritische Exegese liefert auch nur Interpretationen, die hypothetischen Charakter besitzen. Außerdem steht sie trotz „historisch-kritischer"

Methode unter dem Verdacht, dass das Ergebnis als Idee am Anfang der wissenschaftlichen Untersuchung steht.

Mit einer Korrespondenztheorie der Wahrheit lassen sich die Dogmen der Kirche rein empirisch nicht begründen, da der Glaube der Apostel, dessen Realsymbol die Schrift ist, trotz ihrer Inspiration – und gerade wegen ihr – in ihrem Literalsinn nicht ausreicht, spätere Fragen zweifelsfrei zu klären. Wäre dem so, so gäbe es keine Dogmen und kirchlichen Lehren. Wäre in Nicäa nur die Frage im Raum gewesen, ob Jesus der „Messias" sei, so wäre die Antwort kein Konzil wert gewesen, da dies mehrfach in der Schrift belegt ist (Mt 16,16; Mt 26,64 par.; Lk 4,41; Joh 11,27; Joh 20,31; Apg 2,36 u. a.). Die Konzilien von Nicäa und Chalcedon sagen aber mehr als in der Schrift steht. Sie explizieren nicht nur das, was implizit in der Schrift enthalten ist. Denn zum einen beinhaltet der Explikationsgedanke von Implizitem so etwas wie eine erkennbare, objektive und geistige Wirklichkeit, zum anderen erklärt er nichts, sondern beschreibt nur zwei Zustände und behauptet eine Verbindung zwischen beiden. Die Dogmen der Kirche sind keine logischen Konklusionen aus zwei gegebenen Fakten der Schrift. Wozu würde die Kirche, repräsentativ auf einem Konzil versammelt, sonst noch des Heiligen Geistes bedürfen, um die Wahrheit zu erkennen? Zudem benötigt man ein inspiriertes Organ (die Kirche), um die inspirierte Schrift zu deuten.

Es lässt sich feststellen, dass ohne ein Wirken des Heiligen Geistes anzunehmen, die Dogmen der Kirche nicht als wahr zu rechtfertigen sind. Sie sind legitime Interpretationen der Schrift, solange sie eindeutige Bezugspunkte zu ihr besitzen. Als Interpretation jedoch sind sie zirkulär mit dem zu Interpretierenden verbunden, so dass sie sich empirisch als eine mögliche Interpretation darstellen, aber nicht als die Beste oder einzige Wahre. Diese Feststellung ist allein dem Glauben zugänglich, der auf die Wirkung Gottes in der Kirche vertraut. Empirisch bliebe einem vielleicht noch die Möglichkeit zu untersuchen, wie Ursprung und Dogma sich zueinander verhalten. Dies hat vor allem Newman versucht. Unabweisliche Überzeugungskraft besitzen diese Prinzipien Newmans aber keineswegs. Auf solche empirischen Spuren wird später noch eingegangen.

Wenn die Schrift aufgrund ihrer Pluralität interpretiert werden muss, dann stellt sich die Frage, wie die kirchlichen Gemeinschaften, die aus der Reformation hervorgegangen sind, auf ein Lehramt verzichten können, die diese nötigen Interpretationen vornimmt? Den Verzicht auf eine autoritativ interpretierende Instanz oder Institution verdanken diese kirchlichen Gemeinschaften der Tatsache der Übernahme der wichtigsten Lehrentscheidungen der alten Kirche (Trinität, Christologie, Antipelagianismus), addiert um eine spezifische Gnadenlehre des Gründers der jeweiligen kirchlichen Gemeinschaft. Bei der Gnadenlehre handelt es sich um eine Schlüssellehre, die sich auf sämtliche Bereiche der Theologie bezieht. „Die Gnadenlehre ist gleichsam Höhepunkt und Summe der ganzen christlichen Theologie."[361] Sie behandelt letztlich die Frage, wie der Mensch sein Heil erlangt. Daher betrifft die Gnadenlehre die Sakramententheologie, die Ekklesiologie und die Anthropologie und wird selbst von Seiten der Soteriologie, Christologie, Pneumatologie und Trinitätstheologie gespeist. Daher sind die Gnadenlehre Calvins und Luthers articuli stantis et cadentis ecclesiae. Durch diese Vorgabe in zentralen Lehrbereichen ist es den kirchlichen Gemeinschaften möglich, ohne ein Lehramt auszukommen, da anfallende Fragen sich entweder auf peripherere Bereiche der Theologie beziehen oder mithilfe einer Weiterentwicklung der Gnadenlehre ihrer Gründer, d. h. mithilfe einer Aktualisierung dieser Lehre, beantwortet werden. So huldigen diese Gemeinschaften zwar dem Sola–scriptura–Prinzip, schalten aber ebenso wie die katholische Kirche der Schrift eine Hermeneutik, sprich Dogmen, vor, die das richtige Verständnis des Schrifttextes garantieren sollen. Damit ist bewiesen, dass das, was die katholische Theologie mit der Großüberschrift „Tradition" als theologische Erkenntnisquelle beschreibt – unter die auch die Dogmen fallen –, in den kirchlichen Gemeinschaften der Reformation genau denselben Stellenwert einnimmt, wie in der katholischen Kirche, allerdings mit dem Unterschied, dass das Lehramt der katholischen Kirche fortbesteht, während es in den kirchlichen Gemeinschaften mit dem Gründer dieser Gemeinschaften gestorben ist. Daraus ergibt sich eine natürliche Grenze der Aktualisierbarkeit dieser Lehrsysteme. Diese Grenze besteht im „Literalsinn" der Texte des jeweiligen Gründers dieser Gemeinschaften. Je inkohärenter diese Texte sind, desto größer ist das Aktualisierungspotential. Oder schärfer formuliert: Je konfuser die Gnadenlehre, desto einfacher ihre Neuinterpretation. Im Falle der lutherischen kirchlichen Gemeinschaften, zum Beispiel, bedingt die Tatsache, dass Martin Luther kein Systematiker, sondern Schriftexeget war, den Effekt, dass er in seiner Kampfschrift „Von der babylonischen Gefangenschaft der Kirche" 1520 schreibt: „Also rechtfertigt auch die Taufe niemanden und ist auch niemanden nütze, sondern der Glaube an das Wort der Verheißung, zu welchem wird die Taufe getan; denn dieser Glaube rechtfertigt und erfüllet das, was die Taufe bedeutet."[362], während er im großen Katechismus ausführt:

> „Deinde, posteaquam certi sumus, quid sit baptismus et quid de eo sentiendum, etiam illud nobis discendum venit, quamobrem et in quem usum baptismi ratio instituta sit, hoc est, quid utilitatis baptizatis afferat, conferat et pariat. Verum neque hoc melius atque compertius quam ex verbis Christi supra citatis sciri potest ac percipi, nimirum: ‚Qui crediderit et baptizatus fuerit, salvus erit.' Quare rei sum-

[361] Gerhard Ludwig Müller, Katholische Dogmatik, Freiburg u. a. 1995, S. 770.

[362] D. Martin Luthers Werke Bd. 6, de captivitate Babylonica ecclesiae praeludium, Weimar 1888, S. 532f., „Ita baptismus neminem iustificat nec ulli prodest, sed fides in verbum promissionis, cui additur baptismus: haec enim iustificat et implet id quod baptismus significat".

mam ita simplicissime complectere hanc videlicet baptismi virtutem, opus, fructum et finem esse denique homines salvos facere. Nemo enim in hoc baptizatur, ut princeps evadat, verum, sicut verba sonant, ut ‚salvus fiat.' Ceterum salvum fieri scimus nihil aliud esse quam a peccati, mortis et diaboli tyrannide liberari, in Christi regnum deferri ac cum eo immortalem vitam agere. [...] Sane vero nostra opera ad salutem nihil faciunt, porro autem baptismus non nostrum, sed Dei Opus est. [...] Dei autem opera salutifera sunt et ad salutem consequendam necessaria neque quicquam excludunt, sed fidem requirunt, citra quam comprehendi non possent."[363]

Anhand beider Zitate, die man ebenso mit der Abendmahlslehre durchführen könnte, lässt sich behaupten, dass Luther die Pluralität der Schrift in Kombination mit der Annahme einer Verbalinspiration zum systematischen Verhängnis wurde. Ist die Taufe im ersten Zitat ein leeres Symbol, so ist sie im zweiten Zitat Taufe in katholischem Sinn. Aus dieser Widersprüchlichkeit und dem Fehlen eines Lehramtes ergeben sich gegenwärtige ökumenische Gesprächsperspektiven.

Ein letzter Punkt muss im Zusammenhang mit dem Gesagten behandelt werden. Wenn die Schrift interpretiert werden muss, wenn sie plural ist, gefährdet dann nicht diese Notwendigkeit zur Interpretation das Heil? Oder anders gefragt: Hängt das Heil am Literalsinn der Schrift, so dass die Interpretationen davon ablenken? Die Frage stellt sich nur der Form halber, da sie im Wesentlichen im Abschnitt 3.6. mitbehandelt wurde. Heilsbedeutsam ist nicht die Schrift an sich, sondern der Glaube, den sie bezeugt und den sie hervorrufen will. Dieser Glaube bedeutet das Eintreten in die Sohnesrelation Christi zum Vater mittels der Heiligen Geistes. Die drei oben genannten minimalen Glaubensinhalte, die nötig sind, um an Jesus Christus zu glauben – Gottessohnschaft, Tod und Auferstehung, universale Heilsmittlerschaft – werden von allen Schriften des Neuen Testaments bezeugt. Diese Inhalte ergeben sich aus dem Literalsinn der Schrift, ohne dass diesem eine Hermeneutik vorgeschaltet werden müsste. Erst wenn ein Christ sich darüber Ge-

[363] Martin Luther, Catechismus major. Quarta pars: De baptismo in: Bekenntnisschriften der evangelisch-lutherischen Kirche, Göttingen [4]1959, S. 695f.,698, „Aufs ander, weil wir nu wissen, was die Taufe ist und wie sie zu halten sei, müssen wir auch lernen, warümb und wozu sie eingesetzt sei, das ist, was sie nütze, gebe und schaffe. Solchs kann auch nicht besser denn aus den Worten Christi, oben angezogen, fassen, nämlich: ‚Wer da gläubt und getauft wird, der wird selig.' Darümb fasse es aufs allereinfältigst also, daß dies der Taufe Kraft, Werk, Nutz, Frucht und Ende ist, daß sie selig mache. Denn man täufet niemand darümb, daß er ein Fürst werde, sondern, wie die Wort lauten, daß er ‚selig werde'. Selig werden aber weiß man wohl, daß nichts anders heißet, denn von Sunden, Tod, Teufel erlöst in Christus' Reich kommen und mit ihm ewig leben. [...] Ja unsere Werk tuen freilich nichts zur Seligkeit, die Taufe aber ist nicht unser, sondern Gottes Werk. [...] Gottes Werk aber sind heilsam und not zur Seligkeit und schließen nicht aus, sondern fodern den Glauben, denn ohn Glauben künnde man sie nicht fassen".

danken darüber machen sollte, was Gottessohnschaft jetzt genau heißt, wenn er also anfangen sollte, Theologie zu treiben, dann werden die Dogmen der Kirche als Erschließung des Schriftsinns für den Einzelnen bedeutsam. Die Dogmen der Kirche sind also in diesem Sinn heilsbedeutsam, insofern sie dem, der sich mit der Schrift beschäftigt, einen durch die Autorität der Kirche verbürgten Schlüssel anbieten, der dem Einzelnen hilft, die Schrift besser zu verstehen und damit seinen Glauben durch ein besseres Verständnis zu festigen. Somit geben die Lehren der Kirche Sicherheit mittels Reduktion der Pluralität der Schrift, ohne gleichzeitig diese Pluralität aufzuheben oder als illegitim abzutun. Die Pluralität der Schriften des Neuen Testaments behindert das Heil deswegen nicht, weil das Heil für einen Christen nur an wenigen zentralen Inhalten hängt, die die Hoffnung auf Jesus als Freund, der einem eine Wohnung beim Vater vorbereitet hat (Joh 14,2), rechtfertigen. Die bleibende Pluralität ist im Gegenteil ein Ansporn für den einzelnen Christen, sich tiefer mit der Schrift zu beschäftigen. Sie führt daher zu und verweist auf die Dogmen der Kirche als hermeneutischen Schlüssel. So führt die Pluralität zur Einheit, insofern die Dogmen der Kirche einen amtlichen Einheitspunkt bilden, zu dem alle sich bekennen müssen. Aber nicht, weil die Dogmen die Wahrheit an sich bilden, sondern weil das Christentum eine Gemeinschaft ist, die zur Einheit berufen ist. Daneben spielt selbstverständlich der Aspekt des von Jesus eingesetzten apostolischen Dienstes eine Rolle, dem es zukommt, die Schrift zu erklären und zu verkündigen.

## 4.3. Die Schrift und das Lehramt

Im vorangegangenen Kapitel wurde dargelegt, dass die Schrift, vor allem das Neue Testament, von der Kirche extern autorisiert wird, weil sie in ihr den Ausdruck ihres Glaubens wiederfindet. So autorisiert sich die Schrift gegenüber der Kirche mittels ihres Inhalts und wird daher von der Kirche noch einmal extern autorisiert, wobei diese externe Autorisierung den Mangel an „Apostolizität" in historischem Sinne behebt. Man kann dementsprechend sagen, dass die externe Autorisierung den Zeitabstand zwischen dem Tod des letzten Apostels (ca. 60-70 n. Chr.) und der Entstehung der Mehrheit der neutestamentlichen Schriften (bis ca. 100 n. Chr.) überbrückt, indem sie eine spätere Schrift mittels ihrer Autorität zu einer „apostolischen" Schrift macht. Dass die Kirche dies nicht mit allen Schriften gemacht hat (vgl. Didache oder 1 Clem), zeigt, wie wichtig diese externe Autorisierung ist. Was hier in Hinblick auf das Neue Testament gesagt wurde, gilt analog für das Alte Testament, dessen Autorität sich aus der Zustimmung Israels zu den einzelnen Schriften dieses Testaments ergibt. Auch in diesem Fall gab es Schriften, die an einem Ort anerkannt waren, am anderen nicht (vgl. Kohelet, 1 und 2 Makk. usw.). Externe und innere Autorisierung der Schrift lassen sich nicht voneinander trennen.

Ferner wurde ausgeführt, dass die Pluralität der neutestamentlichen Theologien und Schriften notwendig zur Einheit strebt, einen Einheitspunkt sucht, der in re ja in Jesus Christus gegeben ist. Es wurde gesagt, dass die Kirche der Schrift eine neue Hermeneutik vorschaltet, die für alle Christen verbindlich ist, um das Band der Einheit in der katholischen Kirche zu wahren. Diese Hermeneutik zu kennen und zu glauben, mag nicht streng heilsnotwendig sein, aber es besteht zumindest eine Verpflichtung, seinen Glauben zu vertiefen und die Wahrheit der Dogmen einzusehen, auch wenn mancher Christ keine Zeit in seinem Leben dazu haben wird.

Wenn in beiden Fällen von der „Kirche" geredet wurde, so ist dies eine Verallgemeinerung, um den Tatbestand leichter behandeln zu können. Im Fall der Kanonautorisierung scheint diese Verallgemeinerung unumgänglich, will man nicht behaupten, der Kanon hätte nicht schon vor dem Konzil von Trient, das ihn endgültig festgelegt hat,[364] bestanden. Denn der Kanon ergab sich als Reaktion auf einen verstümmelten Kanon des Markion von Sinope, welcher das Alte und das Neue Testament, JHWH und Jesus Christus gnostisch voneinander trennen wollte.[365] Schon vorher waren die vier

[364] Vgl. Konzil von Trient, 4. Sitzung vom 8.4.1546, Dekret über die Annahme der heiligen Bücher und der Überlieferung: DH 1502f.

[365] Vgl. Carl Andresen, Adolf Martin Ritter, Die „Reformation" des Markion, in: Dieselben (Hg.), Handbuch der Dogmen- und Theologiegeschichte Bd. 1, Göttingen ²1999, S. 65ff.

Evangelien und die Paulusbriefe weit verbreitet. Die Krise zwang jedoch, die gesamten christlichen Schriften zu sichten und bezüglich ihrer „Apostolizität" – man könnte auch sagen, bezüglich ihrer „Inspiriertheit" – zu prüfen. Wer genau hat dies nun getan? Die Kirche von Rom, wo Markion auftrat, tat dies mit Sicherheit. Ob andere katholische Gemeinden auf dem Erdkreis dieses Problem genauso als dringlich ansahen, ist fraglich. Man denke z. B. an die im Osten nach wie vor große Schätzung des Protoevangeliums Jakobi, die zeigt, dass im Osten sich das Problem des Kanons nicht so sehr stellte, obwohl heute dort derselbe Kanon der Schrift gilt. Zu sagen, es wäre die gemeindliche Praxis gewesen, die zum Kanon geführt habe, ist sicherlich richtig, aber auch vage. Denn zur gemeindlichen Praxis gehören auch der Bischof, die Priester und Diakone hinzu, welche die gemeindliche Praxis mitgestalten. Zusätzlich gab es im römischen Reich ein ausgeprägtes Reisewesen und regen Briefverkehr, durch den Gemeinden sich erkundigen konnten, was in anderen Gemeinden an apostolischen Schriften gelesen wurde, bzw. sich eine Kopie schicken lassen konnten. Von all diesen Komponenten, die eine Rolle in der externen Autorisierung der Schriften des Neuen Testaments gespielt haben, ragt jedoch die vom Klerus gestaltete Gemeindepraxis hervor. Denn was im Gottesdienst an Schriften gelesen wird, darüber wird gepredigt, das wird „verkündet". Und was gelesen wurde, bestimmte der Leiter des Gottesdienstes. Somit spielt das Amt eine bedeutende Rolle, wenn auch nicht die einzige, für die Bildung eines neutestamentlichen Kanons.

Wenn im zweiten Fall die Kirche die Schrift interpretiert, um diese Interpretation als Hermeneutik der Schrift vorzuschalten und einen Einheitspunkt zu setzen, so handelt es sich bei der „Kirche" vor allem um die auf einem Konzil versammelten Bischöfe der katholischen Kirche. Diese repräsentieren ihre Teilkirchen und somit als Gemeinschaft die Gesamtkirche. Sie repräsentieren ihre Teilkirche aber nicht aufgrund von Delegation, sondern aufgrund ihrer apostolischen Vollmacht als Hirten ihrer Kirche. Ihr Dienst leitet sich nicht aus den soziologischen Gegebenheiten einer Kirche her, sondern aus dem Sendungsbefehl Jesu (Mt 28,18ff.). Aus dieser Vollmacht, die Völker zu lehren und zu taufen, zu verkündigen und die Sakramente zu feiern, leitet sich auch ihre Vollmacht her, die Schrift auszulegen.

Aber auch die gegenwärtige „Amtstheologie" ist das Ergebnis einer Entwicklung. Daraus entsteht das Problem, dass diese Vollmacht der Bischöfe, die Schrift auszulegen, Dogmen zu erklären, noch einmal begründet werden muss. Kann man diese Vollmacht den Aposteln unumwunden zubilligen, so stellt sich nach dem Tod der Auferstehungszeugen die Frage nach dem Transfer dieser Vollmacht. Ist diese Vollmacht eine Erbe der Apostel an die ganze Kirche, oder nur an die Amtsträger dieser Kirche – welche zu dieser Zeit noch keine Bischöfe waren – oder an beide? Ist sie überhaupt vererbbar und wenn ja, in welchem Grad?

Die Beantwortung all dieser Fragen hängt eng mit dem Problem der Schriftinterpretation zusammen. Hierfür sind vor allem die Pastoralbriefe interessant, aber auch die Apostelgeschichte und die Evangelien. Außerhalb der Schrift sind diesbezüglich vor allem der erste Klemensbrief[366] und das Werk „Adversus haereses“[367] des Irenäus von Lyon von Interesse. Das Grundproblem der Legitimation dieser Entwicklung besteht darin, dass die Schrift – aus oben benannten Gründen – nicht als Legitimation für die Entwicklung der Amtstheologie dienen kann. Denn sonst würde das Lehramt seine Vollmacht, die Schrift auszulegen, wiederum aus der Schrift begründen. Abgesehen davon, dass dies ein Zirkel wäre, müsste man in diesem Falle auch fragen, ob die sich aus dieser Interpretation ergebende Lehre vom Amt in der Kirche nicht von bestimmten Interessen geleitet sein könnte. Wenn dementsprechend das Lehramt die Schrift auslegen und verkündigen soll, dann kann sich diese Vollmacht nicht aus der Schrift ergeben, bzw. aus ihr bewiesen werden. Dieses Problem verschärft sich durch magere Quellenlage, die kaum Rückschlüsse auf Kirche und ihre Ämter am Beginn des nachapostolischen Zeitalters zulässt. Für das Wissen um die innerkirchlichen Zustände zu dieser Zeit ist die heutige Wissenschaft weitgehend auf die oben zitierten Schriften angewiesen. Somit erscheint eine Legitimierung des kirchlichen Amtes aus der Schrift unvermeidlich. Zugleich wird deutlich, dass die entwickelte, heutige „Amtstheologie“ auf einer bestimmten Interpretation der Schrift beruht. Diese Interpretation kann dem Vorwurf der Intentionalität nur dann entgehen, wenn sie von der ganzen Kirche „geglaubt“ wird, das heißt, wenn sie von dem Volk Gottes insgesamt geteilt wird. Diese Interpretation besagt – auf das Wesentliche verkürzt –, dass sich das Amt in der Kirche zur Gesamtkirche verhält wie die zwölf Apostel zur restlichen Jüngerschar Jesu. Interpretiert man nun die Stellen, in denen die Zwölf eine Rolle spielen, dahin gehend, dass die Zwölf nur ein Symbol sind für all jene von Gott zum Heil Berufenen und Vorherbestimmten – also auf die Gesamtkirche – , so gelangt man zu einer evangelisch-lutherischen Amtsauffassung. In der Ablehnung genau dieses Interpretationsmodells unterscheidet sich die katholische „Amtstheologie“ von anderen Amtstheologien. Sie beharrt auf der persönlichen apostolischen Vollmacht, die die Apostel ihren Schülern durch Handauflegung und prophetischen Worten (1 Tim 4,14) verliehen haben.

> „Missio illa divina, a Christo Apostolis concredita, ad finem saeculi erit durata (cf. Mt 28,20), cum Evangelium, ab eis tradendum, sit in omne tempus pro Ecclesia totius vitae principium. Quapropter Apostoli, in hac societate hierarchice ordinata, de instituendis successori-

[366] Clemens von Rom, Epistula ad Corinthos [übersetzt und eigeleitet von Gerhard Schneider, = Fontes Christiani Bd. 15], Freiburg u. a. 1994, vor allem Kap. 40-47 (S. 162-182).

[367] Irenäus von Lyon, Adversus haereses III [übersetzt und eingeleitet von Norbert Brox, = Fontes Christiani Bd. 8,3], Freiburg u. a. 1995, vor allem Kap. 1-5 (S. 22-51).

bus curam egerunt. Non solum enim varios adiutores in ministerio habuerunt, sed ut missio ipsis concredita post eorum mortem continuaretur, cooperatoribus suis immediatis, quasi per modum testamenti, demandaverunt munus perficiendi et confirmandi opus ab ipsis inceptum, commendantes illis ut attenderent universo gregi, in quo Spiritus Sanctus eos posuit pascere Ecclesiam Dei (cf. Act. 20,28). Constituerunt itaque huius modi viros ac deinceps ordinationem dederunt, ut cum decessissent, ministerium eorum alii viri probati exciperent."[368]

Der Text begründet die Sendung (missio) der Apostel mit dem Hinweis auf die von Christus gewollte Verkündigung bzw. „traditio" des Evangeliums. Er interpretiert die Verkündigung dabei als die herausragendste Aufgabe der Apostel. Die Kirche Gottes wird als Objekt der Verkündigung und des apostolischen Dienstes gesehen. Die Gesamtkirche wird aus einem aktiven Verkündigungsgeschehen herausgehalten. Dies geschieht, um die zwölf Apostel nicht zu Symbolen für die Gesamtkirche zu machen. Als Effekt aus dieser Interpretation entstehen zwei kirchliche „Welten", die parallel zueinander sind: „Laien" und „Kleriker". Die Aufgabe der Theologie besteht nun darin, die Nebeneffekte dieser Schriftinterpretation mittels einer „Communio"-Theologie abzumildern. Denn das Amt in der Kirche existiert ja, wie der Text zurecht bemerkt, nur für die Kirche. Es bildet aber keine dritte Initiationsstufe ins Christentum. Aber obwohl das Amt funktional auf Kirche und Evangeliumsverkündigung bestimmt wird, so spielt die Kirche bei der Weitergabe des Amtes und für die Einsetzung ins Amt keinerlei Rolle, da die früheren Amtsträger, wie Jesus einst seine zwölf Jünger, ihre Nachfolger frei erwählen. Dass Jesus dies tut, ist Zeichen seiner Vollmacht als Sohn Gottes. Dass die Apostel dies tun, begründet der Text mit Verweis auf Mt 28,20ff. An diesem Punkt schließt sich der Kreis. Denn ob die Apostel diese Vollmacht haben, hängt davon ab, ob man diese mit dem Sendungsbefehl Jesu gegeben sieht; ob diese Vollmacht nur ihnen persönlich gegeben ist; ob sie übertragbar ist usw.

---

[368] LG 20, „Jene göttliche Mission, von Christus den Aposteln vermacht, wird bis zum Ende der Zeit fortdauern müssen (vgl. Mt 28,20), damit das Evangelium, welches jene zu tradieren haben, zu jeder Zeit für die Kirche das Prinzip ihres ganzen Lebens sei. Daher hatten die Apostel, in diese hierarchische Gesellschaft ordiniert, es nötig, sich um die Einsetzung von Nachfolgern zu sorgen. Sie hatten nämlich nicht nur verschiedene Helfer in ihrem Dienst, sondern damit die ihnen gegebene Sendung nach ihrem Tod weitergeführt würde, vertrauten sie ihren unmittelbaren Mitarbeitern auf die Art eines Testaments das Amt der Vervollkommnung und Bestätigung des von ihnen begonnenen Werks an, ihnen empfehlend, dass sie acht geben mögen auf die ganze Schar, die der Heilige Geist ihnen als Kirche Gottes (vgl. Apg 20,28) zu weiden gegeben hat. Deswegen bestellten sie auf die gleiche Art Männer und gaben ihnen hierauf die Ordination, damit, wenn sie (den Weg des Irdischen) gegangen sein würden, andere geeignete Männer ihren Dienst fortführen würden".

Nun kann man mit der Schrift feststellen, dass diese von der persönlichen Bestellung von Nachfolgern durch die Apostel spricht (vgl. 1 Tim 4,14; Apg 14,23[369]). Es gibt keinen Grund, der Schrift in dieser Frage nicht zu glauben, wenn sie von der Einsetzung einer Gemeindeleitung durch Paulus spricht. Paulus hat mit seiner Berufung zum Apostel die Vollmacht verbunden, Gemeinden zu gründen und sie durch Einsetzung von Ältesten zu ordnen. Dass diese sich nach seinem Weggang allzu schnell von ihm und seiner Lehre emanzipierten, lässt sich am Galaterbrief und den Korintherbriefen ersehen. Die Frage, die sich bei dieser Einsetzung Ältester ergibt, ist, ob es sich hierbei um einen Akt handelt, indem Paulus seine ihm durch Gott verliehene apostolische Vollmacht ausgeübt hat oder einfach um einen Organisationsvorgang, der die Struktur jüdischer Synagogen zum Vorbild hatte. Dabei sei nicht bestritten, dass er für den oder die Gemeindeleiter gebetet haben mag und ihnen die Hände dabei aufgelegt hat. Es geht um die Frage, was er damit verbunden hat, bzw. ob er damit den „Vollmachtstransfer" verbunden hat, die Schrift authentisch auszulegen. Denn diese Vollmacht erwächst diesen Ältesten laut Lehre des Zweiten Vatikanischen Konzils nicht aufgrund der Repräsentation ihrer Kirchen/Gemeinden, nicht aufgrund von Delegation dieser Gemeinden, sondern aufgrund ihrer persönlichen Erwählung durch den Heiligen Geist. Die Antwort auf diese Frage bleibt, wie gezeigt, Spekulation. Die katholische Kirche bleibt bei ihrer Interpretation der Schrift, die in einer differenzierten Sicht des Verhältnisses von den zwölf Apostel zu allen Jüngern Jesu besteht und welches bereits im ersten Klemensbrief – wenn auch noch moderat – seinen ersten Vertreter findet, wenn es heißt:

> „Die Apostel empfingen die frohe Botschaft für uns vom Herrn Jesus Christus; Jesus, der Christus, wurde von Gott gesandt. Christus kommt also von Gott und die Apostel von Christus her. Beides geschah also in guter Ordnung nach Gottes Willen. Sie empfingen Aufträge, wurden durch die Auferstehung unseres Herrn Jesus Christus mit Gewißheit erfüllt und durch das Wort Gottes in Treue gefestigt, zogen dann mit der Fülle des Heiligen Geistes aus und verkündeten die frohe Botschaft vom Kommen des Gottesreiches. So predigten sie in Ländern und Städten und setzten nach vorausgegangener Prüfung im Geiste ihre Erstlinge zu Episkopen und Diakonen für die künftigen Gläubigen ein."[370]
>
> Und ferner: „Auch unsere Apostel wußten durch unsern Herrn Jesus Christus, daß es Streit geben würde um das Episkopenamt. Aus diesem Grund nun setzten sie, da sie genau Bescheid im voraus erhalten

---

[369] Ob es sich um Rückprojektionen des Lukas und der Pastoralbriefe in apostolische Zeit handelt, kann hier nicht entschieden werden.

[370] Clemens von Rom, Brief an die Korinther, Kap. 42,1-4 [Übersetzung von Gerhard Schneider], in: Fontes Christiani Bd. 15, S. 167.

hatten, die oben Genannten ein und gaben danach Anweisung, es sollten, wenn sie entschliefen, andere bewährte Männer deren Dienst übernehmen. Daß nun die, die von jenen oder hernach von anderen angesehenen Männern unter Zustimmung der gesamten Gemeinde [consentiente eccelsia omni] eingesetzt wurden, die untadelig der Herde Christi in Demut dienten, friedlich und großherzig und von allen lange Zeit mit einem guten Zeugnis versehen, daß diese vom Dienst entfernt werden, halten wir nicht für recht."[371]

Klemens hält die Absetzung von Presbytern von Seiten der Gemeinde (der Kirche) nicht apriori für unmöglich. Er wendet sich nur gegen eine Absetzung ohne triftigen Grund und verweist auf eine gottgewollte Ordnung, die sich in der Einsetzung der Priester durch die Apostel ausdrückt. Diese Ordnung darf man nach seiner Sicht nicht leichtfertig brechen, weil die Amtsinhaber einem persönlich nicht sympathisch sind. Man kann aus seinen Schriften folgern, dass die Kirche, die Gemeinde, genauso Vollmacht besitzt, ihre Angelegenheiten zu regeln. Diese bedeutet, auf die Schrift hin angewandt, dass in Mt 28,19f. die Zwölf sowohl für sich als auch für die Gesamtkirche stehen. Dadurch werden beide Interpretationsmöglichkeiten integriert und ein Nebeneinander einer „Klerikerkirche" und dem „Rest" vermieden. Diese exklusive Interpretation der Matthäusstelle auf die Bischöfe als Nachfolger der Apostel entstammt einer späteren Zeit, in der die Amtsträger die Notwendigkeit verspürten, sich selbst von den Laien unabhängig zu machen, um die negativen Auswirkungen des Staatschristentums, die in der Existenz von „Titularchristen" bestand, entgegenzuwirken und um so die Freiheit der Kirche, ihrer Lehre und ihres Glaubens zu sichern. Erst in neuerer Zeit, seit dem 19. Jahrhundert, beginnt im Rahmen eines kirchlichen Klassizismus der Gedanke eines Zueinanders in der Kirche, einer Communio-Ekklesiologie, aufzubrechen, vor allem in den Werken Möhlers, nicht ohne jedoch auf erbitterte Gegner zu stoßen, wie man bei Johann Ev. Kuhn gesehen hat, dem der Gedanke eines Mitwirkens des Gottesvolkes an der Lehr- und Glaubensentwicklung in höchstem Grad zuwider gewesen ist. Das Volk Gottes konnte nur aufgrund seiner mangelnden theologischen Bildung zur Verfälschung des Glaubens beitragen. Dennoch hat das Zweite Vatikanische Konzil den Gedanken einer Communio-Ekklesiologie aufgegriffen und versucht, das Zu- und Miteinander in der Kirche zu betonen, ohne jedoch die erzielte Freiheit des Klerus gegenüber den Laien, die sich im Laufe der Kirchengeschichte als nützlich erwiesen hatte, aufgegeben zu haben. Daraus, so könnte man behaupten, ergibt sich eine gewisse Schieflage, die sich darin ausdrückt, dass das Lehramt einerseits die Zügel in der Hand behalten will – was letztlich als Vorsichtsmaßnahme auch einen Akt des Misstrauens darstellt – , andererseits aber die

[371] Ebd., Kap. 44,1-3, S. 171f.

Liebe Christi zu seinen Jüngern verwirklicht sehen will, welche keine Vorsichtsmaßnahmen zulässt.

Wichtig bleibt, festzustellen, dass das Lehramt aus der Schrift die Vollmacht ableitet, zu verkündigen und die Sakramente zu feiern. Diese Vollmacht wird sakramental verliehen, bzw. mittels eines Ritus weitergegeben. Letztlich kann die Schrift diese Praxis nicht begründen. Sie enthält aber gleichzeitig Ansatzpunkte für sie. Nur der Glaube an diese Vollmacht, an die Tatsache, dass in der Weihe etwas geschieht, vermag für den Gläubigen in der Kirche den Mangel an Notwendigkeit dieser Praxis beheben. Oder einfacher gesagt: Das Amt in der Kirche hat seine Vollmacht, weil die Kirche ihm diese Vollmachten zugesteht und schon immer zugestanden hat. Dies bedeutet keine Herleitung des Amtes aus der Sozialität der Kirche, sondern nur, dass Autorität und Vollmacht verbunden sind. Ohne Autorität, die der Einzelne in der Kirche dem Amtsträger einräumt, erledigt sich auch dessen Vollmacht. Man könnte einwenden, sie erledige sich nur subjektiv, nicht aber objektiv, weil sie ja objektiv von Jesus her komme. Doch diese objektive, von Jesus erteilte Vollmacht hängt letztlich von einer nicht zwingenden Schriftinterpretation ab. Und die Tatsache, dass Generationen diese Interpretation für sich übernommen haben, macht sie in einem korrespondenztheoretischen Wahrheitsverständnis nicht wahrer. Somit bleibt ohne eine eingeräumte Autorität, ohne den Glauben und das Vertrauen des einen Menschen an den anderen Menschen, auch keine Vollmacht übrig. Das einzige Mittel, welches bliebe, wäre die Ausübung von Herrschaft und Gewalt, um die eigene Autorität durchzusetzen. Dem jedoch steht das Wort Jesu entgegen: „Die Könige herrschen über ihre Völker, und die Mächtigen lassen sich Wohltäter nennen. Bei euch aber soll es nicht so sein, sondern der Größte unter euch soll werden wie der Kleinste, und der Führende soll werden wie der Dienende“ (Lk 22,25f. parr.).

Daher kommt es dem Lehramt der Kirche zu, die Schrift auszulegen und Dogmen zu lehren. Was hier vor allem in Hinblick auf das Amt der Bischöfe gesagt wurde, gilt in analoger Weise auch für das Papstamt. Für dieses Amt gilt die oben angeführte Relation, wie folgt: Papstamt zu Bischofskollegium verhält sich wie Petrus zu den 12 Aposteln.

Dem Amt in der Kirche, und nach einer bestimmten Entwicklung vor allem dem Bischofsamt, kommt die Aufgabe zu, die Schrift verbindlich auszulegen, sie autoritativ auszulegen. Das Konzil stellt hierbei die beste Möglichkeit dar, eine Interpretation zu finden, die den Glauben aller bzw. der meisten der Konzilsteilnehmer einzubinden in der Lage ist. Diese Interpretation wird feierlich beschlossen und verkündet. Die Autorität dieser Interpretation ist dabei eine von der Autorität der Beschließenden abgeleitete. Diese Autorität beruht auf dem Vertrauen der Kirche, dass ihre Bischöfe nach bestem Wissen und Gewissen ihren Glauben erforscht und das Ergebnis dieses Forschens dann beschlossen haben. Dies macht das verabschiedete Dogma automatisch zu einer Kompromisserklärung mit Tendenzen, verbleibende Probleme mittels allgemeiner Aussagen sprachlich zu glätten. Als gutes Beispiel hierfür ließe sich das et-et des Konzils von Trient anführen.[372] Es macht zwar die Aussage, dass „hanc veritatem et disciplinam contineri in libris scriptis et sine scripto traditionibus, quae ab ipsius Christi ore ab Apostolis acceptae, aut ab ipsis Apostolis Spiritu Sancto dictante quasi per manus traditae ad nos usque pervenerunt."[373] Diese Aussage beinhaltet jedoch keinen konkreten Hinweis, wie sich Schrift und Tradition und die in ihnen enthaltene Offenbarung genau verhalten.

Diese Konzilsbeschlüsse, den Glauben betreffend, stellen demnach weniger die Erklärung einer objektiven Wirklichkeit dar, sondern vielmehr Interpretationen der in Jesus Christus geschehenen und in der Schrift niedergelegten Offenbarung, mit dem Anspruch, als Einheitspunkt für alle Gläubigen, für die katholische Kirche, zu dienen. Der Schrift wird damit eine einheitliche Hermeneutik vorgeschaltet, eine verbindliche Interpretation gegeben, der alle Kirchenglieder zustimmen müssen, ohne dass diese Interpretation andere (allegorische, typologische oder anagogische) Interpretationen ausschließen würde. Sie schließt jedoch Interpretationen der Schrift aus, die kontradiktorisch der beschlossenen Hermeneutik entgegen stehen. In diesem Fall kann die Folge nur ein Bruch in der Einheit der Kirche bestehen, so dass sich bestimmte Gruppierungen in der Kirche dieser Hermeneutik nicht anschließen wollen und die Kirche verlassen. Auch an den Abspaltungen nach Konzilien zeigt sich somit, dass die Beschlüsse der Konzilien davon abhängen, welche Autorität man diesen Beschlüssen einräumt. Würde jedoch das Volk Gottes einem Beschluss seiner Hirten keine Autorität einräumen, so hätte sich dieser Beschluss aufgrund von Nicht-Rezeption erledigt. Es bliebe zwar der Akt, den die Bischöfe gesetzt haben, jedoch ohne Folgen. Hier zeigt sich, dass auch die Gesamtkirche die Vollmacht hat, die Schrift auszulegen, zu verkündigen und die Sakramente zu feiern. Dies kann jedoch zu keinem Machtkampf führen, weil das Amt auch Teil der Kirche ist und bleibt, selbst wenn es durch die Nicht-Rezeption eines Konzilsbeschlusses – welche bislang noch nicht vorgekommen ist – sich selbst in eine Minderheitenposition innerhalb der Kirche manövrieren würde.

Ein letzter Aspekt bezüglich Lehramt und Schrift muss noch behandelt werden: die Behandlung des Themas von der Seinsordnung aus oder man könnte auch sagen, die sakramentale Betrachtung des Themas.

Wie schon mehrfach gesagt wurde, kann die Schrift nur im Heiligen Geist richtig ausgelegt werden. Soll also die Schrift richtig und verbindlich ausgelegt werden, bedarf es einer sichtbaren Instanz, die quasi den Heiligen

[372] Vgl. Konzil von Trient, 4. Sitzung vom 8.4.1546, Dekret über die Annahme der heiligen Bücher und der Überlieferung: DH 1501.

[373] Ebd.

Geist als Person sichtbar repräsentiert. An diesem Punkt kommt dann die katholische Auffassung vom sichtbaren Wirken des Heiligen Geistes in der Geschichte, konkret sichtbar, im hier und jetzt, zur Geltung. Dieser Glaube äußert sich in der Überzeugung, dass in den Sakramenten real etwas geschieht.[374] Dies gilt ebenso für das Weihesakrament. Es basiert auf dem Glauben, dass der Heilige Geist Menschen auserwählt, um in der Kirche die Liebe Christi wach zu halten. Die Weihehandlung stellt daher weniger einen Erwählungs-, als vielmehr einen Besiegelungsakt dar, bei dem die Geweihten erklären, diesen Dienst im Heiligen Geist zum Wohl der Kirche ausüben zu wollen. Sie bekommen dafür den Heiligen Geist für ihren Dienst zugesichert. Oder man könnte auch sagen: Die Kirche sieht nach der Weihehandlung die Akte des Geweihten innerhalb der kirchlichen Sendung so an, als ob diese Akten ein Sicherheitszertifikat des Heiligen Geistes besitzen würden, die ihnen Authentizität verleihen. Der Heilige Geist ist mit dem Geweihten verbunden und wirkt durch ihn. Gleichzeitig wird durch das beständige Wirken des Geistes in der Kirche, durch ständige Weihehandlungen, sichtbar die diachrone Einheit der Kirche dargestellt. Die Weihehandlung und die damit verbundene apostolische Sukzession sind sichtbares Abbild der Apostolizität der Kirche, welche der Geist Gottes allein garantieren kann. Zugleich dient die apostolische Sukzession den Amtsträgern dazu, sich selbst mit den Vollmachten, die den Aposteln zukam, in Verbindung zu setzen, um diese je nach Weihegrad zu erben.

> „Die Bischöfe empfangen als Nachfolger der Apostel vom Herrn, dem alle Gewalt im Himmel und auf Erden gegeben ist, die Sendung, alle Völker zu lehren und das Evangelium jedwedem Geschöpf zu verkündigen."[375] „Die Bischöfe leiten die ihnen zugewiesenen Teilkirchen als Stellvertreter und Gesandte Christi [...] in Autorität und heiliger Vollmacht."[376]

---

[374] Ob dieses „reale" Geschehen subjektiv oder objektiv real ist, wurde schon behandelt. Für das Subjekt, das an das Wirken glaubt, ist es objektiv, für einen Nicht-Glaubenden subjektiv. Am besten lässt sich dies in der Eucharistielehre verdeutlichen. Der Glaubende empfängt den Leib Christi. Der Nicht-Glaubende empfängt bei der Kommunion nichts außer einer Oblate. Die Kirche hält jedoch daran fest, die Wirklichkeit aus dem Licht des Glaubens heraus zu betrachten. Daher empfängt der Nicht-Glaubende, „objektiv" den Leib Christi, subjektiv aber eine Hostie. Würde man im Zuge neuzeitlicher Erkenntnistheorie es aufgeben, die vom Glauben konstruierte Wirklichkeit mit der Wirklichkeit an sich zu identifizieren, so stünde eine Annäherung an eine evangelisch-lutherische Sakramentsauffassung, wie sie Pannenberg vertritt, bei der der Glaube der Gemeinde letztlich das Sakrament konstituiert, nichts mehr im Wege.

[375] LG 24, „Episcopi, utpote Apostolorum successores, a Domino, cui omnis potestas in coelo et in terra data est, missionem accipiunt docendi omnes gentes et praedicandi Evangelium omni creaturae".

[376] LG 27, „Episcopi Ecclesias particulares sibi commissas ut vicarii et legati Christi regunt [...] auctoritate et sacra potestas".

Die Vollmacht der Bischöfe und des Bischofs von Rom die Schrift auszulegen, ihr einen neuen Literalsinn zu geben, beruht dementsprechend auf dem Glauben der Kirche, dass der Heilige Geist objektiv in der Weihehandlung wirkt und nicht nur die Kirche nach Vollzug der Weihe die Geweihten als geweiht betrachtet. Anders ausgedrückt: Es basiert auf der Identifizierung von „objektiver" Glaubenswirklichkeit mit der Wirklichkeit an sich. Nur dadurch kann das Amt seine Unabhängigkeit gegenüber dem Volk Gottes wahren, und seine „potestates" unanhängig von diesem beanspruchen. Denn sobald die Amtsträger nur deshalb geweiht wären, weil die Kirche glaubt, dass es so ist, müssten sich die „potestates" der Bischöfe von der dem Volk Gottes zugesicherten Irrtumslosigkeit im Glauben ableiten.

# 5. Die Entwicklung

Obwohl in den vorangegangenen Kapiteln bereits die Entwicklung vom Glauben der Apostel zum Neuen Testament hin angesprochen und damit der erste Entwicklungsschritt geschildert wurde, so handelt es sich bei dieser Phase um eine ganz eigene Entwicklung, da diese Phase keine normierte, sondern eine normierende Phase der Entwicklung darstellt. Mag Paulus das Christentum mittels seiner Theologie weiterentwickelt haben, so ist diese Entwicklung als gültig, wahr und dem Glauben der Kirche entsprechend zur Grundlage jeder weiteren Entwicklung geworden, nicht zuletzt durch die Kanonisierung seiner Schriften, durch die die Kirche ihn, seine Theologie und sein Werk als Fundament festgesetzt hat, auf das es aufzubauen gilt. In diesem Kapitel soll es nun um die normierte Entwicklung gehen, deren Ausgangspunkt und deren bleibender Bezugspunkt die Schrift darstellt. Man könnte auch sagen, es geht um die Tradition, das Leben der Kirche und die „Gesetze“, nach denen sich der Glaube entwickelt. Bei der Entwicklung handelt es sich um einen Komplex verschiedenster Vorgänge, die manchmal alleine wirken, manchmal ineinander und manchmal parallel zueinander. Zu erklären, warum heute alles so ist, wie es ist, und wie es dazu kam, dass es so ist, dies ist das Problem dieses Kapitels und einer Dogmenentwicklungstheorie überhaupt. Die Versuchung, vor der Komplexität zu kapitulieren, war schon immer groß. Die einfachste Art der Flucht stellen die deduktiven Theorien zu dem Problem dar, die sich mit der Explikation von impliziten Glaubensinhalten mittels den Gesetzen der Logik widmen, und letztlich nur zwei Zustände beschreiben, dass in einem Augenblick etwas nicht da war, was später vorhanden ist und mit dem früheren in logischer Verbindung steht. Erklärt werden muss nur noch, wie es trotz aller Logik möglich ist, dass es Irrlehren geben kann. An diesem Punkt kommt der Heilige Geist und die Art seiner Assistenz ins Spiel.

Der Geist Gottes ist aber nicht nur in deduktiven Theorien sehr wichtig, sondern in allen Dogmenentwicklungstheorien generell. Denn er bietet aufgrund seines durch die Offenbarung garantierten Wirkens (vgl. Joh 20,22; Röm 5,5 u. v. a. m.) die Möglichkeit, die Komplexität des Vorgangs wirkungsvoll zu reduzieren. Dogmenentwicklung wird damit ein gnadenhafter, sakramentaler Vorgang. Die Probleme dieses Geschehens werden dann in der Gnadenlehre diskutiert und betreffen vor allem das Problem von göttlicher Wirkung im Menschen, menschlicher Freiheit und der vom Glauben vorgegebenen Notwendigkeit der Richtigkeit der Entwicklung, die Gott selbst gegen, trotz oder gerade durch die menschliche Freiheit umsetzen muss, soll seine Offenbarung nicht umsonst gewesen sein. Da die Theologie seit Aurelius Augustinus mit diesem Problemkreis vollends beschäftigt und ausgelastet ist, wird dann meistens die Entwicklung nicht mehr diskutiert, außer dass sie im Heiligen Geist stattfindet, was Offenbarungstatsache (vgl. Joh 16,7) ist. Der Glaube überspringt sozusagen die Geschichte und damit das Problem, auf eine geschichtliche Entwicklung eingehen zu müssen. Dies stellt nicht apriori etwas Schlechtes dar, denn eine Dogmen- und Lehrentwicklung ohne göttliche Führung anzunehmen, hieße – wie Rahner dies gesagt hat, die Offenbarung unter die Verfügungsgewalt des Menschen zu stellen. Der Mensch jedoch ist durch die Erbsünde korrumpiert und besitzt nicht nur den Hang, Gott nach seinem Bilde zu schaffen, sondern tut dies auch tatsächlich (vgl. Lev 26,1; Dtn 29,16; 1 Kön 11,7 u. a.).

Um eine Dogmenentwicklungstheorie aufzustellen, muss man sich darum eine plausible Gnadenlehre überlegen, und anhand dieser Entwicklungsgesetzte konzipieren, die möglichst gut zur Geschichte passen sollen. Die zwei gängigen Optionen wurden bereits im Abschnitt über Karl Rahner (vgl. 2.7.) vorgestellt. Zum einen besteht die Möglichkeit, die im Glauben angenommene Assistenz des Heiligen Geistes als assistentia per se negativa aufzufassen. Dies hat den Vorteil, den Heiligen Geist aus der Betrachtung der Entwicklung weitgehend herausnehmen zu können. Die Frage nach der Häresie ist damit leichter zu beantworten als bei der anderen Option. Gleichzeitig stellt eine solche Assistenz eine Siegertheologie dar. Richtig ist das, was sich durchgesetzt hat. Die Geschichte ist sozusagen ein Kontinuum, in dem, bedingt durch menschliche Motivationen, zwei unterschiedliche Glaubenslehren/ Glaubensauffassungen auftreten, welche dann mittels eines Gottesurteils auf einem Konzil entschieden werden. Dies schließt menschliche Zweitursächlichkeit nicht aus, bestimmt aber das Verhältnis von Heiligem Geist und im Heiligen Geist versammelten Bischöfen nicht näher. Man darf sich diese negative Assistenz allerdings nicht so vorstellen, als ob der Heilige Geist die Bischöfe erst einmal handeln lässt und dann, sollte etwas schief laufen, dies im Notfall korrigiert. So eine Vorstellung würde der Freiheit der Bischöfe und damit der Freiheit des Menschen nicht gerecht und wäre auf die Theodizeeproblematik hin angewandt geradezu ein Hohn für die Opfer von Leid. Daher bezeichnet dieser Terminus nur den Glauben an eine – wie auch immer geartete – göttliche Führung der Kirche und der Menschheitsgeschichte insgesamt.

Die zweite Option, welche man vielleicht mit „assistentia positiva" bezeichnen könnte, besagt, dass die Gnade Voraussetzung menschlichen Selbstvollzugs ist. Dieses Gnadenmodell hat seine Schwäche in der Abgrenzung und Unterscheidung von Natur und Gnade, bzw. in der fehlenden Abgrenzung. Denn wenn die Gnade den Menschen zur Freiheit befreit, wenn sie seinen Verstand und Willen beeinflusst, ohne dass der Mensch es merkt, weil sie Bedingung seines Erkennens und Willens ist, so lässt sich das Auftreten von Häresie nicht mehr so leicht mit der Natur, bzw. aus ihr heraus, erklären. Sie könnte genauso wenig plausibel die Kirchenaustritte in Europa erklären, wenn das Christentum dem innersten Sehnen jedes Menschen entsprechen würde. Andererseits sagt Rahner, dass der Heilige Geist die Erkenntnis und den Willen der Hagiographen sehr wohl geformt hat und sie eventuell sogar dazu gebracht hat, Dinge aufzuschreiben, deren Sinn der Geist erst später der Kirche offenbaren wollte.

Diese Sicht bietet aber auch Vorteile. Sie bietet für eine Lehrentwicklungstheorie die Möglichkeit, aufgrund der Untrennbarkeit von Natur und Gnade das Problem zunächst unter dem Stichwort Natur zu betrachten, wobei die Gnade bei dieser Betrachtung – laut These – mitbetrachtet wird. So ist die häretische Lehre, genauso wie die orthodoxe Lehre zunächst einmal ein Produkt der menschlichen Natur, des menschlichen Geistes. Ob man dann die orthodoxe Lehre, die auf dem Konzil beschlossen wurde, gnadentheologisch reflektiert, wie Lukas dies bezüglich des Apostelkonzils tut, wenn er schreibt: „Denn der Heilige Geist und wir haben beschlossen..."(Apg 15,28), dies ist eine zweite Frage.

Daher sollen zunächst einmal die menschlichen Motivationen im Mittelpunkt stehen, die die Lehrentwicklung in der Kirche, die das Leben der Kirche vorantreiben. In diesem Satz zeigt sich, dass Leben und Lehre der Kirche als untrennbare Einheit verstanden werden müssen. Denn das Leben der Kirche wirkt sich auf deren Lehre aus,[377] sowie auch die Lehre das kirchliche Leben beeinflusst.[378] Die Abgrenzung, was zuerst das andere beeinflusst hat, ist sogar äußerst schwierig. Die Lehre der Kirche reflektiert und schafft kirchliches Leben in unaufhörlichem Wechsel. Maßstab für diese Reflexion ist vor allem die Schrift. Denn die Tradition ist ja das kategorialisierte Leben der Kirche, das auf die Kirche im Jetzt gekommen ist, und das ständig auf seine Angemessenheit bezüglich des Ursprungs und der gegenwärtigen Situation befragt werden muss. Hierbei müssen eventuell schuldbehaftete Entscheidungen der Vergangenheit korrigiert werden.

Betrachtet man also das Leben der Kirche durch die Zeit hindurch, so lassen sich zwei grobe Richtungen der Lehrentwicklung ausmachen. Sie expandiert und intensiviert sich. Während die Expansion ein zeitlich linearer Vorgang ist, bei dem von den wichtigen zu den weniger wichtigen Bereichen der Lehre kontinuierlich vorangeschritten wird, so ist die Intensivierung ein unperiodisches Ereignis als Reaktion auf eine Krise. Meistens ist mit der Intensivierung eine Expansion der Lehre gegeben, da die Intensivierung einen Kurswechsel bedeutet, der sowohl an sich erklärt werden, als auch zum vorherigen Kurs in Beziehung gesetzt werden muss. Als bestes Beispiel lassen sich die Konzilien als Intensivierungsereignisse anführen.

---

[377] Ein Beispiel stellt die Marienfrömmigkeit dar, welche zur Verkündigung der zwei excathedra-Dogmen geführt hat.

[378] Als Beispiel ließe sich der erste und zweite Abendmahlsstreit nennen, welcher als Reaktion zur Lehre von der Transsubstantiation auf dem vierten Laterankonzil führt. Diese neue Form der Abendmahlstheologie führt in der kirchlichen Frömmigkeit zu einer neuen Form der Andacht, der eucharistischen Anbetung.

Konzilien finden als Reaktion auf eine kirchliche Krise statt und führen aufgrund ihrer Beschlüsse meistens auch zu einer Expansion der Lehraussagen, wobei die späteren Aussagen sich auf die früheren beziehen oder darauf aufbauen. Wie bereits gesagt, kann diese Intensivierung im Anschluss an das Konzil zu einer Veränderung des kirchlichen Lebens führen – man denke an das Konzil von Trient und das Zweite Vatikanische Konzil – oder aber das Konzil „ratifiziert" eine bereits bestehende kirchliche Veränderung nachträglich.[379]

Beide Entwicklungsrichtungen, die Expansion wie die Intensivierung, besitzen eine Fundierung im durch die Offenbarung bezeugten Wirken des Heiligen Geistes. Die Expansion besitzt ihren Bezugspunkt in Joh 16,12 f.:

> „Noch vieles habe ich euch zu sagen, aber ihr könnt es jetzt nicht tragen. Wenn aber jener kommt, der Geist der Wahrheit, wird er euch in die ganze Wahrheit führen. Denn er wird nicht aus sich selbst heraus reden, sondern er wird sagen, was er hört, und euch verkünden, was kommen wird."

Das Zitat bezeugt das Vertrauen, dass die Jünger Jesu mit dem Heiligen Geist als Beistand immer besser die Offenbarung und die Liebe Jesu verstehen, so dass im Laufe der Zeit, durch die Anstrengungen vieler, das Wissen und die Erkenntnis bezüglich dieser Offenbarung wächst. Ebenso besitzt die zweite Entwicklungsrichtung, die Intensivierung ihren Bezug zum Wirken des Heiligen Geistes, dessen ökonomische Aufgabe es ist, die Menschen zu Christus zu führen. Die Schrift nennt ihn deshalb auch den Geist Christi (vgl. Röm 8,9; 1 Kor 2,16; Joh 15,26). Der Geist der Wahrheit führt in die ganze Wahrheit, welche der ist, der sagt: „Ich bin der Weg, die Wahrheit und das Leben" (Joh 14,6). In der Intensivierung kann man das eigentliche Wirken Gottes in der Geschichte sehen. Denn die Entwicklung des Lebens und der Lehre der Kirche stellt sich in einem Diagramm, bei dem man die Zeit auf der x-Achse und die Verbundenheit mit Christus auf der y-Achse aufzeichnet, wie eine unregelmäßige Sinuskurve dar. Unregelmäßig deswegen, weil die Phasen einmal länger, einmal kürzer sind. Außerdem ist der aufsteigende Teil der Phase schneller und steiler als der absteigende Teil.

[379] Das beste Beispiel in neuerer Zeit stellt das Erste Vatikanische Konzil dar, welches in seiner Konstitution „Pastor aeternus" die sich faktisch seit der Säkularisation eingestellte kirchliche Stellung des Papstes festlegt. Die Krisen der französischen Revolution und der Säkularisation, der Liberalismus und das katholische Staatskirchentum zu Beginn des 19. Jahrhunderts, sowie die nationalen Einigungsbewegungen in Deutschland und Italien führten zu einer veränderten Struktur des Klerus, einer materiell und geistig vollkommen neuen Situation der Kirche innerhalb weniger Jahrzehnte. Die Reaktion bestand in der Zentralisierung der Kirche um den Papst, die sie einerseits aus der Vereinnahmung durch den Staat lösen sollte, ihr andererseits aufgrund innerer Geschlossenheit die Kraft geben sollte, den geistigen Herausforderungen wie Nationalstaatentum und Liberalismus zu begegnen. Das Erste Vatikanum ratifiziert daher eine faktisch bereits stattgefundene Intensivierung des kirchlichen Lebens um den apostolischen Stuhl.

Oder in ein Bild gefasst: Wenn der Stein ins Rollen kommt, dann rollt er steil bergauf zu Christus hin und fällt dann langsam wieder in die andere Richtung. Da diese Phase der Intensivierung zu Christus hinführt, wurde sie als das eigentlich sichtbare Wirken des Heiligen Geistes bezeichnet, während die Expansion zwar auch sichtbar ist, aber weniger spektakulär und auffällig. Natürlich handelt es sich bei diesem Bild der Intensivierung um Idealisierungen und Abstraktionen.

Ein Beispiel für eine Intensivierung kirchlichen Lebens im Mittelalter stellte die Armutsbewegung dar. Die feudal strukturierte Gesellschaft am Ende des 12. Jahrhunderts in Kombination mit der gregorianischen Reform hatten die weltliche Macht der Kirche gestärkt. Die Bischöfe und Äbte waren Territoralherren auf ihren Gebieten und standen in ihrer Lebensführung größeren weltlichen Höfen in nichts nach. Sie hatten eine Menge Gesinde, von dessen Arbeit sie sich ernährten. Dies führte dazu, dass sie nicht einerseits Herr über diese Menschen sein konnten und zugleich ihnen als „Brüder" im Herrn das Evangelium glaubhaft verkündigen konnten. Schon in Korinth zur Zeit Pauli war der soziale Unterschied ein Problem gewesen (1 Kor 11,19-22). Als Reaktion auf diese Krise entwickelte sich die Armutsbewegung des Mittelalters, welche aus Prinzip (Franz von Assisi) oder aus pastoraler Not (Dominikus) auf den Reichtum verzichtete, um das Evangelium wieder glaubhaft verkündigen zu können. Dies lässt sich als Intensivierung des kirchlichen Lebens auf Christus hin interpretieren. Gleichzeitig zeigt sich, dass es sich um eine Abstraktion handelt. Denn die Kirche zu diesem Zeitpunkt bestand ja nicht nur aus Franziskanern und Dominikanern. Die Kirche stieg nicht insgesamt aus dem Feudalsystem aus. Man könnte die Armutsbewegung als partikulare Intensivierung des kirchlichen Lebens sehen. Partikular, weil im Grunde genommen nur Konzilien in der Lage sind, global das Leben der Kirche auf Christus hin neu zu intensivieren.[380] Und auch diese globale Intensivierung bleibt eine Idealisierung, denn nicht jeder Christ wird, weil ein Konzil stattgefunden hat, seine Lebens- und Glaubenspraxis ändern und intensivieren. Die Kirche erweist sich nicht als monolithischer Block aufgrund ihrer Führung durch den Heiligen Geist, sondern als plurale Gemeinschaft verschiedenartigster Menschen, die zur Einheit mit Christus berufen sind. Dass diese Menschen an dieser Berufung, am Evangelium, in je unterschiedlichen Graden scheitern können,

---

[380] Dies bedeutet nicht, dass der Papst von seiner Stellung in der Kirche her, nicht ebenfalls in der Lage wäre, eine solche globale Intensivierung herbeizuführen. Aber de facto setzt kein anderes kirchliches Ereignis so viel Kräfte frei wie ein Konzil, das sich entschließt, dies oder jenes zu verwirklichen, um den Glauben an Jesus Christus zu stärken, bzw. das seinen Glauben zu Christus in der Beschließung von Dogmen bekennt. Es geht dabei mehr um Psychologie als Theologie. Eine Gemeinschaft von Bischöfen, die im Glauben aufbricht und ihren Glauben an Christus bekennt, vermag es allein aufgrund ihrer Zahl, die Gläubigen besser zu überzeugen als eine einzige Person – nicht zuletzt weil ein Konzil für die Bischöfe selbst Motivationsanstoß ist, das Beschlossene auch umzusetzen.

macht die Intensivierung zu einem abstrakten Prinzip, welches man zwar global auf Kirche anwenden kann, das aber aufgrund menschlicher Freiheit abstrakt bleiben muss (wie das Wirken des Geistes selbst).

## 5.1. Ursachen der Expansionsentwicklung

Fragt man nach den Ursachen für die Expansion der Lehre der Kirche, so steht an erster Stelle die menschliche Neugier. Man kann diese als Nebenprodukt der Liebe begreifen. Wenn man einen Menschen liebt, so möchte man auch alles über ihn wissen, um ihn für das, was er ist, noch mehr zu lieben. Das gleiche gilt für die Kirche und Jesus Christus. Die Gläubigen brennen geradezu, möglichst viel von Jesus zu wissen. Als Beispiel lassen sich die Kindheitsgeschichten im Matthäus- und Lukasevangelium nennen. Weil Jesus erst spät in den Blick der Öffentlichkeit trat und weil wenig über seine Kindheit und Jugend bekannt ist, zugleich aber das Bedürfnis vorhanden ist, mehr wissen zu wollen, deswegen komponierten die beiden Evangelisten Geschichten über Jesu Geburt, welche ihrem Inhalt nach genau den eigenen christologischen Vorstellungen entsprachen. Kurze Zeit nach der Abfassung dieser Evangelien wurden diese Informationen bereits als zu spärlich empfunden und ein unbekannter Autor, welcher sich Jakobus nannte,[381] machte sich daran, beide Versionen der Kindheitsgeschichte aneinander anzugleichen und vor allem weitere Informationen über Maria, die Mutter Gottes beizufügen.[382] Dieser Jakobus war aber nicht der Einzige, welcher sich der Aufgabe widmete, „Informationen" zur Kindheit Jesu zu liefern. Auch andere Autoren versuchten, die Evangelien entsprechend zu ergänzen. Der Wunsch nach Klarheit war dabei nicht immer ihr Motiv. Vor allem gnostisches Gedankengut sollte so im Gedächtnis der Gläubigen, anschaulich in einer Geschichte verpackt, platziert werden. Somit zeigt sich bereits das Problem, das sich aus dem menschlichen Bedürfnis nach Neuem und dem Wunsch nach Klarheit über den eigenen Glauben, Klarheit darüber, wen man da liebt, ergibt: das Problem der Häresie. Genauer gesagt, ergibt sich das Problem der Bedeutungsklärung. Aus dem eigenen Glauben an Jesus als Heiland und Messias, aus seiner Erhöhung zur Rechten des Vaters ergibt sich der Versuch, Jesu Verhältnis zum Vater genauer zu beleuchten. Nachdem die Bedeutung Jesu für das eigene Leben geklärt ist, folgt die Technikfrage oder aber der Wunsch nach Neuem, was dem eigenen Glauben Nahrung gibt. Die Gnosis hat versucht, genau diese beiden Bedürfnisse für sich auszunutzen. Irenäus von Lyon hingegen versuchte, dies im 2. Jh. zu verhindern, indem er das Autoritätsprinzip für die Kirche forderte, das das Wahre vom Falschen trennen helfen sollte.

---

[381] Vgl. Wilhelm Schneemelcher, Neutestamentliche Apokryphen Bd.1: Evangelien, Tübingen $^{6}$1999, S. 334-348.

[382] Inwieweit apologetische Gründe sein Werk motivierten – z. B. die Abwehr der Thesen Kelsos, sei einmal dahingestellt.

Das Suchen nach einer Antwort, wer Jesus an sich sei, führte zu verschiedensten Ideen, welche miteinander konkurrierten. Keiner dieser Ideen kann man apriori den Vorwurf machen, das Jesusbild bewusst verfälscht haben zu wollen. Dennoch verfehlten nach heutiger Einsicht sich Monarchianismus, Modalismus, Doketismus und Gnostizismus an der Offenbarung Christi. So scheinen sie auf den ersten Blick plausibel, auf den zweiten jedoch werden die Reibungsflächen zur Schrift aber deutlich. Anders gesagt: Der Nicht-Identität einiger dieser Ideen mit dem Glauben der Kirche, niedergelegt in der Schrift und bewahrt durch den Heiligen Geist in den „Herzen der Gläubigen“, führte zu einem Konkurrenzkampf unter diesen Ideen, an deren Ende sich die beste durchsetzt. Als beste Idee muss man sich jene vorstellen, welche am besten mit dem Schriftzeugnis in Einklang zu bringen ist. Diese bekommt dann von Seiten der Kirche und ihres Amtes den Rang „apostolisch“ verliehen. Nicht, weil es apostolisch im Sinne von historisch wäre, sondern apostolisch im Sinne von der apostolischen Kirche als Ganze anerkannt.

An diesem Punkt muss man sich jedoch ins Gedächtnis rufen, dass Ideen immer menschliche Träger besitzen. Es ist die Neugier menschlicher Subjekte, die der Motor für die Entwicklung der Idee ist. Ein Theologe oder allgemeiner eine Christin oder ein Christ bringen diese Ideen hervor. Sie sind die Träger dieser Ideen und als solche auch die Personen, die in den Wettstreit mit anderen Ideen, verkörpert durch andere Christinnen und Christen, eintreten. Daraus entsteht die bereits oft angesprochene Frage, ob sich die beste Theorie, die beste Idee, die beste Interpretation tatsächlich durchsetzt, wenn menschliche Faktoren mitbedacht werden. Zu diesen menschlichen Faktoren gehört vor allem die Macht, welcher der Volksmund bereits Korrumpierbarkeit nachsagt. Setzt sich in einer menschlichen Gesellschaft, in der es Machtbeziehungen gibt, immer die beste Idee durch? Oder ist es nicht vielmehr so, dass sich der Mächtigere auch mit einer eventuell schlechteren Idee durchsetzt?

Man könnte an diesem Punkt geneigt sein, diese Frage mit dem Hinweis abzutun, in der Kirche Jesu Christi gebe es keine Formen der Herrschaft und keine Formen der Macht. Es gebe nur Dienst am Nächsten und die Nächstenliebe. Wer jedoch so redet, leugnet letztlich die erbsündliche Verfasstheit der Welt oder nimmt die Kirche hiervon aus. Da die Kirche das Beichtsakrament noch nicht abgeschafft hat, lässt sich jedoch aus ihrer Praxis schließen, dass es trotz der Lehre des Evangeliums in der Kirche potentiell Machtstrukturen gibt.

Als geschichtlicher Beleg für dieses These lässt sich Arius anführen. Arius von Alexandrien war Priester im Stadtteil Baukalis jener Stadt und hatte für seine Gotteslehre seinen Bischof Alexander gegen sich. Daher verfasste er Kurzgedichte („Thaleia“), die die zentralen Inhalte seiner Lehre enthielten. Zudem textete er Hymnen in seinem Sinn um. Ziel war es, durch

Bewusstseinsbildung Anhänger und damit eine Machtposition zu gewinnen, aus seiner Sicht natürlich nur im Dienste der Wahrheit. Das selbe Prinzip, welches die Existenz einer Machtstruktur in der Kirche bestätigt, lässt sich auch an Martin Luther demonstrieren. Ohne Anhänger und unterstützende Hilfe von Fürsten und Reichsständen hätte die Reichsacht, die Folge der Exkommunikation ist, seinen sicheren Tod bedeutet.

Nun sind dies zwei Beispiele, bei denen die bessere Idee auch zufällig beim Mächtigeren lag. Dies kann man aber nicht zu der Regel generalisieren, dass der Mächtigere in der Kirche aufgrund der Geistführung auch derjenige mit dem besseren Verständnis der Schrift und mit der besseren Idee sei. Man denke zum Beispiel an Athanasius, dessen Kampf für das Homoousios jederzeit an dem Kollegium arianischer Bischöfe in Verbindung mit dem Kaiser zu scheitern drohte. Obwohl er der politisch Schwächere war, setzte sich die Idee, die er verfocht, durch, weil die soteriologischen Argumente des Athanasius besser waren als die der Arianer. Seine Theologie interpretierte das Zentrum des christlichen Glaubens besser als seine Gegner dies konnten. Hätte Kaiser Theodosius den Arianismus gesetzlich vorgeschrieben, so wäre dieses Gesetz mit der Zeit obsolet geworden, da die Argumente gegen die Ungleichheit von Vater und Sohn sprachen. Dieser Einsicht hätten sich auch die Träger arianischer Ideen langfristig nicht entziehen können. Zugegebenermaßen handelt es sich hierbei um Spekulation, um ein Was-wäre-gewesen-wenn. Deshalb soll diese These noch einmal bezüglich des zweiten Beispiels hinterfragt werden. Wenn die These stimmen würde, dass sich die beste Idee langfristig durchsetzt, warum ist dann die durch die Reformation entstandene Trennung noch nicht überwunden?

Eine Antwort auf diese Frage zu geben, ist schwierig. Denn die logische Antwort, die sich ergeben würde, wäre dieselbe, die John Henry Newman in seinem Essay aufgestellt, aber auch aus Rücksicht auf seine Leser nicht explizit auf die anglikanische Kirche angewandt hat. Der Untergang der reformatorischen Bewegungen wäre demnach nur eine Frage der Zeit. Newman begründete seine Prognose mit der inneren Kraftlosigkeit, die dem Irrtum innewohnt. Der Irrtum zersetzt den Organismus von innen. Ob man sich dieser Prognose anschließt oder nicht, die neueren Entwicklungen in der Ökumene zeigen, hierunter vor allem die gemeinsame Erklärung zur Rechtfertigungslehre der katholischen Kirche und des lutherischen Weltbunds, dass auch durch Überwindung des Irrtums – mit Newman gesprochen – in einer zentralen soteriologischen Frage dennoch keine Kircheneinheit entsteht. Und selbst wenn in allen Lehrfragen Einigkeit bestünde, so gäbe es noch immer keine sichtbare Kircheneinheit. Denn die Lehrfragen beantworten nicht die Fragen bezüglich Ehre und Gesichtsverlust und vor allem, wer wie das Sagen in einer vereinigten Kirche hätte. Ohne die Klärung der Machtfrage, ohne die Klärung der Frage, was eine Vereinigung für eine Bedeutung im Leben des einzelnen evangelischen Pfarrers, katholischen Bischofs usw. hat, wird eine Einigung in technischen Fragen (Lehrfragen) kaum eine Auswirkung auf das Leben der Kirche haben. Die Ironie der Geschichte dabei ist, dass die Lehrfragen zwar der Grund der Trennung waren, aber nicht der Grund für eine Kircheneinheit sein werden.

Aus diesem Beispiel lässt sich folgende These ableiten: Ohne einen Machtapparat, der eine falsche Idee stützt, kann sie sich nicht dauerhaft halten. Der Machtapparat prolongiert den Irrtum zum Zwecke des eigenen Machterhalts, aber nicht für immer. Am besten lässt sich hierfür der Aufstieg und Fall des Kommunismus in Russland als Exempel anführen. Die Sowjetunion wurde an ihrem Ende nur noch von einem Machtapparat zusammengehalten. Ideologisch und wirtschaftlich war sie schon viel eher bankrott. Zwei Dinge können die Destruktion dieses Machtapparats fördern. Zum einen die Schwäche der Machthaber, wie in der UDSSR, zum anderen ein unerträglicher Leidsdruck seitens der Beherrschten. Das Beispiel zeigt, dass menschliche Machtsysteme nicht in der Lage sind, Irrtum und Ideologien ewig zu verlängern.

Ein weiteres Beispiel aus der Kirchengeschichte stellt der römische Staatskult dar. Die römischen Götter wurden zum Ende des dritten, Anfang des vierten Jahrhunderts als Garanten der Staatseinheit des römischen Imperiums angesehen. Der gemeinsame Glaube an sie sollte die Grundlage für eine Einheit des Imperiums sein und ihm Stärke gegenüber seinen äußeren Feinden geben. Diokletian versuchte mit allen Mitteln seiner Macht, diesen Glauben durchzusetzen. Aber die Falschheit dieser anthropomorphen Götter wurde weithin als erwiesen betrachtet. Seit bereits siebenhundert Jahren stand zu diesem Zeitpunkt fest, dass es zum Monotheismus philosophisch keine Alternative gibt. Das Volk des römischen Reiches war kein wirklicher Anhänger dieser Götter, ebenso wenig wie das russische Volk in der Mehrheit kein vom Kommunismus überzeugtes Volk war, trotz jahrzehntelanger schulischer Indoktrination.

Diese Beispiele belegen die These, dass Machtsysteme den Irrtum zwar prolongieren, ihn aber nicht in die Ewigkeit retten können. Lehrsysteme lassen sich nicht mit Macht oder Herrschaftsformen stützen. Wer dies versucht hat, ist, geschichtlich gesehen, immer gescheitert. Die menschliche Neugier, die zu Wissen führt, hierauf zur einer Lehre, danach zu einem Lehrsystem, welches mit Formen der Herrschaft gesichert werden soll, weil man meint, es könne kein besseres Lehrsystem geben, erweist sich zugleich in ihrer Expansionsbewegung als Sprengstoff für Lehrsysteme, in denen keine Entwicklung und keine neuen Erfahrungen vorgesehen sind. Oder wenn man es in ein heraklidisches Bild fassen will: Man kann einen Fluss nur eine Weile stauen, danach läuft der Damm über.

Ob dabei der Wunsch nach Wissen, die Neugier, eine Eigenschaft der menschlichen Natur, ein anerzogenes Merkmal einer bestimmten Gesellschaft oder eine ererbte Taktik des Überlebens ist, braucht im Rahmen dieser Arbeit nicht diskutiert werden.

Ein weiterer Grund für die Expansion eines Lehrsystems, welcher mit dem ersten eng verknüpft ist, stellt die kontinuierliche Interaktion des Menschen mit der Wirklichkeit dar. Diese führt in reflektiertem Zustand zu Erfahrungen, mit denen sich ein bestehendes Lehrgebäude auseinandersetzen muss. Entweder indem es neue Erfahrungen integriert oder aber sie apologetisch abwehrt. Beides führt zu einer Expansion des Wissen. Man könnte diesen zweiten Expansionsgrund als die passive Variante zum ersten Grund bezeichnen. Während Interaktion mit der Wirklichkeit für jeden Menschen unvermeidlich ist, so sucht die Neugier aktiv nach einer Interaktion. Als Beispiel, wie eine neue Erfahrung ein Lehrsystem verändert, ist bereits angesprochen worden. Die modernen Kommunikationsmittel haben Christen andere Religionen näher gebracht. Aus dieser neuen Erfahrung entstand die Frage, wieso Gott aufgrund von „extra ecclesiam, nulla salus" zwei Drittel der Menschheit scheinbar zugrunde gehen lässt, sowie zu einer Neuinterpretation des Satzes „extra ecclesiam, nulla salus". Neue Erfahrungen ergeben sich in der Kirchengeschichte vor allem durch die Ausbreitung des Christentums in andere Kulturen. Dies zwingt die Kirche, um einen Missionierungserfolg zu erzielen, zum einen zur Reflexion, was zwingend zum Christentum gehört, und damit zum anderen, was von der fremden Kultur integriert werden kann. Dies führt z. B. zu einer Hellenisierung oder Germanisierung der Kirche. Dementsprechend wächst das Lehrsystem der Kirche an. Als Beispiel hierfür kann man die Lehre von der Transsubstantiation ansehen. Ausgelöst durch das germanische Unverständnis für ein platonisches Urbild-Abbild-Schema, bei dem das Abbild mit dem Urbild verbunden ist und an ihm partizipiert, führt die germanische Wirklichkeitsauffassung zum ersten und zweiten Abendmahlsstreit.[383] Die Lehre expandiert, da sie gezwungen ist, das alte Eucharistieverständnis neu auszudrücken. Die Transsubstantiationslehre ist ein Folgeprodukt der Germanisierung des Denkens. Ironischerweise wird dieser Germanisierung mit einer Aristotelisierung der kirchlichen Lehre begegnet. Dieser griechische Denker ist aber ebenso wie Platon in einer anderen Wirklichkeitssicht verhaftet, so dass die Transsubstantiationslehre den meisten germanischen Theologen kurze Zeit später wiederum ein Buch mit sieben Siegeln ist, wie Äußerungen zur Zeit Luthers und schon vor ihm beweisen. Die germanischen Philosophen und Theologen können im Grunde genommen mit dem aristotelischen „Substanz"-Begriff wenig anfangen und beginnen, ihn allmählich zu seiner heutigen – stofflich-materiellen – Bedeutung umzuformen.

Aber auch das kirchliche Leben an sich bringt neue Erfahrungen hervor. Ein weiteres Beispiel sind neue Gebetserfahrungen, die die christlichen

---

[383] Vgl. G.L. Müller, Katholische Dogmatik, Freiburg u. a. 1995 S. 693f.

Mystiker, v. a. Meister Eckhart, gemacht haben. Diese Erfahrungen mussten mit der bezeugten Offenbarung verglichen und aufgearbeitet werden. Am Ende stand zwar nicht ein neues Dogma, eine verbindliche Lehre der Kirche, aber die Tradition der Kirche hatte eine neues Gut, welches sie transportieren konnte. Genau genommen handelt es sich bei diesem Expansionsgrund um ein Folgeprodukt der Zeit selbst. Weil der Mensch ein zeitlich gebundenes Wesen ist, welches gezwungen ist, mit der ihm vorgegebenen Wirklichkeit zurecht zu kommen, indem er sie tätig gestaltet und von ihr geprägt wird, ergeben sich für ihn neue (Welt)-Erfahrungen, die einmal mehr, einmal weniger relevant für die Gottesbeziehung sind. Gottesrelevant ist im Prinzip jede Erfahrung. Nicht nur insofern Gott Schöpfer der Welt ist, sondern vor allem insofern er als Grund menschlicher Erkenntnis und menschlichen Seins in jedem Erkenntnisakt sichtbar wird. Die Expansion kirchlicher Lehre ist dementsprechend nur eine Frage und Funktion der Zeit. Dabei darf man nicht vergessen, dass es trotzdem Menschen sind und bleiben, die die Zeit und in der Zeit leben. Die Zeit stellt kein aktives Element mit eigenem Willen dar. Sie begründet nur den Zwang des Menschen zur Interaktion mit der Wirklichkeit und die daraus entstehende Erfahrung.

Ein dritter, rein dogmenspezifischer Grund für die Expansion findet sich in der Unumkehrbarkeit des Dogmas. Beschließt die Kirche einmal feierlich auf einem Konzil, dass eine von ihr vorgetragene Lehre der Schrift ihren eigentlichen Literalsinn wiedergibt, so ergibt sich daraus eine prinzipielle Unumkehrbarkeit. Denn man kann schlecht zu einem Zeitpunkt behaupten, diese oder jene Lehre wäre der Literalsinn der Schrift – und damit letztlich das, was der Heilige Geist eigentlich sagen wollte – , und dann ein paar Jahrzehnte oder Jahrhunderte später behaupten, die früher beschlossene Lehre sei doch nicht das, was der Heilige Geist sagen wollte. Daher bleibt nur die Möglichkeit, die frühere Lehre entweder umzudeuten, sie zu vertiefen oder zu ergänzen. Jede dieser drei Möglichkeiten expandiert das beschlossene Dogma.

Die Umdeutung kann zwei Wege einschlagen. Entweder wird das frühe Wort zu einem prophetischen Wort hochstilisiert, dessen (volle) Bedeutung man nun endlich erfasst habe (vgl. Joh 11,50f.)[384], oder aber man versucht zu zeigen, wie die neue Lehre der Offenbarung besser entspricht und damit eigentlich das ist, was die Kirche früher auch schon sagen wollte. Als Beispiel kann der Satz „extra ecclesiam, nulla salus" dienen, den die Kirche nominell als Traditionsgut beibehalten hat, ihn aber neu interpretiert und damit eine „Vertiefung" gegeben hat. Da „Vertiefung" und „Uminterpretation" meist Hand in Hand gehen, dient der Begriff „Vertiefung" häufig dazu, das Wort „Uminterpretation" zu vermeiden, da dieses eine „substantielle Dogmenentwicklung" unter gleichbleibenden Begriffen suggeriert.

---

[384] Voraussetzung hierfür ist die Leitung eines Konzils durch den Heiligen Geist, welcher die Bischöfe ein prophetisches Wort beschließen lässt.

Es gibt aber auch Vertiefungen ohne Uminterpretation. Als Exempel für eine reine Vertiefung ohne Uminterpretation lässt sich das erste Konzil von Konstantinopel nennen, welches vor allem[385] eine Vertiefung der dritten Glaubensartikels vornahm und ihn konkretisierte. Ebenso stellt für die lateinische Kirche und Theologie das „filioque“ eine Vertiefung ohne Uminterpretation dar, während die orthodoxen Kirchen es für eine Uminterpretation und eine Häresie halten.

An diesem Punkt soll in einem kleinen Exkurs auf das Problem der „substantiellen Dogmenentwicklung“ eingegangen werden. Zunächst sei aber noch erwähnt, dass die These, dass die Ergänzung einer früheren Lehre ebenfalls zur Expansion der Lehre beiträgt, als trivial und damit ohne Beispiel hier rein aus der Sprachlogik heraus als bewiesen angesehen wird.

Der Begriff der „substantiellen Dogmenentwicklung“ gilt seit der Modernismuskrise Anfang des 20. Jahrhunderts als Schlagwort für Häresie. Die Gründe dafür seien noch einmal wiederholt. Substanz besagt das „Nicht-durch-einen-anderen-Sein“. Es bezeichnet eine eigenständige Existenz, die aufgrund ihres Wesens so existiert, wie sie existiert. Substantielle Dogmenentwicklung besagt dementsprechend, dass es eine Entwicklung der Dogmen gibt, die sie in ihrer Substanz, ihrem Wesen, verändern. Das kann aber nicht sein, da dann das Christentum sein Wesen verlieren würde. Im Grunde genommen erweist sich das Substanz-Akzidens-Schema als denkbar ungünstig, um es auf Entwicklung hin anzuwenden. Es ist ein Zustandsschema, das der Entwicklung nicht gerecht wird, weswegen es auch durch das Akt-Potenz- Schema in der aristotelischen Philosophie ergänzt worden ist, um der Wirklichkeit der Veränderung gerecht zu werden. Das Akt–Potenz–Schema lässt sich jedoch nicht auf Dogmenentwicklung anwenden, da es dazu erdacht wurde, zu erklären, wie aus Substanz A Substanz B wird. Genau dies ist jedoch für Dogmenentwicklung nicht möglich, weil dann aus dem Christentum etwas anderes würde. Andernfalls könnte man mit der Potenz, die Teil des Seins ist, argumentieren. Später entdeckte Teile wären dann zwar immer schon vorhanden gewesen, aber sollten erst zu einem späteren Zeitpunkt entdeckt werden. Aber diese Entwicklung bewirkt nicht, dass Substanz A zu B übergeht, sondern nur additive Ergänzungen von A, entweder im Sinne von Teilsubstanzen, was bisher wenig vertreten wurde, weil es eine inhaltliche Geistoffenbarung dafür geben müsste, die die Offenbarung in Christus schmälert, oder im Sinne von akzidentellen Verände-

[385] Weitere Veränderungen waren die Einfügung des „aus dem Heiligen Geist und Maria, der Jungfrau“, das „gekreuzigt für uns unter Pontius Pilatus“, das „begraben“ , das „gemäß der Schrift“, das „sitzen zur Rechten Gottes“, das „[Wiederkommen] in Herrlichkeit“, aber vor allem das „sein Königtum wird kein Ende haben“. Des Weiteren finden sich Umstellungen der Wendung „Himmel und Erde“ und des Wortes „eingeborener [Sohn]“, ohne eine Bedeutungsveränderung aufgrund einer neuen Satzstellung. Außerdem wurde der Satz „dieser [der Sohn] ist aus der Ousia des Vaters“ weggelassen, da es scheinbar als Doppellung zum homoousios empfunden wurde.

rungen, was letztlich Entwicklung negiert.[386] Das Akt-Potenz-Schema wird also nur innerhalb derselben Substanz angewendet, um Veränderungen der Akzidenzien zu beschreiben. Nur das Aussehen des Christentums, nicht sein Wesen ändert sich. Geht man aber nun von der Erkenntnisordnung aus, so trifft man zuerst das Aussehen. Das Wesen ist verborgen, ein Produkt des Erkenntnissubjekts, ausgehend von der Wirklichkeit. Schon aus diesem Grund erweist sich das an der Seinsordnung orientierte Substanz-Akzidens-Schema als ungeeignet, eine Dogmenentwicklungstheorie im Kontext gegenwärtiger Philosophie aufzustellen. Man kann aber auch darüber hinaus festhalten, dass das Substanz-Akzidens-Schema als statisches Zustandsschema denkbar ungeeignet ist, sich dem Problem der Dogmenentwicklung zu nähern, da es letztlich nur die Alternative akzidentelle Dogmenentwicklung übrig lässt, welche sich aber kaum auf Geschichte einlassen kann. Dies kann soweit gehen, dass zum Teil die normierende Wirklichkeit, die geschichtlichen Fakten, teilweise negiert werden müssen. Deshalb sollte eine Dogmenentwicklungstheorie nicht nach den Kategorien Substanz-Akzidens beurteilt werden, sondern danach, ob sie sich – unter dem Primat des Glaubens – eignet, möglichst viele Aspekte der faktischen Entwicklung einzufangen, zumal bereits im erkenntnistheoretischen Teil gesagt wurde, dass den Objekten kein Wesen, keine Substanz inhäriert, die der Mensch dem Objekt nicht gegeben hat. Genauso verhält es sich bei der Dogmenentwicklung. Ob sie substantiell oder akzidentell verlaufen ist, ist mehr oder weniger eine Frage des Standpunkts, d. h.: Ansichtssache. Oder anders formuliert: Es ist eine Glaubensfrage, ob der Heilige Geist, auch wenn es „substantielle" Veränderungen gegeben hat, diese nicht selbst hervorgebracht hat.

Dies sind die Probleme, die sich ergeben, wenn man seinen Betrachtungspunkt auf die Entwicklung nicht von der Seinsordnung aus wählt. Aber selbst wenn man dies tut, stellen sich auch dem ontologischen Standpunkt folgende Fragen. Was ist Substanz und was Akzidens des Christentums? Wie erkennt man die Substanz? Wo zieht man in der Hierarchie der Wahrheiten die Grenze? Und wer zieht diese Grenze? Da diese Grenzziehung so schwierig ist, tendiert man dazu, die gesamte kirchliche Lehre als monolithischer Block zu sehen, was zur Folge hat, dass jede Veränderung am Block eine Veränderung der Substanz ist. Aus diesem Grund erweist sich das Substanz-Akzidens-Denken wenig hilfreich zur Bearbeitung und

[386] Am besten lässt sich dies an Vinzenz und Newmans Dogmenentwicklungstheorien veranschaulichen. Die organische Entfaltung der Idee ist nichts anderes als die bildhafte Anwendung des Akt-Potenz-Schemas innerhalb derselben Substanz. Wie der Baum, die Idee, immer der (die) gleiche durch die Entwicklung hindurch ist, so entfalten sich im Laufe der Zeit alle Potentialitäten derselben Substanz. Gleichzeitig muss man dieses organische Vorstellungsmodell mit der Unumkehrbarkeit des Dogmas zusammen sehen. Aus Akzidens A wird nicht einfach Akzidens B. B vernichtet nicht einfach A, sondern baut darauf auf, vertieft A.

Beschreibung des Entwicklungsproblems. Die Unumkehrbarkeit der Dogmen nimmt diesem aristotelischen Schema noch den letzten Funken Dynamik, die in ihm steckt, insofern es die Dogmen mit der Substanz unumkehrbar verschweißt, so dass, wenn Entwicklung oder eine Veränderung einer Lehre stattfindet, diese uminterpretiert werden muss – unter nominellem Gleichklang der Worte. Gleichzeitig muss die alte Bedeutung, das alte Verständnis einer Lehre negiert werden, so als ob die Lehre immer in neuem Sinn verstanden worden sei.

Zurück zu den Gründen für eine Expansion der Lehre. In neuerer Zeit (19./20. Jahrhundert) ergab sich ein weiterer Grund für die Expansion kirchlicher Lehre. Er besteht in der intentionalen Vorantreibung der Lehre durch das Lehramt der Kirche, welches damit gleichzeitig eine Expansion in einem anderen Teil der kirchlichen Lehre (im konkreten geschichtlichen Fall: der Ekklesiologie) anzielte. Konkret gesprochen, wurden die mariologischen Dogmen vor allem deshalb verkündet, um eine neue ekklesiologische Praxis zu schaffen (1854) bzw. einzuüben (1950). Diese bestand in dem, was das Erste Vatikanische Konzil in der Konstitution „Pastor aeternus" dann nachträglich ratifizierte und in ekklesiologische Formen goss. Somit tritt im 19. Jahrhundert das Lehramt zum ersten Mal als Motor[387] einer Entwicklung auf, aber nicht, um eine fehlende Lücke im Lehrsystem zu schließen, sondern um sich selbst als Garant der Wahrheit gegenüber den Irrtümern der Zeit zu profilieren, wie der „syllabus errorum"[388] beweist.

Die Kirche war zum Ende der Antike und während des Mittelalters Meinungsmonopolist. Dies betraf religiöse und sittliche Fragen, aber auch gesellschaftliche und politische. Die Reformation änderte dies im Norden des

---

[387] Dagegen erhebt sich der Einwand, den bereits Karl Rahner gemacht hat, indem er protestantische Theologen mit ihren Positionen, die dies behaupteten, zurückwies. Nach ihm kann das Lehramt nicht der Motor einer dogmatischen Entwicklung sein, weil es dem Wesen des Lehramtes widerspricht, selbst aktiv im Prozess der Lehrentwicklung tätig zu sein. Er sieht die Aufgabe des Lehramtes darin begründet, das depositum fidei zu bewahren und es nicht zu entwickeln. Das Lehramt ist kein prophetisches Amt. Es hat daher im Gesamtprozess der Entwicklung eine schiedsrichterliche Funktion. Das Problem dieser Sicht besteht darin, dass es Lehramt und Amtsträger / Bischof künstlich trennt. Denn zum einen soll der Bischof das Evangelium zeitgemäß verkünden und damit Impulse für Entwicklungen verschiedenster Art sein, andererseits soll er als Träger des Lehramts (im Verbund mit den anderen Bischöfen) sich nur auf eine Schiedsrichterfunktion beschränken. Diese Trennung jedoch wurde erst durch die Einführung der wissenschaftlichen Theologie an den Universitäten ermöglicht, die den Bischof von der Aufgabe entlastete, erster Theologe seines Bistums zu sein, und die Theologie voranzutreiben bzw. vorantreiben zu müssen, wie es z. B. in der Antike gewesen ist. Aus dieser Entwicklung jedoch abzuleiten, der Bischof (von Rom) habe nur eine passive Rolle in der Entwicklung zu spielen und könne nicht ein Motor sein, ist m. E. nicht gerechtfertigt. Man kann nicht einfach die Bewahrung des depositum fidei dem (Lehr)amt zuschreiben, und die Vorantreibung und Aktualisierung der Lehre der Theologie. Denn die Bewahrung des depositum fidei stellt genauso eine Pflicht der Theologie dar, wie die Aktualisierung des depositums eine Aufgabe des Amtes und Lehramtes darstellt.

[388] DH 2901-2980.

deutschen Reiches. Andere Ideen und Meinungen wurden hauptsächlich an den Universitäten diskutiert. Die breite Masse der Katholiken blieb in Zeiten des „cuius regio, eius religio“ davon verschont. Die im 19. Jahrhundert verstärkt agierende Presse jedoch machte neue Ideen, wie Nationalismus und Liberalismus, einer größeren bürgerlichen Schicht zugänglich, welche darüber diskutierte. Zusammen mit der Hinterfragung aller Autoritäten durch die Aufklärung sah sich das Lehramt der Kirche nun in der Situation, nur noch eine mögliche Meinung neben anderen zu vertreten. Dieser Auffassung von Lehramt wollte das Lehramt selbst entschieden begegnen, indem es seine eigene Auffassung über die Absolutheit ihres Wahrheitsanspruches aufgrund von übernatürlicher Offenbarung kundtat. Diese neue Stellung als Garant der Wahrheit lautet in „Pastor aeternus“ folgendermaßen:

> „Romanum Pontificem, cum ex cathedra loquitur, id est, cum omnium Christianorum pastoris et doctoris munere fungens pro suprema sua Apostolica auctoritate doctrinam de fide vel moribus ab universa Ecclesia tenendam definit, per assistentiam divinam ipsi in beato Petro promissam, ea infallibilitate pollere, qua divinus Redemptor Ecclesiam suam in definienda doctrina de fide vel moribus instructam esse voluit; ideoque eiusmodi Romani Pontificis definitiones ex sese, non autem ex consensu Ecclesiae, irreformabiles esse.“[389]

War das Immaculata-conceptio-Dogma Präzedenzfall für eine neue und durch den Papst intentional angestrebte Praxis, so kann man das Assumpta-Dogma als Wiederholungsfall betrachten, um die Praxis nicht bei einem Präzedenzfall zu belassen. Dass die Inhalte dieser Dogmen wahr sind, ist von dieser Feststellung unberührt. Allerdings darf man aus dem Fehlen jeglichen Schriftbezugs für diese beiden Lehren schließen, dass ihre Heilsrelevanz nicht allzu hoch eingeschätzt werden sollte. Gerade deswegen eigneten sie sich gut, um die Ekklesiologie voranzutreiben. Die Gefahr einer dogmatischen Vorantreibung der Ekklesiologie liegt jedoch im Wesen des konventionellen Dogmenbegriffs begründet. Ekklesiologie reflektiert das Leben der Kirche, und zwar zum einen, wie es ist, zum anderen, wie es sein sollte. Das kirchliche Leben, die Beziehungen der einzelnen Kirchenglieder, die Struktur der Kirche jedoch ändert sich durch die Zeiten und Kulturen hindurch. Ist nun das Dogma unumkehrbar, wird eine bestimmte Phase fest für alle kommenden Zeiten vorgeschrieben. Darin liegt die Gefahr, ekklesiologische Dogmen zu verkünden, ganz zu schweigen davon, dass Dogmen als hermeneutische Schlüssel zur Schrift untauglich sind, wenn Dogmen kaum Schriftbezug besitzen. Das hier Gesagte soll aber nicht bedeuten, dass Machtgier allein zu Pastor aeternus geführt hat. Damit wäre Pius IX. Unrecht getan. Die Entwicklung, die zum Jurisdiktionsprimat führt, ist sehr

[389] 1. Vatikanisches Konzil, Dogmatische Konstitution „Pastor aeternus“: DH 3074.

viel komplexer, wie oben bereits angedeutet wurde. Man muss diese Entwicklung in Verbindung mit den Entwicklungen in der Zeit sehen. Pius IX. hätte die Inhalte von „Pastor aeternus“ nicht durchsetzen können, wenn nicht in der Kirche selbst, zumindest im Klerus, eine massive Zentralisierungstendenz vorgelegen hätte.[390] Zentralisierungstendenzen jedoch erweisen sich, geschichtlich gesehen, immer als Reaktionen auf äußere Bedrohungen. Es sind Angstreaktionen. In feudaler Zeit, als jeder Fürst, Graf, Baron und Ritter auf seinem Lehen quasi wie ein König agierte, war der Lehensnehmer zwar nominell Untertan des Königs, des Lehensgebers, bedurfte seiner aber nicht. Die Macht des Königs in seinen Lehen war gering. Dies änderte sich nur dann, falls das Reich von einem äußeren Feind bedroht wurde. Der König als oberster Feldherr war plötzlich gefragt. Seine Macht steigerte sich nach einem Sieg über den äußeren Feind beträchtlich. Er war hierauf in der Lage, Lehen neu zu verteilen, Lehensherrn abzusetzen und neue Lehen zu vergeben. Dieser Einfluss hielt an, solange der betreffende König lebte, bzw. solange das Königtum Stärke ausstrahlte. Sein Nachfolger aber sah sich bereits wieder konkurrierende Fürsten gegenüber, die ihm an Macht, das heißt vor allem Boden, gleichrangig, wenn nicht sogar überlegen waren.[391] Die Frage lautet also, was der Kirche im 19. Jahrhundert bedrohlich vorkam und dazu führte, dass die Kirche sich um ihren Zentralherrn gruppierte.

Zunächst sollte man auf die materielle und physische Bedrohung der Kirche hinweisen. Pius VI. musste 1797 Napoleon bedeutende Teile des Kirchenstaates sowie wertvolle Kunstschätze überlassen. Pius VII. musste die Annexion des Kirchenstaates 1809 erleben, sowie persönliche Gefangenschaft durch Napoleon. Wenige Jahre zuvor wurde das Vermögen der deutschen Kirche von deutschen Fürsten teils als Reparationen für Kriegsabtretungen an Frankreich, teils aus Geldgier/Geldnot säkularisiert. Neben diesen materiellen Übeln kamen im 19. Jahrhundert und bereits davor durch die Aufklärung Ideen auf, die zu einer Schwächung der kirchlichen Position beitrugen. Bedingt durch Reformation und Aufklärung wurde der Staat als einzige Rechtsquelle betrachtet. Dementsprechend wurde die Kirche dem Staat untergeordnet. In einem absolutistischen Staat hieß das: dem Fürsten untergeordnet. Es entstand eine katholische Staatskirche, in der der Fürst es sich vorbehielt, katholische Bischöfe gleichrangig mit dem Papst einzusetzen; Bischöfe, die seiner Politik und Kirchenauffassung treu ergeben waren.

---

[390] Es kann und soll nicht entschieden werden, ob diese Zentralisierungstendenz nicht Ausdruck göttlichen Willens war, so dass der Primat des Papstes, wie ihn das Erste Vatikanische Konzil umschreibt, letztlich eine vom Heiligen Geist gewollte und gewirkte Zentralisierung war, trotz der im folgenden empirisch-geschichtlichen Herleitung dieser Lehre.

[391] Vgl. Norbert Elias, Über den Prozeß der Zivilisation. Soziogenetische und psychologische Untersuchungen Bd 2: Wandlung der Gesellschaft. Entwurf zu einer Theorie der Zivilisation, Frankfurth a. M. 1997.

Des Weiteren beginnen in Europa nationale und liberale Bewegungen Auftrieb zu bekommen. Durch die nationale Einigungsbewegung Italiens wird der auf dem Wiener Kongress wiederhergestellte Kirchenstaat in Frage gestellt und schließlich im September 1860 auf die Stadt Rom reduziert. Der Papst kann sich nur aufgrund französischer Truppen in Rom halten. Freiheitsbewegungen und Bürgerrechte stehen in diametralen Gegensatz zur weltlichen Herrschaft des Papstes. Religionsfreiheit und die Überordnung der Ratio über das Dogma werden gefordert. Die seit dem Ende des Mittelalters geschiedene Ehe von Philosophie und Theologie scheint mit Kant und Epigonen annulliert und zum offenen Krieg zu eskalieren.

Zusätzlich verändert sich im Zuge der Industrialisierung die Struktur aller europäischen Gesellschaften. Die Arbeiterklasse entsteht. Die Kirche kann nicht schnell genug den Strukturen Rechnung tragen und verliert zum Teil an Boden bei den Gläubigen, trotz einzelner bewundernswerter Versuche (z. B. Adolph Kolping). Im Zuge gesellschaftlicher Veränderungen verändert sich auch die Struktur des Klerus. Der Adel verschwindet weitgehend mit der Säkularisierung der Stiftspfründe. Die Informationsverbreitung beschleunigt sich im Zuge neuer Erfindungen (Telegraph) und schnellerer Verbindungen (Eisenbahn). Der Papst wird schneller erreichbar, aber auch, wie oben erwähnt, andere Ideen verbreiten sich schneller. Von all diesen philosophischen, sozial-gesellschaftlichen und technischen Veränderungen wird die Kirche im 19. Jahrhundert überrumpelt. Dieser äußeren Bedrohung entspricht als Reaktion die strukturelle Zentralisierung der Kirche. Dass dieser strukturellen Zentralisierung eine inhaltliche Zentralisierung folgt, liegt auf der Hand. Dass diese inhaltliche Zentralisierung nicht so ausgeufert ist, wie man es befürchten hätte können, ist der Umsicht der Päpste oder der Fügung durch den Heiligen Geist zu verdanken. So ist es bisher bei zwei ex cathedra Dogmen geblieben. Das Problem des Autoritätsverlustes des Lehramts konnten „Pastor aeternus" und „Lumen gentium" jedoch nicht lösen. Das Problem verlagert sich weiterhin auf die Frage nach dem Amtsinhaber. Glaubt man ihm, – weil er einem sympathisch, oder weil man katholisch ist und er der Bischof oder Papst, oder aus welchem Grund auch immer –, oder glaubt man ihm nicht? Hat das Lehramt für seine Position gute Gründe oder nicht? So begegnen einander in der Kirche heute zwei gegenläufige Entwicklungen. Zum einen existiert die im 19. Jahrhundert durchgeführte Zentralisierungsentwicklung als Dogma und damit als Zustand. Gleichzeitig jedoch findet sich (vielleicht aufgrund der strukturellen Zentralisierung) eine inhaltliche Zentrifugalbewegung. Anders gesagt: Der strukturellen Zentralisierung folgte auch eine inhaltliche, wie die Modernismusphase beweist, aber nach dem Vatikanum II. verstärkten sich in bestimmten westlichen Ländern zentrifugale Tendenzen auf inhaltlichem Gebiet. So ist das Pendel in die andere Richtung umgeschlagen. Es bleibt zu hoffen, dass die Dogmatisierung der kirchlichen Struktur im Ersten und

Zweiten Vatikanischen Konzil nicht im Endeffekt dazu geführt hat, dass die Kirche damit auch die zentrifugalen Tendenzen im inhaltlichen Bereich mitdogmatisiert hat.

Gleichzeitig zeigt dieses Beispiel einen weiteren Punkt, der für eine Expansion kirchlicher Lehre verantwortlich ist, an: die Bewältigung neuer geschichtlicher Probleme. Dieser Grund ist eng mit dem zweiten, dem Gewinnen neuer Erfahrungen, verknüpft. Auch diese Causa der Expansion scheint sich aus der Zeitlichkeit der Welt und gestalterischen Kraft des Menschen in ihr zu ergeben. Vor allem die technische Entwicklung der letzten Jahrhunderte, aber auch die wirtschaftliche Entwicklung von der Naturalwirtschaft zur Geldwirtschaft bedingten eine gewaltige Veränderung im Leben der abendländischen Gesellschaften. Mit diesen Veränderungen muss sich ebenfalls die Kirche auseinandersetzen. Dadurch ergeben sich vor allem Probleme für die sittliche Lehre der Kirche, aber auch die Glaubenslehre wird durch neue Theorien in den säkularen Wissenschaften angefragt. Man denke zum Beispiel an die Evolutionstheorie von Charles Darwin, deren massive Verbreitung und weitreichende Unangegriffenheit in der Wissenschaft die Kirche und die Theologie zu einer Revision ihrer Schöpfungslehre zwang. Man denke an die Fortschritte der medizinischen Forschung, die Entdeckung der Genetik, den Einfluss von Medikamenten auf Bewusstseinszustände u. v. a. m., die von der Kirche und ihrer Lehre eine Antwort z. T. heute noch fordern, was der Mensch sei, wie die Begriffe „Seele", „Geist", „Leib" und „Person" sich mit diesen Erkenntnissen vereinbaren lassen oder was Gott genau zum menschlichen Reproduktionsprozess beiträgt. Die Beeinflussung der Lehre durch neu auftretende Probleme betreffen im Bereich der Dogmatik vor allem die Schöpfungstheologie und die Anthropologie, da diese Bezugspunkte zu säkularen Wissenschaften besitzen. Gravierender sind jedoch die Veränderungen in der Sittenlehre der Kirche. Dies zeigt sich schon in der Trennung von Sozial- und Individualethik. Die Herausforderungen in diesem Bereich sind so groß, dass eine einzelne Disziplin diesen Bereich kaum noch abdecken kann. Die Sozialethik entwickelte sich und entstand als ein Produkt der Industrialisierung, der Mechanisierung, der Technisierung und der kommunikationsbedingten Globalisierung. All diese Entwicklungen schärften das Bewusstsein für gesellschaftliche Probleme, die sich in einer funktionsteiligen Gesellschaft der Steuermöglichkeit eines Einzelnen entziehen. Aber auch der Bereich der Individualethik entwickelte sich aufgrund wachsender Interdependenz der Menschen untereinander. Die enge Verflechtung der Menschen zwingt zur Neugestaltung ihres Zusammenlebens. Diese Neugestaltung vollzieht sich durch gesteigerte Affektkontrolle und Verschiebung von Peinlichkeitsstandards. Da die gesteigerte Affektkontrolle dem christlichen Gebot der Nächsten- und Feindesliebe entgegenkommt, sind Justierungen in diesem Bereich jedoch keine großen Herausforderungen. Ganz andere Probleme stellen sich im Bereich der Technik. Als Beispiel lassen sich die Fortschritte der Medizin nennen. Die Probleme, die sich aus der Möglichkeit der Organtransplantation ergeben, oder die Probleme, wie Keimbahntherapie, künstliche Befruchtung, humangenetische Forschung an Embryos usw., stellen die Moraltheologie vor große Aufgaben. Aber auch neue Ideologien, die den Lebensbereich der Menschen beherrschen wollen, wie Konsumideologie, Spaßgesellschaftsideologie oder weibliche Emanzipationsbewegung, welche die karriereorientierte Frau als Ideal propagiert, was gravierende Auswirkungen auf Ehe und Familie hat, müssen von der Theologie durchdacht und im Licht der Offenbarung analysiert werden. Dies ist nur ein Auszug der Fragen, denen sich die Kirche und ihre Theologie durch neue Situationen ausgesetzt sieht.

Ein letztes Beispiel aus Afrika, welches die Kirche anfragt, besteht z. B. in der Haltung der Kirche gegenüber künstlichen Verhütungsmitteln in Anbetracht der Geschlechtskrankheit AIDS, welche auf diesem Kontinent weit verbreitet ist. Weitere Probleme sind Massenarmut, Hunger, weltweit gerechte Güterverteilung, Bildungschancen usw.. Gesellschaftliche Veränderungen, die – so scheint es – ein Folgeprodukt des Lebens und veränderter Umweltbedingungen sind, stellen die Kirche immer wieder vor Herausforderungen, denen sie sich stellen muss, wenn sie eine Kirche für die Menschen sein will, weil Gott ein Gott für die Menschen sein will. Sie muss sich mit neuen Ideen auseinandersetzen, die die Menschen beschäftigen, und mit ihrem Alltag, damit sie hilft, den Alltag dem Evangelium entsprechend immer besser zu gestalten. Nur so kann sich die Kraft und Wahrheit des Evangeliums erweisen.

Ein weiterer, seit dem Hochmittelalter vorhandener Grund der Expansion liegt in der Beschäftigung mit Theologie im Rahmen der damals neugeschaffenen Universitäten. War Theologie bis zu diesem Zeitpunkt eine Beschäftigung, der vor allem die Bischöfe und die Angehörigen klerikaler Institute nachgingen, so verlagerte sie sich allmählich immer mehr an die Universitäten und wurde so vom Lehramt der Kirche getrennt. Die Bischöfe und die Mönche in den Klöstern hörten deswegen nicht auf, Theologie zu treiben, aber der Austragungsort für theologische Auseinandersetzung verlagerte sich weitgehend an die theologischen Fakultäten. Außerdem änderte die Theologie sich von einer Gelegenheitstätigkeit eines Bischofs oder Mönchs zu einer systematisch betriebenen Wissenschaft, die ständig bemüht war, die oben angesprochenen Punkte der Aktualisierung des Evangeliums voranzutreiben. Dies führte zu neuen Impulsen und Auseinandersetzungen, die meistens vom Lehramt der Kirche entschieden werden mussten. Somit trug und trägt die Theologie einen wesentlichen Anteil zur Klärung von Glaubensfragen und damit zur Dogmenentwicklung bei. Durch diese „Abspaltung“ der Theologie vom Lehramt wurde das Lehramt in eine weitgehend passive Rolle gedrängt, während die Theologie eine starke aktive

Rolle bei der Expansion christlicher Lehre einnahm. Dadurch entsteht heute weitgehend der Eindruck, das Lehramt sei eine Institution, die sich konservativ den neuen theologischen Erkenntnissen widersetze, während die Theologie ständig vom Lehramt in ihrer Entfaltung gebremst werde. Würde man diese Situation jedoch auf die Bewegungen der Expansion und der Intensivierung anwenden, so kann man feststellen, dass die Trennung von Lehramt und Theologie die Theologie zu einem Vorreiter der expansiven Entwicklungsbewegung macht, während dem Lehramt die Intensivierungsbewegung zugeordnet werden kann und muss.

## 5.2. Ursachen der Intensivierung

Viele Ursachen für die Expansion kirchlicher Lehre bedingen zugleich eine Intensivierung. Beides lässt sich nicht sauber unterscheiden, weil man sich in vielen Fällen darüber streiten kann, ob etwas in der Kirchengeschichte eine Intensivierung oder eine Expansion war. Es gibt auch nur wenige Ereignisse im Leben der Kirche, die nur eine Intensivierung des Lebens und der Lehre zur Folge hatten, aber keine Expansion kirchlichen Lehrguts. Das beste Beispiel für eine Intensivierungsbewegung stellen im Mittelalter die Gründung der Bettelorden dar. Und das gewählte Beispiel zeigt bereits, wie schwer es ist, im Bereich der Lehre, im Bereich des Dogmas etwas zu finden, was nur Intensivierung, aber keine Expansion ist. Denn das würde letztlich das Nacherzählen von bekannten Inhalten, neu formuliert, bedeuten.

Die Transsubstantiationslehre mag zum Beispiel eine Intensivierung der kirchlichen Eucharistielehre gewesen sein, aber sie hat gleichzeitig das kirchliche Lehrgut um dieselbe Lehre wie früher, nun neu ausgedrückt, bereichert. Es handelt sich also nicht um eine reine Intensivierung, sondern ebenfalls um eine Expansion, wenn auch nicht primär.

Es wurde bereits gesagt, dass die Intensivierungsbewegung eine Bewegung auf Christus hin darstellt, eine Rückbesinnung auf den Kern christlichen Glaubens. „Zurück zu den Wurzeln" zu gehen, bedeutet gleichzeitig immer ein Bezugnehmen auf die Offenbarung und damit einen Blick in die Vergangenheit. Dieser geschieht durch den Blick ins Neue Testament und die frühen christlichen Quellen (Apologeten und Kirchenväter). Den Blick auf Christus zu richten, stellt laut Auskunft der Schrift (Joh 14,26; Joh 15,26; Röm 8,1-17) die erste und wichtigste Aufgabe des Heiligen Geistes dar. Deswegen nennt Paulus ihn auch den Geist Christi (1 Kor 2,16). Ohne das Wirken des Heiligen Geistes könnte die Kirche die Zeiten nicht überstehen. Die Apokalypse sieht diese Intensivierungsbewegung, die Bewegung auf Christus hin, eingebunden in den Kampf zwischen Gut und Böse. Es ist die mehrmals wiederholte Aufforderung, sein Gewand weiß zu waschen für die Hochzeit des Lammes (Offb 3,5; 3,18f.; 7,14; 22,14). Der Evangelist Markus fasst sein Evangelium unter demselben Aspekt zusammen, wenn es heißt: „Kehrt um, und glaubt an das Evangelium" (Mk 1,15)! Die Hinwendung zu Christus ist daher nicht nur ein normaler Vorgang, sondern wird vom Neuen Testament immer wieder gefordert. Der Mensch, wie auch der Christ, neigt dazu, die Gemeinschaft mit Gott zu verlassen und ist daher stets der Umkehr bedürftig. Wie jeder kirchliche Vorgang, so findet diese Umkehr auch im Bereich des Lehrsystems der Kirche ihren Ausdruck. Der Theologe neigt dazu, seine eigenen Ideen und Überzeugungen mit denen der Offenbarung zu identifizieren und somit die Offenbarung zu verfehlen, sowie persönlich Schuld damit auf sich zu laden. Somit sind die Ursachen für eine Intensivierung der Lehre parallel zu den Ursachen, die eine Umkehr, eine Rück- oder Neubesinnung nötig machen.

Die erste geschichtlich fassbare Intensivierungsbewegung trat früh auf. Man könnte sie als Abgrenzung vom Judentum bezeichnen. Das Judentum stellte ein äußere Bedrohung dar, weil es Jesus nicht als Messias akzeptierte. Dies führte ausgehend von der eigenen christlichen Überzeugung der Messianität Jesu im Glauben zu der Frage nach rationalen Gründen für Jesu Messianität. Dass hierfür die Auferstehung Christi und sein Heimgang zum Vater die entscheidenden Gründe dafür waren, darf wohl als sicher gelten. Dieser äußeren Bedrohung schlossen sich zwei weitere Bedrohungen in rascher Folge an. Zum einen wurde das jüdisch-christliche Weltbild durch die Gnosis angegriffen. Zum anderen gelangte die Titulatur Jesu als „Sohn Gottes“ schnell ins Kreuzfeuer heidnischer Philosophen, die hierfür eine Erklärung forderten. Wie Jesus sich von Herkules unterscheidet, war der nächste Schritt zur Intensivierung der Christologie. Dabei wurde ausgehend vom eigenen Glauben an Christus, aus der persönlichen Beziehung zu ihm im Glauben, versucht, diese Bedeutung in Worte zu fassen, die mit dem alttestamentlichen Zeugnis, dem Monotheismus und anderen Glaubensfakten, übereinstimmten. Dabei kam es zu unterschiedlichen Ansätzen zur Lösung des Problems, von denen sich der beste im Laufe der Zeit durchsetzte.

Eine weitere Bedrohung von außen stellte die reformatorische Bewegung und Theologie dar. Allerdings war diese äußere Bedrohung hausgemacht. Die Reformatoren beklagten zurecht die Defizienz katholischer Gnadenlehre zu diesem Zeitpunkt. Die Reaktion der Kirche auf dem Konzil von Trient bestand in einer Rückbesinnung auf die paulinische Gnadenlehre, dem gegenwärtigen Kontext und Begriffen entsprechend interpretiert. Musste sich in der spätmittelalterlichen Theologie „der Mensch um die Gnadenqualität [gratia habitualis] wie um eine Eigenschaft bemühen, damit ihm daraufhin die Gnade der Selbstmitteilung [gratia increata], der Rechtfertigung [gratia iustificationis] und des ewigen Lebens zuteil wird“[392], so betont das Konzil von Trient:

> „Quamquam enim nemo possit esse iustus, nisi cui merita passionis Domini nostri Jesu Christi communicantur, id tamen in hac impii iustificatione fit, dum eiusdem sanctissimae passionis merito per Spi-

[392] G.L. Müller, Katholische Dogmatik, S. 797.

ritum Sanctum caritas Dei diffunditur in cordibus [cf. Rm 5,5] eorum, qui iustificantur, atque ipsis inhaeret.“[393]

Der Mensch muss sich zwar immer noch um Buße und Umkehr bemühen,[394] dies jedoch sind durch die Gnade erweckte (excitatus) und unterstützte (adiutus) Prozesse. Der Mensch wird in der Taufe durch die Gnade Gottes gerechtfertigt. Der Empfang der Taufe setzt jedoch den Glauben an Jesus voraus.[395]

Die Bedrohung des Glaubens, die Bedrohung der Kirche durch die reformatorischen Lehren, zwang die Kirche und ihr Lehramt, sich den Fragen der Gnadenlehre im Licht des Neuen Testaments und im Licht des Glaubens neu zu stellen.

Diese Verteidigungshaltung, die der Kirche durch äußere Bedrohungen aufgezwungen wird, zwingt sie gleichzeitig, sich selbst Rechenschaft abzulegen, um die Verkündigung fortsetzen zu können. Man wird aber gleichzeitig mit Jörg Splett konstatieren müssen, dass in dieser Verteidigungshaltung die Gefahr liegt, im Eifer des Gefechts die zum Gegner konträre Meinung zu extremisieren und ihr damit die Ausgewogenheit zu nehmen, nur aus dem Bedürfnis heraus, sich unterscheiden zu müssen.[396] Diese Motivation sollte man bezüglich der Apologetik nicht unterschätzen. Ist erst eine Konsolidierung nach einer äußeren Bedrohung erreicht, so wird die Apologetik vor allem aufgrund des Sich-unterscheiden-wollens heraus betrieben, und

---

[393] Konzil von Trient, 6. Sitzung vom 13.1.1547, Dekret über die Rechtfertigung: DH 1530, „Obwohl nämlich niemand gerecht sein kann, wenn ihm nicht die Verdienste des Leidens unseres Herrn Jesus Christus mitgeteilt werden; dennoch ist es so bei der Rechtfertigung des Unfrommen, dass aufgrund des Verdienstes der allerheiligsten Passion Christi [eiusdem] die Liebe Gottes durch den Heiligen Geist in die Herzen [vgl. Röm 5,5] derer ausgegossen wird, die gerechtfertigt werden, und dass er ihnen inhäriert“.

[394] Vgl. ebd.: DH 1526f.

[395] Nach Kapitel 4 des Rechtfertigungsdekrets setzt die Taufe die Verkündigung des Evangeliums voraus (DH 1524). Des Weiteren beschreiben Kapitel 5 und 6, wie aktuelle Gnaden den Menschen umformen und in ihm den Glauben (in heutigen Begriffsverständnis) wecken. Auch bei einem Säugling setzt die Taufe den Glauben der Eltern voraus. Es besteht ein untrennbarer Zusammenhang zwischen der Taufe und dem Glauben. Die Gnade, die in der Taufe wirkt, das Wirken des Heiligen Geistes, ist zwar nicht vom Glauben des Empfängers abhängig, macht aber ohne den Glauben, der die Taufe als das erkennt, was sie ist, auch keinen Sinn. Andernfalls würden sich tägliches Waschen und Taufen nicht unterscheiden.

[396] Jörg Splett, Gotteserfahrung im Denken. Zur philosophischen Rechtfertigung des Redens von Gott, Freiburg, München [4]1995, S. 198f., „Der Theist muss „sich gegenwärtig [...] halten, daß – noch vor einer jeden konkreten ‚Gewissenserforschung' – a priori feststeht, daß eine Kontroverssituation sein Bekenntnis, seine Theorie und seine Praxis nicht unverändert beläßt, sondern sie in kleinerem oder größerem Maße verwandelt. Diese Veränderung kennt zwei mögliche Richtungen (und die Veränderung kann im selben Bewußtsein durchaus in beiden Richtungen verlaufen): einmal die Richtung einer verschärften Absetzung vom Gegner – bezüglich derer vor allem hat man gesagt, das Gefährlichste an Häresien sei dies, daß sie fast unvermeidlich die Bekenner der Wahrheit ihrerseits zur Partei, zu Häretikern mache. Sodann die Richtung einer mehr oder weniger bewußten Angleichung an das Bekämpfte“.

zwar auf beiden Seiten. Diese Motivation lässt sich bisweilen auch heute noch in katholischen und evangelischen Kreisen beobachten. Inwieweit diese Motivation von Angehörigen einer kirchlichen Institution gespeist wird, um das Überleben der Institution sicherzustellen, die ihre Vertreter ernährt, ist ein anderes Problem, welches vor allem die ökumenischen Gespräche behindert.

Ein weiterer Grund für eine Intensivierung der Lehre liegt in Veränderungen im kulturellen Umfeld begründet, mit der zum Teil ein Unverständnis für überlieferte Lehren aus einem anderen Umfeld einhergeht. Diese Veränderung des kulturellen Umfelds, die nicht nur eine Folge der Zeit darstellt, sondern sich auch aus dem Sendungsbefehl Jesu an alle Völker ergibt (Mt 28,19), diese räumlich expansive Bewegung erfordert als Gegenpol die inhaltliche Konzentrierung auf den Einheitspunkt: Jesus Christus. Die Schrift muss buchstäblich neu übersetzt werden, um Missverständnisse zu vermeiden und das Evangelium der neuen Kultur entsprechend zu verkünden. In diesem Zusammenhang stellen sich alle Probleme der Inkulturation des Glaubens. In der Geschichte der Kirche lassen sich folgende „Übersetzungen" ausmachen: Der Transfer des Glaubens vom jüdischen in den griechischen Kulturraum, vom Griechischen in den Römischen, vom Römischen in den Franko-Anglikanisch-Germanischen Raum, und von dort nach Südamerika, Afrika und Asien.

All diese Transfers schaffen immense Probleme. Als Beispiel dafür seien nur die Unterschiede in der Liturgie des orthodoxen Ostens und des lateinischen Westens genannt. Während die orthodoxe Liturgie etwas vom Geheimnis Gottes mit allen Sinnen darstellen will, um dem Bedürfnis des Volkes im byzantinischen Reich entgegen zu kommen, schätzt die lateinische Kirche eher nüchternere Formen der Liturgie. Diese Nüchternheit gipfelt schließlich in den Gottesdiensten der reformatorischen Kirchen, bei denen nur noch das Ohr als Sinn angesprochen wird und deren Gottesdienste fast ausschließlich Dienst am Wort darstellen. Gerade diese germanische Nüchternheit machte die Mission in Afrika und Südamerika für Missionare aus diesen Ländern so schwierig, in denen die Menschen ein ganz anderes Naturell besaßen und besitzen. Um diesen „fremden" Menschen nicht einen „fremden" Glauben überzustülpen, sondern um diesen Glauben zu ihrem eigenen zu machen, bedarf es einer Intensivierung christlicher Lehre und christlicher Verkündigung, um das Kulturelle vom Wesentlichen zu unterscheiden und damit das Wesentliche in einem neuen kulturellen Kontext zu platzieren.

Dass dies der Kirche immer wieder gelungen ist, beweist die These Adolf von Harnacks, nach der es der Kirche nicht nur gelungen sei, einen anderen Kulturraum zu assimilieren, sondern sogar von ihm assimiliert zu werden. Der Hellenisierungsthese müsste logischerweise eine Germanisierungsthese und Afrikanisierungsthese usw. folgen. An Harnacks These wird zugleich die Gefahr sichtbar, die eine Intensivierung der Lehre geradezu fordert: die Gefahr des Synkretismus. Newman war sogar der Auffassung, dass der Synkretismus zum Leben der Kirche hinzugehört. Die Kirche assimiliert fremde Gedanken und Praktiken, um sie langfristig ausscheiden zu können. Für ihn steht aber ebenso fest, dass sich Synkretismus niemals auf die Prinzipien, nach denen sich die christliche Idee entwickelt, erstreckt. Interpretiert man diese Prinzipien, wie oben geschehen, als mit der Bibel gegebene, als die zentralen Offenbarungswahrheiten, die die Schrift enthält, so können diese Prinzipien auch niemals angetastet werden, da sie erstens mit der geschichtlichen Offenbarung in Jesus Christus gegeben sind und damit in der Vergangenheit liegen, und da sie zweitens von der Schrift als Fakten festgehalten werden, und drittens eine Uminterpretation dieser Fakten aufgrund des Geistwirkens in diesen zentralen Fragen ausgeschlossen ist.

Aber nicht nur der Transfer des Glaubens von einer Kultur in eine andere hinein bereitet Probleme, sondern auch der Transfer innerhalb derselben Kultur von einer Generation zur nächsten. Ein passendes Beispiel wurde bereits mit dem Weitertradieren der Transsubstantiationslehre vom Hochmittelalter zum Beginn der Neuzeit genannt. Kulturen entwickeln sich weiter und stellen altbekannte Formeln für die Glaubensinhalte in Frage. Die alten Formeln werden zum Teil nicht mehr verstanden und bedürfen daher der Übersetzung. Diese jedoch setzt eine Rückkehr zu den Ursprüngen, zur Offenbarung und zu Jesus Christus voraus. Weitere gute Beispiele für die Veränderungen in einer Kultur bestehen im Übergang vom Feudalstaat zum absolutistischen Staat, im Übergang zur Aufklärung, in der Abschaffung der Monarchien in Europa und der Einführung der Republiken. Auffällig ist hierbei, dass sich die kulturellen Veränderungen an sich im Vergleich zum Mittelalter stark beschleunigt haben, so dass die Kirche gezwungen ist, immer schneller zu reagieren. Man könnte auch sagen, die Kirche wird gezwungen, den Glauben immer intensiver zu leben. Ihre Mitglieder benötigen eine höhere Glaubenskraft – eine stabilere Christusbeziehung – als früher. Dahin gehend könnte man auch das bekannte Rahner-Zitat interpretieren: „Der Fromme von morgen wird ein ‚Mystiker' sein, einer, der etwas ‚erfahren' hat, oder er wird nicht mehr sein [...].“[397] Die Notwendigkeit einer tiefen Christusbezogenheit steigt, die Intensivierungsphase wird zum Dauerzustand.

Ein weiterer Grund für die Intensivierung christlicher Lehre wurde bereits bei den Gründen der Expansion, der Neugierde, angeschnitten. Er besteht im Auftreten zwei unterschiedlicher Positionen bezüglich des Glaubens. Da Gott und Jesus Christus derselbe sind, gestern, heute und in Ewigkeit (Hebr 13,8) und da die Offenbarung in der Geschichte als Geschichte

[397] Karl Rahner, Frömmigkeit früher und heute, in: Ders., Schriften zur Theologie VII, Einsiedeln u. a. 1966, S. 22.

abgeschlossen ist (wenn auch nicht im Modus ihres Präsent-Seins), tendieren konträre Glaubensinterpretationen dazu, zu einer Interpretation aufgelöst zu werden, da es nur eine „Wahrheit" geben kann, insofern es auch nur einen Gott gibt. Die Pluralität ist zwar möglich, wie der Streit über die Gnadenhilfen der Molinisten mit den Anhängern des Domenigo Bañez beweist. Ermöglicht wird diese Pluralität aber dadurch, dass es sich letztlich um eine Detailfrage innerhalb der Gnadenlehre selbst handelt. In der Gotteslehre oder der Christologie, sowie anderen zentralen Glaubensfragen, wäre eine solche Pluralität dauerhaft unmöglich. Bemerkenswert an diesem Beispiel bleibt, dass diese Pluralität vom päpstlichen Lehramt selbst den streitenden Parteien auferlegt wurde.[398]

Die Regel bleibt aber die dialektische Auflösung zweier streitender Offenbarungsinterpretationen. Man könnte versucht sein, sich diese Auflösung im Sinne eines Kompromisses aus den streitenden Positionen vorzustellen. Diese Sicht wird allerdings nur der empirischen Ebene des Vorgangs gerecht, auf der meistens nach einem Kompromiss gesucht wird. Vor allem auf Konzilien lässt sich dies beobachten, auf denen dieses Verfahren eine große Mehrheit der Bischöfe für eine Erklärung, einen Text, gewinnen soll, so dass nach dem Vorbild der Apostelgeschichte (Apg 15,28) ein einmütiges Ergebnis erzielt wird. Diese Sichtweise ist jedoch nur bedingt richtig, insofern sich diese Kompromisse innerhalb eines gewissen Rahmens befinden müssen. Andernfalls wäre es keine Intensivierungsbewegung. Da es nur einen Christus gibt und der Geist zu ihm führt, muss es als Konsequenz auch Inhalte geben, die dem christlichen Glauben widersprechen. Diese mögen auf den ersten Blick plausibel aussehen, erweisen sich aber bei näherer Betrachtung als sperrig und inkonsistent zum Glauben an Jesus Christus und sind Ursache einer erneuten Erforschung der Offenbarung, niedergeschrieben im Testament des Alten und Neuen Bundes. Der Konflikt, die Bedrohung von außen oder innen, wird somit zum „Vater aller Dinge", der Expansion, wie der Intensivierung. Das Ergebnis steht dabei immer fest. Es kommt zu einer Expansion der Lehre, indem bisherige Ansichten, Meinungen, Thesen und Interpretationen im Licht der Offenbarung beleuchtet werden.

Es existieren aber mehrere mögliche Ausgänge für einen Konflikt. Zum einen kann eine bestimmte Position gegenüber der anderen siegen. Die erste nennt man dann die „orthodoxe" Position, die andere die „häretische". Eine zweite Möglichkeit besteht im Stehenlassen der Gegensätze und in der Unterbindung weiterer Diskussionen. Der Konflikt wird qua Autorität für beendet erklärt. Als Beispiel dient die zitierte Lösung im Gnadenstreit, sowie zum Beispiel das Schreiben „De Sacerdotali ordinatione viris tantum reservanda" bezüglich der Frauenordination. Diese Konfliktbeilegung spe-

[398] Vgl. Brief Pauls V. an die Generaloberen des Predigerordens und der Gesellschaft Jesu vom 5.9.1607: DH 1997.

kuliert letztlich auf Zeit, die unter Umständen das Problem von alleine wegschafft. Eine weitere Ausgangsmöglichkeit liegt im Erzielen eines Kompromisses, einer Einigungsformel, der beide Parteien zustimmen können, um die Einheit der Kirche zu wahren. Auch bei dieser Lösung spekulieren beide Parteien letztlich darauf, dass die eigene Position und Interpretation der Einigungsformel im Laufe der Zeit die Oberhand gewinnen wird, wobei die andere Interpretation sich als weitere, faktisch nicht mehr vertretene Möglichkeit ins Gedächtnis der Theologie langfristig verabschiedet. Als Beispiel für diesen letzten Vorgang wird man die forensische Version der Rechtfertigungslehre sehen dürfen, welche zugunsten einer effektiven Rechtfertigungslehre verschwinden wird, indem man die forensischen Elemente, die es auch in der Schrift gibt, nominell einbindet, um sie als einseitigen Irrtum der Geschichte langfristig zu vergessen. Das Beispiel zeigt, dass diese Methode vor allem im ökumenischen Dialog von Bedeutung ist. Das Problem dieser Konfliktbewältigung stellt der Wunsch aller an der Kompromissformel beteiligter Parteien dar, in Zukunft dafür zu sorgen, dass möglichst die eigene Interpretation die sein wird, welche die Mühlen der Geschichte überlebt. Zwar kann es vorkommen, dass ein historisch versierter Theologe die Minderheitenmeinung wieder „ausgräbt" und vermarktet, durchschlagender Erfolg wird ihm aber damit nicht beschieden sein. Man denke in heutiger Zeit zum Beispiel an einen Theologen, der die Meinung vertritt, der Priester spende die Ehe. Diese Auffassung kann man zwar in der lateinischen Kirche vertreten, man wird aber mit ihr in der Minderheit bleiben.

Ein weiterer Grund für die Intensivierung christlicher Lehre stellt die Unzufriedenheit mit ihrem Ist-Stand dar. Dies korrespondiert wiederum mit dem Leben der Kirche, in dem es auch Zustände der Unzufriedenheit gibt. Das beste Beispiel wurde bereits genannt. Die Diskrepanz zwischen Reichtum des hohen Klerus und der Armut des restlichen Kirchenvolkes führte den heiligen Franziskus und den heiligen Dominikus zu einer großen Unzufriedenheit mit dem Ist-Zustand der Kirche im Vergleich mit dem Soll-Zustand des Evangeliums. Ein paar Jahrhunderte zuvor gab es bereits die Cluniazensische Reformbewegung, die ebenfalls mit dem Zustand der Kirche und des Papsttums nicht zufrieden gewesen war und eine Reform eingeleitet hatte. Die Gründung der Gesellschaft Jesu verdankt sich der Unzufriedenheit des heiligen Ignatius von Loyola mit seinem eigenen Leben, sowie der Unzufriedenheit über den Unglauben im Heiligen Land. Man könnte diese Unzufriedenheit unter den vorherigen Punkt subsumieren, wenn man sie als einen moralischen Konflikt mit dem eigenen Gewissen interpretiert. Sie wird aber eigens erwähnt, da die innere Bedrohung der kirchlichen Christusbeziehung und eine von einem Einzelnen, einer Gruppe, empfundene moralische Defizienz des kirchlichen Lebens in einem Bereich sich doch stark unterscheiden. Sowie es im Leben der Kirche Unzufriedenheit über sich selbst gibt, genauso gibt es entsprechend in der Lehre Unzufriedenheit über den gegenwärtigen Ist-Zustand, da Theologie und Lehre wesentlich am Leben der Kirche partizipieren und daher die Lehre der Kirche Spiegelbild kirchlicher Lebensvorgänge ist. Ein großer Unzufriedenheitszustand der Theologie lässt sich in der ersten Hälfte des 20. Jahrhunderts lokalisieren. Diese Unzufriedenheit ergab sich aus der neuscholastischen Methode, die von vielen Theologen auf dem Hintergrund neuer theologischer Konzepte aus dem 19. Jahrhundert, die mit den Namen Möhler, Kuhn, Drey, Günther und Hermes verbunden sind, als überholt und nicht mehr zeitgemäß erschien. Daraus ergab sich die théologie nouvelle[399] in Frankreich, die methodisch neue Impulse für das Theologietreiben setzte, so dass heute kaum noch Theologie mittels der scholastischen Methode betrieben wird. Gott offenbart keine Sätze oder Satzwahrheiten, sondern sich selbst. Dementsprechend musste der theologische Stil sich im Zuge neuer Einsichten ändern. Da Unzufriedenheit immer ein Gefühlszustand eines Einzelnen oder einer kleineren (visionären) Gruppe ist, gehen Intensivierungsbewegungen – wie die gewählten Beispiele verdeutlichen – meistens von wenigen aus, um sich dann auszubreiten und eventuell die ganze Kirche zu erfassen. Ihre Ausbreitung darf hierbei als ein Zeichen des Geistes gewertet werden, der das „Herz" der Kirche darstellt und gegen dessen Willen eine Vision auch nur ein Luftschloss eines Einzelnen oder einer kleinen Gruppe bleibt.[400]

Aber nicht nur eine Unzufriedenheit mit dem gegenwärtigen kirchlichen Zustand bewirkt neue Impulse für Leben und Lehre der Kirche. Diese Impulse können auch aus dem Wunsch heraus entstehen, neue Impulse zu setzen. Die Kirche und ihre Glieder reagiert ja nicht nur auf einen Defizienzzustand, sondern agiert auch, setzt neue Impulse, probiert neue Ideen, neue Frömmigkeitsformen usw. aus. Man denke zum Beispiel an die eucharistische Anbetung im Hochmittelalter, die Entdeckung des Rosenkranzgebets oder an die Kyrie-Mediation des Palamismus.[401] Diese Gebetsformen sind keine Reaktionen auf eine vorherige mangelhafte Gebetspraxis, sondern neue Impulse, die sich bis heute erhalten haben. Dieser aktive Punkt ist nicht gegenüber den zuvor genannten passiv-reaktiven Gründen zu vernachlässigen. Zwar muss man konstatieren, dass die Kirche mehr reagiert als agiert. Dennoch ist der aktive Teil kirchlichen Handelns Ausdruck des aktiven Wirkens und Handelns des Heiligen Geistes, der seinem Wesen nach

[399] Der Begriff ist wertungsfrei gemeint, ebenso wie „Neuscholastik" kein Synonym für „schlecht" ist.

[400] So mag z. B. die Reservation des Priestertums für das männliche Geschlecht von einigen als Defizienz der Kirche empfunden werden. Solange diese Empfindung sich aber nicht in der Kirche ausbreitet, bleibt sie eine Vision, deren Verwirklichung nicht geschehen wird.

[401] Mit jeder dieser Frömmigkeitsformen ist auch eine Lehrentwicklung gegeben. Denn jede dieser Frömmigkeitsformen hat theologische Voraussetzungen, die reflektiert werden wollen. So erweist sich das Leben der Kirche als Reflexionsgegenstand der Theologie und die Theologie eingebunden in das Leben der Kirche als eines ihrer Teile.

nicht auf die Welt und die menschlichen Freiheiten reagiert, sondern ihnen mit seinem Wirken zuvorkommt und sie daher bedingt. Ob ein neuer Impuls dem Geist Gottes entstammt oder den Wünschen und Träumen eines menschlichen Initiators wird die Zeit und damit der Heilige Geist zeigen.

## 5.3. Gemeinsame Ursachen der Expansion und der Intensivierung

Auch auf die Gefahr der Wiederholung hin, sollen nun gemeinsame globale Gründe für die Notwendigkeit einer Entwicklung noch einmal kompakt genannt werden. Der erste und, wenn man es genau betrachtet, einzige Punkt, unter den sich alle folgenden Gründe subsumieren lassen, liegt im Mysterium Gottes selbst begründet. Gott entzieht sich menschlichem Begreifen und Begriffen. Weil die Apostel, Jünger und Christen vor Gott wie einem Rätsel stehen, weil seine Wege nicht unsere Wege und seine Gedanken nicht unsere Gedanken sind (Jes 55,8f.), deswegen findet theologisches Denken über Gott kein Ende, sowie auch die Suche der Kirche nach Gott nicht aufhört. Die Offenbarung ändert an dieser Tatsache prinzipiell nichts, da Gott sich selbst, sein Wesen, seinen Willen, seine Liebe offenbart. Allein die Offenbarung bekommt mit Jesus von Nazareth ein menschliches Gesicht. Der Sohn kann das Wesen Gottes, dessen Gnade, nur ansatzweise menschlichen Kategorien begreiflich machen, indem er das Wesen Gottes selbst als Mensch lebt. Newman hat von der Unfassbarkeit des depositum fidei geredet und dabei die Unfassbarkeit des göttlichen Wesens – trotz der Offenbarung und durch sie belegt – gemeint. Ein einzelner Mensch kann nie das ganze Glaubensgut der Kirche in einem Moment präsent haben. Er hat das Wichtigste präsent, und dazu vielleicht bestimmte Teile, mit denen er sich besonders beschäftigt hat, aber niemals das ganze depositum fidei. Daher bleiben für den Einzelnen, wie für die gesamte Kirche Fragen. Und wie jede Frage ein Vorwissen über das Erfragte voraussetzt, so setzt jede Frage ein Vorwissen über Gott voraus, das in der Existenz der Schöpfung, vor allem aber durch die Offenbarung grundgelegt worden ist. Dieses Wissen, das Gott selbst durch sein Sich-zu-erkennen-geben schafft, bleibt jedoch im Vergleich zum Wissensdurst des Menschen fragmentarisch. Gott offenbart nur Wesentliches und Wichtiges. Deswegen enthält die Schrift auch nur Wesentliches und Wichtiges und stellt keine Enzyklopädie des Wissens über Gott dar. Sie bezeugt vor allem, wo und wie man Gott finden kann, seine metaphysische Konstitution ist sekundär, da man sie sowieso nicht begreifen kann. Diese Konzentration auf das Wesentliche und der menschliche Wissensdurst bedingen die Expansion christlicher Lehre und ebenso die Intensivierung. Das Dogma stellt dann den Abschluss eines Intensivierungsprozesses dar, beantwortet eine oder mehrere Fragen, wirft aber eventuell neue auf. So bildet die Schrift das Prinzip jeder christlichen Lehrentwicklung, die Dogmen Sekundärprinzipien und Anstoßpunkte weiterer Entwicklungen.

Und obwohl das Gesagte den Eindruck erweckt, als ob die Menschen, die Christen, der Grund der Entwicklung sind, als ob das Leben selbst die Entwicklung schafft, so muss auch auf den Grund dieses Lebens verwiesen werden. Gott Vater erschafft das Leben durch sein Wort und seinen Willen, der Sohn erschafft es neu, und der Heilige Geist erhält es und führt es zu seinem Ursprung, dem Vater, zurück. Der Heilige Geist führt aber nicht nur zum Vater, indem er als Urheber der Schrift die Christen auf sie als Prinzip jeder Entwicklung verweist. Denn der Glaube ist nicht etwas vom Menschen Produziertes, der an irgendein Faktum glauben müsste, welches außerhalb seiner liegt, um sein Heil zu erlangen. Der Glaube ist eine dem Menschen inhärierende und Gott bejahende Beziehung zu diesem, welche aufgrund von Gnade dem Menschen geschenkt wird. Diese „Einwohnung" des Geistes Gottes bedingt das Suchen und Fragen des Menschen nach Gott; bedingt das, was oben als Neugier, Interesse, Unzufriedenheit und dem Wunsch nach neuen Impulsen bezeichnet wurde. Ja, es mag sogar das, was als „bewusste Vorantreibung bestimmter Lehrbereiche durch das Lehramt zur Erzielung bestimmter Nebeneffekte" bezeichnet wurde, bedingt, gefördert und gewollt haben.

Denn Gott vermag es, sich sogar die Ängste seiner Kirche für seinen Willen zunutze zu machen, um seinen Heilsplan zu verwirklichen. Andernfalls wäre er nicht Gott, wenn er nicht wüsste, „dem Bösen zu wehren"[402] und es seinem Willen zu unterwerfen. Und so stellt sich dem Glaubenden im Grunde genommen nicht die Frage nach einer Dogmenentwicklungstheorie. Er sieht die Dogmen nicht als durch das Lehramt autoritativ vorgelegte Interpretationen zur Schrift, sondern als Glaubenswahrheiten. Für ihn stellt sich das Problem von Subjekt-Objekt-Spaltung nicht, da der Glaubende aufgrund der Einwohnung des Heiligen Geistes seiner Wirklichkeitssicht gewiss ist. Der Heilige Geist wirkt die Einheit von Erkenntnis- und Seinsordnung. Wie Rene Descartes mittels einer angeborenen Idee eines guten Gottes zum Objekt zurückfindet, so braucht der Gläubige gar nicht zurückfinden, da die Einheit seiner Erkenntnis mit der objektiven Wirklichkeit ihm durch die Offenbarung verbürgt ist und er, so Gott will, auch die Gegenwart der Gnade in seinem Leben und im Leben der Kirche wahrnehmen kann. So stellt sich ihm die Dogmenentwicklung als eine Entwicklung der Gnade dar, auch wenn die Kirchengeschichte eine Geschichte des Abfalls und der Umkehr war und ist.

Das Leben der Kirche vollzieht sich, wie das Leben des Einzelnen und das Leben Israels, im einem steten Wechsel von Liebe zu Gott und Liebe zu sich selbst – und der Welt, oder um es mit Augustinus zu sagen: Sie vollzieht sich im Erkennen und Nicht-erkennen-wollen des Unterschieds zwischen uti und frui. Trotz dieser Freiheit des Menschen, das Böse zu wählen, bleibt die Geschichte Ort und Zeit der Gnade Gottes. Diese Grundausrichtung kann ihr niemand nehmen. Das Leben des Menschen, das sich in Frei-

---

[402] GL 615,3.

heit vollzieht, verändert sich. Es kann sich daher bei seiner Suche nach Gott in Irrtümer verrennen, trotz der Begnadung von Mensch und Geschichte. Gerade damit der Irrtum aber nicht das letzte ist und bleibt, hat Jesus seinen Jüngern den Heiligen Geist gesandt. Damit besitzen die Konzilien nicht nur eine empirisch fassbare Seite, auf denen es eine bestimmte Machtstruktur gibt und auf denen Kompromisse scheinbar wie auf einem Basar ausgehandelt werden, sondern auch eine übernatürliche Seite, die garantiert, dass trotz dieser menschlichen Vorgänge am Ende ein „Denn der Heilige Geist und wir haben beschlossen" (Apg 15,28) steht. Gott kommt im Wirken des Heiligen Geistes seinem eigenen Mysterium entgegen und unserer Unfähigkeit, ihn zu erfassen. Er muss daher ständig seiner Kirche präsent sein und sich erfahrbar machen. Die Offenbarung seiner selbst in seinem Sohn hat das Wesentliche „gesagt". Aber selbst dies kann er nicht, wie Rahner treffend feststellt, einfach der Verfügungsgewalt des menschlichen Geistes überlassen, der aufgrund seiner erbsündlichen Schwäche mit dieser höchsten Form der Offenbarung nur dasselbe machen würde wie mit dem Gesetz des Mose (vgl. Röm 7). Dadurch würde es seine Heilsrelevanz verlieren oder zu einem Heilshindernis mutieren.

Der Heilige Geist trägt daher das Leben der Kirche, ihre Verkündigung, ihre Liturgie und ihre Diakonie. Er trägt als Teil der kirchlichen Verkündigung ebenso die Theologie in ihrem methodischen Fragen nach Gott und seinem Willen. Eine Dogmenentwicklungstheorie kann und muss daher ganz im Lichte des Geistes dargestellt werden als eine Theorie mit „Happy End". Während die Kirchengeschichte und die Theologiegeschichte ein Bild zeichnen müssen, bei dem die Heiligen neben den Sündern, die Orthodoxen neben den Häretikern stehen, so kann eine Dogmenentwicklungstheorie, die vom Geist Gottes ausgeht, mit einem anderen Bild starten und aufhören: dem Bild von der Geschichte als Heilgeschichte. Für einen Gläubigen würde dies genügen. Empirische Ursachen für Expansion und Intensivierung erweisen sich von diesem Beobachtungspunkt als belanglos. Der Geist bewahrt das Wort Gottes und er ermöglicht und trägt das Leben der Kirche, indem er die guten Entwicklungen fördert, die dem Heil und dem Leben derer dienen, für die Christus sein Leben gegeben hat. Was man auf der einen Seite als Unklarheit der Schrift bezeichnet, erweist sich auf der anderen Seite als von Gott gegebene und gewollte Möglichkeit, bestimmte „fehlende" Wahrheiten zu entdecken und den menschlichen Geist wach zu halten – immer in dem Wissen, dass das Entscheidende, was den Glauben begründet, die Liebestat Jesu am Kreuz getan und jedem Christen jederzeit präsent ist. Diese Einsicht auf die empirische Ebene zu vermitteln, bleibt jedoch ebenso schwierig wie das Heilige in den Sakramenten zu sehen. Funktional denkenden und geprägten Menschen kann und wird die Berufung auf den Heiligen Geist, so wahr und richtig ist, nicht genügen.

## 5.4. Die sich entwickelnde Tradition oder die Kontinuität des Glaubens

Durch das bisher in diesem Kapitel Gesagte könnte der Eindruck entstehen, als ob das Leben der Kirche sich ständig kreativ weiterentwickelt, als ob jede Generation Kirche neu gestaltet und erfindet. Dieser Eindruck wäre jedoch einseitig. Das Gegenteil scheint empirisch der Fall zu sein. Der Kirche wird Stagnation, Unbeweglichkeit und Irreformabilität vorgeworfen. Als Grund wird meistens das Lehramt und die Zentralisierung der Kirche im 19. Jahrhundert genannt. Beide Eindrücke sind jedoch falsch. Zum einen kann man sich kaum eine Zeit vorstellen, in der sich soviel in der Kirche verändert hat und noch verändert.[403] Zum anderen stellen sich der Glaube und die Kirche als die Alten dar. Entwicklungen finden daher innerhalb von Tradition statt und Traditionen entwickeln sich. Meistens hat die Reproduktion des Glaubens und des Lebens der Kirche Vorrang vor der Modifikation. Im Grunde genommen kann die Modifikation nur auf Konzilien die Reproduktion überwiegen.

Dieses Schema entspricht dem menschlichem Leben an sich. Jeder Mensch übernimmt und erlernt Handlungsweisen von seinen Vorfahren. Meistens erweisen sich diese Handlungsweisen in mehrfacher Hinsicht als praktisch. Sie entlasten den Einzelnen, ständig sein Leben neu gestalten zu müssen, und sich andauernd zu überlegen, was in dieser oder jener Situation gut sein könnte und was Not wendet. Außerdem kann er darauf vertrauen, dass derjenige, von dem man diese Handlungen lernt, sich bereits darüber Gedanken gemacht hat und nur Strategien weitergibt, die auch zum Erfolg führen. Somit schafft der Einzelne mit den Handlungsschemas, die er in einer bestimmten Situation ausführt und an seine Nachfahren weitergibt, Tradition, die auf Erfahrung mit der Welt beruht und als Erfolgsmodell bewusst oder unbewusst an die nächste Generation vererbt wird. Was für den Einzelnen gilt, gilt für Kollektive in analoger Weise. Gemeinschaften und Staaten besitzen ebenso wie der Einzelne bestimmte erprobte und für gut befundene Handlungsstrategien, gewonnen aus geschichtlichen Erfolgen oder Katastrophen. Solche Traditionen zu erstellen, ist auf kollektiver Ebene je nach Anspruch an die Gemeinschaft unterschiedlich. Handelt es sich zum Beispiel bei der Gemeinschaft um eine Behörde, so kann der Behör-

[403] Man denke hier an die massiven Veränderungen im Bereich der Liturgie. Die lateinische Messe ist in den meisten katholischen Ländern zugunsten der Landessprache in den letzten 40 Jahren so gut wie verschwunden. Es wurden Pastoralräte und Pfarrgemeinderäte gegründet, Bischofskonferenzen auf dem ganzen Globus vorgeschrieben. Das sind nur kleine Andeutungen von dem, was sich in kurzer Zeit verändert hat und heute bereits wie selbstverständlich wirkt.

denleiter eine Dienstanweisung erlassen, die zum Erfolg der Behörde führt. Dies entlastet den Einzelnen sich die Frage stellen zu müssen, wie er am besten arbeitet oder ob die Dienstanweisungen einen Sinn ergeben. Das Leben einer Gemeinschaft wie Kirche zu regeln, stellt allerdings weitaus höhere Anforderungen, zum einen aufgrund der Größe der Kirche, zum anderen aufgrund ihres Anspruchs, alle eins in Christus zu sein und damit Schwestern und Brüder. Die Urkirche stand als erste vor der Aufgabe, christlich-kirchliches Leben zu organisieren. Dabei mussten diese Christen nicht bei Null beginnen, sondern konnten gute jüdische Elemente übernehmen, um vor allem ihren Gottesdienst und ihrem Alltag zu gestalten. Ist erst einmal ein Konsens unter den Gemeindemitgliedern erzielt, wird diese Praxis ausgeübt und weitertradiert. Sie genießt jetzt den Vorzug, erprobt zu sein, und wird daher zunächst fraglos von späteren Generationen übernommen, bis eine Situation eintritt, die eine Modifikation zwingend erforderlich macht oder zumindest günstig erscheinen lässt. Somit verändert sich die Praxis nicht, da sie ständig von jeder neuen Generation reproduziert wird. Wenn es Veränderungen gibt, so sind diese entweder langsam, schleichend, gleichzeitig aber geringfügig, oder aber groß und von Konzilien als Reaktion auf eine Krise angeordnet.

Was hier in Bezug auf die Praxis (vor allem die liturgische) gesagt wurde, gilt in ähnlicher Weise auch für die Lehre der Kirche. Der Normalzustand ist nicht eine radikale Intensivierung christlicher Lehre, wie sie Konzilien zueigen ist, sondern die allmähliche langsame Fortentwicklung und Expansion der Lehre, indem neue Ideen entfaltet und diskutiert werden. Die christliche Lehre reproduziert sich vor allem. Sie wird von einer Generation zur nächsten weitergegeben, nicht zuletzt aufgrund der Kodifikation ihrer einzelnen Stadien. Und was oben über die Handlungen gesagt wurde, gilt auch im Bereich der Lehre: Die nachfolgende Generation kann darauf vertrauen, dass das, was ihr übergeben wird, von vielen Theologen und Christen durchdacht worden ist – in alle verschiedenen Aspekte einer bestimmten Lehre hinein – und dass diese überlieferte Lehre, mit ihr die Dogmen, ein Optimum an christlichem Denken darstellen. Dies nicht so zu sehen, würde bedeuten, einer Fortschrittsideologie anzuhangen, für die nur die eigene Idee und die eigene Überzeugung ein Optimum darstellt, dem es zu folgen gilt. Das entspräche Thesen, die die Theologie der Antike und des Mittelalters apriori als unwichtig abtun, weil die damaligen Theologen nicht den geistigen Horizont von heute besitzen. Das Gegenteil dazu stellt die Hermeneutik mit ihrem Wunsch, zu verstehen, dar.

Außerdem wird nicht nur die Lehre an sich weitergegeben, sondern auch die Fehler der Theologie, die zur Entstehung einer Lehre geführt haben. Die Reproduktion christlicher Lehre beinhaltet gleichzeitig die Erinnerung an falsche Lehren und Fehler verschiedener Theologen als Beweis dafür, dass die überlieferte Lehre, das tradierte Dogma, das Optimum der Lehre angesichts der Offenbarung und des menschlichen Erkenntnisvermögens darstellt. Dieses Weitergeben ist aber kein starrer Prozess, sondern beinhaltet auch die Modifikation, das Einbringen neuer Ideen und die langsame Veränderung des geistigen Horizonts. Es kann nicht bestritten werden, dass heutige Theologen aufgrund von 1500 Jahren Theologie- und Philosophiegeschichte einen anderen geistigen Horizont besitzen als antike Theologen. Diese Änderungen sind bedingt durch neue Ideen, und diese Ideen verändern wiederum den Horizont folgender Generationen. Es kommt zu einer stetigen Expansionsbewegung, bei der neue Fragen und Probleme auftauchen. Über die Qualität dieser neuen Ideen ist dabei noch nichts ausgesagt. Drastische Veränderungen und Eingriffe in diesen stetigen Prozess stellen Konzilien dar.[404] Diese lösen zwar Probleme und Fragen, stoßen aber dabei neue Probleme und Fragen an, die in der Folgezeit diskutiert werden müssen, während die letzten Konzilsbeschlüsse in den Reproduktionsprozess integriert werden. Und obwohl die Dogmen ein Optimum der Theologie ihrer Zeit bilden, kann es – bedingt durch einen neuen geistigen Horizont – vorkommen, dass diese Lehren zu einem späteren Zeitpunkt als verbesserungswürdig angesehen werden. Allerdings zeigt sich meistens, dass die Verbesserungswürdigkeit keine Neukonstitution mit sich bringt. Hierbei muss man jedoch noch einmal unterscheiden, welcher Bereich christlicher Lehre betroffen ist. Man könnte sich kaum vorstellen, dass ein Theologe in der Lage wäre, den Glauben der Kirche an Jesus Christus, wie er auf dem Konzil von Chalcedon ausgedrückt wurde, besser in Worte zu fassen – trotz anderem geistigen Horizont. Er könnte lediglich aus Christus einen anderen machen und somit den Glauben an ihn destruieren wollen. Man könnte sich aber durchaus vorstellen, die Lehre besser auszudrücken und neue Nuancen in ihr zu entdecken. Man könnte zum Beispiel die Christologie anthropologisch wenden und sie damit für den geistesgeschichtlichen Horizont aktualisieren, wie Rahner dies versucht hat.

In weniger wichtigen Bereichen der christlichen Lehre jedoch ergeben sich durchaus Möglichkeiten der Neugestaltung, jedoch nie ohne Integration der Vorgängerideen. Als Beispiel kann die Neugestaltung des Glaubensbegriffs gesehen werden oder der Verständniswechsel im Dogmenbegriff. Der Glaubensbegriff wurde als ganzheitlich personaler Begriff neugestaltet, während die alte Begriffsbestimmung, die z. B. in Jak 2,19 verwendet wird, in diese Neugestaltung einbezogen wurde. Aus dem „Glauben, dass“ wurde ein „Glauben an“, welche gewisse „dass“ Inhalte integriert. Dasselbe gilt vom Dogmenbegriff, der in der Ablösung der scholastischen Methode ebenfalls – unter Beibehaltung seiner wichtigsten Inhalte – neukonzipiert werden musste. Wie lange diese heutigen Neugestaltungen reproduziert werden,

---

[404] Dies soll nicht bedeuten, dass der Papst heute nicht ebenso in der Lage ist, diese drastischen Veränderungen vorzunehmen. Da diese Erkenntnis jedoch relativ jungen Ursprungs ist, wird hier vor allem im Hinblick auf die Geschichte von Konzilien gesprochen.

wird davon abhängen, wie sie geeignet erscheinen, der Theologie in der Beschreibung der Wirklichkeit des Glaubens zu dienen. Vielleicht werden sie irgendwann modifiziert oder als Irrtum verworfen, wobei ihre guten Seiten in ein neues Verständnis übernommen werden.

Je zentraler der Glaubensinhalt, desto beständiger wird er jedoch sein. Denn ohne diese Beständigkeit würde nicht nur die diachrone Einheit der Kirche aufhören, sondern auch das Christentum selbst untergehen. „Christus ist derselbe gestern, heute und in Ewigkeit" (Hebr 13,8). Dies ist der Grund für die Beständigkeit der zentralen christlichen Inhalte. Der Glaube an Jesus von Nazareth, das inkarnierte Wort Gottes, bildet das unbewegliche Zentrum des kirchlichen Lebens, welches die Dynamik in der konkreten Umsetzung dieses Glaubens erst ermöglicht – eine Umsetzung, die Verkündigung, Liturgie und Diakonie betrifft und mit ihnen Theologie und kirchliche Lehre. Dieses Leben der Kirche hat aber auch seine Fixpunkte, wie die der Kirche gegebenen Sakramente, deren inneren Wert die Riten, welche die Kirche als Ganze frei gestalten kann[405], verdeutlichen und ins Gedächtnis rufen sollen. Aber auch bei den Sakramenten wird ein Gefälle deutlich. Würde die Kirche an den wichtigsten Sakramenten, Taufe und Eucharistie, versuchen, etwas zu verändern, so könnte dies nur mit einem erheblichen Überzeugungsaufwand der Gläubigen geschehen, während eine Ritusänderung bei den anderen fünf Sakramenten mit deutlich weniger Widerstand zu erzielen wäre.

Es gibt aber auch noch andere Fixpunkte, die im Leben der Kirche unverzichtbar erscheinen und deren Weitertradierung nicht zur Disposition oder Diskussion stehen: Man denke hierbei an die Schrift und die Dogmen als deren authentische Interpretation. Die Gläubigen tendieren, der Natur des Glaubens entsprechend, eher zum Bewahren von Tradiertem als zur Innovation, da das Tradierte ein Stück „Heimat" für sie darstellt. Allein deshalb verbietet sich schon die Forderung, die Kirche müsse sich ständig neu erfinden, um „modern" zu sein. Letztlich muss das Lehramt seine ganze Autorität einsetzen, um notwendige Reformen einzuführen und durchzusetzen, weil die Gläubigen an sich aufgrund ihrer Zahl zum Konservativismus neigen. Das Zusammenleben als Kirche wird dadurch wesentlich einfacher, wenn man sich nicht in jeder Generation neu darum Gedanken machen muss, welche Teile zum Beispiel die Messe haben muss, wie viele Lesungen es geben soll, wann der Friedensgruß ist usw.. Nicht die Reproduktion des Glaubens, nicht das Bewahren von Tradiertem stellt eine Herausforderung für die Kirche dar, sondern die Veränderung, die von Zeit zu Zeit aufgrund der oben beschriebenen Gründe nötig und unvermeidlich in der Sendung der Kirche sind. Denn die Weitergabe des Glaubens, das Glaubenszeugnis, wird durch das Wirken des Heiligen Geistes garantiert und bewirkt,

[405] Vgl. Apostolische Konstitution „Sacramentum Ordinis" vom 30.11.1947: DH 3858.

ebenso wie die Durchsetzung notwendiger Änderungen an Praxis und Lehre. Stellen aber Tradition, Expansion und Intensivierung geistgewirkte Prozesse dar, so muss man den Hang der Gläubigen zum Konservativen eher als Produkt der soziologischen Größe der Kirche betrachten. Man darf auch nicht vergessen, dass manchmal der Mangel an Glaubenssubstanz durch das Festhalten an tradierten Formen von betroffenen Gläubigen kompensiert wird. Gerade dies zeigt sich häufig im Anschluss an Konzilien, die Reformen angestoßen und durchgesetzt haben. Daher ist die Gefahr einer Kirchenspaltung nie größer als nach Konzilien. Man denke hierbei an die nestorianischen Kirchen, die sich nach dem Konzil von Chalcedon 451 abgespalten haben, auch wenn man den Nestorianern keinen Mangel an Glauben vorwerfen kann, oder an die altkatholische Kirche nach dem ersten Vatikanischen Konzil, sowie an die Lefebvre-Bewegung nach dem Vatikanum II. An den letzten beiden Beispielen kann man sich die Grundregel jeglicher Glaubensweitergabe in Erinnerung rufen: Der Glaube ist ein gnadengewirkter Akt. Man kann den Glauben nicht lernen. Man kann die Glaubensinhalte so lange studieren, wie man will, ohne dass daraus zwingend Glauben entstehen müsste. Denn Glauben bedeutet nicht nur die Einsicht zu besitzen, dass die Glaubensinhalte wahr sind, sondern auch dorthin zu gehen, wohin man eventuell nicht hin will (Joh 21,18). Dies bedeutet, die Zeichen der Zeit zu erkennen und sich vom Geist Christi in die Zukunft führen zu lassen.

Wer daher Theorien aufstellt, die einen Bruch in der Kirchengeschichte postulieren, der muss letztlich so einen Bruch nach jedem Konzil ansetzen. Denn jedes Konzil, jede Intensivierungsbewegung, stellt einen gewissen Bruch im zeitlichen Kontinuum dar, das an der Weitergabe des Glaubens Veränderungen vornehmen will. Wer also einen Bruch nur nach einem bestimmten Konzil annimmt, bei anderen aber einen solchen nicht entdeckt, betreibt letztlich aktive Kirchenpolitik.

Denn wer kann behaupten, dass der Primat des Papstes, wie ihn das Erste Vatikanische Konzil definiert hat, nicht dem Willen Christi entspricht oder dass das Bekenntnis zur Religionsfreiheit ebenso der Weisheit Gottes entspringt, auch wenn es kein Recht zur Verbreitung von Irrtum und Lüge geben kann. Die Gläubigen teilen in dieser Hinsicht mit ihren Bischöfen dasselbe Schicksal. Der Geist Gottes führt die Bischöfe zu Einsichten, die nicht ihren eigenen Wünschen entspringen, und die Gläubigen zu der Einsicht, dass Gott seine Kirche durch den Papst und die Bischöfe leitet, auch wenn dies bedeutet, das ein oder andere lieb Gewonnene und Tradierte aufgeben zu müssen. An dieser Stelle muss man Harnack Recht geben, wenn er im Papsttum (und im Bischofskollegium) das Element sieht, welches die Kirche davor bewahrt, zu erstarren. Mit der Dynamik, die er dem Papsttum in der katholischen Kirche zuschreibt und welches den orthodoxen Kirchen fehle, liefert er, ohne es zu wollen, den besten „Beweis“ für das

Wirken des Geistes in der Kirche. Vielleicht ist das Papsttum in seiner heutigen Form genau jenes dynamische Element, das eine globalisierte Welt benötigt, um die Bewahrung des Glaubens mit der Aktualisierung und Inkulturation des Evangeliums zu verbinden.

Aber nicht nur das Papsttum und die Bischöfe sind Bewahrer des Glaubens, sondern jeder Christ, dem der Heilige Geist in der Taufe geschenkt wurde. Die Weitergabe des Glaubens geschieht vor allem in der Familie, in der Schule und den einzelnen Pfarrgemeinden. Die theologischen Lehrbücher, die die Glaubensinhalte und Glaubensformen schriftlich festhalten, sowie das Lehramt der Kirche sind sekundäre Elemente, gemessen an ihrer Bedeutung für die Masse des Gottesvolkes. Entscheidender scheint der Priester vor Ort, der Diakon oder Katechet(in) zu sein. Da der Heilige Geist bei diesem Prozess der Weitergabe beteiligt ist, kann es auf allen Ebenen kirchlichen Lebens zu verschiedenen Initiativen kommen, die darauf abzielen, Einfluss auf das Tradierte, die Lehre oder Praxis, zu nehmen und ihre Ideen einzubringen. Dabei kann es sich um expansive Ideen oder Intensivierungsideen handeln. Als Beispiel kann man Juliane von Lüttich mit ihrer Idee des Fronleichnamsfestes anführen. Oder man denke an verschiedene Ordensgründer, die den Glauben der Kirche in Kombination mit tätiger Nächstenliebe stärker verbunden wissen wollten.

Da die Tradierung immer durch Menschen geschieht, kann es jedoch vorkommen, dass bestimmte Initiativen nicht aus dem Geist Gottes heraus geboren werden. Die harmloseste Variante besteht im Weglassen bestimmter missliebiger Glaubensinhalte oder Glaubenspraktiken. Was nicht mehr getan oder gepredigt wird, verliert langsam und schleichend seine Glaubwürdigkeit und wird irgendwann auch nicht mehr geglaubt bzw. praktiziert. Die gefährlichere Variante besteht in der Benutzung des Traditionsprozesses zum Plazieren eigener falscher Ideen, die von der Kirche und ihrem Lehramt bereits als solche bezeichnet wurden. Der letzte Halbsatz ist bei dieser Aussage entscheidend. Neue Ideen an sich treten als notwendige Begleiter in der Zeit auf und können nicht apriori als „geistwidrig" klassifiziert werden. Als Beispiel für die willentliche Platzierung falscher Ideen kann man das Tarnen apollinarischer Schriften als athanasianische Schriften anführen, das als Konsequenz zwar keine Auswirkungen auf die Dogmengeschichte, dafür aber auf das Leben verschiedener Menschen hatte (Cyrill von Alexandrien, Nestorius von Konstantinopel, Eutyches), die sich mühsam von Apollinarius Ideen lösen mussten (Cyrill), bzw. es nicht schafften (Eutyches). Es können aber auch kleinere Fälle sein. Es könnte ein(e) Religionslehrer(in) seinen/ihren Schülern erzählen, dass die Unfehlbarkeit des Papstes Unsinn sei, weil es unfehlbare Menschen nicht gebe. Obwohl diese These mit dem Anathema belegt ist,[406] multipliziert sie sich eventuell durch

[406] Vgl. 1. Vatikanisches Konzil, Dogmatische Konstitution „Pastor aeternus": DH 3075.

die Schüler(innen) und stellt somit eine erhebliche Veränderung in der Tradierung des Glaubens dar. Dies zeigt, dass der Tradierungsprozess, der massiv von sogenannten Multiplikatoren abhängt, von diesen missbraucht werden kann, um aktive Kirchenpolitik zu betreiben. Da sich Schüler, Studierende, Predigthörer oder Bibelkreisteilnehmer selten gegen die Meinung von Multiplikatoren theologisch wehren können, erweist sich der Weitergabeprozess des Glaubens als höchst anfällig für kirchenpolitischen Missbrauch im Namen einer unabgeschlossenen Rezeption des einen oder anderen Konzils.[407] In der Regel beruft man sich hierbei auf den sensus fidelium. Das bedeutet, dass Konzilsbeschlüsse / Dogmen, die vom Volk Gottes nicht rezipiert würden, sich aufgrund von Nichtrezeption selbst erledigen. Dieses Argument findet seinen theologischen Grund in der Führung und Begnadung der Kirche durch den Heiligen Geist. Eine massenhafte Nichtrezeption einer Äußerung des Lehramtes jedoch würde auf dessen Amtsführung ein schlechtes Licht werfen, insofern es eine Äußerung getätigt hätte oder Lehre verkündet hätte, die nicht mit dem Geist Gottes in Beziehung stünde. Die Verkündigung dieser Lehre stünde somit als reine Machtausübung dar. Dass dies wiederum ein Widerspruch zum Amtsideal in der Kirche und dem Weihesakrament wäre, ist offensichtlich. Wer daher von einer unabgeschlossenen Rezeptionsgeschichte eines Konzils redet, vergisst meistens, dass er / sie aktiv versucht, die eigene Meinung zu multiplizieren und somit auf den (con)sensus fidelium einzuwirken. Diese Gefahr wird allerdings auch wiederum durch denselben sensus eingedämmt. Denn der Heilige Geist, der die Gläubigen in ihrem Denken begnadet, verhindert, so bezeugt es die Schrift, eine große Verbreitung des Irrtums. Man muss sehen, ob eine neue Idee angenommen wird und sich verbreitet, oder abgelehnt wird und nach einiger Zeit untergeht oder von Lehramt verurteilt wird. Eine Lehre jedoch, die explizit verworfen worden ist, zu vertreten, bedeutet nicht nur Kirchenpolitik zu betreiben, sondern Irrtum zu verbreiten.

Andererseits kann die Kirche nicht auf Multiplikatoren und Multiplikatorenschulung verzichten, um ihre Sendung zu erfüllen. Zwar gab es vor dem Trienter Konzil keine Priesterseminare und wenige Jahrhunderte zuvor auch keine Universitäten, doch scheint dieser Zustand kaum wünschenswert, da der Verzicht auf die Schulung von Priestern und Pfarrern in einer säkularen Umwelt undenkbar wäre. Somit sind Multiplikatoren Gefahr und Chance, sowie neue Ideen entweder schlecht oder aber geistgewirkte Impulse sein können. Die Kontinuität des Glaubens jedoch können schlechte Ideen und Impulse nicht unterbrechen. Dafür ist nicht nur die Verheißung des Heiligen Geistes ein Argument, sondern auch das Bleiben der Schrift und ihre Nor-

[407] Dies soll keine Diskreditierung der Kirchenpolitik sein. Aber wenn man Kirchenpolitik betreibt, dann sollte man sie auch in Diskussionen oder wissenschaftlichen Arbeiten als solche kennzeichnen, und nicht vorgeben, die eigene kirchenpolitische Sicht sei genau das, was Jesus für seine Kirche wollen würde.

mativität, die ebenfalls ständig auf das Volk Gottes einwirkt und es vor Irrtum bewahrt, indem sie die Unterscheidung zwischen dem Geist Christi und anderen Geistern ermöglicht. Zugegeben ist dies angesichts mancher Fragen ein schwaches Korrektiv, da die Schrift viele Interpretationsmöglichkeiten zulässt. Aber sie vermag es, Dinge, die in kontradiktorischen oder konträren Verhältnis zu ihr stehen, zu verhindern bzw. auszumerzen.

Der sensus fidelium bleibt aber dennoch eine abstrakte Größe, deren Analyse schwierig ist. Die Beziehungen der einzelnen Gläubigen untereinander, die Einflüsse durch sogenannte Multiplikatoren auf die Gläubigen, deren Beziehung untereinander und dann das Wirken des Geistes in jedem einzelnen Gebiet kann man nicht aufschlüsseln, weil sich das Leben nicht katalogisieren lässt. Und weil die Glaubenskraft etwas unsichtbares ist, weil sich daher auch die sichtbaren Glaubensakte einer Fundamentsprüfung entziehen, weiß man auch nicht, welchen Gläubigen man beim sensus fidelium rechnen soll und welchen nicht. Wer ist vom Heiligen Geist begnadet und wessen Denken zählt? Es stellen sich alle Fragen von sichtbarer und unsichtbarer Kirche auf den Einzelnen hin angewandt. Und wie das Getragensein des sensus fidelium durch den Geist Gottes eine abstrakte Aussage bleiben muss, so bleibt auch die Aussage, dass der Glaube sich von einer Generation zur nächsten reproduziert, abstrakt. Denn Glauben ist nur bedingt mit einer Technik vergleichbar, die weitergegeben wird. Wird der Glaube z. B. nicht als nützlich empfunden oder gar als Last, wird er vielleicht überhaupt nicht weitergegeben. Die Anzahl möglicher Einflüsse sind so zahlreich, dass man sie nicht ausgiebig besprechen kann. Auch die Arten der Weitergabe differieren nach Schicht, Charakter, eigener Glaubensstärke und Glaubenseinsicht. Einige versuchen ihren Glauben als Vorbilder in tätiger Nächstenliebe an ihre Kinder weiterzugeben, ohne vielleicht viel an Katechismuswissen zu besitzen, andere durch Weitergabe liturgisch-religiösen Lebens, wieder andere durch Vermittlung von Katechismuswissen oder theologischen Einsichten. Unzählige Möglichkeiten in unendlichen Kombinationen sind hierbei denkbar, aber alle fallen unter die abstrakte These, dass sich der Glaube von einer Generation zu nächsten reproduziert, teils unverändert, teils modifiziert, teils aktualisiert, teils auch korrumpiert. Wo der Geist wirkt, ist Freiheit und dennoch Kosmos. Wo Tradition geschieht, dort gilt dasselbe.

## 5.5. Inhaltliche Prinzipien der Entwicklung

In den vorangegangenen Kapiteln wurden die Dogmen in zwei Kategorien unterteilt: Die einen, die sich „notwendig" aus dem Glauben an Jesus von Nazareth heraus ergeben, und die anderen, die sich entwickelt haben, weil die Offenbarung auf Entwicklung hin angelegt ist und das Leben Entwicklung zwingend fordert. Die erste Gruppe wurde versucht, per Exklusionsverfahren zu rechtfertigen. Für die zweite Gruppe wurde vor allem auf den Heiligen Geist rekurriert, der sowohl die Kirche als Ganze, als auch ihr Lehramt trägt, so dass, wenn die Kirche ihre Entfaltungsspielräume nutzt und Dogmen definiert, die nicht direkt mit der Selbstoffenbarung Gottes zu tun haben, obwohl sie mit dieser in Verbindung stehen, diese Dogmen als Ausdruck göttlichen Willens angesehen werden können. Aber auch die Schrift wurde zur Begründung für die Legitimität einer Entwicklung herangezogen, da sie selbst Entwicklungen enthält. Die unterschiedlichen Traditionen im Neuen Testament haben schließlich zu den Dogmen von Nicäa und Chalcedon beigetragen, indem ihre zum Teil konträren Aussagen eine einheitliche Hermeneutik zur Harmonisierung dieser Stellen erforderlich machte, indem aber andererseits die unterschiedlichen Theologien ebenso zur Lösung und zur Schärfung der in Frage stehenden unklaren Sachverhalte beitrugen. Daraus folgt aber auch, dass das Interpretierende nicht durch das Interpretierte erklärt werden kann, so dass die Schrift nicht die Dogmen, die die Schrift erklären wollen, rechtfertigen kann. Dennoch gibt sie Zeugnis vom heilsnotwendigen Glauben der Apostel und der göttlichen Offenbarung und bleibt durch die Zeiten Evangelium und Korrektiv jeder Entwicklung. Jede Entwicklung in der Kirche – auch Lehrentwicklungen – müssen sich daher an der Schrift messen lassen. Des Weiteren wurde in den vorherigen Kapiteln nach Gründen, die die Entwicklung vorantreiben, gesucht, um zuletzt wieder auf das Wirken des Heiligen Geistes zurückzukommen. Nun bleibt zu klären, ob es Prinzipien dieses Wirkens gibt und wenn ja, wie man diese erkennen kann. Es geht darum – wie Newman dies schon forderte – , Kriterien für eine „richtige" Entwicklung vorzulegen. Oder, um es vorsichtiger zu formulieren: Es geht darum, durch das Verständnis der Wirkweise des Heiligen Geistes, Strukturen der Entwicklung zu postulieren, die helfen, für jene Dogmen, die nicht zentrale Bereiche des Glaubens betreffen, eine „Rechtfertigung" außerhalb der Autorität des Lehramts zu finden. Dass diese Strukturen oder Prinzipien nicht aus der Geschichte gewonnen werden können, sondern apriori gefunden werden müssen, wurde in den wissenschaftstheoretischen Überlegungen begründet.

Gibt es überhaupt axiomatische Prinzipien der Entwicklung, wie Newman sie annimmt? Ein Mensch, der aus dem Glauben heraus lebt, kann die gestellte Frage ohne Bedenken bejahen. Denn „ich glaube an den Heiligen

Geist“ bedeutet gleichzeitig an ein wirksames Prinzip in der Kirche zu glauben. Vorausgesetzt, dass das Handeln des Heiligen Geistes nicht willkürlich ist, ergibt sich daraus der Schluss, dass man potentiell auch Prinzipien der kirchlichen Lehrentwicklung und Dogmenentwicklung angeben kann. Wer zudem den Heiligen Geist als „vivificantem“ bezeichnet, muss konkludieren, dass Newmans Prinzipien der Entwicklung, die sich an Vorbildern des Lebens orientieren, beachtliche Versuche sind, dem Geheimnis des Geistwirkens auf die Spur zu kommen. Es wurde darüber hinaus im ersten Teil der Arbeit festgestellt, dass man auf der Suche nach Prinzipien der Entwicklung bei Newman diese Prinzipien auch in der Schrift verortet sehen kann. Die Bibel ist norma normans jeglicher Entwicklung. Da ihr Urheber der Heilige Geist ist, kann man, will man Prinzipien des Geistwirkens finden, diese nur in der Schrift suchen und finden. Denn es kann ja bei dieser Prinzipiensuche nicht darum gehen, sich Leben vorzustellen, sich daraufhin die Eigenschaften des Lebens zu überlegen, um schließlich darüber nachzudenken, welche von ihnen – auf Dogmenentwicklung hin angewandt – einen Sinn ergeben. Es macht zumindest solange keinen Sinn, wie man die Schrift als bleibendes Wort Gottes betrachtet, das vom Heiligen Geist mittels menschlicher Autoren hervorgebracht wurde. Newman macht das Inkarnationsprinzip zum Leitprinzip, an dem sich jegliche Entwicklung auf ihre Wahrheit überprüfen lässt. Für ihn stellt dieses Prinzip das Universalprinzip des Katholizismus dar, aus dem sich die weniger wichtigen Prinzipien „Supremacy of faith, Theology, Scripture and its Mystical Interpretation, Dogma“ ergeben. An diesem Prinzip hängt unter anderem das, was Newman „preservation of type“ genannt hat. Er sieht das Inkarnationsprinzip im Neuen Testament, hierbei vor allem im Johannesevangelium, begründet und bestätigt. Es durchzieht alle Bereiche der Theologie. Grundgelegt in Gotteslehre, Christologie und Soteriologie, strahlt es in die Ekklesiologie, Sakramentenlehre, Anthropologie und Schöpfungstheologie aus. Letztlich besteht das Inkarnationsprinzip darin, die innere Einheit zweier unterschiedlicher Dinge auszusagen, quasi eine Relation, die Substanz und nicht Akzidens ist. Als Beispiele lassen sich viele nennen: Leib und Seele, Gott und Mensch[408], Materie und Form, Gnade und Element, eschatologische Gnadengemeinschaft und Summe der Getauften, Gottes- und Nächstenliebe, Wahrheit und Geschichte.

Es bleibt nur die Frage, wieso die Calvinisten und Lutheraner, die ebenso die Schrift zur Grundlage ihrer Gemeinschaften gemacht haben, nicht ebenso das Inkarnationsprinzip vertreten, wenn dies in der Schrift grundgelegt ist, wie Newman dies sagt? Oder epistemologisch gefragt: Ist das Inkarnationsprinzip ein Prinzip, das sich aus der Schrift heraus ergibt, oder ist es eine

---

[408] Die Relation Gottes zum Menschen ist akzidentell, die Relation des Menschen zu Gott jedoch substantiell. Gemeint ist jedoch hier die substantielle Einheit von Gott und Mensch in Jesus Christus (hypostatische Union).

nachträgliche Interpretation aufgrund von Geschichte, die an die Schrift herangetragen wird. Im zweiten Fall würden sich Dogma und Entwicklungsprinzip nur durch den Abstraktionsgrad unterscheiden. Im ersten Fall müsste man behaupten, protestantische Christen wären entweder nicht in der Lage, die in der Schrift enthaltenen Prinzipien zu erkennen, oder aber die Entwicklung protestantischer Kirchen verläuft nach eigenen Prinzipien, die sich von den Prinzipien der katholischen Entwicklung unterscheiden. Das letztere nimmt Newman an. Für ihn gründet die protestantische Lehrentwicklung auf dem Prinzip des Privaturteils oder, wenn man dies ins Negative wendet, auf der Ablehnung des katholischen Autoritätsprinzips, welches das zweite wichtige katholische Prinzip darstellt und das sich nach Newman aus dem Inkarnationsprinzip ergibt. Verbunden mit dem Autoritätsprinzip ist ein Kirchenbild, welches die Gemeinschaft (synchron und diachron) betont. Newmans These, dass die protestantischen Kirchen ihr eigenes Entwicklungsprinzip besitzen, kann – so gewendet – nicht aufrecht erhalten werden. Denn dies besagt ja nur, dass die Entwicklung in der Abgrenzung zur Entwicklung in der Kirche stattfindet. Außerdem ist das Privaturteil kein Prinzip, welches man an eine Lehrentwicklung anwenden kann. Die Lehrentwicklung daran zu messen, wäre gleichbedeutend mit der Aussage: Die Lehrentwicklung in den protestantischen Kirchen läuft chaotisch ab, weil jeder etwas anderes sagt und jeder sein eigener Gelehrter ist. Die beiden alternativen Thesen zu vertreten, erscheint jedoch nicht angenehmer zu sein. Anzunehmen, dass die sogenannten Prinzipien nichts anderes sind als die Dogmen in einer höheren Abstraktionsstufe, würde dazu führen, dass der Heilige Geist das einzige Prinzip bliebe, auf das sich eine Dogmenentwicklungstheorie beziehen könnte. Gleichzeitig entstünde das Problem der Verhältnisbestimmung von Heiligem Geist und Schrift. Denn wenn die Schrift keine Auskunft über die Wirkweise des Heiligen Geistes gibt, wie kann sie dann noch eine Kategorialisierung dieses Geistes sein? Gibt es also Prinzipien der Entwicklung, die sich aus der Schrift ergeben, so muss man konsequenterweise die Ausgangsfrage dahingehend beantworten, dass protestantische Christen tatsächlich die Bibel nicht gänzlich verstehen können. (Dass sie sie überhaupt nicht verstünden, scheidet aufgrund der Inspiriertheit der Schrift und der Taufgnade aus). Als Grund für diesen Mangel an Verständnis kommt nur ein fehlendes Korrektiv in Frage. Dieses Korrektiv trägt katholischerseits den klassischen Titel: „Tradition“. Gemeint ist dabei die Gemeinschaft der Kirche, die den Einzelnen vor Irrtümern bewahrt. Nicht der Einzelne mit der Schrift in der Hand muss nach seiner Fasson selig werden, sondern alle zusammen sind als Gemeinschaft von Christus Jesus gerettet. Dies führt aber in folgende Aporie: Wenn die Tradition, wenn die Gemeinschaft der Kirche ein notwendiges Korrektiv zum Lesen der Schrift darstellt, und wenn diese Tradition zum Erkennen von Handlungsprinzipien des Geistes aus der Schrift heraus nötig ist, dann handelt es sich bei diesen Prinzipien doch um in die Schrift projizierte Interpretationen aufgrund von Erfahrungen mit der Geschichte. Oder anders gesagt: Bei diesen Prinzipien handelt es sich doch um durch Abstraktion gewonnene Handlungslinien, die sich in der Schrift als solches ebenso grob finden, wie sie sich in der Dogmengeschichte finden lassen. Ist ein Dogma eine kollektive Interpretation der Schrift, welches diese in ihren unterschiedlichen Aussagen systematisiert, so sind die Prinzipien der Entwicklung Abstraktionen und Interpretationen der Dogmenentwicklung als ganzer und setzen damit Erfahrung mit einer faktischen Entwicklung voraus. Und da sich die reformatorischen Kirchen von der katholischen Tradition absetzen, können sie auch nicht dieselben Prinzipien teilen, da sie die Lehrentwicklung für eine korrupte Entwicklung halten.

Aus dieser Erkenntnis kann man folgende Schlussfolgerung ziehen: Die Prinzipien der Entwicklung sind ebenso in der Schrift enthalten wie die Dogmen selbst. Da diese Aussage nicht eindeutig ist, muss sie erklärt werden. Es wurde im vorherigen Kapitel dargestellt, wie sich aus den Anfängen des Glaubens an Jesus als den auferstandenen Messias die Dogmen als interpretierende Erklärungen des Glaubens entstanden sind und welche treibende Kräfte es gab, die zu ihrer Entstehung führten. Die Schrift wurde ferner als Kategorialisierung des Glaubens der Apostel bezeichnet. Ihre Entstehung verdankt sie Menschen, die vom Heiligen Geist ergriffen waren. Daher ist Gott selbst Prinzip der Schrift. Und so wie er Prinzip der Schrift ist, so ist er auch Prinzip der Entwicklung. Die Dogmen sind Interpretationen der Schrift durch die Kirche aufgrund neu aufgetauchter Fragen, die die Schrift nicht einwandfrei beantworten kann. Sie sind kollektive menschliche Produkte, sowie z. B. der Römerbrief das Produkt des Paulus ist. Die Tatsache, dass es sich bei den Dogmen um menschliche Produkte handelt, tut der Tatsache keinen Abbruch, dass der Heilige Geist das Prinzip der Dogmen ist. Denn er ist das Leben der Kirche Christi. Daher könnte man sogar sagen, dass die Prinzipien der Dogmenentwicklung dem Geistwirken näher stehen als die Dogmen selbst. Und so wie aus der Schrift das Dogma gemacht wird; so wie das Dogma sich aus der Schrift ergibt und mit ihr verbunden ist, so sind es auch die Prinzipien der Dogmenentwicklung. Es mag manchmal vorkommen, dass die Verbindung zwischen Dogma und Schrift nur darin besteht, dass die Schrift die normierende Wirklichkeit darstellt, die die Anzahl möglicher Interpretationen reduziert, aber in der Mehrzahl der Dogmen sind interpretierendes Dogma und interpretierte Schrift enger verbunden als rein akzidentiell-relational. Dem eigenen Anspruch nach soll das Dogma Realsymbol der Schrift und damit des Glaubens der Apostel sein. Dies bedeutet, dass die Schrift aus sich heraus das Dogma entlässt, mit ihm verbunden bleibt und dass, wer das Dogma kennt und versteht, auch den Schriftsinn versteht. Newman nahm an, dass jedes Wort der Schrift die Fähigkeit hat, eine Entwicklung aus sich heraus zu entlassen und somit auf

Zukunft hin gesprochen ist. Aber selbst wenn man nicht so weit gehen will, den Terminus „Realsymbol“ auf das Dogma anzuwenden, so steht eine Interpretation immer auch für das Interpretierte, dessen Sinn es ja deuten will.

Während aber das Dogma eventuell aus der Schrift allein gefunden werden kann,[409] kann ein Dogmenentwicklungsprinzip nicht ohne die zweite Erkenntnisquelle der faktischen Geschichte bestimmt werden. Denn das Wirken des Heiligen Geistes ist zwar in einigen Zügen in der Schrift geschildert (Christuszentrierung, Träger des Glaubens, Urheber des Bekenntnisses und Gebets, Urheber der Heiligung). Dies führt aber nur zur zwei formalen Prinzipien der Entwicklung, der Expansion und der Intensivierung gemäß den beiden oft zitierten Stellen aus dem Johannesevangelium (Joh 14,26; 15,26). Inhaltliche Prinzipien wie das Inkarnationsprinzip ergeben sich daraus nicht. Dazu bedarf es der Analyse der von der Kirche erklärten Dogmen und eines längeren Zeitraumes der Beobachtung. Diese Analyse der Kirchengeschichte hat Newman aber – genau genommen – nur zu einem inhaltlichen Kriterium einer wahren Entwicklung geführt: dem Inkarnationsprinzip. Die restlichen Kennzeichen sind wiederum formale Prinzipien, die auf ihre Relation zur Schrift untersucht werden müssen.

Dass das Inkarnationsprinzip der Schrift entstammt, kann man schon allein deshalb sehen, da das Wort „Inkarnation“ selbst ein Bibelzitat darstellt (Joh 1,14): „Et Verbum caro factum est [...]“[410] Jesus von Nazareth ist das Fleisch gewordene Wort Gottes. Dass dies das Zeugnis aller neutestamentlichen Schriften darstellt, kann aufgrund des Glaubens eines jeden Christen als bewiesen betrachtet werden. Wer dies nicht glaubt, ist kein Christ. Und da die neutestamentlichen Schriften von Christen für Christen verfasst worden sind, ist es apriori überflüssig, dieses Bekenntnis nachweisen zu wollen. Die Frage besteht vielmehr darin, ob sich daraus ein Prinzip für die Dogmenentwicklung folgern lässt. Hierzu soll die Geschichte schlaglichtartig untersucht werden. Zum ersten Mal wird das Inkarnationsprinzip bei Paulus sichtbar, wenn er von der Einheit Gott / Geist und Mensch redet. Der Christ ist Tempel des Heiligen Geistes (1 Kor 3,16f.; 6,19; 2 Kor 6,16); der Geist betet durch ihn zu Gott, dem Vater (Röm 8,26). Der Geist macht den Chris-

---

[409] Wenn man die Schrift als Kategorialisierung des Glaubens der Apostel betrachtet, kann die Tradition primär als Erkenntnisquelle vernachlässigt werden. Insofern allerdings bei der Suche nach der Formulierung der kirchlichen Lehre auf einem Konzil immer die Frage nach dem Glauben der Kirche und dem Glauben vorangegangener Generationen eine Rolle spielt, (evtl. überlieferte theologische Texte, Gebete usw.) fließt die Tradition zur Erkenntnis und Interpretation der Schrift mit ein. Davon unberührt ist die These, dass es Glaubensinhalte gibt, die aus der Schrift allein erkennbar sind, weil diese einen erkennbaren Literalsinn besitzt. (Zum Beispiel ist die Lehre, dass Gott die Welt aus freiem Willen geschaffen hat, aus der Schrift heraus erkennbar.).

[410] Zitiert aus der Nova Vulgata von 1986, in: Nestle-Aland, Novum Testamentum. Graece et Latine, Stuttgart $^{2}$1991.

ten zu einer neuen Schöpfung (1 Kor 12,13; 2 Kor 5,17). Auf diesem Hintergrund wird eine Trennung von Natur und Gnade zu einem Gedankenspiel degradiert. Eine neuzeitlich Anwendung findet dies im Dogma von 1854, indem Natur und Gnade in Bezug auf Maria hin Anwendung finden und eine Gnadenfülle für Maria annehmen, die aufgrund fehlender historischer Fakten kaum nachvollziehbar erscheint. Eine weitere Anwendung des Inkarnationsprinzips betrifft die Einheit des Menschen, die sich allerdings in die ontologischen Konstitutionsprinzipien von Leib und Seele zerlegen lässt. Diese Einheit zeigt nicht nur die Schrift als ganzes auf; wird nicht nur durch die Märtyrerverehrung der Christen bezeugt; erweist sich nicht nur durch die Ablehnung der Lehre des Apollinarius von Laodizäa durch die Kirche; zeigt sich nicht nur in der Zurückweisung des Monopyhsitismus, Monotheletimus und Monenergismus, sondern wird positiv durch die Jahrhunderte immer wieder in verschiedensten Schriften bezeugt,[411] auch wenn im Mittelalter manchmal der Eindruck erweckt wird, als wäre die Seele der eigentliche Mensch.[412]

In der Sakramentenlehre zeigt sich das Inkarnationsprinzip in der Zurückweisung des protestantischen sakramentalen Nestorianismus auf dem Trienter Konzil.[413] Die Ekklesiologie bezeugt die Einheit von sichtbarer und unsichtbarer Kirche[414] und somit die innere Verbundenheit von Natur und Gnade, auf der das Inkarnationsprinzip im Wesentlichen beruht. Das Inkarnationsprinzip lässt sich aber genauso auf die theologische Erkenntnislehre hin anwenden, auch wenn es diesbezüglich keine Dogmen gibt. Man könnte hier die innere Einheit von subjektiver und objektiver Wirklichkeitsbetrachtung, die Einheit von Erkenntnisordnung und Seinsordnung anführen, an der die katholische Theologie in besonders hartnäckiger Form festhält. Für die

---

[411] Vgl. 11. Synode von Toledo 675: DH 540; vgl. 16. Synode von Toledo 693: DH 574; beide Synoden sprechen von der Auferstehung des Menschen im Fleisch, sowie von der Auferstehung Christi, der ebenso in seinem eigenen Fleisch auferstanden ist; vgl. außerdem 4. Konzil im Lateran: DH 801, das die Christologie von Chalcedon bekräftigt.

[412] Vgl. 4. Konzil im Lateran: DH 815. Das Konzil spricht zugegebenermaßen nur davon, dass die Seele wertvoller sei als der Leib. Daher belegt diese Stelle für sich genommen die obige These nicht. Man sollte aber bedenken, dass zu dieser Zeit die platonische Philosophie weit verbreitet war, die die Seele als den eigentlichen Menschen ansah, während der Körper etwas war, von dem man befreit sein sollte. Die christliche Theologie stand aber nicht erst seit dem Mittelalter in Gefahr, das Inkarnationsprinzip zugunsten einer dualen Weltsicht zu verdunkeln. Bereits in der Antike übten Platonismus, Neuplatonismus, Gnosis und Manichäismus mit ihren Gedanken Einfluss auf christliche Theologen aus. Man könnte behaupten, dass seit der Inkulturation des Christentums in der griechischen und römischen Welt griechische Weltsicht und jüdisch-biblische Sicht der Wirklichkeit (Inkarnationsprinzip) miteinander gerungen haben.

[413] Vgl. Konzil von Trient, 7. Sitzung vom 3.3.1547, Dekret über die Sakramente: DH 1605; 1606; 1607; vgl. 13. Sitzung vom 11.10.1551, Dekret über das Sakrament der Eucharistie: DH 1642; 1651; 1654; 1655; 1658; vgl. Kanon zur Buße und letzten Ölung: DH 1709.

[414] Vgl. LG 1; 8.

katholische, lehramtliche Theologie gibt es daher keine Unterscheidung zwischen der subjektiven, durch den Glauben bedingten Wirklichkeit und der Wirklichkeit an sich. Jeder katholische Theologe, der an diesem ungeschriebenen Dogma rüttelt, gerät schnell in den Verdacht des Relativismus.

Man kann daher feststellen, dass das Inkarnationsprinzip sich als inhaltlicher „roter Faden" durch die faktische Dogmenentwicklung hindurch zieht. Würde man dieses Prinzip heilsgeschichtlich wenden, so kann man dieses Prinzip auch dahingehend interpretieren, dass dieses Prinzip die Einheit von Geschichte und Heilsgeschichte, das Wirken von Gott und Mensch in der Geschichte bezeugt. Das Wirken Gottes ist hierbei extra- und intramental. Er wirkt im Menschen, aber auch im stofflich-materiellen. Es handelt sich also um ein Weltbild, das die Lehre der katholischen Kirche umspannt und von den einzelnen Lehren der Kirche propagiert wird. Es reproduziert sich somit indirekt durch die Lehren und Dogmen der Kirche. Dadurch ist auch bedingt, dass zukünftige Dogmen zu diesem Prinzip kongruent und kohärent sind. Die katholische Kirche, die orthodoxen Kirchen und das Judentum teilen gemeinsam die selbe Wirklichkeitssicht, die Geschichte als den Ort der Begegnung mit der ewigen Wahrheit betrachtet, die sich in ihr als Schöpfer und Erlöser offenbart. Das deuteronomistische Geschichtswerk und die Propheten deuten Geschichte radikal theologisch als Ort, an dem Heil geschieht, aber auch das Strafgericht Gottes sich vollzieht. „Bund" stellt ein ständiges Interaktionsgeschehen beider Partner dar. Geschichte erweist sich daher als Bundesgeschichte. Genauso ist Kirchengeschichte Bundesgeschichte. Dass sich diese Sicht auf Welt und Geschichte mit Ausgang des Mittelalters wesentlich verändert hat, bezeugt die Entstehung des deistischen Weltbildes zu Beginn der Neuzeit. Und gerade dieser Wechsel des Weltbildes erhebt das Inkarnationsprinzips zu einem inhaltlichen Prinzip. Außerdem ermöglicht der Wandel des Weltbildes erst die Erkenntnis des Inkarnationsprinzips.

Das Inkarnationsprinzip allein kann aber das, was Newman „preservation of type" nennt, nicht garantieren. Denn dass zwischen der Lehre des Judentums und der der katholischen Kirche ein wesentlicher Unterschied besteht, wird niemand bestreiten können. Trotz des Bekenntnisses zum jüdischen Erbe, in dem Mircea Eliade einen Eckpfeiler der Orthodoxie sieht,[415] unterscheidet sich die katholische Lehre von Jesus Christus wesentlich vom Judentum, auch wenn sie letztlich in der Lehre von der hypostatischen Uni-

[415] Vgl. Mircea Eliade, Geschichte der religiösen Idee Bd. 2, Nr. 235, Freiburg u. a. [3]1997, S. 338: „Zusammenfassend läßt sich die Orthodoxie bestimmen durch: 1. die Treue zum Alten Testament und zur apostolischen Überlieferung, wie sie in den Dokumenten bezeugt ist; 2. den Widerstand gegen die Exzesse der mythologischen Imagination; 3. die dem systematischen Denken (also der griechischen Philosophie) erwiesenen Reverenz; 4. die Wichtigkeit, die den sozialen und politischen Institutionen, kurz: dem juridischen Denken, dem Spezifikum des römischen Genius, beigemessen wird".

on der alttestamentlichen Anthropologie zu ihrem Recht verhilft. Das „unvermischt und ungetrennt"[416] weist alle theologischen und philosophischen Entmenschlichungsversuche Jesu zurück. Eine „preservation of type" kann das Inkarnationsprinzip entfalten, wenn es mit den Grundwahrheiten der neutestamentlichen Offenbarung, dem Glauben an Jesus von Nazareth, dem Sohn Gottes, kombiniert wird. „Preservation of type" wird aber nicht durch die Aufrechterhaltung eines veralteten Weltbildes, welches mittels des Inkarnationsprinzips propagiert wird, erreicht, und stellt somit keinen Gegensatz zur ständig notwendigen Aktualisierung des Glaubens dar. Das Inkarnationsprinzip, als eine Sicht auf Gott und Welt, Natur und Gnade, propagiert keine veraltete Weltsicht, sondern verkündet die Weltsicht, die die Offenbarung gezeigt hat. Die Einheit von Gott und Mensch in Jesus von Nazareth ist sowohl für das moderne Weltbild, ebenso wie für die griechische Antike, ein Ärgernis und eine Torheit. An Versuchen, Jesus umzudeuten, hat es daher nicht gemangelt, weder in der Antike, in der Kelsos ihn als ägyptischen Magier interpretierte, oder in der Neuzeit, in der er dem jeweiligen Denk- und Glaubenshorizont des jeweiligen Denkers angepasst wurde. Die Inkarnation bleibt das Prinzip, durch das und in dem die Kirche sich, die Welt und die Offenbarung interpretiert. Und wenn der Heilige Geist das Prinzip der Lehrentwicklung in der Kirche ist, dann bleibt er das Prinzip, in dem und durch das die Kirche sich, die Welt und die geschichtliche Offenbarung interpretiert.

Die anderen Prinzipien der Entwicklung Newmans sind, wie gesagt, formaler Natur. Das Prinzip der Logik wurde schon im obigen Abschnitt 3.1.5. als grundsätzliche Voraussetzung für die Wahrheitsfähigkeit eines jeden Lehrsystems gekennzeichnet. Das „credo quia absurdum est" kann trotz der bleibenden Andersheit Gottes kein tragendes Fundament einer Lehre sein, nicht einmal einer Glaubenslehre. Zwar ist der Mensch fähig, absurde Dinge zu glauben, doch wäre es ein Problem für die Gotteslehre, wenn Gott den Menschen mit absurden Offenbarungen nähren würde. Daher muss eine Dogmenentwicklung logisch sein, wenn es die Offenbarung – um des Menschen willen – ebenfalls ist. Und betrachtet man die Geschichte des Christentums, so vollzieht sich die Lehre sowohl in einer logischen Reihenfolge, als auch innerhalb der Lehre logisch. Es scheint von der Hierarchie der Wahrheiten her gesehen logisch, sich zuerst über Christologie und Gotteslehre zu unterhalten, und zum Schluss erst über Mariologie und Ekklesiologie. Aber auch der andere Aspekt, dass die Lehren zueinander logisch, sprich kohärent und konsistent sind, stellt einen entscheidenden Punkt in der Entwicklung der Dogmen dar. Zwar mag die Entwicklung dialektisch oder chaotisch verlaufen, das Dogma, die offiziell beschlossene und autoritativ verbürgte Lehre, jedoch muss sich zur interpretierten Schrift logisch verhal-

[416] Konzil von Chalcedon 451: DH 301f.

ten. Eine Interpretation, die gegen den Literalsinn der Schrift gerichtet wäre (kontradiktorisch zu ihm), kann es daher nicht geben.[417] Denn das Prinzip einer logischen Entwicklung ergibt sich aus der Schrift selbst. Die einzelnen Bücher der Bibel sind ihrer Grobstruktur nach ebenfalls logisch aufeinander aufgebaut. Zwar gibt es auch Ausnahmen, wie Ester, Judith, Tobit, Jona und Hiob, die eigenständig bestimmte theologische Sachverhalte darlegen. Dies ändert jedoch nichts an folgender Grobstruktur: Die Schrift beginnt mit einer Ätiologie zur Lage des Menschen und seines Gottesverhältnisses. Die Störung im Gottesverhältnis offenbart sich dabei als die Ursache für die Not des Menschen und im speziellen des Volkes Israel. Das Buch Exodus beschreibt daraufhin die rettende Tat Gottes, die im Bundesschluss am Horeb ihren Abschluss findet. Gott schenkt Freiheit und stellt ein Land, in dem Milch und Honig fließen in Aussicht (Ex 3,8.17; 13,5 u. a.). Er verlangt im Gegenzug Bundestreue, die im Gesetz (Thora) ihre Regeln empfängt. Gott hält seine Zusage und schenkt das Land Palästina seinem erwählten Volk. Das Volk erweist sich jedoch in zunehmendem Maße undankbar und hält die Bundestreue nicht ein, indem sie andere Götter verehren (Ri 2,11; 1 Kön 14,23 u. a.), auf menschliche Herrschaft zur ihrem Schutz setzen (1 Sam 8,5ff.), die Verehrung JHWH´s politischen Erwägungen unterordnen (1 Kön 12,26ff.; 1 Makk 1,11ff.), oder indem sie das Gesetz nur formell erfüllen („Dieses Volk ehrt mich mit den Lippen, sein Herz aber ist weit weg von mir." Mk 7,6). Die Propheten klagen diese Treulosigkeit immer wieder ohne Erfolg an, so dass ihnen nur übrig bleibt, dass Gericht JHWH´s zu verkünden. Indem sie die Treulosigkeit Israels anprangern, fordern sie zugleich die Geltung des Gesetzes, der Thora. Selbst wenn einige Propheten der geschriebenen Thora in ihrer heutigen Fassung vorausgehen, so beziehen sie sich doch inhaltlich auf den Bundesschluss und werden zu Wegweisern für die Interpretation der Thora. Dies entspricht dem heutigen Aufbau des alttestamentlichen Kanons. Am Anfang steht die Thora, das Zeugnis des Bundes. Es folgt eine Deutung der Geschichte des Volkes Israel und Juda und hierauf weisheitliche Literatur, die eine Antwort darauf geben soll, wie man konkret Bundestreue alltäglich leben kann, gefolgt von den sechszehn Prophetenbüchern, die einen hermeneutischen Kommentar zur Thora bilden. Das Neue Testament baut ebenfalls auf dem Alten auf. Die Geburt Christi offenbart die Unfähigkeit der Gesetzes, die Bundestreue zu bewirken. Es handelt sich deshalb nicht nur um einen weiteren prophetischen Kommentar zur Thora, auch wenn man so eine Verbindungslinie ziehen könnte,[418] sondern um das Zeugnis eines neuen Bundesschlusses zu gänz-

[417] Ein Dogma, das zum Beispiel definieren würde: „Jesus Christus ist nicht von den Toten auferstanden." kann es nicht geben, da die Schrift mehrfach die Auferstehung Jesu bezeugt (vgl. Mt 28; Mk 16; Lk 24; Joh 20f.; Apg 1; Röm 1,4; 1 Kor 15,4 u. v. a. m.).

[418] Jesus interpretiert in seinem öffentlichen Wirken mehrmals die Thora (vgl. Mt 5,17; Mt 12,1ff.; Mt 22,34ff.; Mk 3,1ff.; Lk 13,10ff.; Joh 7,23; Joh 8,1-11 u. a.).

lich anderen Bedingungen; Bedingungen, die die Liebe zu Gott ermöglichen. Betrachtet man also den Aufbau der Schrift, so kommt man zu dem Schluss, dass die Schrift selbst einem logischen Gesamtaufbau unterliegt, ebenso wie die Heilsgeschichte selbst. Die Logik lässt sich daher als formales Prinzip einer Dogmenentwicklung aus der Schrift ableiten. Die Logik stellt aber kein Prinzip auf der Textebene dar, sondern ein von der Textebene abstrahiertes Prinzip,[419] wie das Wirken des Heiligen Geistes in der Geschichte ebenfalls nicht auf der konkreten Handlungsebene sichtbar ist.

Ein weiteres formales Prinzip der Entwicklung nennt Newman „chronic vigour". Auch hier stellt sich wiederum die Frage der Verankerung dieses Prinzips in der Schrift. Außerdem stellt sich die empirische Frage, ob die Orthodoxie die Kirche „lebendiger" macht als christlich-häretische Gemeinschaften. Für Newman steht das außer Zweifel, da er davon ausgeht, dass der Wahrheit eine innere Kraft inhäriert, die den, der an sie glaubt, lebendig macht bzw. am Leben erhält (vgl. Joh 6,63 in Kombination mit Joh 14,6). Bevor man aber an die Fundierung dieses Prinzips in der Schrift herangeht, muss man auf eine Reflexion bezüglich des Glaubensbegriffs vornehmen. Anders gesagt: Man muss eine Differenzierung von Glauben, Kraft und Wahrheit vornehmen. Nicht weil die Dogmen der Kirche wahr sind, entfalten sie Kraft im kirchlichen Leben und überdauern die Zeiten, sondern weil das kirchliche Leben mit der Kraft des Heiligen Geistes erfüllt ist, überdauert die Kirche mit ihrer Lehre die Zeiten. Nicht die Wahrheit besitzt einen inhärierenden Lebendigkeitsmotor, sondern die Lebendigkeit, die Kraft der Kirche durch die Zeiten, die ihr durch den Heiligen Geist als Urheber und Bewahrer ihres Glaubens zufließt, spiegelt sich wieder in der Wahrheit und Bleibendheit ihrer Dogmen. Letztlich handelt es sich bei dieser Unterscheidung nur um die Frage, wie herum man das Pferd aufzäumt. „Zwei mal zwei ist vier" stellt eine Wahrheit dar, die zwar eine Kraft besitzt, die Zeiten zu überdauern – insofern scheint Newmans These von der inhärierenden Kraft der Wahrheit nicht zu weit hergeholt – , aber dennoch erscheint diese These in Zeiten, in denen die Pilatusfrage (vgl. Joh 18,38) aktueller denn je ist, kaum befriedigend. Wie soll der Wahrheit Kraft inhärieren, wenn es keine objektiven Wahrheiten mehr gibt, sondern bestenfalls noch subjektive Überzeugungen? Kann denn die Dauer einer Überzeugung diese wahrer machen?

An diesem Punkt verdeutlicht sich, warum ein Transfer von „chronic vigour" von Wahrheit auf Glauben geboten erscheint, obwohl der Heilige

---

[419] Vergleicht man folgende Sätze: „Was geschehen ist, wird wieder geschehen, was man getan hat, wird man wieder tun: Es gibt nichts Neues unter der Sonne (Koh 1,9)" und „Das Alte ist vergangen, Neues ist geworden (1 Kor 5,17)", so wird deutlich, dass auf der Textebene durchaus logisch widersprüchliche Sätze möglich sind. Dies beeinträchtigt jedoch nicht die Kohärenz oder Konsistenz der Gesamtschrift, da das Kriterium der Logik nicht auf dieser Ebene angesiedelt ist.

Geist Garant und Urheber beider ist. Außerdem scheint es gebotener, den Heiligen Geist im Glauben der Kirche wirksam sein zu lassen als in beschlossenen wahren Lehren der Kirche. Im Grunde genommen handelt es sich um das gleiche Problem wie bei der auctoritas causativa, wie sie evangelische Theologen propagieren.[420] Dort scheint durch eine übersteigerte Bedeutung, die das Wort einnimmt, der Geist auch eher durch eine Schrift zu wirken als durch Personen, obwohl die Schrift das Produkt des Glaubens von verschiedenen Personen ist. Der Heilige Geist wirkt zwar nicht ausschließlich in und durch Personen, sondern auch durch Gegenstände und Sachen. Jedoch ist dieses Wirken ohne eine durch den Geist erkennende Person dieses Wirkens von gleicher Bedeutung wie die creatio continua.

Mit der Identifizierung der Wahrheitskraft mit der Glaubenskraft scheint dies Entwicklungsprinzip hinfällig zu werden. Denn man kann nicht mehr argumentieren: Weil das Dogma wahr ist, besitzt es eine zeitliche Kraft und entfaltet diese. Sondern die Kraft des Glaubens, die Zeiten zu überdauern, hervorgerufen durch die Präsenz des Geistes Christi, zeigt sich in der Wahrheit der Dogmen, die in ihrer geglaubten und gelebten Praxis die Zeiten überdauern. Nicht weil das Dogma wahr ist, wird es geglaubt und gelebt, sondern weil es geglaubt und gelebt wird, überdauert es – getragen durch den Heiligen Geist – die Zeiten.[421] Dieses Kriterium sollte allerdings im Gegensatz zu den bisherigen Kriterien, die zur Abschätzung einer Entwicklung verwendet werden können, nicht vor einer Dogmatisierung angewendet werden, sondern nur nachträglich. Nicht alles, was sich in der Kirche großer Beliebtheit erfreut, ist apriori geeignet, Dogma zu werden. Dies würde sonst bedeuten, dem moralischen Dogmenbegründungsverfahren Vorschub zu leisten.

Biblisches Vorbild dieses Prinzips bildet an erster Stelle die Auferstehung Christi. Der Glaube Jesu an seinen Vater im Sterben und Tod am Kreuz, sein Gehorsam, erweist sich als Akt, der das Leben selbst neu schafft: Für Jesus selbst in seiner Auferstehung, für die Welt in der Vergebung der Sünden. Es gibt aber auch noch andere Beispiele, in denen ein gesetzter Glaubensakt, eine Wahrheit, eine zeitliche Kraft entfaltet. Man denke an die Wiedereroberung des Tempels durch die Makkabäer, die das

---

[420] Wilfried Härle schreibt in seiner „Dogmatik“ (Berlin, New York 1995) dazu: „Die primäre Autorität der Bibel besteht also darin, daß sie Menschen so anspricht, daß sie in ihnen Glauben weckt. Sie wird dadurch zum Wort Gottes und erweist sich damit als solches. Die Gewißheit, daß die Bibel diese auctorität causativa ‚besitzt‘ und Wort Gottes ‚ist‘, kann sich nur dadurch einstellen, daß sie sich durch das innere Zeugnis des Heiligen Geistes (‚testimonium spiritus Sancti internum‘, so Calvin) selbst als solches beglaubigt und einem Menschen ‚imponiert‘.“ S. 115.

[421] Daraus kann aber nicht gefolgert werden, dass alles, was geglaubt und gelebt wird, in der Kirche als Dogma definierbar ist. Der Punkt bezieht sich allein auf das Prinzip „chronic vigour“ als Kennzeichen, als Kriterium, für die Wahrheit eines Dogmas und der Entwicklung zu diesem Dogma hin.

Hanukkah-Fest hervorgebracht hat. Oder an die den Auszug aus Ägypten, dessen Folge das Pascha-Fest ist. All diesen biblischen Akten ist gemeinsam, dass sie als von Gott gesetzt angesehen werden. Dies ist letztlich der entscheidende Punkt, der hinter diesem Kriterium steht: Was Gott wirkt, das bleibt. Was der Mensch wirkt, vergeht. An diesem Punkt erscheint wiederum das immer gleiche Grundproblem: Gott und Menschen wirken gemeinsam die Geschichte. Eine Auseinanderdifferenzierung ist schwierig. Es handelt sich um das gleiche Problem wie die Auseinanderdividierung von Natur und Gnade oder von göttlicher Vorsehung und menschlicher Freiheit. Es geht um Geschichtlichkeit und Ewigkeit, sowie um folgendes Problem: Gott setzt die Offenbarung in der Geschichte und bewahrt selbst das Gedächtnis an diese Offenbarung und wirkt somit den Glauben. Gleichzeitig liefert er ihn aber einem geschichtlichen Prozess der Weitergabe unter der Bedingung menschlicher Freiheit aus. Nun gilt es entweder zu erklären, wie es trotz des göttlichen Getragenseins dieses Prozesses zu Irrtümern kommt oder wieso sich diese Irrtümer (als schismatische, kirchliche Gemeinschaften) halten. Die Möglichkeit des Irrtums ist durch die menschliche Freiheit bedingt. Es fragt sich nur, wieso der Irrtum, der ja nicht aus Gott ist, nicht den Weg des Irdischen geht?

Zwei Antworten sind dabei denkbar: Zum einen lässt Gott unsere geschichtlichen Entscheidungen stehen – ebenso, wie er die Sünden der Menschen nicht ungeschehen macht – und annulliert sie nicht durch sein zukünftiges Wirken, indem er durch göttliche Macht die Konsequenzen des Irrtums beseitigt, auch wenn er den Prozess der Erkenntnis des Irrtums fördern wird. Zum anderen sind die Irrtümer meist nicht derart, dass sie vollkommen den Glauben verfälschen. In den meisten schismatischen Gemeinschaften stehen die von Gott gewirkten Teile und die auf menschlichem Tun basierenden Teile in einem größeren Missverhältnis zugunsten der menschlichen Teile als in der katholischen Kirche. Daraus folgt zum einen, dass diese Gemeinschaften nicht von selbst untergehen, zum anderen aber auch, dass die katholische Kirche die „gesündeste" Kirche darstellt. Man könnte diese Aussage in Zusammenhang stellt mit LG 8, wo es heißt: „Haec Ecclesia, in hoc mundo ut societas constituta et ordinata, subsistit in Ecclesia catholica."[422]

In Beziehung zum letzten Kapitel (5.4.) gesetzt, entsteht die Frage, wie der Reproduktionsprozess auf verschiedene „Mischungsverhältnisse" geschichtlich reagiert. War der Reproduktionsprozess im Abschnitt 5.4. auf die katholische Tradierung ausgelegt, so stellt sich die Frage bei anderen christlichen Gemeinschaften noch einmal neu. Wurden zuvor die Intensivierungsprozesse als die Hauptaktionen des Heiligen Geistes in der Geschichte bezeichnet, während der Tradierungsprozess quasi automatisch und natur-

---

[422] LG 8 (DH 4119).

gegeben abläuft, so scheinen diese Intensivierungsprozesse in anderen kirchlichen Gemeinschaften schwerer erkennbar zu sein, zumal die Hauptimpulse für Veränderungen im Traditionsprozess durch das Lehramt auf Konzilien gesetzt werden. Es ist eine geschichtliche Tatsache, dass der Reformwille der Kirche identisch ist mit dem Reformwillen ihres Lehramtes. Da die kirchlichen Gemeinschaften aber meist kein Lehramt (außerhalb ihrer Vergangenheit) besitzen bzw. keines besitzen wollen, stellt sich der Reproduktionsprozess im Lichte Gottes als des Herrn der Geschichte komplizierter dar als in der katholischen Kirche, die an die Sakramentalität ihres Amtes glaubt. Denn es gibt zwei konträre Beobachtungen zu machen. Zum einen haben sich diese kirchlichen Gemeinschaften von der katholischen Kirche abgespalten. Das bedeutet in obigen Worten: Das Mischungsverhältnis wurde mit der Zeit (in der katholischen Kirche) eindeutig zugunsten der menschlichen Anteile verschoben, bis die Initialzündung für eine Trennung (Schisma) entstand, weil der Kontrast zwischen orthodox und heterodox zu offensichtlich und zu groß geworden ist. Mit dieser Kirchenspaltung werden aber nicht die positiven, wahren und von Gott gesetzten Aspekte vernichtet, sondern diese reproduzieren sich zusammen mit dem Irrtum, der das Produkt menschlicher Freiheiten, der das Ergebnis von Geschichte, ist. Das Prinzip „chronic vigour" auf diese Situation hin angewandt, bedeutet, dass diese Gemeinschaften zwar aufgrund der wahren Glaubenselemente in ihnen weiterexistieren, gleichzeitig aber, dass dieses Existieren kein Selbstzweck an sich darstellt, sondern notwendig zu sichtbaren Einheit der Kirche strebt, wie die Taufe sie bezeichnet und Jesus sie fordert (Joh 17,21ff.). Aufgrund der Reproduktion des Irrtums und des Fehlens eines Amtes in diesen christlichen Gemeinschaften stellt sich die Ausgangslage jedoch äußerst schwierig dar. Wenn der Irrtum Autorität besitzt, ist seine Abschaffung äußerst schwierig. Selbst in der katholischen Kirche bedarf es der vollen Autorität des Lehramtes, Fehlentwicklungen zu korrigieren. Daher stellt es in kirchlichen Gemeinschaften, in denen ein Lehramt fehlt, eine noch größere Herausforderung dar. Man darf daher davon ausgehen, dass es zu einer Korrektur des Irrtums erst durch den Herrn selbst kommt. Dass kirchliche Gemeinschaften dennoch nicht quasi durch eine Sintflut untergehen, stellt nicht nur eine Folge des Glaubens an den Noah-Bund dar, sondern vor allem eine Gnade Gottes, der will, dass alle Menschen gerettet werden (1 Tim 2,4).

„Chronic vigour" des Glaubens ist ein Gnadenakt Gottes, der eine Folge seines allgemeinen Heilswillens darstellt. Davon profitieren natürlich nicht nur die kirchlichen Gemeinschaften, sondern auch die katholische Kirche selbst, die sich oft genug als der Gnade bedürftig erweist.

Das nächste Prinzip Newmans ist mit „chronic vigour" eng verbunden, die Assimilationskraft. Im Grunde genommen besagt dieses Prinzip nichts anderes, als dass die Kirche fremde (menschliche) Elemente in sich aufnehmen kann, weil sie die Kraft besitzt, sie langfristig auszuscheiden. Man könnte sagen, dieses Kriterium spielt geradezu mit der Gnade Gottes, die die Kirche Gottes in der Treue zum Evangelium bewahrt. Gerade weil Irrtümer, falsche Elemente und Irrlehren den Kern des Glaubens kaum tangieren, kann die Kirche sich dies in ihrer Missionsstrategie zunutze machen. Sie tat dies zum Beispiel in der Germanenmission, bei der der Götterhimmel durch Heiligenverehrung ersetzt wurde, um so langfristig die Christianisierung zu bewirken. Eine weiteres Beispiel stellt die Umdeutung heidnischer und säkularer Feste dar. So entstanden Weihnachtsfest, Johannesfest (24.6) und Josefsfest am ersten Mai. Man muss allerdings zugestehen, dass bei der Umdeutung von Festen ebenso der Gedanke der Abgrenzung eine Rolle spielen könnte. Das Stichwort „Abgrenzung" bringt das Hauptproblem des Assimilationsprinzips zur Sprache: Es scheint im Widerspruch zum Alten Testament zu stehen. Denn gerade Assimilationsversuche werden dort verurteilt. Dass Israel versucht, sich den Sitten und Gebräuchen seiner Umwelt nach dem Einzug in Palästina anzupassen, führt zu dem Synkretismus, den die Deuteronomisten immer wieder verurteilen (vgl. Ri 2,11ff.; 1 Sam 12,10; 1 Kön 18,18 u. a.). Dasselbe gilt für den Assimilationsversuch der griechischen Kultur in der Makkabäerzeit, der auf das Schärfste als Verrat an JHWH getadelt wird. Stattdessen wird identitätsstiftende Abgrenzung propagiert. Abgrenzungsmittel ist die Thora, die Befolgung des Gesetzes. Soziale Abgrenzung zur Pflege einer eigenen Kultur- und Glaubenstradition bewähren sich während des Exils. Der Abgrenzung entspricht auf der anderen Seite eine Radikalisierung des Gottesbildes, welches nun monotheistisch wird. So steht der sozialen Abgrenzung eine Universalisierung Gottes gegenüber. Die Abgrenzung wird nötig, um den Glauben an den einzigen Gott zu bewahren. Somit stellt sich für Israel die Frage, wer sich von wem abgrenzt – die Völker von Gott oder Israel von den Völkern. Trotz dieser Abgrenzung bleibt der Gedanke der Völkerwallfahrt zum Zion lebendig (Mi 4,1ff.; Jes 2,2ff.), und damit die Öffnung für jeden, der sich zu JHWH bekehren will. Das Neue Testament verschiebt die Akzentsetzung von Abgrenzung und Einladung. Gott stiftet nicht nur einen neuen Bund zwischen sich und dem Volk Israel im Blut Jesu, sondern einen Bund mit allen Menschen und somit auch mit dem Volk Israel. Die Einladung sprengt die völkische Partikularisierung des Heils auf Israel. Paulus sieht darin einen weisen Ratschluss Gottes (Röm 10,12f.; 11), um Israel letztlich zu retten. Dadurch verschiebt sich die Synkretismusgrenze. Paulus und das Apostelkonzil fordern nicht, dass die Heiden, wenn sie Christus annehmen, zuerst Juden werden, sondern sie sollen bleiben, was sie sind, unter der Prämisse des Glaubens an Christus, der das Leben der Gläubigen natürlich in Richtung Judentum verändert. Die Richtung ergibt sich nicht deswegen, weil das Christentum aus dem Judentum kommt, sondern weil sich die Forderung Gottes nach Bundestreue vom alten zum neunen Bund nicht verändert hat und die konkrete Umsetzung der Bundestreue ebenfalls gleich geblieben ist: „Jesus antwortete: Das erste ist: Höre, Israel, der Herr, unser Gott, ist der einzige Herr. Darum sollst du den Herrn, deinen Gott, lieben mit ganzem Herzen und ganzer Seele, mit all deinen Gedanken und all deiner Kraft. Als zweites kommt hinzu: Du sollst deinen Nächsten lieben wie dich selbst. Kein anderes Gebot ist größer als diese beiden“ (Mk 12, 29-31). Der universale Anspruch des christlichen Glaubens erfordert geradezu, fremde kulturelle Einflüsse aufzunehmen, da der Glaube an Jesus Christus als personale Relation gefasst vieles ertragen kann, solange die Relation an sich nicht beeinträchtigt wird. Diese Relation jedoch wird von Gott selbst in uns getragen. So erweist sich die Kirche bestmöglich ausgestattet, um ihre universale Sendung auszuführen. Die Ausgießung des Heiligen Geistes auf die Kirche, durch die die Kirche nicht irren kann, ermöglicht ihr einen anderen Zugang zur Welt als dies dem Judentum möglich ist, das aufgrund des Gesetzes nicht die dazu nötige Freiheit besitzt.

Somit gründet die Assimilationskraft letztlich auf dem Glauben der Kirche an den neuen Bund, indem Gott sich selbst um seine Herde kümmert (Ez 34,11-15). Die Aufnahme des Menschen durch den Heiligen Geist in das Sohnesverhältnis zum Vater, dessen Verdienstursache das Kreuz Christi ist, schenkt die Freiheit und die Kraft, fremde Einflüsse aufzunehmen und sie solange auszuhalten, wie es um der Glaubensverbreitung willen und damit um des Heils willen nötig ist. Außerdem ließe sich argumentieren, dass die Assimilation fremder Elemente letztlich doch auf Abgrenzung von ihnen in einem Dogma langfristig hinausläuft. Somit ist Assimilation zur Integration von Menschen mit dem langfristigen Ziel, eine Bedeutungsverschiebung in den Herzen der Menschen zu Christus hin herbeizuführen, nach der dann die fremden Elemente abgestoßen werden können.

An diesem Punkt wird deutlich, dass dieses „Entwicklungsprinzip“ mehr ein Prinzip einer allgemeinen Entwicklung der Kirche und ihres Lebens darstellt als ein explizites Prinzip der Dogmenentwicklung. Denn „Fremdes“ kann nicht zur Interpretation der Schrift und der Offenbarung dienen und somit nicht Dogma werden – zumindest nicht dem Selbstverständnis des Dogmas nach. Das Assimilationsprinzip stellt keinen Beweis für die Behauptung einer synkretistischen Dogmenentwicklung dar. Dies wäre nur dann der Fall, falls jemand einen Widerspruch zwischen der Schrift und einem Dogma beweisen könnte. Dennoch bleibt es gefährlich, dieses Prinzip anzuführen, da die Voraussetzungen, die es macht, erst geteilt werden müssen, bevor es Sinn macht. Sonst wird aus dem Prinzip, das die Größe der göttlichen Führung in der Kirche preist, schnell ein Synkretismusprinzip. Die Ironie dabei wäre, dass dann der Alte Bund dem Neuen gegenüber aufgrund des kodifizierten Gesetzes deutlich besser für Geschichte positioniert wäre. Beim Assimilationsprinzip geht es wesentlich darum, ob über die Entwicklung eine Kontrolle besteht, die Fremdes und im Reproduktionsprozess Mittradiertes fähig ist, aus dem Reproduktionsprozess final auszuscheiden. Dass mit dem Lehramt (mit dem Wirken des Heiligen Geistes) diese Kontrolle in der katholischen Kirche besteht, braucht an dieser Stelle keinen erneuten Nachweis. Nebenbei sei darauf verwiesen, dass, wenn das Christentum bereits synkretistisch untergegangen wäre, bereits das passiert wäre, was die Offenbarung des Johannes mit folgenden Worten beschreibt: „Dann sah ich einen großen weißen Thron und den, der auf ihm saß; vor seinem Anblick flohen Erde und Himmel, und es gab keinen Platz mehr für sie" (Offb 20,11).

Ein weiteres Kriterium für eine echte Entwicklung sieht Newman in der Bewahrung der Vergangenheit. Oder anders herum formuliert: Eine echte Entwicklung bricht nicht mit ihrer Vergangenheit, sondern versucht, sie zu bewahren. Die theologischen Überlegungen für dieses Prinzip sind vielfältig. Am Anfang dieser Überlegungen stehen Einheit und Apostolizität der Kirche, die einen kirchengeschichtlichen Bruch in der Lehre verbieten. Aber, wie bereits gezeigt, lässt sich diese geforderte Kontinuität durch geschickte Neuinterpretation von früheren Texten und Zeugnissen leicht bewerkstelligen. Die Bewahrung der Tradition, der sich die katholische Kirche und Theologie verpflichtet fühlt, bleibt somit zwar eines der höchsten Prinzipien, auf die sie sich beruft, kann aber de facto bei Bedarf entsprechend nachjustiert werden, um einer neuen Situation nicht im Weg zu stehen. Niemand käme zum Beispiel auf die Idee, die spätmittelalterliche Tradition der beinahe dualistischen Trennung von potestas ordinis und potestas iurisdictionis bewahren zu wollen, zumal das Zweite Vatikanische Konzil sich gegen eine solche Trennung ausgesprochen hat.[423] Genauso wenig würde jemand behaupten können, die Tradition sei von Pius XII. nicht bewahrt worden als er gegen das Konzil von Florenz eine andere Materie des Weihesakraments lehrte.[424] Und obwohl dieses Prinzip durch die neuzeitliche Erkenntnistheorie ausgemerzt scheint, so muss man ihm dennoch ein gutes biblisches Fundament bescheinigen. Wie bereits gezeigt, knüpft das Neue Testament am Alten an. Obwohl es Neues schafft, so bewahrt der Neue Bund dennoch den Alten. Auch wenn die Kirche sich zu den Heiden ausdehnt, bewahrt sie dennoch ihre Wurzeln (Röm 11,13ff.). Die Jerusalemkollekte, auf dem Apostelkonzil beschlossen, soll Zeichen der Einheit und der Wertschätzung der ersten Christen, der Urgemeinde, sein (Gal 2,10). Katholizität und Apostolizität, verbunden unter dem Begriff der Einheit, sind entscheidende Merkmale der Kirche. Daher ist die Einheit die größte Tradition, die die Kirche bewahrt und bewahren muss. Deswegen läuft der Vorwurf, die Kirche habe das Traditionsprinzip zugunsten eines Autoritäts- oder Papalprinzips aufgegeben, auch ins Leere. Die Struktur zur Bewahrung

[423] Vgl. LG Nota Explicativa Praevia 2.

[424] Vgl. Konzil von Florenz, Bulle „Exsultate Deo": DH 1326; vgl. Apostolische Konstitution „Sacramentum Ordinis" vom 30.11.1947: DH 3859.

der Einheit hat sich durch die letzten zwei Konzilien verändert. Durch den Primat der Papstes wird die Bewahrung der Einheit für den einzelnen Christen einfacher, insofern er nur in einer Bekenntnis- und Sakramentengemeinschaft mit dem Bischof von Rom stehen muss, um die Einheit, die Christus geboten hat, zu verwirklichen. Tradition schließt eine Dynamik auf Zukunft hin nicht aus. Wenn also der Papst oder das Bischofskollegium Traditionen zum Wohl der Kirche ändern, so ist dies kein Traditionsbruch, sondern Wahrung ihres Amtes in dem Vertrauen darauf, dass die willentliche Zustimmung der Gläubigen zu diesen Maßnahmen die beste Tradition in der Kirche darstellt und die Einheit wahrt. Zwar sollte die Einheit eigentlich etwas von Gott in der Taufe Gegebenes sein und keine willentliche Zustimmung zu den Beschlüssen des Lehramtes erfordern. Die kirchliche Situation nach der Aufklärung stellt sich aber so dar, dass Intensivierungsbewegungen des Lehramts auch vom ganzen Volk Gottes nachvollzogen werden müssen. Dass das Lehramt daher versucht, neue Dinge im Anschluss an Altbekanntes darzustellen, dazu eventuell alte Zeugnisse neu interpretiert, umso eine möglichst große Zustimmung zu erreichen, wird somit verständlich. Wie gesagt, es geht bei der letzten Aussage nicht um den Kern des Glaubens, so als ob ein neuer Glaube auf einem Konzil erfunden würde. Vielmehr geht es um Dinge, wie sie oben als Beispiele genannt wurden: die Materie des Weihesakraments, die Bindung der postestas iurisdictionis an die potestas ordinis oder z. B. die Abschaffung des mittelalterlichen Zinsnahmeverbots, die kollegiale Amtsführung der Bischöfe – von der im Mittelalter die wenigsten Bischöfe wussten, die Kommunion unter einer/beiden Gestalten, die Einführung einer Formpflicht für die Ehe, das Predigtverbot für die Laien nach der Waldenserkrise, die Einführung des Zölibats für Kleriker, die Abschaffung der sieben Weihestufen zum Priestertum, die (Wieder-)Einführung eines dreigegliederten Weiheamts usw.. Mit anderen Worten geht es um Sachverhalte, die für das Leben der Kirche wichtig sind, in der Bibel jedoch kaum eine Rolle spielen, weil es sich um disziplinäre Dinge oder um peripherere Glaubensfragen handelt. Zusätzlich zu dieser Überlegung stellt sich die Frage, ob die Kirche die Vergangenheit nicht dadurch bewahrt, dass sie den Glauben, d. h. die personale Beziehung der Apostel zu Jesus Christus, bewahrt, zumal ihre Verkündigung darauf abzielt, den einzelnen Gläubigen diese Beziehung zu ermöglichen. Diese Beziehung, um deretwillen Gott sich in Jesus Christus unüberbietbar offenbart hat, und die, wie gezeigt, bestimmte Relationsinhalte impliziert, müsste an sich bereits das verwirklichen, was Newman „conservative action upon its past" genannt hat, unabhängig von den Veränderungen im Leben und damit in der Lehre der Kirche bezüglich der Sachverhalte, die nicht diese Beziehung direkt tangieren.

„Anticipation of its Future" stellt auf dem skizzierten epistemologischen Hintergrund ein weiteres problematisches Prinzip dar. Denn die Überprüfung dieses Prinzips an der Geschichte erweist sich als schwierig. Zur Verifikation bedürfte es eines visionären Theologen, dessen Theologie seiner Zeit weit voraus war. Zweierlei spricht jedoch formal gegen visionäre Theologie. Zum einen liegt es in der Interpretation des Betrachtenden, ob es sich um „visionäre" Theologie handelt oder nicht. Man kann zu einem späteren Zeitpunkt auch einen Theologen so interpretieren, als ob er genau das gesagt hat, was man selbst vertritt, auch wenn das zum Zeitpunkt der Betrachtung selbst nicht mehr als „visionär" bezeichnet werden würde. Dies soll nicht bestreiten, dass es „visionäre" Theologen gegeben haben mag – immerhin gibt es einen Literalsinn in Texten, der sich zunächst einmal der Interpretation entzieht und nachfolgende Interpretationen somit normiert. Insofern kann es wirklich neue Aspekte geben, die von einem hervorragenden Theologen gedacht und aufgeschrieben werden. Diese Erkenntnis befreit jedoch nicht aus dem Erkenntniszirkel, der diesem Prinzip anhaftet. Denn selbst wenn ein Theologe etwas Visionäres geschaffen hat, so bezieht sich die Feststellung des Visionshaften einer Theologie immer auf den eigenen Zeitpunkt, an dem sich die „Vision" durchgesetzt hat. Hätte sie sich nicht durchgesetzt, wäre derselbe visionäre Theologe vermutlich der Vergessenheit überantwortet. Apriori jedoch – von der Seinsordnung her gesehen – macht dieses Prinzip großen Sinn. Denn dann speist es sich aus dem Gedanken des Geisteswirkens. Der Geist Gottes, der Geschichte wie einen Augenblick vor sich hat und der gleichzeitig Lehramt und Theologie gnadenhaft erleuchtet, ist in der Lage, das theologische Denken eines Menschen so zu beeinflussen, dass dieser Mensch Sachverhalte und Inhalte, die dem göttlichen Willen entspringen und die Gott daher in der Geschichte auch herbeiführen wird, zu erkennen. Die Schrift nennt dies die Gabe der Prophetie (1 Kor 12,28; Eph 4,11), welche äußerst selten ist. Die göttliche Providenz als „ratio ordinis rerum in finem"[425], an der der Mensch im Glauben aufgrund der Offenbarung Gottes partizipieren kann, insofern sich ihm als Geistwesen das Wesen Gottes durch die Offenbarung erschließt, und die Gewissheit, dass Gott das Ende (finem) herbeiführen kann und wird, das er verheißen hat, ermöglichen es, frühere Denk- und Lehransätze in späteren Entwicklungen erfüllt zu sehen. So fallen Antizipation der Zukunft und bewahrende Haltung gegenüber der Vergangenheit zusammen. Und aus diesen beiden Punkten erklärt sich auch das Bild vom wachsenden Samen, das Newman von Vinzenz wieder aufgreift. Der Same antizipiert in gewissen Sinn den Baum, der Baum bewahrt den Samen. Der Same kann aber nur deshalb den Baum antizipieren, weil die Entwicklung von Same zu Baum bereits von Gott her beschlossen ist. Und erkenntnistheoretisch betrachtet, muss der Baum erst existieren, um seinen Samen nachträglich als Antizipation bezeichnen zu können. Ein wichtiger Nebenaspekt dieses Punktes je-

---

[425] Thomas von Aquin, Summa theologica, p.I, q.22 a.1;2.

doch bleibt, dass „visionäre" bzw. zukunftsweisende Theologie immer eine geistgetragene Theologie sein muss. Nur aus der Beziehung zu Jesus Christus heraus entsteht die Kraft, Zukunft zu gestalten und „Visionen" zu entwerfen.

Der letzte und wichtigste Punkt, für den sich Newman in seinem Essay besonders viel Zeit nimmt, ist „preservation of type". Es handelt sich dabei letztlich um den Versuch, die Identität der Kirche seiner Zeit mit der Urkirche, trotz aller Veränderungen zu beweisen. Es geht ihm dabei nicht nur um Kontinuität, sondern um Identität. Die Argumentation ist dabei einfach. Die katholische Kirche ist die gleiche geblieben, weil sie den gleichen Anfeindungen wie seit ihrer Gründung durch Jesus von Nazareth ausgesetzt ist. Newman zieht dafür geschichtliche Parallelen heran. Aus heutiger Sicht scheint diese Argumentation jedoch problematisch. Man könnte weder methodisch noch inhaltlich eine glaubhafte Parallele der Situation der Kirche heute mit der im ersten oder vierten Jahrhundert ziehen. Methodisch, weil man in der Gefahr steht, Geschichte zu sehr zu „frisieren", d. h. überzuinterpretieren; inhaltlich, weil man manchmal den Eindruck gewinnen könnte, die Kirche in Deutschland gleiche eher dem Paganentum im römischen Reich des vierten Jahrhunderts. Daher sollte man „preservation of type" personalisieren und auf das anwenden, was sich wirklich nicht verändert hat: Der Glaube an Jesus Christus. Zwar pendelt auch diese Beziehung, die der Einzelne und die Kirche insgesamt zum Auferstandenen hat, zwischen Jesus, dem Herrn und Pantokrator (Mt 28,18), und Jesus, unserem „Bruder" (Joh 15,15), hin und her, da Jesus beides ist. Doch bleibt die Relation zu ihm, die vom Heiligen Geist geschenkt und auch immer wieder korrigiert wird, dieselbe. Einen Beweis für diese These gibt es nicht. Nur die in vorhergehenden Kapiteln aufgeführten Gründe für die Notwendigkeit einer Identität und damit einer Kontinuität. Nur der Glaubende kann das Wirken des Heiligen Geistes erkennen. Daher sind „Beweise" für sein Wirken wie die Inspiration der Schrift, die Wirksamkeit der Sakramente, die apostolische Sukzession im Bischofsamt, das Wunder der Bekehrungen, die Martyrien, die tätige Nächstenliebe und die Vergebung der Sünden alles glaubwürdige Beweise, aber nur für den, der zumindest die Bereitschaft zum Glauben mitbringt. Zwar sollte das nach Rahner jeder Mensch sein – immerhin ist Gott das Ziel, indem der Mensch zu sich selbst findet und von dem er in seine Eigentlichkeit geführt wird –, jedoch bedarf es immer noch eines Willensaktes, Gott als Ziel zu bejahen, um dem Heiligen Geist die Möglichkeiten zu eröffnen, die ihm aufgrund seiner Natur ohnehin zukommen.

Abschließend kann man also feststellen, dass es Prinzipien der Entwicklung gibt. Die meisten davon sind formaler Natur und beschreiben Eigenschaften des Vorgangs der Entwicklung. Nur das Inkarnationsprinzip stellt ein Prinzip inhaltlicher Art dar. Gerade daran zeigt sich, dass das Wirken des Heiligen Geistes eher ein „formales“ Wirken ist. Die Inhalte sind mit der Offenbarung des Logos im Fleisch gesetzt worden. Da es die erste und wichtigste Aufgabe des Geistes ist, zu Christus und damit zum Vater zu führen, und er diese Aufgabe durch das Geschenk des Glaubens, den er dann auch trägt, verwirklicht, bleibt das Inkarnationsprinzip das einzige inhaltliche Prinzip, das der Geist in der Geschichte realisiert, weil es in eins fällt mit seiner Aufgabe, den Sohn offenbar sein zu lassen. Das Inkarnationsprinzip wurde oben als Weltbild interpretiert. Weltbilder jedoch sind Glaubenssache. Damit wiederum schließt sich der Kreis zum Wirken des Geistes auf Christus hin, als dessen Teil man das Inkarnationsprinzip sehen kann. Die Prinzipien „Bewahrung der Vergangenheit“ und „Antizipation der Zukunft“ kann man in Verbindung mit der Geistgewirktheit der Expansion der Lehre sehen. Denn beiden Prinzipien haftet gedanklich ein gewisse Stetigkeit an. Das gleiche gilt für die „Logik“. Die Erforschung des Glaubens besteht zwar nicht aus logischer Deduktion, aber Logik ist unverzichtbar, solange die Offenbarung auf menschliches Verstehen hin abzielt. Dass eine Lehre ihre Wahrheit dadurch beweist, dass sie Kräfte in der Kirche über längere Zeiten freisetzt, kann man in Beziehung zu Intensivierungsbewegung setzen, die ja dazu geschieht, aus der Beziehung zu Jesus Christus Kraft zum Leben geschenkt zu bekommen.

All diese Prinzipien bleiben jedoch, weil sie apriori gewonnen sind, nur Indikatoren für das Wirken des Geistes. Eine Beweiskraft für die Dogmen, die nicht theologisch notwendig sind, besitzen sie nicht. Sie stellen nur ein additives Element zur Autorität des Lehramts dar, das diese Lehren letztlich legitimiert.

# 6. Resümee

Am Ende dieser Arbeit sollen die Ergebnisse, zu denen diese Arbeit geführt, noch einmal kurz zusammengefasst werden. Die Einleitung machte die geschichtliche Entwicklung zum Problem der Dogmenentwicklung deutlich. Ausgelöst durch Reformation und Aufklärung entstanden neue Positionen, die die kirchliche Lehre unter Rechtfertigungszwang stellten. Eine gemeinsame abendländische Tradition gab es nicht mehr. Ebenso gab es keine Autoritäten mehr, die von allen Westeuropäern als solche anerkannt wurden. Die Autorität, die die Kirche aber nach wie vor für sich, ihr Lehramt und ihre Lehren beanspruchte, schienen als heteronome Fremdbestimmungen den Menschen daran zu hindern, endlich mündig zu werden. Da die Autorität der Kirche sich letztlich auf die Autorität Christi, die in dessen göttlicher Natur begründet ist, zurückführte, war es eines der Hauptziele der Aufklärung, diese göttliche Natur mittels der Geschichte als Hauptwaffe zu eliminieren.

Die Theologie reagierte langsam auf die neuen Probleme und begnügte sich damit, ihre Autorität zu begründen und die Hauptwaffe des Feindes, die Geschichte, zu neutralisieren. Die Argumentation lief dabei rein apriori ab. Wenn die Offenbarung wahr und damit ewig ist, was interessiert dann die Geschichte? Erst im 19. Jahrhundert gab es Ansätze, die Geschichte zu erforschen, um dadurch den Glauben der Väter noch besser verstehen zu können. Eine Ermutigung dieser Forschung erfuhr dieser Zweig der Theologie aber erst durch das Zweite Vatikanische Konzil.

Der erste Teil dieser Arbeit diente dem Ziel, die Probleme von Dogmenentwicklungstheorie anhand verschiedener Autoren offen zu legen. Dabei wurde ersichtlich, dass das Thema sich in der Umklammerung verschiedener theologischer Notwendigkeiten befindet, auf die man nicht verzichten zu können meint. Die erste dieser Notwendigkeiten besteht in der Abgeschlossenheit der Offenbarung. Es handelt sich dabei um eine christologische Notwendigkeit, wie Karl Rahner treffend ausführt. Der Bezugspunkt aller christlichen Lehre liegt damit in der Vergangenheit, in Palästina um die Zeitenwende. Die zweite Notwendigkeit besteht im überlieferten Dogmenverständnis. Das Dogma ist eine geoffenbarte Wahrheit, die vom Lehramt der Kirche den Gläubigen zu glauben vorgelegt wird. Da sie geoffenbart ist, ist sie selbstverständlich auch heilsnotwendig. Und da das Lehramt durch das Weihesakrament die Autorität und Vollmacht der Apostel geerbt hat, die Kirche zu lehren, zu heiligen und zu leiten, sind die verkündeten Dogmen so gut wie vom Heiligen Geist persönlich kund getan. Das Problem der Dogmenentwicklungstheorie und der Theologie allgemein besteht nun darin, dass diese sakrale Begründung der Dogmen zwar für den Gläubigen in der Kirche genügend Autorität darstellen sollte, ein Dogma als solches zu akzeptieren, dass damit aber noch nicht der geschichtliche Beweis aus der Offenbarung erbracht ist. Denn wie kann ein Dogma erst Hunderte von Jahren später erklärt werden, in der Offenbarung aber vorhanden und damit heilsnotwendig sein? Vor allem müssen es die Christen ja geglaubt haben, die vor der Konzilentscheidung gelebt haben, da es ja in der Offenbarung vorhanden und damit heilsnotwendig ist. Andernfalls wären sie ihres Heils verlustig gegangen. Wenn diese Christen aber in der Hölle sind, ist dann nicht die Offenbarung unvollständig? Wenn diese Christen jedoch vor einem Konzil die Entscheidung des Konzils antizipativ geglaubt haben, wieso gab es dann geschichtlich gesehen Streit vor und auf einem Konzil. Oder noch schärfer gefragt: Warum gab es dann überhaupt ein Konzil, wenn das, was dort erklärt wird, vorher sowieso schon geglaubt wurde?

Das Zentralproblem war, dass sich die bis dahin betriebene apriorische Theologie nicht mit den Fakten der Geschichte vereinbaren ließ. Die geschichtliche Forschung offenbarte den ganzen aporetischen Komplex, in den sich die Theologie ohne ein geschichtliches Bewusstsein die Jahrhunderte vorher manövriert hatte. Das Problem in seiner Wurzel betrachtet, ist jedoch das Problem von Freiheit und Gnade. Man konzipierte Dogmenentwicklungstheorien jedoch rein mittels der Gnade, ohne der empirischen Freiheit der Menschen und Kirchenglieder gerecht zu werden. Aus diesem Grund passte keine der dargestellten Theorien des ersten Teils zur Geschichte. Bei Kuhn konnte man sehen, dass ihm diese Freiheit so suspekt und unberechenbar erschien, dass er zuerst einmal das Volk Gottes für die Entwicklung ausschaltete, um dann die Entwicklung in sicher geistgewirkten Sphären durchzuführen. Selbst Karl Rahner fand trotz seiner Neuansätze in der Gnadenlehre keinen Ausweg aus den gegebenen Problemen. Wer seinen Lösungsansatz an der Gnadenlehre orientiert, kommt letztlich zu einer Theorie, in der der Heilige Geist die Offenbarung langsam zu ihrer ganzen Entfaltung und Pracht führt. Verketzerungen und Scheiterhaufen sind mit dieser Sicht nicht vereinbar. Denn wenn der Heilige Geist Motor der Entwicklung ist, den Menschen und seinen Verstand erleuchtet, dann wäre letztlich er derjenige, der die Menschen zu Häretikern macht. Man kann dieses Problem parallel zu Theorien bezüglich Judas Iskariot sehen. Konzipiert man seine Sicht zu stark am Heilsplan und der Gnade Gottes, so wird aus dem Verräter ein Jünger, der nur seine Rolle zum Heil der Welt spielte. Auch bei dieser Argumentation wird von der Gnade auf die Geschichte hin argumentiert, ohne die Geschichte, und hierbei die Schrift, die ihn mehrmals als Verräter klassifiziert (Mt 26,46.48; Mk 14,42.44; Lk 6,16; Joh 18,2.5), ernst zu nehmen, auch wenn Jesus in den Evangelien immer als Herr seines eigenen Schicksals beschrieben wird. Er verliert nicht die Initiative, trotz des Verrats des Judas. Je mehr man versucht, das Wirken des Heiligen Geistes in der Geschichte zu beleuchten, desto mehr scheint er sich dieser Beleuchtung zu entziehen. Der Glaube, dass Gott souveräner Herr der

Geschichte ist, und die Geschichte selbst, mit allen ihren Hoffnungszeichen und Tragödien, scheinen miteinander unvereinbar. Ja, den Tragödien eine Gnadenkonstruktion überzuordnen, scheint von heutigem Standpunkt aus geradezu grotesk.

Vinzenz von Lérins hatte diese Probleme jedoch nicht und konnte ohne Bedenken Gott zumindest als Mitursache an den Häresien erblicken, um den Glauben der einzelnen Christen zu testen. Zwar war der Häresiarch mit freiem Willen letztlich für die Häresie verantwortlich. Dennoch fügt sie sich für Vinzenz in den göttlichen Plan für die Kirche bis zur Parusie ein. Dass Gott im Grunde genommen den Glauben jedes einzelnen Menschen eigentlich kennen müsste – ohne ihn zu testen – stellt ein anderes Problem dar.

John Henry Newman konnte sich aufgrund seiner Herkunft dem Problem auf andere Art nähern. Er fasste das Christentum als Idee auf, die objektiv ist, aber in ihren Aspekten im Menschen lebendig ist. Der näheren Beziehung zwischen objektiver Idee und subjektiver Aneignung stellte er sich nicht. Dafür kann die Entwicklung bei ihm jedoch zunächst einmal unter dem Aspekt der Natur betrachtet werden, ohne dass dies der Idee an sich gefährlich würde. Somit verbinden sich Vertrauen auf die Unkorrumpierbarkeit der Idee mit Entwickelbarkeit der Idee unter geschichtlichen (natürlichen) Bedingungen. So kann Newman als Erster der Frage nach Prinzipien der Entwicklung nachgehen, auch wenn er dies unter der Prämisse unternimmt, dass am Ende die Identität der katholischen Kirche mit der Urkirche stehen muss. Aber mehr will Newman auch nicht mit seinem Essay erreichen. Er soll nur der Selbstvergewisserung dienen, mit seinem Konfessionswechsel das Richtige zu tun.

Das gleiche Ziel verfolgt auf andere Weise Adolf von Harnack mit seinem Entwurf zur Dogmenentwicklung. Die Prämissen, die er in seine Dogmengeschichte einarbeitet, entstammen seiner eigenen Vision vom Christentum: protestantisch, charismatisch, antiinstitutionell. All das sei die Quintessenz aus der Schrift und Martin Luther. Das Ergebnis ist die Totalkorruption des Christentums in der katholischen Kirche und ihrer Lehre. Aus Newman und Harnack wird daher deutlich, dass auch Ansätze, die von der Empirie und der Geschichte ausgehen, immer mit gewissen Prämissen Geschichte betrachten, so dass dieser Zugang zum Problem als genauso problematisch anzusehen ist wie der gnadentheologische Zugang. Eine befriedigende Lösung kann daher, so schließt der erste Teil, nur in einer Annäherung beider Positionen liegen. Dass die Geschichte dabei immer ein wenig gegenüber der Offenbarung und dem Glauben benachteiligt ist, wird aus der Analyse von Harnack deutlich. Denn letztlich gehen sowohl gnadentheologische Ansätze, wie auch Harnack, deduktiv vor, da Geschichte so zu sein hat, wie die Prämissen behaupten. Weil aber die Prämissen aus der Geschichte stammen – Offenbarung vollzieht sich ja in Geschichte und als Geschichte – ist es unumgänglich, sich selbst Rechenschaft bezüglich der eigenen Erkenntnisgrundlagen zu verschaffen – nicht zuletzt, um ein besseres Verständnis der Offenbarung zu erzielen.

Der zweite Teil beginnt daher mit einer erkenntnistheoretischen Analyse und kommt zu dem Ergebnis, dass menschliche Erkenntnis ein Produkt aus Subjekt und Objekt ist. Produkt des Subjekts ist sie, weil die Wirklichkeit keine geistigen Substanzen liefert und der Mensch dem ihm begegnenden Stoff einen Namen und damit eine Bedeutung für sich geben muss. Er interagiert mit dem Objekt, macht es sich zunutze. Er übersetzt sozusagen das Objekt auf die Ebene des Geistes und ordnet damit die Wirklichkeit. Gleichzeitig kann er das Ergebnis dieser Lernvorgänge anderen Menschen mitteilen, um so bei ihnen eine Interaktion mit dem Objekt, ein Kennenlernen, überflüssig zu machen. Gleichzeitig ist Erkenntnis aber auch Produkt des Objekts, da die Eigenschaften des Stoffes an sich der Erkenntnis ihre Grenzen setzen. Dies gilt auch für menschliche Handlungen und Akte. Sie sind nicht beliebig interpretierbar, sondern finden ihre Grenze an der Wirklichkeit selbst. Das gleiche trifft auch auf menschliche Sprache zu. Da sie einen geistigen Inhalt (einen Literalsinn) besitzt, sind Sätze ebenso wenig beliebig interpretierbar wie die Wirklichkeit. Es gibt zwar Interpretationsspielräume, aber andererseits gibt es auch gute und schlechte Interpretationen, deren Kriterien durch die Sätze selbst bedingt sind. Auf Offenbarung hin angewandt, und hier vor allem auf Jesus und seine Jünger hin angewandt, bedeutet diese Sicht, dass die Taten und Worte Jesu ihn für die einen zum Messias machen, für die anderen jedoch zu einem Zauberer, der mit Beelzebul im Bund ist. Die Normierung durch die Wirklichkeit besteht darin, dass die zweite Interpretation schlechter ist als die erste, da die Taten Jesu gute Folgen hervorgebracht haben. So ist die Interpretation zwar möglich, aber auch aus der willentlichen Verweigerung heraus geboren. Die Offenbarung ist also nicht letzter Grund, an sie zu glauben. Nur die Entscheidung für oder gegen Jesus kann seinen Taten und Worten jene δόξα verleihen, von der das Johannesevangelium (Joh 1,14) kündet. Die Schrift kann man daher auch als Produkt derer bezeichnen, die sich für Jesus von Nazareth entschieden haben. Sie ist Ausdruck des Glaubens und der Hoffnung seiner Jünger und damit zugleich Grundlage der Verkündigung. Sie ist das Produkt von Offenbarung, das Ergebnis des Kennenlernprozesses Gottes in Jesus. Daher normiert sie das Leben und den Glauben derer, die sich durch die Zeiten hindurch als Jüngerinnen und Jünger Jesu bezeichnen – der Kirche. Sie stellt den Ausgangspunkt einer geschichtlichen Entwicklung und zugleich das Prinzip und den Integrationspunkt jeder Entwicklung dar. Sie bleibt als kodifiziertes Zeugnis des Glaubens der Apostel die Richtschnur für jeden einzelnen Christen, was der Glaube an Jesus Christus seinem Wesen nach ist und impliziert, und stellt damit in allen Generationen die Grundlage für das Heil eines Christen dar.

Der Glaube an Jesus Christus ist heilsnotwendig für jeden Menschen. Daher besitzt jeder Mensch ein Verhältnis zu Jesus Christus, direkt oder indirekt. Dass ein direktes Verhältnis, das die Kirche anbietet, den besseren Weg zur Erlangung des Heils darstellt, versteht sich von selbst. Wenn der Glaube in einer durch den Heiligen Geist gewirkten Relation des Einzelnen zu Jesus Christus und damit zum Vater ist, so bedarf diese Relation allerdings eines Fundaments inhaltlicher Art. Schließlich glaubt und vertraut man nicht grundlos jemandem, den man nicht kennt. Ein Mindestmaß an Glaubensinhalten scheint daher postuliert werden zu müssen. Es wurden als Minimum für einen Christen drei Glaubensinhalte vorgeschlagen: die Gottessohnschaft Jesu, seine Auferstehung und seine universale Heilsmittlerschaft. Diese Trias scheint erst in der Lage sicherzustellen, was jeder, der sich Christ nennen will, im Innersten verstanden haben muss: es gibt kein Heil, kein Leben, keine Hoffnung ohne Jesus Christus. Ausgehend von dieser Relation, die das Einzige ist, was der Christ zu seinem Heil benötigt, bestand der nächste Schritt in der Überlegung, was diese Erkenntnis über Schrift und über das Heil an sich, das Gott uns in Jesus Christus anbietet, für die Dogmen der Kirche bedeutet. Das Ergebnis dieser Überlegung bestand in der Entkoppelung von Dogma und Offenbarung. Wenn Offenbarung Selbstoffenbarung Gottes bedeutet und auf das Heil des Menschen zielt, dann haben einige Dogmen diese Titulatur nicht verdient. Das Lehramt selbst hat daher geschichtlich gesehen, den Dogmen- vom Offenbarungsbegriff abgekoppelt, auch wenn der KKK noch nicht bereit ist, diese Konsequenz zu ziehen. Gleichzeitig wird durch diese Entkoppelung der gordische Knoten, der das Problem der Dogmenentwicklung in der Vergangenheit geprägt hat, zerschlagen. Aus dieser Zerschlagung, die durch die Anwendung der Frage nach der Heilsrelevanz auf kirchliche Lehren bewirkt wurde, ergeben sich zwei Kategorien kirchlicher Lehren. Die erste Gruppe betrifft die Selbstoffenbarung Gottes und beinhaltet daher die Bereiche Gotteslehre (Trinität), Christologie und Soteriologie (damit auch Teile der Gnadenlehre). Diese Lehren ergeben sich aus der Schrift und beziehen sich auf sie. Die zweite Gruppe beinhaltet alle die Lehren, bei denen die Kirche ihre Gestaltungsfreiheit positiv genutzt hat. Dass die Trennung beider Bereiche schwer ist und vielleicht auch künstlich wirkt, wurde mehrmals gesagt. Der Vorteil dieser Sicht besteht in der Reduktion des Problems der Dogmenentwicklung, da nur noch eine Rechtfertigung für die erste Gruppe in der Offenbarung gesucht werden muss.

Gleichzeitig bedarf es eines neuen Verständnisses von „Dogma“. Dogma kann daher nur als eine von Lehramt der Kirche vorgelegte Lehre verstanden werden, die einen Integrationspunkt für alle Kirchenglieder setzen soll. Dies geht mit der vorgetragenen These konform, dass die erste Gruppe der Dogmen vor allem der Schrift eine Hermeneutik vorschalten sollen, die dazu geeignet ist, Unklarheiten durch ein einheitliches Auslegungsmuster aller widersprüchlichen Stellen zu überwinden. In dieser Hermeneutik müssen potentiell alle Christen übereinkommen. Darin liegt der integrative Teil dieser Dogmengruppe. Wer sich dieser kollektiven Schriftinterpretation nicht anschließt, für den gilt: anathema sit. Nicht weil, die Kirche ihn ausschließen würde, sondern weil er sich selbst ausschließt, in dem er / sie die Integration, die Einheit, verweigert. Gleichzeitig wird ersichtlich, dass diese erste Gruppe der Dogmen von der Wirklichkeit der Offenbarung und damit von der Schrift her normiert werden. Dies gilt für die zweite Gruppe nicht in gleicher Weise. Für sie gelten nur zwei Dinge: Sie müssen zum einen widerspruchsfrei zur Schrift sein und sie müssen zum anderen widerspruchsfrei zur ersten Dogmengruppe sein. Sie haben nicht den Sinn, die Schrift auszulegen, ihr eine Hermeneutik vorzuschalten, sondern dienen hauptsächlich zur Integration der Kirche auf eine einheitliche Position. Sanktioniert sind sie wie die erste Gruppe, weil die Kirche eine Bekenntnisgemeinschaft ist, die auch in nicht heilsrelevanten Fragen die „Einheit" einfordern kann, da sie es ist, die von Jesus dazu gegründet ist, den Glauben nicht nur für sich zu leben, sondern ihn auch zu verkünden. Der einzelne Glaube als Relation zu Christus vollzieht sich nicht an der Kirche vorbei. Da die Kirche dem Einzelnen, der Einzelnen, den Glauben schenkt, kann sie auch in sekundären Dingen, die die Kirche, ihre Praxis und ihr Leben betreffen, ebenfalls Gefolgschaft erwarten. Zu sagen: dieses oder jenes Dogma ist nicht wichtig, weil es nicht aus der Offenbarung stammt, wäre daher gleichbedeutend mit der Aussage: die Kirche ist nicht wichtig und konstitutiv für das Christ-Sein. Oder um ein Beispiel aus der Schrift anzuführen: Die Frage, ob die Heidenchristen, wenn sie zusammen mit Judenchristen lebten, Teile des Gesetzes aus Höflichkeit den judenchristlichen Gefühlen und deren Tradition gegenüber befolgen sollten, stellt an sich keine wichtige Frage dar, solange man nicht daraus eine Grundsatzdiskussion über Christus und Gesetz macht. Und obwohl Paulus die Ansichten Petri nicht teilte, so hat er ihm nicht prinzipiell die Gemeinschaft aufgekündigt – vermutlich um der gemeinsamen Sache willen. Die Einheit der Kirche hängt daher nicht zu einem geringen Teil vom gemeinsamen Konsens auch in weniger wichtigen Dingen ab. Die Vorlagen des Lehramts mögen nicht immer heilsrelevant sein, aber sie sind sicherlich für das Leben und die Einheit der Kirche wichtig – von der Geistdimension, die in diesen Fragen immer eine Rolle spielt, noch gar nicht gesprochen. Wie wichtig dieser Konsens ist, zeigt die Tatsache, dass ohne ihn so manches Dogma der Neuzeit nicht zustande gekommen wäre.

Mit der Entkoppelung von Dogma und Offenbarung hat man allerdings nur einen Teil des Problems gelöst. Die erste Gruppe muss nach wie vor auf die Offenbarung zurückgeführt werden. Dass dies ein hermeneutisches Problem aufgrund von Zirkularität darstellt, wurde im zweiten Teil öfters erwähnt. Dies führt zu der Frage, was die Kirche dazu bringt, ihren Glauben, den sie von den Aposteln „geerbt" hat und der zum Heil „ausreicht", durch Symbola näher konkretisieren zu müssen? Die Antwort kann nur in der Analyse des geschichtlichen Traditionsprozesses zusammen mit der menschlichen Natur liegen. Zwei große, abstrakte Bewegungen wurden aus der Analyse gewonnen. Zum einen eine expansive Bewegung, zum anderen eine intensivierende Bewegung. Die expansive Bewegung wird vor allem durch die menschliche Natur in Kombination mit der Zeit, aber auch durch die Offenbarung bedingt. Es ist Teil der menschlichen Natur, die Dinge zu erforschen, mit ihnen zu interagieren und sie zu reflektieren. Dieser Vorgang ist ein menschlicher Grundvollzug in der Zeit. Da das Objekt, das untersucht wird, die Offenbarung und damit Gott unendlich ist, kommt man potentiell auch an keine Grenze der Betrachtung, da man nie alle Aspekte dieser „Idee" – wie Newman sagen würde – gleichzeitig präsent haben kann. Die intensivierende Bewegung wurde weitgehend als eine Initiative des Geistes in Kirche charakterisiert, der die expandierende Entwicklung zur Einheit in Christus hin integriert. Daher wurden die Konzilien und päpstlichen Lehrentscheidungen auch als globale Intensivierungsbewegungen bezeichnet, durch die der Heilige Geist sozusagen die Fehler der expandierenden Bewegung, die sich weitgehend unter den Bedingungen der menschlichen Natur abspielt, ausgleicht.[426] Die Grenzen sind hier wiederum schwer zu ziehen. Denn weder verläuft die expandierende Bewegung ohne Gnade ab, noch die intensivierende Bewegung ohne die menschliche Natur. So kommt man erneut zum Problem von Natur und Gnade, die sich beide nicht voneinander abgrenzen lassen. Während das Tradieren wie ein notwendiger Vollzug menschlichen Lebens aufgrund der Zeit erscheint und daher keine besondere Gnade dafür nötig scheint, so muss man dennoch die menschliche Freiheit, die mit dem Traditionsprozess koexistiert und ihn daher beeinflusst, mitbedenken. Der Mensch mag seine Freiheit erst durch die Gnade ermöglicht bekommen, er kann sie mit ihr aber auch verfehlen, indem er z. B. Impulse in der Kirche setzt, die nicht dem Geist Gottes entspringen. Und der Traditionsprozess übernimmt dann diese Impulse und gibt sie weiter. Es gibt Tausende von Möglichkeiten, den Traditionsprozess schlecht zu beeinflussen. Dies geschieht nicht immer aus Böswilligkeit, sondern einfach zum Teil aufgrund der Komplexität der Materie bzw. der Offenbarung. Eine Korrekturmöglichkeit, die wiederum die Gnade bewirken muss, scheint aufgrund der potentiell korrumpierbaren Entwicklung geboten. Die Schrift kann dies nicht leisten, da sie nicht an sich lebendig ist. Gott benötigt daher Menschen, die Korrekturen durchzuführen. Nur lebendige Gläubige sind in der Lage, ihre Christusrelation – unter Zuhilfenahme der Schrift – zu erforschen und die Dinge mit Blick auf Jesus Christus und

---

[426] Man darf daher behaupten, dass es eines Lehramtes in der Kirche zwingend als Instrument des Heiligen Geistes bedarf, um notwendige Korrekturen auf Christus hin vorzunehmen, die aufgrund der erbsündlichen Verfasstheit des Menschen ab und zu notwendig werden.

im Kontext der jeweiligen Zeit zu lösen. Die Schrift vermag das nicht, weil sie in einem anderen Kontext und zu einer anderen Zeit verfasst wurde. Oder um es platt zu sagen: Das Leben und die Entwicklung hören mit der Schrift nicht auf, sondern beginnen erst. Es geht nicht darum, den Glauben der Apostel in einer Art Kühlschrank durch die Zeit aufzuheben, sondern darum, den Glauben an Jesus Christus zu leben. Dieser hat viele Formen bereits erlebt und wird sie auch in Zukunft erleben. Damit hat man die Dogmen der ersten Gruppe jedoch noch nicht gerechtfertigt. Es bleibt der zeitliche Abstand zwischen Dogma und Schrift bestehen. Der Hinweis, dass die Schrift auf Entwicklung hin angelegt ist, rechtfertigt nur, dass es Dogmen an sich gibt, aber nicht das konkrete einzelne Dogma seinem Inhalt nach. Es wurden deswegen zur inhaltlichen Rechtfertigung mehrere Dinge vorgeschlagen. Zum einen wurde die inhaltliche Sicherung durch den Heiligen Geist vorgeschlagen. Dies entspricht einer externen autoritativen Absicherung der Inhalte mittels der Weihetheologie. Zum zweiten wurde auf das Ausschlussverfahren in Kombination mit dem Glauben an Jesus verwiesen, was den Kern des Arguments ausmacht. Dies entspricht einer internen Absicherung mangels inhaltlicher Alternativen. Zum dritten wurden verschiedene Kriterien, bzw. Prinzipien der Entwicklung vorgeschlagen, die zwar ihrem Charakter nach formal sind, aber dennoch als Indikatoren für eine „gute" Entwicklung dienen, von Newman gewonnen und aus der Schrift begründet wurden. Dies entspricht einer formal-logischen Absicherung. Diese drei Argumente ermöglichen zwar keinen schlüssigen Beweis. Dies ist aber auch gemäß den wissenschaftstheoretischen Überlegung gar nicht möglich. Und somit teilt das Thema der Dogmenentwicklungstheorie das gleiche Schicksal wie die Offenbarung auch. Ohne die Bereitschaft zu glauben, können die besten Argumente keine δόξα entfalten. Das Einzige, was man schlüssig beweisen könnte, wäre nur die Falschheit eines Dogmas. Solch ein Dogma müsste dann aber kontradiktorisch einen Sachverhalt verneinen, den die Schrift explizit zu glauben vorlegt (z. B. „Gott hat die Welt nicht geschaffen" oder ähnliches). Die Schrift als „objektive" Wirklichkeit normiert die Dogmen, insofern sie zum einen aus ihr als geschichtlichem Ausgangspunkt stammen und insofern sie zum anderen diese erklären wollen. Aber ohne die Feststellung, dass der Glaube der Apostel in der Kirche zu jeder Generation präsent ist, weil er vom Heiligen Geist präsent gehalten wird, kann man nicht zu der These, dass die Entwicklung vom einen zum anderen theologisch, nicht geschichtlich, notwendig war, gelangen. Ohne die bleibende Beziehung der Kirche und jedes Einzelnen in ihr zu Jesus Christus, aus der die Antworten für die Probleme der Gegenwart gewonnen werden, kann keine Entwicklung in der Kirche gerechtfertigt werden. Denn letztlich bleibt Jesus selbst der Herr seiner Kirche und der Mensch „Hörer des Wortes". Oder um es mit den Worten Jesu zu sagen:

᾿Εδόθη μοι πᾶσα ἐξουσία ἐν οὐρανῷ καὶ ἐπὶ γῆς. πορευθέντες οὖν μαθητεύσατε πάντα τὰ ἔθνη, βαπτίζοντες αὐτοὺς εἰς τὸ ὄνομα τοῦ πατρὸς καὶ τοῦ υἱοῦ καὶ τοῦ ἁγίου πνεύματος, διδάσκοντες αὐτοὺς τηρεῖν πάντα ὅσα ἐνετειλάμην ὑμῖν· καὶ ἰδοὺ ἐγὼ μεθ᾿ ὑμῶν εἰμι πάσας τὰς ἡμέρας ἕως τῆς συντελείας τοῦ αἰῶνος (Mt 28,18ff.).

# Literaturverzeichnis

Altmann, Walter, Der Begriff der Tradition bei Karl Rahner [= Europäische Hochschulschriften XXIII, 34], Frankfurt a. M. 1974.

Andresen, Carl; Ritter, Adolf Martin (Hg.), Handbuch der Dogmen- und Theologiegeschichte 3 Bde., Göttingen ²1999.

de Achaval, Hugo M., An unpublished paper by Cardinal Newman on the Development of Doctrine, in: Gregorianum 39, Rom 1958, S. 585-596.

Augustinus, Aurelius, De trinitate [übersetzt von Michael Schmaus], 2 Bde., Kempten, München 1935.

Bailey, Leon, Critical Theory and the Sociology of Knowledge. A Comparative Study in the Theory of Ideology [= American University Studies Series XI Vol. 62], New York u. a. 1994.

Balthasar, Hans Urs von, Theologie der Geschichte [= Christ heute Reihe 1 Bd. 8], Einsiedeln 1961.

Balthasar, Hans Urs von, Herrlichkeit. Eine theologische Ästhetik Bd. 1, Einsiedeln 1961.

Barbel, Joseph, Einführung in die Dogmengeschichte [= Der Christ in der Welt Reihe V Bd. 15 a/b], Aschaffenburg 1975.

Becker-Bick, Thomas A., Die Dynamik des Wissens. Wissenssoziologische Aspekte des soziokulturellen Wandels, Konstanz 1985.

Bekenntnisschriften der evangelisch-lutherischen Kirche, Göttingen ⁴1959.

Bellarmin, Robert, De controversiis christianae fidei adversus huius temporis Haereticos, 3 Bde., Ingolstadt 1637.

Berger, Peter L.; Luckmann, Thomas, Die gesellschaftliche Konstruktion der Wirklichkeit. Eine Theorie der Wissenssoziologie, Frankfurt a. M. ⁵1977.

Beyschlag, Karlmann, Grundriß der Dogmengeschichte I, Darmstadt 1982.

Päpstliche Bibelkommission, Das jüdische Volk und seine Heilige Schrift in der christlichen Bibel [= Verlautbarungen des Apostolischen Stuhls 152], Bonn 2001.

Biemer, Günter, Überlieferung und Offenbarung. Die Lehre von der Tradition nach John Henry Newman [= Die Überlieferung in der neueren Theologie Bd. IV], Freiburg u. a. 1961.

Biemer, Günter; Holmes, James Derek, Leben als Ringen um die Wahrheit. Ein Newman Lesebuch, Mainz 1984.

Biemer, Günter, John Henry Newman. Leben und Werk, Mainz 1989.

Biemer, Günter, Niebuhrisieren? Newmans Verständnis der Geschichtsschreibung als Rekonstruktion von Leben, in: MThZ 43 1992, S. 421-435.

Biemer, Günter, Die Gläubigen in Dingen der Lehre befragen? John Henry Newmans Auffassung von der Bedeutung der Laien für die Glaubensüberlieferung, in: MThZ 43 1992, S. 437-448.

Biemer, Günther, John Henry Newmans Aktualität, in: Internationale katholische Zeitschrift Communio, 30. Jahrgang Sept./Okt. 2001, S. 397-411.

Brox, Norbert (Hg.), Irenäus von Lyon. Adversus Haereses III [= Fontes Christiani Bd. 8,3], Freiburg u. a. 1995.

Brüske, Martin, Ist Newmans „Essay on the Development of Christian Doctrine" eine Theorie der Dogmenentwicklung? Vorschläge zu einer alternativen Lesart des Klassikers, in: Internationale katholische Zeitschrift Communio, 30. Jahrgang Sept./Okt. 2001, S. 412-423.

Brugger, Walter, Philosophisches Wörterbuch, Freiburg u. a. $^{21}$1992.

Buber, Martin, Ich und Du, Stuttgart 2001.

Bühl, Walter L., Die Ordnung des Wissens [= Sozialwissenschaftliche Abhandlungen der Görres-Gesellschaft Bd. 12], Berlin 1984.

Cavallin, Laurentius, Dogma und Dogmenentwicklung bei Adolf von Harnack. Eine Frage an die neuere Theologie, Volkach 1976.

Chadwick, Owen, From Bossuet to Newman, Cambridge u. a. $^{2}$1987.

Chadwick, Owen, Newman, Oxford u. a. 1983.

Congar, Yves M.-J., Tradition und Kirche [= Der Christ in der Welt Reihe IV Bd. 15], Aschaffenburg 1964.

Dabney, D. Lyle, Nature Dis-Graced and Grace De-Natured: The Problematic of the Augustinian Doctrine of Grace for Contemporary Theology, in: The Journal for Christian Theological Research Vol. 5, Milwaukee 2000 [Internetzeitschrift: http://apu.edu/~CTRF/articles/2000_articles/dabney.html, daher keine Seitenzahlen].

Denzinger, Heinrich, Enchiridion symbolorum definitionum et declarationum de rebus fidei et morum [übersetzt von Peter Hünermann], Freiburg u. a. $^{37}$1991.

Döbertin, Winfried, Adolf von Harnack. Theologe, Pädagoge, Wissenschaftspolitiker [= Europäische Hochschulschriften Reihe XXIII Bd. 258], Frankfurt a. M. u. a. 1985.

Drumm, Joachim, Dogma, in: Lexikon für Theologie und Kirche Bd. 3, Freiburg u. a. $^{3}$1995, S. 283-286.

Drumm, Joachim, Dogmenentwicklung, in: Lexikon für Theologie und Kirche Bd. 3, Freiburg u. a. $^{3}$1995, S. 295-298.

Drumm Joachim, Doxologie, in: Lexikon für Theologie und Kirche Bd. 3, Freiburg u. a. $^{3}$1995, S. 354-356.

Eliade, Mircea, Geschichte der religiösen Idee, 4 Bde., Freiburg u. a. $^{3}$1997.

Elias, Norbert, Engagement und Distanzierung, Frankfurt a. M. $^{2}$1990.

Elias, Norbert, Über den Prozeß der Zivilisation. Soziogenetische und psychogenetische Untersuchungen, 2 Bde., Frankfurt a. M. 1997.

Filser, Hubert, Dogma, Dogmen, Dogmatik. Eine Untersuchung zur Begründung und zur Entstehung einer theologischen Disziplin von der Reformation bis zur Spätaufklärung [= Studien zur systematischen Theologie und Ethik Bd. 28], Münster u. a. 2001.

Fries, Heinrich, Fundamentaltheologie, Graz u. a. ²1985.

Gaffney, James, Roman Catholic Writings on Doctrinal Development by John Henry Newman, Kansas City 1997.

Geiselmann, Josef Rupert, Die lebendige Überlieferung als Norm des christlichen Glaubens. Die apostolische Tradition in der Form der kirchlichen Verkündigung – das Formalprinzip des Katholizismus dargestellt im Geiste der Traditionslehre von Joh. Ev. Kuhn [= Die Überlieferung in der neueren Theologie Bd. III], Freiburg 1959.

Geiselmann, Josef Rupert, Die Katholische Tübinger Schule. Ihre theologische Eigenart, Freiburg u. a. 1964.

Geiselmann, Josef Rupert, Lebendiger Glaube aus geheiligter Überlieferung. Der Grundgedanke der Theologie Johann Adam Möhlers und der Katholischen Tübinger Schule, Freiburg u. a. ²1966.

Gnilka, Joachim, Das Evangelium nach Markus Bd. 1 [= EKK Bd. 2/1], Neukirchen-Vluyn ⁵1998.

Gnilka, Joachim, Jesus von Nazaret. Botschaft und Geschichte, Freiburg u. a. 4. Sonderauflage 1995.

Gnilka, Joachim, Paulus von Tarsus [= HThKNT Supplementband VI ], Freiburg u. a. 1996.

Grätzel, Stephan; Kreiner, Armin, Religionsphilosophie, Stuttgart, Weimar 1999.

Grillmeier, Alois, Christus licet uobis inuitis deus. Ein Beitrag zur Diskussion über die Hellenisierung der christlichen Botschaft, in : Fragmente zur Christologie. Studien zum altkirchlichen Christusbild, Freiburg u. a. 1997, S. 81-111.

Grillmeier, Alois, Jesus der Christus im Glauben der Kirche Bd.1: Von der Apostolischen Zeit bis zum Konzil von Chalcedon (451), Freiburg u. a. ³1990.

Härle, Wilfried, Dogmatik, Berlin, New York 1995.

Hammans, Herbert, Die neueren katholischen Erklärungen der Dogmenentwicklungen, Essen 1965.

Harnack, Adolf von, Lehrbuch der Dogmengeschichte, 3 Bde., Freiburg i. Br. ²1888.

Harnack, Adolf von, Das Wesen des Christentums [hrsg. von Trutz Rendtorff], Gütersloh 1999.

Hick, John, The Metaphor of God Incarnate. Christology in a Pluralistic Age, Westminster, Louisville 1993.

Hilberath, Bernd Jochen, Karl Rahner. Gottgeheimnis Mensch, Mainz 1995.

Hirschberger, Johannes, Geschichte der Philosophie, 2 Bde. , Freiburg u. a. [14]1991.

Horst, Ulrich, Das Dogma von der Unbefleckten Empfängnis Marias (1854). Vorgeschichte und Folgen, in: Manfred Weitlauff (Hg.), Kirche im 19. Jahrhundert, Regensburg 1998, S. 95-114.

Jäger, Christoph (Hg.), Analytische Religionsphilosophie, Paderborn u. a. 1998.

Kant, Immanuel, Kritik der reinen Vernunft [hrsg. von August Messer, Reproduktion der 2. Auflage von 1787], Berlin 1930.

Kasper, Walter, Die Lehre von der Tradition in der Römischen Schule [= Die Überlieferung in der neueren Theologie Bd. V], Freiburg u. a. 1962.

Kasper, Walter, Glaube im Wandel der Geschichte, Mainz 1970.

Kasper, Walter, Jesus der Christus, Mainz [11]1992.

Katechismus der katholischen Kirche, München u. a. 1993.

Keller, Albert, Allgemeine Erkenntnistheorie [= Grundkurs Philosophie Bd. 2], Stuttgart u. a. [2]1990.

Kreiner, Armin, Ende der Wahrheit? Zum Wahrheitsverständnis in Philosophie und Theologie, Freiburg u. a. 1992.

Kuhn, Johannes, Einleitung in die Dogmatik, Tübingen [2]1859.

Landgraf, Artur Michael, Dogmengeschichte der Frühscholastik, 4 Bde., Regensburg 1952ff.

Langemeyer, Georg, Die dogmengeschichtliche Bedeutung der frühchristlichen Verfolgungssituation, in: Bertram Stubenrauch (Hg.), Dem Ursprung Zukunft geben. Glaubenserkenntnis in ökumenischer Verantwortung, Freiburg u. a. 1998, S. 49-60.

Lehmann, Karl u. a. (Hg.), Karl Rahner. Sämtliche Werke, Freiburg, Düsseldorf 1995ff.

Lévinas, Emmanuel, Wenn Gott ins Denken einfällt. Diskurse über die Betroffenheit von Transzendenz [übersetzt von Thomas Wiemer], Freiburg, München [3]1999.

Lévinas, Emmanuel, Die Spur des Anderen. Untersuchungen zur Phänomenologie und Sozialphilosophie [übersetzt von Nikolaus Krewani], Freiburg, München [4]1999.

Löser, Werner; Lehmann, Karl; Lutz-Bachmann, Matthias (Hg.), Dogmengeschichte und katholische Theologie, Würzburg 1985.

Loofs, Friedrich, Leitfaden zum Studium der Dogmengeschichte [hrsg. von Kurt Aland], Tübingen [6]1959.

de Lubac, Henri, Die göttliche Offenbarung. Kommentar zum Vorwort und zum ersten Kapitel der dogmatischen Konstitution „Dei Verbum“ des Zweiten Vatikanischen Konzils [übersetzt und eingeleitet von Rudolf Voderholzer], Einsiedeln, Freiburg 2001.

Luther, Martin, de captivitate Babylonica ecclesiae praeludium, in: D. Martin Luthers Werke Bd. 6, Weimar 1888, S. 497-573.

Luther, Martin, An den christlichen Adel deutscher Nation von des christlichen Standes Besserung, in: D. Martin Luthers Werke Bd. 6 Weimar 1888, S. 404-469.
Luther Martin, Von der Freiheit eines Christenmenschen, in: D. Martin Luthers Werke Bd. 7, Weimar 1897, S. 20-38.
Lynch, Thomas, The Newman-Perrone Paper on Development, in: Gregorianum 13, Rom 1935, S. 402-447.
McGrath, Alister E., The Genesis of Doctrine. A Study in the Foundation of Doctrinal Criticism, Grand Rapids (MI), Cambridge (UK), Vancouver 1997.
Möhler, Johann Adam, Die Einheit der Kirche oder das Prinzip des Katholizismus. Dargestellt im Geiste der Kirchenväter der drei ersten Jahrhunderte [hrsg. und eingeleitet von Josef Rupert Geiselmann], Köln, Olten 1957.
Möhler, Johann Adam, Symbolik oder die Darstellung der dogmatischen Gegensätze der Katholiken und Protestanten nach ihren öffentlichen Bekenntnisschriften, [hrsg. und kommentiert von Josef Rupert Geiselmann], Köln, Olten 1958.
Müller, Gerhard Ludwig, Katholische Dogmatik, Freiburg u. a. 1995.
Müller, Gerhard Ludwig, Newman begegnen, Augsburg 2000.
Nestle-Aland, Novum Testamentum. Graece et Latine, Stuttgart [2]1991.
Newman, John Henry, An Essay in Aid of a Grammar of Assent [bearbeitet und eingeleitet von Charles Frederick Harrold], New York u. a. 1947.
Newman, John Henry, An Essay on the Development of Christian Doctrine, London, New York 1960.
Newman, John Henry, Über die Entwicklung der Glaubenslehre [übersetzt von Theodor Haecker, kommentiert von Johannes Artz], Mainz 1969.
Neuner, Peter, Newmans Bedeutung für die Theologie heute, in: MThZ 43 1992, S. 391-408.
Nowak, Kurt; Oexle, Otto Gerhard (Hg.), Adolf von Harnack. Theologe, Historiker, Wissenschaftspolitiker [= Veröffentlichungen des Max-Planck-Instituts für Geschichte Bd. 161], Göttingen 2001.
Ott, Ludwig, Grundriß der Dogmatik, Freiburg [3]1957.
Pannenberg, Wolfhart, Systematische Theologie, 3 Bde., Göttingen 1988-1993.
Pöhler, Rolf J., Continuity and Change in Christian Doctrine. A Study of the Problem of Doctrinal Development [= Friedensauer Schriftenreihe A Band 2], Frankfurt a. M. u. a. 1999.
Rahner, Karl; Vorgrimler, Herbert, Kleines Konzilskompendium, Freiburg [26]1994.
Rahner, Karl, Dogmenentwicklung, in: Lexikon für Theologie und Kirche Bd. 3, Freiburg [2]1959.
Rahner, Karl, Über die Schriftinspiration [= QD 1], Freiburg i. Br. 1958.

Rahner, Karl, Zur Frage der Dogmenentwicklung, in: Ders., Schriften zur Theologie I, Einsiedeln u. a. 1960, S. 49-90.
Rahner, Karl, Theos im Neuen Testament, in: Ders., Schriften zur Theologie I, Einsiedeln u. a. 1960, S. 91-168.
Rahner, Karl, Die Unbefleckte Empfängnis, in: Ders., Schriften zur Theologie I, Einsiedeln u. a. 1960, S. 223-238.
Rahner, Karl, Über das Verhältnis von Natur und Gnade, in: Ders., Schriften zur Theologie I, Einsiedeln u. a. 1960, S. 323-346.
Rahner, Karl, Zur scholastischen Begrifflichkeit der ungeschaffenen Gnade, in: Ders., Schriften zur Theologie I, Einsiedeln u. a. 1960, S. 347-376.
Rahner, Karl, Überlegungen zur Dogmenentwicklung, in: Ders., Schriften zur Theologie IV, Einsiedeln u. a. 1960, S. 11-50.
Rahner, Karl, Virginitas in partu, in: Ders., Schriften zur Theologie IV, Einsiedeln u. a. 1960, S. 173-208.
Rahner, Karl, Natur und Gnade, in: Ders., Schriften zur Theologie IV, Einsiedeln u. a. 1960, S. 209-236.
Rahner, Karl, Zur Theologie des Symbols, in: Ders., Schriften zur Theologie IV, Einsiedeln u. a. 1960, S. 275-312.
Rahner, Karl, Theologie im Neuen Testament, in: Ders., Schriften zur Theologie V, Einsiedeln u. a. 1962, S. 33-53.
Rahner, Karl, Was ist Häresie, in: Ders., Schriften zur Theologie V, Einsiedeln u. a. 1962, S. 527-576.
Rahner, Karl; Lehmann, Karl, Das Problem der Dogmenentwicklung, in: Johannes Feiner; Magnus Löhrer (Hg.), Mysterium Salutis Bd. I. Die Grundlagen heilsgeschichtlicher Dogmatik, Einsiedeln u. a. 1965, S. 727-787.
Rahner, Karl, Kleines Fragment „Über die kollektive Findung der Wahrheit“, in: Ders., Schriften zur Theologie VI, Einsiedeln u. a. 1965, S. 104-110.
Rahner, Karl, Heilige Schrift und Theologie, in: Ders., Schriften zur Theologie VI, Einsiedeln u. a. 1965, S. 111-120.
Rahner, Karl, Heilige Schrift und Tradition, in: Ders., Schriften zur Theologie VI, Einsiedeln u. a. 1965, S. 121-138.
Rahner, Karl, Frömmigkeit früher und heute, in: Ders., Schriften zur Theologie VII, Einsiedeln u. a. 1966, S. 11-31.
Rahner, Karl, Dogmen- und Theologiegeschichte von gestern für morgen, in: Ders., Schriften zur Theologie XIII, Einsiedeln u. a. 1978, S. 11-47.
Rahner, Karl, Lehramt und Theologie, in: Ders., Schriften zur Theologie XIII, Einsiedeln u. a. 1978, S. 69-92.
Rahner, Karl, Tod Jesu und die Abgeschlossenheit der Offenbarung, in: Ders., Schriften zur Theologie XIII, Einsiedeln u. a. 1978, S. 159-171.

Rahner, Karl, Grundkurs des Glaubens. Einführung in den Begriff des Christentums, Freiburg u. a. 8. Sonderauflage 1997.
Ratzinger, Joseph; Rahner, Karl, Offenbarung und Überlieferung [= QD 25], Freiburg 1965.
Ratzinger, Joseph, Das Problem der Dogmengeschichte in der Sicht der katholischen Theologie, Köln, Opladen 1966.
Ratzinger, Joseph, Theologische Prinzipienlehre. Bausteine zur Fundamentaltheologie, München 1982.
Ratzinger, Joseph, Vorwort zu VAS 152, Bonn 2001.
Sacrosanctum Oecumenicum Concilium Vaticanum II, Constitutiones Decreta Declarationes, Città del Vaticano 1993.
Scheffczyk, Leo, Die Tübinger Schule. Philosophie im Denken der Tübinger Schule: Johann Sebastian Drey (1777-1853), Johann Adam Möhler (1796-1838) und Johann Evangelist von Kuhn (1806-1887), in: Emerich Coreth u. a. (Hg.), Philosophie im katholischen Denken, Graz u. a. 1987, S. 86-106.
Scheffczyk, Leo; Ziegenaus, Anton, Katholische Dogmatik Bd. 1, Aachen 1997.
Schmaus, Michael; Grillmeier, Alois; Scheffczyk, Leo (Hg.), Handbuch der Dogmengeschichte, 7 Bde., Freiburg u. a. 1951ff.
Schmidt-Leukel, Perry, Grundkurs Fundamentaltheologie. Eine Einführung in die Grundfragen des christlichen Glaubens, München 1999.
Schneemelcher, Wilhelm (Hg.), Neutestamentliche Apokryphen in deutscher Übersetzung, Tübingen Bd. 1: $^{6}$1990, Bd. 2: $^{6}$1997.
Schneider, Gerhard (Hg.), Clemens von Rom. Epistola ad Corinthios [= Fontes Christiani Bd. 15], Freiburg u. a. 1994.
Schöllgen, Georg (Hg.), Didache. Zwölf-Apostel-Lehre [= Fontes Christiani Bd. 1], Freiburg u. a. $^{2}$1992, S. 25-139.
Schürmann, Heinz, Das Lukasevangelium. Erster Teil 1,1-9,50 [= HThKNT Bd. 3,1], Freiburg u. a. 1984.
Schulz, Michael, Rahner begegnen, Augsburg 1999.
Seeberg, Reinhold, Lehrbuch der Dogmengeschichte, 4 Bde., Darmstadt $^{2}$1965.
Segundo, Juan Luis, Liberation of Dogma. Faith, Revelation, and Dogmatic Teaching Authority [translated by Phillip Berryman], Maryknoll (NY), 1992.
Söll, Georg, Dogma und Dogmenentwicklung [= Handbuch der Dogmengeschichte Bd. 1 Faszikel 5], Freiburg u. a. 1971.
Splett, Jörg, Gotteserfahrung im Denken. Zur Rechtfertigung des Redens von Gott, Freiburg, München $^{4}$1995.
Strauß, David Friedrich, Das Leben Jesu, kritisch bearbeitet, 2 Bde., Tübingen 1835f.